合格へのアドバイス
～試験の傾向／学習のポイントと対策

基本情報技術者試験は，令和5年4月から，新しい制度で実施されています。
- ・午前試験⇒科目A試験（知識を問う小問形式）
- ・午後試験⇒科目B試験（技能を問う小問形式）

試験の内容や受験方法については，まずはIPAのサイトでの確認をお願いします。
る可能性もあるので，受験日まではこまめにチェックすることをおすすめします。ここでは，2024年8月現在で考えられる試験対策のポイントを紹介します。

 ## 科目A試験の概要／本書で示した難易度と内容

■ 配点と合格点，出題分野

(IPA 発表の資料より)

- ●出題数：問1～60の60問（全問必須）　●試験時間：90分
- ●合格点：科目評価が1000点満点中600点（IRT方式）
- ●出題分野：「シラバス」で示されている，以下の9つの分野から出題されます。
  - 【テクノロジ系】　1. 基礎理論　2. コンピュータシステム　3. 技術要素　4. 開発技術
  - 【マネジメント系】　5. プロジェクトマネジメント　6. サービスマネジメント
  - 【ストラテジ系】　7. システム戦略　8. 経営戦略　9. 企業と法務

- ・「令和6年度 基本情報技術者試験 科目A公開問題」（20問）（2024年7月5日公開）
  https://www.ipa.go.jp/shiken/mondai-kaiotu/sg_fe/koukai/eid2eo0000007g1d-att/2024r06_fe_kamoku_a_qs.pdf
- ・「基本情報技術者試験（科目A試験）サンプル問題（60問）セット（問題）」（2022年12月26日公開）
  https://www.ipa.go.jp/shiken/syllabus/henkou/2022/gmcbt80000007cfs-att/fe_kamoku_a_set_sample_qs.pdf

　「科目A試験」については，旧制度の「午前試験」と同じ対策でよいでしょう。問題数が減り（80問→60問），試験時間が短くなった点（150分→90分）を除き，試験内容に大きな変更はありません。

　したがって対策としては，「午前試験」の過去問題を繰り返し解く学習が効果的です。「令和6年度公開問題」と「サンプル問題」でも，「午前試験」の過去問題と同じ問題，類似した問題が多く出題されています。これらをしっかりと押さえれば，残りの新傾向問題で正解を得られなかったとしても，合格水準まで到達することは可能だと考えられます。

　そのため本書の模擬試験も，「午前試験」で過去に出題されたものを中心に，問題を厳選して作成しています。時間がある方は，ダウンロード特典の過去問題（p.431参照）もぜひご活用ください。

■ 科目A問題の難易度と内容

　本書では，効果的に受験対策が行えるよう，科目A問題の解説に，問題の難易度や内容を示したアイコンを付けています。これを参考に，効率的な準備をしましょう。

●問題の難易度からみた区分

　過去問演習アプリ「DEKIDAS-WEB」（P.431参照）の正答率などを参考に，問題の難易度を3つに分類しています。

★★★ 比較的易しい基本的な問題

　合格のためには，満点を目指したいところです。

★★★ 標準的な難易度の問題

　合格のためには，8割程度は正解したい問題です。

★★★ 正答率が低い応用的な問題

　時間のない方は，対策を後回しにすることも考えましょう。

●問題の内容からみた区分

新シラバス 新シラバス9.0対応の問題

　2024年10月から適用される新シラバス（P.4参照）で追加された用語を取り入れた問題です。

頻出 過去に複数出題されている問題

　同一・類似の問題が出題される可能性が高いため，対策しておけば確実な得点源になります。

パズル 設問をよく読んで理解すると解ける問題

　暗記知識をあまり必要とせず，問題文の理解と基本的な計算などで解答可能な問題です。

科目A試験対策（シラバス9.0対応版）

　基本情報技術者試験は，2024年10月から，新シラバス（Ver9.0）に基づいて実施されます。科目A試験の出題に影響があると考えられるので，受験前には必ず確認しておきましょう。IPAのホームページでは，改訂箇所をわかりやすく赤字で示したシラバスが公開されています。

・基本情報技術者試験（レベル2）シラバス（変更箇所表示版）
　https://www.ipa.go.jp/shiken/syllabus/nq6ept00000014dv-att/syllabus_fe_ver9_0_henkou.pdf

　新シラバスによる試験がまだ実施されていない現時点では，新シラバスの出題割合がどの程度になるかは不明です。本書では「科目Aの60問中5問程度，多くても8問まで」と予想しており，この考えに基づいて新シラバス対応の問題を模擬試験に配置しています。
　なお，科目Bについては，シラバス改訂の影響はないと考えられます。

　過去問題は，学習の時間がそれほどない人でも最低4回分は演習しておきたいもの。かなり前の過去問（旧午前試験）から同一問題が出題されることもよくあるため，比較的時間に余裕のある人や合格可能性を上げたい人は，そこまで遡ってあたっておくとよいでしょう。解説を見ないで独力で正解となるまで繰り返し演習する学習方法が効果的です。

　基本的に，本試験では，苦手な分野の問題や難問は後回しにします。不得意問題に取り組むと，時間が足りなくなるだけでなく心理的にも動揺してしまいます。まずは平常心で，正解できそうな基本問題や得意分野の問題を解き，残り時間で不得意分野の問題や難問に取り組むとよいでしょう。

　以下は分野ごとに，押さえておきたい頻出・重要テーマをまとめました。★の数は，過去の出題傾向とテーマの重要度を踏まえて付与しています。また，各分野について，「サンプル問題（2022年12月26日公開）での出題数」と「新シラバスでの追加用語数」も掲載しているので，学習の参考にしてください。

1. 【テクノロジ系】基礎理論（基礎理論，アルゴリズムとプログラミング）
◎基数変換や論理演算は必須の基礎知識。AI関連の出題が最近は頻出。数学問題増加

　コンピュータによる情報処理の基礎となる考え方や数学，データ構造とアルゴリズムなどを扱っています。実務に関わる分野－たとえばネットワークなどでも必須の知識も含むので，しっかり理解しておきたい分野です。

（サンプル問題：9問出題／新シラバスでの用語追加：86個）

テーマ	重要度	出題傾向や学習のポイント
基数表現とその演算	★★★	基数表現とその演算（基数変換，補数表現，シフト演算，論理演算など）は，コンピュータを学ぶ上での基礎なのでしっかり理解し，演算ができるようにしておきたい。過去問からの出題が多いテーマなので，過去問演習での慣れが効果的。
応用数学	★★★	確率や統計，統計分析の手法などは今後出題増加が予想される。基礎知識を身につけるとともに，例題や過去問を解いて理解しておきたい。過去問対策が有効。線形代数や行列も出題が予想される。
オートマトン	★★	遷移によりどう状態が変化するか，状態遷移図を読み取る思考問題。過去問で確認を。
AI	★★★	新シラバスで出題範囲が大幅に拡大。AI，ディープラーニング，機械学習に加えて，「自然言語処理，音声・画像・動画の認識・合成・生成などへの応用」という項目が追加されている。今後，さらなる出題増が予想される重要テーマ。
プログラミング言語の特徴	★	JavaScript，Javaサーブレット，Javaアプレット，マークアップ言語などの特徴を押さえる。
制御方式	★★	フィードバック制御，フィードフォワード制御，シーケンス制御の特徴を押さえる。

Fundamental Information Technology Engineer

令和 **07** 年

基本情報技術者

パーフェクトラーニング

過去問題集

山本三雄・著

技術評論社

CONTENTS

※注意

　「令和6年度」とは，2024年7月5日にIPAより公開された「令和6年度 基本情報技術者試験 公開問題」をベースに，問題を追加してフルセット（本試験と同じ出題数）にしたものです。

　「対策問題①・②・③」は，IPAより公開されている情報をもとに，新制度試験の形式に合わせて作成した模擬問題です。

スタックとキュー	★★	プッシュ・ポップによるデータ操作の思考問題が頻出。
2分探索木	★★	2分探索木の特徴を踏まえた判断・思考問題。特徴を理解していれば難易度は低い。
アルゴリズム	★	新シラバスでは，自然言語処理アルゴリズムが追加された。具体的な用語としては，形態素解析，構文解析，文章間類似度などを押さえておきたい。なお，代表的な整列・探索のアルゴリズムの出題は，今後も継続すると予想される。

○**攻略のコツ**

　数学が苦手な方は，過去問演習に集中して出題に慣れ，少しでも得点できるようにしておきたいもの。過去問演習に取り組む他，基本情報技術者試験の参考書や本書掲載の「よく出る計算問題と重要公式」などを見直すとよいでしょう。また，本試験では電卓が使えないため，紙と筆記用具で速く正確に計算できるようにしておきたいものです。

　理解に時間が掛かりそうな場合は，その学習時間を他の分野に回すことも考慮し，合格ラインの点数をとるための方策を優先するほうが得策かもしれません。

2.【テクノロジ系】コンピュータシステム
◎稼働率の計算が頻出。OSの機能に関しては具体的な思考問題が出題される

　この分野は，以下の4つの中分類からなります。コンピュータを構成するハードウェアや，OSの機能などのソフトウェア関連，複数のコンピュータのシステム構成やシステムの信頼性に関して出題されます。

●**コンピュータ構成要素／システム構成要素**（サンプル問題：6問出題／新シラバスでの用語追加：12個）

テーマ	重要度	出題傾向や学習のポイント
プロセッサ	★★★	クロック周波数や平均命令実行時間，MIPSの計算問題が頻出。公式を覚えるとともに，過去問で出題パターンに慣れておくとよい。
メモリ	★★★	DRAM，SRAM，EEPROM，フラッシュメモリの特徴などを問う問題が頻出。キャッシュメモリの役割も理解しておきたい。
システムの構成	★★	デュアルシステムとデュプレックスシステム，ホットサイト，ウォームサイト，コールドサイトなど，紛らわしい用語は，その違いを把握しておくこと。
RAID	★★★	RAIDのレベルごとの特徴（ストライピングやミラーリングなど）を押さえておく。
稼働率の計算	★★★	直列と並列接続の公式を実際の問題に適用できるように過去問題で演習しておきたい。出題パターンは安定しているので数学が苦手の人でもしっかりマスターしてほしい。
入出力インタフェース	★★	USB規格の種類を差込口の形状などから問う出題は新傾向。新しい規格のインタフェースには注意したい。
システムの処理形態	★★	クライアントサーバシステム，シンクライアントシステムなどのシステムの特徴を押さえておく。
入出力装置	★★	代表的な表示装置の種類や特徴が問われる。画像のデータ容量に関連する計算はマスターしておきたい。新シラバスでは，ヘッドマウントディスプレイ，アイトラッキングデバイス，ハプティックデバイスなどが追加されている。
システムの信頼性設計	★★	フォールトトレラント，フェールセーフ，フェールソフト，フールプルーフなどの用語が頻出。
システムの評価指標	★★	スケールアップ，スケールアウトの考え方，性能を表す指標についてやキャパシティプランニングなどを押さえておく。

○**攻略のコツ**

　新シラバスで追加された用語の数は全体の約2.3%であり，今後も比較的定番化した問題が出題されていくと考えられます。たとえば，MIPSや稼働率の計算問題などは定番化した問題だといえます。計算問題は公式をしっかりと覚えて

おけば確実に解答できます。また，メモリの特徴やシステムの構成の違いなどもよく出題されます。用語レベルでしっかりと理解しておくことで高得点を狙えます。やはり，過去問演習を確実に行う対策が効果的な分野のひとつです。

●ソフトウェア／ハードウェア（サンプル問題：4問出題／新シラバスでの用語追加：6個）

テーマ	重要度	出題傾向や学習のポイント
OSの種類と特徴	★	ソフトウェアの体系におけるOSの位置付けと，OSの種類・特徴が問われます。新シラバスでは，モバイル端末用OS，セキュアOS，クラウドコンピューティング用OSが追加されています。
ページ置換えアルゴリズム	★★★	仮想記憶管理でのページ置換えアルゴリズム（FIFO，LRUなど）による思考問題は頻出。過去問演習で理解を深めたい。スラッシングの発生状況に関する出題などもあり。
タスクのスケジューリング	★★★	優先度の異なる複数のタスク処理の問題は，図に描くことで正解が得られる。方眼紙などを使って丁寧に描く練習を一度しっかり行うことで理解が増す。スプーリングも頻出用語。
割込み	★★★	内部割込みか外部割込みかを問う問題が頻出。割込みの種類を理解しておく。
データ管理・ファイルシステム	★★	ハッシュ法によるファイル編成や，ディレクトリによるファイル管理などが出題。絶対パス指定と相対パス指定を理解する。ファイルのバックアップ方式も押さえておきたい。
開発ツールの種類と特徴	★	IDEなどの代表的な開発ツールの種類・特徴が問われる。新シラバスでは，ローコードツール，ノーコードツールなどが追加されている。
言語処理ツール	★★	ソースプログラム，コンパイラ，リンカ，ローダの関係を把握しておく。コンパイラやインタプリタなどの特徴を問う問題も出る。
OSS	★★	OSSの定義や特徴，どの製品がOSSかなどが出題。
論理回路	★★★	論理回路の問題は定番のひとつ。論理演算の真理値表を理解し，論理回路（AND，OR，NOT，XOR，NAND）の入力と出力の値がわかるように演習しておくことがポイント。フリップフロップ回路の特徴も押さえておく。

○攻略のコツ

　さまざまなOSの機能（仮想記憶管理，タスク管理，ファイル管理など）に関しては，具体的な思考問題が出題される傾向があります。頻出テーマを中心に過去問演習に十分時間をかけて得点力を上げるよう学習しましょう。

　論理回路は定番化した問題です。確実に得点できるよう過去問演習を重ねておきたいものです。

3.【テクノロジ系】技術要素
◎セキュリティは科目Bでも必須。データベース，ネットワークともに基礎をしっかりと

　この分野は，テクノロジ系の中で具体的な技術内容が問われ，旧制度の「午前試験」では出題数も全体の30%弱を占めていました。次のような独立した分類からなりますが，それぞれの出題数には大きな差があります。

- ・ユーザーインタフェース／情報メディア
- ・データベース
- ・ネットワーク
- ・セキュリティ

●ユーザーインタフェース／情報メディア（サンプル問題：1問出題／新シラバスでの用語追加：38個）

テーマ	重要度	出題傾向や学習のポイント
ユーザーインタフェース（UI）	★	インタフェースを実現する技術の種類・特徴が問われる。グラフィックスを用いた視覚的な表示や，GUIの特徴・画面設計・使用される構成部品などを理解しておきたい。

UX/UIデザイン	★★	UXデザインと情報デザインの考え方と基本的な手法がポイントになる。UXデザインの五段階モデルやデザインの原則など，多くの用語が新シラバスで追加されている。
画像処理の手法	★★	用語問題として，アンチエイリアシング，シェーディング，テクスチャマッピング，バンプマッピングなどの特徴が問われる。
マルチメディア技術	★★	ファイル形式，圧縮・伸長などに注意。静止画のファイル形式はJPEG，動画ではMPEGなどがあるが，特徴などを理解しておく。
マルチメディア応用	★★	新シラバスで多数の用語が追加されており，重要度が上がった。定番の「ARとVRの違い」などに加えて，光・色の3原色，dpi，ppi，XR，MR，メタバース，ホログラムなどを押さえておきたい。

○攻略のコツ

　ほぼ用語問題なので，頻出用語を押さえておく学習で十分です。普段PCを使っていれば常識的にわかるような用語もあります。問題数は少なくとも覚えておけば確実に解けるレベルの分野なので，得点源となります。

●データベース（サンプル問題：4問出題／新シラバスでの用語追加：22個）

テーマ	重要度	出題傾向や学習のポイント
データベースの種類と特徴	★★	代表的なデータベースの種類を押さえる。定番のRDB（関係データベース）などに加えて，新シラバスでは分散データベースやキーバリュー型データベースなどが追加されている。
データモデル	★	データモデルの特徴やUMLによる多重度の表記などを押さえておく。
データの正規化	★★	第1正規化から第3正規化までを例で理解しておく。
SQL	★★★	出題されるSQL文は基本的なものなので，構文を正確に理解しておくことが重要。よく出るSQLの構文を過去問演習でしっかりマスターしておく。
関係データベースの操作	★★	結合，射影，選択の理解がポイント。特に，射影と選択が混同しやすい。
ロック	★★★	ロック，専有ロック，共有ロックの意味を正確に理解する。合わせて排他制御を押さえておく。
関数従属性	★★	実例で理解する対策が有効。過去問で確認を。
ACID特性	★	ACIDは，4つの単語の頭文字を並べた用語。意味を押さえる。
トランザクション処理	★★	類似用語で混同しやすいロールフォワードとロールバックの違いをしっかりと確認する。
データベースの性能向上	★★	新シラバスで追加された項目が多い。データベースへのアクセス効率向上のために，インデックスを有効に活用する考え方を理解する。

○攻略のコツ

　他の分野やテーマと同様に，頻出・重要テーマに学習時間を割きましょう。データベースの出題範囲は他分野より狭いので，確実に自力で解けるようになるまで繰り返し過去問演習を続けます。

●ネットワーク（サンプル問題：5問出題／新シラバスでの用語追加：12個）

テーマ	重要度	出題傾向や学習のポイント
OSI基本参照モデルとLAN間接続装置	★★★	OSI基本参照モデルの各層に対応させたLAN間接続装置を答える問題が頻出。ゲートウェイ（トランスポート層以上），ルータ（ネットワーク層），ブリッジ・スイッチングハブ（データリンク層），リピータ（物理層）についてしっかり結びつけて覚えておくこと。
パケットフィルタリング	★★★	アクセスを許可するポート番号と絡めた出題が頻出。フィルタリングの仕組みを理解しておくとともに，主なポート番号についても押さえておきたい。

テーマ	重要度	出題傾向や学習のポイント
IPアドレスの割り振り	★★★	IPアドレス, ネットワークアドレス, ブロードキャストアドレス, サブネットマスクの関係とアドレス割り振りについては過去問演習で確実にマスターしておきたい。IPアドレスは, 科目Bでは問題文の理解に必要な前提知識である。
通信プロトコル	★★★	メール関係のプロトコルとしてSMTP, POP3, MIMEが頻出。ARP, DNS, DHCP, FTP, TCP, UDP, NTPなどもよく出る。それぞれの役割をしっかり把握する。これらの略語はフルスペルの正式名称とその意味を一緒に学習することが攻略のコツ。
通信コマンド	★	arp, pingが出題。arpとともにMACアドレスの役割と構成も押さえておく。新シラバスでは, tracerouteなどが追加された。
アドレス変換	★	NAPTやNATの役割が問われる。プライベートIPアドレス, グローバルIPアドレスの意味と合わせて理解を。
モバイル通信サービス	★	モバイル通信サービスの種類や特徴を理解する。新シラバスでは, ローカル5G, eSIMが追加された。

○**攻略のコツ**

　ネットワークは技術進展が速いテーマのひとつですが, 過去問を見ても比較的安定的に類似テーマが出題されます。新規テーマも散見されますが, 出題されるかどうかわからない新規テーマを学習するよりは, 過去問の類似問題を確実に解けるよう学習したほうが得点につながります。

●**セキュリティ**（サンプル問題：8問出題／新シラバスでの用語追加：55個）

テーマ	重要度	出題傾向や学習のポイント
攻撃手法	★★★	重要度は3つ星超えだが, ほとんど用語問題として出題される。SQLインジェクション, クロスサイトスクリプティング, ブルートフォース攻撃, DoS攻撃, ボット, DNSキャッシュポイズニング, ポートスキャン, ディレクトリトラバーサル, ソーシャルエンジニアリングなどが高頻度で出題。さらに新シラバスでは, ディープフェイク, 敵対的サンプル, プロンプトインジェクションなど, 多くの攻撃手法が追加された。
暗号技術	★★★	公開鍵暗号方式や共通鍵暗号方式の仕組みをふまえた出題が頻出。用語レベルでは暗号方式の規格（RSA, AES, SHA-256など）の特徴が問われる。新シラバスでの用語追加は少なく, 過去問演習が効果的。
公開鍵基盤（PKI）	★★★	公開鍵を使用したディジタル署名の目的や仕組みを, ディジタル証明書や認証局（CA）の役割とともに理解する。新シラバスでは, トラストアンカー, 中間CA証明書などが追加された。
情報セキュリティ対策	★★★	WAFが用語レベルで問われる。DMZ, ファイアウォールはネットワーク構成とともに理解しておくことが科目B対策にも有効。新シラバスでは, ランサムウェア対策, SBOMを利用した脆弱性管理, AIを使ったセキュリティ技術などが追加された。
セキュアプロトコル	★★★	SSH, TLS, HTTPSなどの出題頻度が高め。
リスクアセスメント	★★★	リスクアセスメントのプロセスや内容が頻出。過去問での問われ方を押さえる。
情報セキュリティ組織	★	CSIRTが頻出の傾向。
認証・認可技術	★	生体認証や二要素認証の出題が多め。認証の種類と特徴を過去問演習で理解する。認証のプロトコルSMTP-AUTHなども出題。新シラバスでは, スパム対策（ベイジアンフィルタリング, 送信元ドメイン認証, DMARC）などが追加された。

○**攻略のコツ**

　出題数が多い重要分野なので, 十分な学習をしておく必要があります。応用情報やセキュリティ関係の他試験区分から出題される新しい項目も多い分野です。英字略語については, 必ずフルスペルの単語の意味も一緒に覚えることが重要。セキュリティの重要性は年々増加しています。実社会でも役立つ内容なので, しっかり学習しましょう。

4. 【テクノロジ系】開発技術

◎オブジェクト指向やXP，テスト手法が重要頻出テーマ

　システム開発関連を扱った分野。学習を進める際は，システム開発の要件定義からテストまでの大きな流れを確認しながら，各段階での考え方や用いられる手法の詳細を理解していきましょう。用語レベルでの出題が比較的多い分野なので，基本用語の意味や特徴はしっかり押さえておきたいものです。

（サンプル問題：4問出題／新シラバスでの用語追加：45個）

テーマ	重要度	出題傾向や学習のポイント
オブジェクト指向設計	★★★	用語問題として問われる。クラスとインスタンス，カプセル化，インヘリタンス，特化-汎化，分解-集約，オーバーライド，ポリモーフィズムなどの意味を押さえる。
業務分析の手法	★★	E-R図やDFDの読み解き問題が出題。過去問演習で理解を深める。
レビューの手法	★	インスペクション，ウォークスルーなどの特徴を押さえる。
アジャイル開発	★★★	エクストリームプログラミング（XP）の特徴を問う問題が頻出傾向。ペアプログラミング，リファクタリング，テスト駆動開発の意味をしっかり理解しておく。
モジュール	★★	モジュール結合度，モジュール強度がポイント。各々の種類と強弱，特徴を押さえておく。
信頼性設計	★★	信頼性設計の基本用語の意味が問われる。フェールセーフ，フェールソフト，フールプルーフなどの違いをしっかり把握する
テストの手法	★★★	ソフトウェアユニットテストでは，ホワイトボックステストとブラックボックステストの特徴を押さえる。それぞれのテストデータ問題（網羅基準や同値クラス）も頻出。過去問演習でしっかりと理解を。結合テストでは，ボトムアップテストやトップダウンテストで使われるスタブ，ドライバが問われる。
開発プロセスの手法	★	リバースエンジニアリング，フォワードエンジニアリング，リエンジニアリングなどが出題。
ドメイン駆動設計（DDD）	★	新シラバスで追加された項目。ドメイン駆動設計の考え方，手順，手法を理解する。ドメイン，ドメインモデル，ドメインロジック，ユビキタス言語などの用語が追加されている。
ソフトウェア開発手法	★★	DevOps，ローコード／ノーコード開発などが新シラバスで追加されている。各開発手法の特徴や利点，留意事項を確認しておく必要がある。

○攻略のコツ

　新技術に関する出題は多くありません。繰り返し出題される問題が多いので，過去問演習が効果的な対策です。

5. 【マネジメント系】プロジェクトマネジメント

◎アローダイアグラム（PERT図）は定番。得点源となるので確実に理解を

　「アローダイアグラム（PERT図）」で日程を求める問題やファンクションポイント法による計算問題が頻出です。これらの出題パターンは定番化しているので，過去問で演習を重ねて確実に解けるようにしておきましょう。

（サンプル問題：3問出題／新シラバスでの用語追加：1個）

テーマ	重要度	出題傾向や学習のポイント
プロジェクトの日程管理	★★★	アローダイアグラム（PERT図）はほぼ毎回出題され，出題パターンも安定しているので過去問で演習を重ねて慣れておきたい。進捗管理のガントチャート，トレンドチャートも出題あり。

プロジェクトのコスト見積手法	★★	ファンクションポイント法や標準タスク法による計算問題が出題。解き方を押さえておく。
プロジェクトのスコープ	★★	WBSが頻出用語。スコープの目的なども出題。
プロジェクトのリスクマネジメント	★★	手順（リスクの特定→評価→対応→管理）や，リスクへの対応戦略が頻出。好機と脅威それぞれの対応戦略の内容は押さえておきたい。
プロジェクト品質管理・評価の手法	★★	信頼度成長曲線（バグ曲線），パレート図，散布図，特性要因図の特徴や目的を押さえる。

○攻略のコツ

　ほぼ毎回出題されるアローダイアグラム（PERT図）は，要点を知っておけば比較的容易に正解できる問題です。頻出用語が少なめで，過去問の知識で得点できる問題も多いため，ポイントを絞った学習で高得点を目指しましょう。

6.【マネジメント系】サービスマネジメント／システム監査
◎ガイドラインのITILの内容の理解を。出題の半分はシステム監査に関するもの

　サービスマネジメントとシステム監査からなる分野から出題されます。それぞれの分野で基準とするITIL，システム監査基準やシステム管理基準の内容は大まかに押さえておきましょう。

（サンプル問題：4問出題／新シラバスでの用語追加：8個）

テーマ	重要度	出題傾向や学習のポイント
サービスマネジメントプロセス	★★	サービスレベル合意書（SLA）に基づいた具体的なITサービスの稼働時間の問題や，インシデント管理の具体例などが出題。過去問演習で理解しておきたい。
サービスデスク	★★	ローカルサービスデスク，中央サービスデスク，バーチャルサービスデスクの特徴を問う問題が出題。ポイントの整理を。
ファシリティマネジメント	★	サージ防護（保護）デバイス，UPS，ミッションクリティカルシステムなどが出題。
システム監査	★★★	システム監査のふさわしい実施内容や，監査人の独立性に関する判断問題。新シラバスでは，クラウド情報セキュリティ管理基準などが追加された。
パフォーマンス評価及び改善	★	新シラバスでは，KPI，KGIなどが追加された。

○攻略のコツ

　システム監査については，実施内容や監査人の独立性に関する判断問題，監査報告先などが問われます。

　なお，「システム監査基準」及び「システム管理基準」との整合性を高めるための表記変更がありましたが（2023年7月10日），試験で問われる知識・技能の範囲そのものに変更はありません。

7.【ストラテジ系】システム戦略
◎企業のシステム戦略に関する分野。英字略語で示される用語が多い

　業務システムの種類や業務プロセスに関する手法，ソリューションビジネスの形態など，英字略語で示された用語の特徴が問われることが多い分野です。

（サンプル問題：3問出題／新シラバスでの用語追加：11個）

テーマ	重要度	出題傾向や学習のポイント
情報システム戦略	★★★	エンタープライズアーキテクチャ（EA）の4つの分類の内容が頻出。ITポートフォリオ，ERP，POS，CRM，SCMの特徴なども問われる。

共通フレーム	★★	システム開発のある工程が，共通フレームで定義されているプロセスのどの段階にあたるかなどが出題。
業務プロセス	★★	BPR，BPO，BPMが頻出。類似の略語は，混同しないよう意味をしっかりと把握する。
ソリューションビジネス	★★	SOA（サービス指向アーキテクチャ）が頻出。SaaS，PaaS，ホスティングサービス，ハウジングサービスなどは要確認。新シラバスでは，ソブリンクラウド，クラウドネイティブ，クラウドバイデフォルトなどが追加された。
システム活用	★★★	BYOD，BI，ディジタルディバイド，ナレッジマネジメントが頻出用語。最近では，ビッグデータの活用事例なども。
システム企画	★★	開発費用対効果に関する計算問題などが出題。要件定義では，機能要件・非機能要件に該当する要件を押さえる。
調達計画・実施	★★	調達の手順やRFI，REPの理解を。グリーン調達（購入），CSR調達が用語問題として出題。

○**攻略のコツ**

　類似の英字略語の用語が多く，うろ覚えでは本試験で混乱することもあるでしょう。学習の際は必ずフルスペルで単語の意味を捉えてその特徴をセットで把握し，理解しておくこと。用語の理解が得点源なので，隙間時間でこまめに目を通して覚えるようにしておくとよいでしょう。過去問を多くこなしておくことで知識の定着が期待できます。時間的な余裕がある場合は過去10回程度の演習をおすすめします。

8. 【ストラテジ系】経営戦略
◎**情報システムを含めた全社的な経営戦略や手法を扱う分野。用語問題が多い**

　経営戦略やマーケティングなどでは出題テーマや頻出用語は限られています。eビジネスでは新しい手法や用語もよく出題されています。

（サンプル問題：5問出題／新シラバスでの用語追加：88個）

テーマ	重要度	出題傾向や学習のポイント
経営戦略・経営分析の手法	★★★	コアコンピタンス，競争戦略，SWOT分析，成長マトリクス，プロダクトポートフォリオマネジメント（PPM），ベンチマーキングなどが高頻度で出題。それぞれの特徴や図での表現を理解しておく。
マーケティング	★	4Pと4C，マーケティングミックス，コストプラス法，プロダクトライフサイクルなどが出題。新シラバスでは，コンジョイント分析，カスタマージャーニーマップ，ペルソナ，参加型デザイン，サービスブループリントなどが追加された。
Webマーケティング戦略	★★	インターネット及びWebメディアによる広告，販売促進などの考え方と，効果的な活用方法を理解する。新シラバスでは，リスティング広告，成功報酬型広告，SEO，A/Bテストなど，多くの用語が追加されているので要確認。
ビジネス戦略と評価	★	バランススコアカードの4つの視点や戦略マップの理解を。
経営管理システム	★★★	ERP，SFA，CRMなどが頻出用語。
技術開発計画	★	コンカレントエンジニアリング，技術のSカーブなど。
エンジニアリングシステム	★★	MRPや生産方式（ライン，セル，JIT，かんばん方式）の特徴を理解。
eビジネス	★★★	用語問題が多いテーマ。RFID，B to B，EDI，CGM，ロングテール，アフィリエイトの意味と特徴を押さえておく。仮想通貨，ブロックチェーン，Fintech，クラウドソーシング，クラウドファンディングなど新しい用語の出題も増加。新シラバスでは，アカウントアグリゲーション，eKYC，AML・CFTソリューションなどが追加された。

AIの利活用	★★	新シラバスで追加された項目。「人間中心のAI社会原則」などの基本原則・ガイドラインから，フレーム問題，アルゴリズムのバイアス，ハルシネーションといったAI関連のキーワードまで，多くの用語が追加されている。

○**攻略のコツ**

　経営戦略や分析の手法では，図の理解もポイントです。たとえば，プロダクトポートフォリオマネジメント（PPM）では，4つの分類「花形，金のなる木，負け犬，問題児」が図のどこに当たるのかが問われます。システム戦略分野と同様に，隙間時間を使って用語を理解する対策をおすすめします。

9. 【ストラテジ系】企業と法務
◎定番問題も多い分野。効率的な学習で高得点が期待できる

　企業活動や法律関係などの業務の周辺知識を扱う分野で，出題テーマは，比較的安定しています。技術者の方は学習を後回しにしたくなる分野かもしれませんが過去問からの出題も多く，効率的な学習で高得点が期待できます。

（サンプル問題：4問出題／新シラバスでの用語追加：130個）

テーマ	重要度	出題傾向や学習のポイント
経営・組織	★★	経営層を示す英字略語（CEO，CTO，CFO，CLOなど）のなかで，CIO（最高情報責任者）の役割が問われることがほとんど。プロジェクト組織，事業部制組織，カンパニー制組織が頻出。特徴の理解を。
社会におけるIT利活用の動向	★	新シラバスで追加された項目。第4次産業革命，Society5.0，超スマート社会，データ駆動型社会，デジタルトランスフォーメーション（DX）などの用語が追加されている。
業務分析・データ利活用	★★	OR・IEより名称変更。バスタブ曲線，親和図法，ABC分析などの手法と特徴を図とともに理解する。新シラバスで追加された項目としては，データ利活用（データの収集，データの加工・分析，データ分析における統計的手法，図表やグラフによるデータの可視化）など。余裕があれば，統計やデータサイエンスの基本を教科書でしっかり学習しておきたい。
会計・財務	★	キャッシュフロー，貸借対照表，損益計算書の概要を理解しておく。
労働契約	★★	派遣，請負，出向の特徴と指揮命令権がどこにあるかを押さえておく。
知的財産権	★★★	著作権法，不正競争防止法，特許権などの内容が問われる問題が頻出。
官民データ活用推進基本法	★	新シラバスで追加された項目。官民データ活用推進基本法の目的は最低限押さえおきたい。
情報倫理・技術者倫理	★	新シラバスで追加された項目。情報の不適切な利用から利用者を保護する法令や，マナーに関する情報倫理などについて理解しておく。

○**攻略のコツ**

　会計・財務については，入門的な知識で解ける問題ばかりです。企業の経営状態がわかる集計表のようなものですから，実社会でも役立つ内容です。ぜひこの機会にマスターすることをお勧めします。

　知的財産権については，法律の主旨や目的，概要などをしっかり理解したうえで，具体的に問われる内容については，過去問で確認し演習を重ねましょう。

科目Ｂ試験の概要／本書で示した難易度と内容

「科目Ｂ試験」の形式は，旧制度の「午後試験」から大きく変更されています。試験要綱とシラバスをよく確認しておきましょう。

■ 配点と合格点，出題分野

(IPA 発表の資料より)

- ●**出題数**：問1～20の20問（全問必須）　●**試験時間**：100分
- ●**合格点**：科目評価が1000点満点中600点（IRT方式）
- ●**出題分野**：
  ■アルゴリズムとプログラミング分野（16問）
  ・プログラミング全般に関わること
  ・プログラムの処理の基本要素に関わること
  　（型，変数，配列，代入，算術演算，比較演算，論理演算，選択処理，繰返し処理，手続・関数の呼出し など）
  ・データ構造及びアルゴリズムに関すること
  　（再帰，スタック，キュー，木構造，グラフ，連結リスト，整列，文字列処理 など）
  ・プログラミングの諸分野への適用に関すること
  　（数理・データサイエンス・AIなどの分野を題材としたプログラム など）
  ■情報セキュリティ分野（4問）
  ・情報セキュリティの確保に関すること

- ・「令和6年度 基本情報技術者試験 科目B 公開問題」（6問）（2024年7月5日公開）
  https://www.ipa.go.jp/shiken/mondai-kaiotu/sg_fe/koukai/eid2eo0000007g1d-att/2024r06_fe_kamoku_b_qs.pdf
- ・「基本情報技術者試験（科目B試験）サンプル問題（20問）セット（問題）」（2022年12月26日掲載）
  https://www.ipa.go.jp/shiken/syllabus/henkou/2022/gmcbt80000007cfs-att/fe_kamoku_b_set_sample_qs.pdf

■ 科目Ｂ問題の難易度と内容

まずは，最新の過去問題に近い役割を果たしていると考えられる「令和6年度公開問題」に取り組むことをおすすめします。

しかし「科目Ｂ試験」の対策として，これだけでは不安が残ることでしょう。そこで本書では以下の推測に基づき，対策問題①・②・③の「科目Ｂ試験」を作成しました。

まず，「科目Ｂ試験」の出題分野の項目は，「午後試験」と重なっている部分が目につきます。したがって，形式は大きく変わっても，「出題される内容は旧制度試験の過去問題とある程度類似しているのではないか」と予想しています。

また，採点がIRT方式に変更されたことで，さまざまな難易度の問題を出題しても，公平な採点が可能になるはずです。

以上より，本書では公開されている問題の出題傾向を踏まえつつ，「旧制度試験の過去問題を参考に作成した，科目Ｂ試験対応の問題を演習することが，現状では最善の対策」と考え，「難易度にある程度差がある問題」を模擬試験として集めました。

科目Ｂの問題には，難易度を表す以下のアイコンが付いています。

★★★ 基礎となる技能が問われており，出題が十分予想される内容です。満点を目標にして，最低でも90％の正解率は確保できるようにしましょう。

★★★ やや難易度が高く，試験結果を左右すると考えられる問題です。合格のためには80％を目標にして，最低でも70％は正解したいところです。1問程度であれば，苦手分野の問題は捨ててしまってもよいかもしれません。

★★★ 長い学習時間が必要な高難易度の問題です。合格のみが目標なのであれば深入りせず，割り切って捨てることも考えましょう。「基本」「標準」でしっかり得点できれば，合格レベルには十分届くはずです。

擬似言語によるアルゴリズムの学習方法

科目Bの大半を占める擬似言語によるアルゴリズムには，苦手意識を持っている方が多いかもしれません。それには次のような理由があると，筆者は考えています。

- 科目Aや科目Bのセキュリティ分野：「解説がわかる」＝「独力で解けるようになる」
- 科目Bのアルゴリズム分野：「解説がわかる」≠「独力で解けるようになる」

テレビ中継の解説を聞いただけで野球は上手くならないように，アルゴリズムの問題を解くには「練習」が必要なのです。

そこでここでは，主に学習をはじめたばかりの方に向けて，おすすめの練習方法を紹介します。なお，アルゴリズムが得意な方は，模擬試験として問1から順番に解いていただいても，もちろんよいでしょう。

【ステップ1】 解説を参考に「基本」（★）問題のプログラムをトレースする

最初は，「基本」問題だけに取り組みます。青ボールペン，3色程度の色違いのラインマーカ，シャーペン，消しゴム，ノートか白い紙，そして本書を用意してください。

まずは青ボールペンを使って，ノートか白紙にプログラムを書き写します。プログラム中の空欄には，正解を初めから入れておきましょう。繰返し処理，選択処理の命令の行の後は，3行程度スペースを空けます。それ以外は，1行スペースを空けてください。また，同じ変数には同じ色を使い，ラインマーカで変数に色を付け

ます。

準備ができたら，プログラムをトレースしていきましょう。トレースとは，プログラムの動作によって変数の中の値がどのように変化するかを書き出すことです。変数の下に，黒のシャーペンで値を書き入れます。ループ処理の場合は回数がわかるように，ループの1回目を①，2回目を②としていきましょう。このとき重要なのは，自分でトレース結果を理解したうえで，納得することです。

【ステップ2】 独力で「ステップ1」のプログラムをトレースする

ステップ1と同じ問題を使い，今度は，独力でのトレースにチャレンジします。少し時間がかかっても構いません。可能であれば，紙に書かないで，頭の中だけで考えるのにも取り組んでみましょう。

この学習方法で，「基本」のプログラムをすべてマスターするころには，「アルゴリズム，できるかもれない！」と自信がつき始めていると思います。実際に問題を解いてみても，自力でプログラムを理解できる力があれば，空欄に入る選択肢は簡単にわかるはずです。

ステップ2を乗り越えられず諦めてしまう方も多いので，ぜひこの段階まで粘り強く学習を続けてください。

【ステップ3】 「標準」（★★）問題に取り組む

「標準」問題は文章・プログラムが長く，難易度が上がりますが，学習方法はこれまでと変わりません。「基本」問題と同じように，トレースでプログラムを理解することに努めましょう。

ただし，本試験ではモニター上で問題を解くため，プログラムに直接書き込むことができません。メモ用紙と筆記用具が貸与されるかと思うので，これを使ってト

レースは可能ですが，試験時間を考えると「標準」問題レベルのプログラムをすべて書き写すのは無理があるでしょう。

そこで，「標準」レベルの問題を突破するには，特に次の3点が重要になってきます。

① 選択肢で使われている変数に注目する

選択肢の変数だけでもメモ用紙を使って正確にト

レースできれば，選択肢を消去法で絞り込めます。

② 処理する具体的なデータを適当に考えてみる

　問題文で与えられている場合は，その例を使用します。プログラムの処理内容を理解しながら，選択肢の変数を中心に値の変化を追っていきます。

③ 大きな塊でプログラムを捉える

　if文だと，条件式に注目し，真の場合，偽の場合で，

どのような処理の塊を実行しているのかを先につかみます。繰返し処理でも同じ考え方が使えます。

　これらは，問題を解くコツとして，本書の解説中でも頻繁に出てきます。具体的な問題にあたって，ぜひ身につけてください。この段階をクリアできれば，試験の合格が確実に見えてくるはずです。

【ステップ4】　「難問」（★★★）に挑戦する

　ステップ3までの学習をしっかりやってきた方は，「難問」レベルにも挑戦してみましょう。問題文が長文ですが，ポイントを押さえれば，それほど難しさを感じないはずです。本試験で出題された場合，合格のために

は「捨てる」判断もありうるレベルかもしれませんが，将来情報系の仕事を希望している学習者はぜひステップ4まで克服してください。

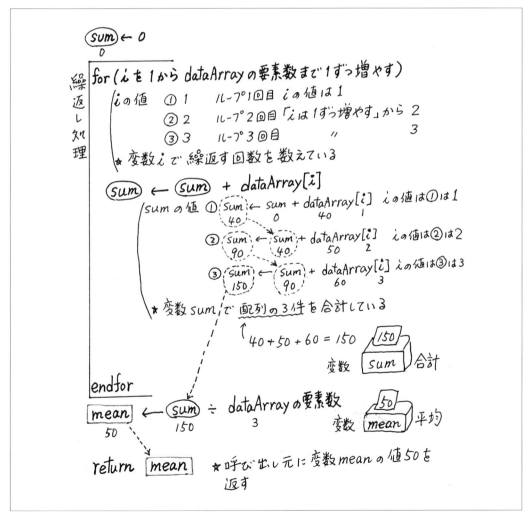

▲「ステップ1」で行う，プログラムのトレース練習の例。ここでは囲みや点線で変数を区別しているが，実際には色を使うとわかりやすい。面倒に感じるかもしれないが，自分の手を動かすことで着実に力がついていく。

科目Bのポイント集

科目Bで出題される試験問題の記述方法については，IPAが公開している「試験で使用する情報技術に関する用語・プログラム言語など」(Ver.5.1)という資料を確認しましょう。この資料の「別紙2」(4ページ目)，「擬似言語の記述形式」(基本情報技術者試験用)で，記述形式が整理されています。受験にあたっては，この形式に慣れておく必要があります。

● 試験で使用する情報技術に関する用語・プログラム言語など (Ver.5.1)
https://www.ipa.go.jp/shiken/syllabus/doe3um0000002djj-att/shiken_yougo_ver5_1.pdf

ここでは「擬似言語の記述形式」に準拠しながら，主に学習を始めたばかりの方に向けて，科目Bの問題を解く上での基礎知識を紹介します。

1. 変数

変数とは，整数などの値を保存する箱のようなものです。変数に付けられた名前を，変数名といいます。

[例] 変数と変数名のイメージ

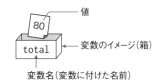

値

変数のイメージ(箱)

変数名(変数に付けた名前)

2. 型

型とは，変数の中に入るデータの種類のことです。重要な型としては，次のようなものがあります。プログラムが扱うデータの種類としては，「整数」「実数」「論理」「文字」などがあります。

なお，文字や文字列は，""で囲む必要があります("基", "abc", など)。

主な型	簡単な説明
整数型	小数点がない数のみが入る(−1, 0, 100, など)
実数型	小数点がある数も入る(−2.0, 3.14, など)
論理型	真(True)と偽(False)のどちらかが入る
文字型	1文字が入る("基", "a", など)
文字列型	文字列が入る("基本合格", "abc", など)
整数型配列	整数を要素に持つ配列が入る([例2]参照)
文字型配列	文字を要素に持つ配列が入る([例2]参照)

[例1] 変数の型を宣言する(変数には宣言した型に対応したデータのみが入る)

整数型：k, jmax
実数型：rate
論理型：SW
文字型：name
整数型配列：B
文字型配列：C

[例2] 型の宣言と同時に配列に値を代入する

整数型配列：bill ← {10000,5000,1000,500,100,50, 10,5,1}
文字型配列：B ← {"ab△"}

[例3] 型の宣言と値の代入を別に行う(整数型変数totalに0を代入)

整数型：total
total ← 0

3. コメント文

プログラムの実行には無関係の注釈を，コメント文と呼びます。科目B試験の形式では，「/*」と「*/」の間に書かれています。プログラムを読み解く上でのヒントになるので，必ず確認しましょう。

[例] 整数型変数totalの値が「合計」であることを明示するコメント

整数型：total　　/* 合計 */

4. 代入

代入とは，変数に値や他の変数の値を格納することです。

なお，代入すると，変数の中身は上書きされます。代入前に入っていた値は消えてしまいます。

[代入] ten ← 80

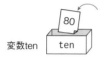

変数ten

変数tenの中に80が入る

[例1] 変数tenに80を代入する

ten ← 80

[例2] 変数countの値を＋1する

count ← count ＋ 1

（データの処理件数を数える場合などに使われる）

[例3] 変数atenと変数btenの和を変数totalに代入する

total ← aten ＋ bten

（変数同士の和を求める処理などに使われる）

5. 配列

配列とは，同じ型のデータが集まったものを指します。高い頻度で出題されるので（整列，探索，文字列処理などで使用），1次元配列，2次元配列をしっかりと扱えるようにしておきましょう。

なお，3次元以上の配列はこれまで出題されたことがほとんどありません。時間に余裕がある人以外は見送っても，試験対策の学習としては問題ないでしょう。

（1）配列の要素と要素番号

配列の要素とは，配列の中に格納されているデータのことです。配列の要素番号（添字）とは，先頭を0番（もしくは1番）として，何番目の要素かを示す番号のことです。先頭を0番と1番のどちらにするかは，問題文中に明示されているので，特に注意しましょう※。

※過去問題（旧制度試験）では，配列の要素番号は，0から始まる場合と，1から始まる場合が混在していました。IPAより公開された科目Bのサンプル問題では，要素番号が1から始まっていますが，今後どうなるかは不明です。どちらにも対応できるようにしておきましょう。

・要素番号が0から始まる場合

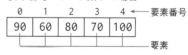

kokugo[3]の要素は70

・要素番号が1から始まる場合

1	2	3	4	5
90	60	80	70	100

kokugo[3]の要素は80

(2) 1次元配列と2次元配列

1次元配列とは，次の例のように，1列に並んだ配列のことです。

これに対して，2次元配列は，マス目状にデータが並びます。

[例1] 3人分の1教科の点数が入った1次元配列
（要素番号は1から）

整数型配列：math ← {80,90,100}

```
      1    2    3   要素番号
    ┌────┬────┬────┐
    │ 80 │ 90 │100 │ 配列math
    └────┴────┴────┘
      A    B    C
      さ    さ    さ
      ん    ん    ん
        └─ math[2]の要素は90
```

[例2] 3人分の2教科の点数が入った2次元配列
（要素番号は1から）

整数型配列：
ten ← {{60,80,90},{70,100,50}}

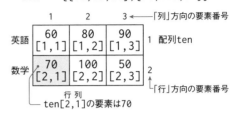

```
           1      2      3  ←─「列」方向の要素番号
        ┌──────┬──────┬──────┐
   英語  │ 60   │ 80   │ 90   │ 1  配列ten
        │[1,1] │[1,2] │[1,3] │
        ├──────┼──────┼──────┤
   数学  │ 70   │ 100  │ 50   │ 2
        │[2,1] │[2,2] │[2,3] │   └「行」方向の要素番号
        └──────┴──────┴──────┘
            行 列
         └─ ten[2,1]の要素は70
```

---

6. 算術演算，比較（関係）演算，論理演算

(1) 算術演算

算術演算とは，加算（足し算），減算（引き算），乗算（掛け算），除算（割り算）などのことです。試験では除算の剰余（余り）を求める「mod」がよく出るので，必ず押さえておきましょう。

[例] 7 mod 2 ＝ 1（7割る2の余りは1）

主な算術演算	簡単な説明
＋	加算（足し算）
－	減算（引き算）
×	乗算（掛け算）
÷	除算（割り算）
mod	除算の剰余（余り）

(2) 比較（関係）演算

比較（関係）演算とは，2つの値の大小関係を求める演算です。「以上」「以下」はその数を含むのに対して，「より大きい」「より小さい」はその数を含まない点には注意しましょう。

[例] 変数tenが60より大きい（変数tenは60を含まない）

主な比較演算	例
以上（≧）	10以上（10を含む）
以下（≦）	20以下（20を含む）
より大きい（＞）	30より大きい（30を含まない）
より小さい（＜）	40より小さい（40を含まない）
等しい（＝）	50に等しい
等しくない（≠）	60に等しくない

(3) 論理演算

論理演算とは，条件を満たしているかどうかについて，「真」（満たしている）と「偽」（満たしていない）の2つの値を用いて行う演算のことです。

主な比較演算	意味	例
and	かつ	（年が20以上）and（身長が170以上）
or	または	（年が20以上）or（身長が170以上）
not	でない	not（身長が170以上）

7. 選択処理

　選択処理とは，条件式が「真」か「偽」によって，実行を変える処理のことです。試験では，次の(1)〜(4)の4パターンが出題されます。

　一見複雑に見えるプログラムも，選択処理の塊ごとに整理すると理解できるはずです。

(1) if 文だけのパターン

[書式]

```
if (条件式)
    処理
endif
```

・条件式が真の場合，「処理」を実行
・条件式が偽の場合，何もしない
・if文の終わりを示すため，endifと書く (他パターンも同様)
・処理はインデント (字下げ) される (他パターンも同様)

[例]

```
if (tenが60以上)
    "合格"を出力
endif
```

変数tenがもし60以上なら，「合格」と出力
変数tenが60以上でない (＝60より小さい) なら，何もしない

(2) if, else がセットになったパターン

[書式]

```
if (条件式)
    処理1
else
    処理2
endif
```

・条件式が真の場合，「処理1」を実行
・条件式が偽の場合，「処理2」を実行
・else文は，if文の後ろに書く
・else文は，条件式を書けない

[例]

```
if (tenが60以上)
    "合格"を出力
else
    "不合格"を出力
endif
```

変数tenがもし60以上なら，「合格」と出力
変数tenが60以上でない (＝60より小さい) なら，「不合格」と出力

(3) if, elseif, else がセットになったパターン

[書式]

```
if (条件式1)
    処理1
elseif(条件式2)
    処理2
else
    処理3
endif
```

・条件式1が真の場合，「処理1」を実行
・条件式1が偽で，かつ，条件式2が真の場合，「処理2」を実行
・条件式1と条件式2が両方とも偽の場合，「処理3」を実行
・順番は必ず，if, elseif, elseの順番になる
・elseif文は条件式が必要

[例] (ten は 0 以上 100 以下の整数)

```
if (tenが80以上)
    "優"を出力
elseif(tenが60以上)
    "良"を出力
else
    "不合格"を出力
endif
```

変数 ten がもし 80 以上なら,「優」と出力
変数 ten が 60 以上なら,「良」と出力
　※「80 以上」は if 文で処理されているため,「60 〜 79」という条件
　　になる
変数 ten が 60 より小さいなら,「不合格」と出力

(4) 複数の elseif があるパターン

[書式]

```
if (条件式1)
    処理1
elseif(条件式2)
    処理2
elseif(条件式3)
    処理3
else
    処理4
endif
```

・条件式 1 が真の場合,「処理 1」を実行
・条件式 1 が偽で,かつ,条件式 2 が真の場合,「処理 2」を実行
・条件式 1 が偽で,かつ,条件式 2 が偽で,かつ,条件式 3 が真の場合,
　「処理 3」を実行
・条件式 1 と条件式 2 と条件式 3 がすべて偽の場合,「処理 4」を実行
・順番は必ず,if, elseif, else の順番になる
・elseif が 3 つ以上の場合もある

[例] (ten は 0 以上 100 以下の整数)

```
if (tenが80以上)
    "優"を出力
elseif (tenが60以上)
    "良"を出力
elseif (tenが40以上)
    "可"を出力
else
    "不合格"を出力
endif
```

変数 ten がもし 80 以上なら,「優」と出力
変数 ten が 60 以上なら,「良」と出力
　※ 60 〜 79
変数 ten が 40 以上なら,「可」と出力
　※ 40 〜 59
変数 ten が 40 より小さいなら,「不合格」と出力
　※ 0 〜 39

8. 繰返し処理

　繰返し処理は，何件ものデータに対して，同じ処理を繰り返す処理です。試験では，次の (1) 〜 (3) の 3パターンが出題されます。選択処理と同じように，処理の塊を意識しましょう。

(1) 前判定繰返し処理 (while 文)

[書式]

```
while （条件式）
　処理
endwhile
```

・繰返しの条件式が，繰返しの「前」にある
　※条件式によっては，繰返し処理が1度も実行されない場合がある
・条件式が真の間，処理を繰返し実行する

[例]

```
total ← 0
data入力
while (dataが0以外)
　total ← total+data
　data入力
endwhile
total出力
```

・変数 total を0で初期化後，最初に，繰返しの外側に書かれた「data入力」を実行する
・たとえば「0」と入力すると，この時点で繰り返す条件「data が0以外」を満たさないので，繰返し処理は1度も実行されずに「total 出力」が実行される

(2) 後判定繰返し処理 (do while 文)

[書式]

```
do
　処理
while(条件式)
```

・繰返しの条件式が繰返しの「後」にある
　※条件式によらず，繰返し処理が1度は必ず実行される
・条件式が真の間，処理を繰返し実行する

[例]

```
total ← 0
do
　data入力
　total ← total+data
while(dataが0以外)
total出力
```

・変数 total を0で初期化後，「data入力」「total ← total ＋ data」の処理は必ず実行される
・最初の時点で繰返しの条件を満たしていなくても，1回は繰返し処理を実行する（while文との違い）

(3) 繰返し処理 (for 文)

[書式]

```
for （制御記述）
　処理
endfor
```

・制御記述の内容に基づいて，処理を繰返し実行する
・繰返し回数が決まっている場合に使われることが多い（(1)，(2)との違い）

[例]

```
for (iを1から5まで1ずつ増やす)
　点数を合計する
endfor
```

・i は繰返しを数える変数
・1から5まで1ずつ増やして5回繰返し処理が実行される

9. 手続，関数の呼び出し

　関数とは，プログラム上の処理を一つにまとめたものを指します。宣言部で関数名と引数を宣言します。関数を利用するプログラムでは，引数で値を関数に渡してreturnで指定した関数の実行結果が，呼び出し元のプログラムに戻ります。

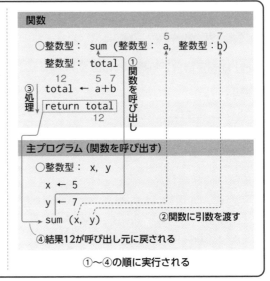

10. 大域変数（グローバル変数），ローカル変数

　大域変数（グローバル変数）とは，プログラム中のどこからでも利用できる変数のことです。よって，複数の関数（手続）で共通して使用されることが多いです。

　ローカル変数は，1つの関数（手続）でしか使用しない変数のことです。

　大域変数とローカル変数は［例］で示したように，書き方の違いがあります。

［例］

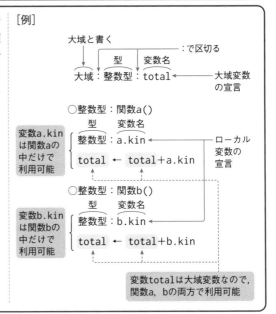

11. 探索処理

探索処理は，多数のデータの中から条件を満たすデータを探し出す処理のことです。ここではそのうち，特に重要な「線形探索」と「2分探索」の概要を紹介します。

(1) 線形探索

データの先頭から末尾まで，順番に探索データを探していく方法です。なお，末尾から先頭に向って探索していく場合もあります。

(2) 2分探索

整列済みのデータから探索する方法です。未整列のデータからは探索できません。探索範囲の中央の値と探索データを比較して，探索データが左側にあるか右側にあるか絞り込みます。以下同様に，探索範囲の2分割を繰り返して，探索範囲を絞り込んでいきます。

配列の中央の要素7と大小比較

$$\underset{9}{探す値} > \underset{7}{中央の要素}$$

探索対象の右側に探す値9がありそうなことがわかるそのため，左側と中央の値は探索対象から外す

左側には探す値(9)はない　右側を探そう

中央の要素11と大小比較

$$\underset{9}{探す値} < \underset{11}{中央の要素}$$

探索対象の左側に探す値9がありそうなことがわかるそのため，右側と中央の値は探索対象から外す

大小比較　　一致した！

探索終了

整列（ソート）とは，データを大きさ順に並べる処理です。高頻度で出題される内容なので，しっかり学習して得点につなげましょう。

整列の基本となるのは，「選択法」「交換法（バブルソート）」「挿入法」の3つです。この他にも「クイックソート」「マージソート」「ヒープソート」などがあるので，詳しく勉強しておくことをおすすめします。

(1) 選択法

選択法は「最小値（最大値）を探して，先頭のデータと入れ替える」処理を繰り返すことで，データを整列する方法です。昇順（小さいものから順）にするには「最小値」を，降順（大きいものから順）にするには「最大値」を探すことに注意しましょう。

[例] 配列「3, 1, 2」を選択法で昇順に整列
・未整列データの中から最小値「1」と先頭「3」を入れ替え，「1」を整列済みにする

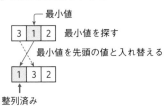

・整列済みデータ「1」以外の未整列データの中から，最小値「2」と先頭「3」を入れ替え，「2」を整列済みにする

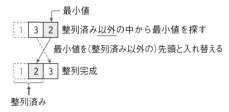

(2) 交換法（バブルソート）

交換法（バブルソート）は，昇順に整列する場合，データの先頭から後ろに向かって，隣り合わせの2つの値を比較していき，「小さなデータが前」になるように入れ替えます。これを繰り返しながら末尾まで進むと，最後尾が最も大きな値で確定します。同様の処理を，確定していない範囲で繰り返すことで，データが整列します。

降順にするには，「小さなデータが前」を「大きなデータが前」に置き換えて考えます。

[例] 配列「3, 1, 2」を交換法（バブルソート）で昇順に整列

① 先頭と2番目を比較
| 3 | 1 | 2 |

② 先頭の「3」の方が大きいので入れ替える
| 1 | 3 | 2 |

③ 2番目と3番目を比較
| 1 | 3 | 2 |

④ 2番目の「3」の方が大きいので入れ替える
| 1 | 2 | 3 | 整列完成

(3) 挿入法

　挿入法で昇順に整列するには, 2件目のデータが1件目より大きい場合は1件目の右側に置き, 小さい場合は左側に置きます。整列が済んだデータ列内で, 自分より小さいデータと大きいデータの間に挿入する処理の繰返しによって整列を行います。

　降順にするには, 置く位置を左右逆にします。つまり, 1件目より大きい場合は1件目の「左側」に置き, 小さい場合は「右側」に置きます。

[例] 配列「3, 1, 2」を挿入法で昇順に整列

① 未整列の先頭の「3」を整列済みに置く

　　未整列　| 3 | 1 | 2 |

　　整列済み　| 3 |

② 未整列の2番目のデータ「1」を挿入する

　　未整列　| 3 | 1 | 2 |

　　整列済み　| 1 | 3 |　　1件目の「3」より小さいので「3」の左側に置く

③ 未整列の3番目のデータ「2」を挿入する

　　未整列　| 3 | 1 | 2 |

　　整列済み　| 1 | 2 | 3 |　「2」は「1」と「3」の間に挿入する　整列完成

(4) その他の整列方法

　クイックソートは, 適当な基準値を選び, それより小さな値のグループと大きな値のグループに分ける作業を繰り返して整列していく方法です。

　マージソートは, 要素数が1になるまで2分割を繰り返し, それぞれを整列させた後, マージして整列済みのひとつのデータ列を作る方法です。

　ヒープソートは, 木構造を利用して整列する方法です。

13. 再帰

　再帰とは, 関数内部で自分自身を呼び出すことです。言葉だけで理解するのは難しいと思いますので, 以下の例でイメージをつかんでください。

[例] n! の値を求めるプログラム (nは正の整数)

```
F(n)
  if(nが0より大きい)
    return n×F(n-1)
```

```
  else
    return 1    /* nが0の場合1を返す */
  endif
```

　このプログラムの動きを, n＝2の場合で確認してみます (2!＝2)。

　関数F(n)の内部で, F(n)自身が呼び出されていることがわかります。

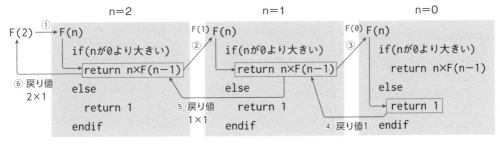

よって, F(2)＝2×1

　　　　　＝2　　　　となります。

データ構造は，配列のように複数のデータを格納できる構造のことです。ここで紹介する「スタック」「キュー」「木構造」は，データ構造のひとつです。

(1) スタック

スタック (stack) とは，複数のデータを順番に格納し，最後に格納したデータから先に1件ずつ取り出す後入れ先出し (LIFO：Last In First Out) のデータ構造です。スタックにデータを格納することをプッシュ (push)，スタックからデータを取り出すことをポップ (pop) といいます。

プッシュ
（①，②，③，④の順に格納）

ポップ
（④，③，②，①の順に取り出し）

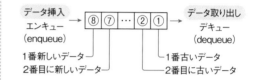

(2) キュー

1次元配列に格納されたデータの一方の端からデータを挿入 (格納) し，他方の端からデータを取り出すデータ構造です。このようなデータの出し入れをFIFO (First-In First-Out：先入れ先出し) と呼びます。

・エンキュー (enqueue：ENQ)
　キューにデータを格納すること。
・デキュー (dequeue：DEQ)
　キューに格納したデータを取り出すこと。

[例] ①，②，… ⑦，⑧の順にデータを格納

左の端からデータを挿入し，右の端からデータを取り出す。

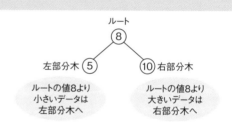

(3) 木構造

木構造とは，データ構造の1つで，木のような階層構造でデータを管理するものです。

ルートのデータより小さいデータは，ルートより左の部分木内に，大きいデータは右の部分木内に存在します。

ルート
⑧

左部分木 ⑤　　　⑩ 右部分木

ルートの値8より
小さいデータは
左部分木へ

ルートの値8より
大きいデータは
右部分木へ

15. リスト

リストもデータ構造のひとつです。リストには,データの他に,次のデータがメモリ上のどの位置にあるかを示すポインタが付与されています。ポインタをたどることで,リスト内の各データにアクセスできます。ポインタを書き換えれば,データの追加・挿入・削除が容易に可能なことも,リストの大きな特徴です。

[例] リスト構造の例

アドレス	データ
10	東京都
20	埼玉県
30	千葉県
40	神奈川

(1) 単方向リスト

単方向リストとは,次のデータのポインタを持つリストのことです。先頭から順番に,一方通行でデータをたどっていきます。

[例] データを「東京都」→「千葉県」→「埼玉県」→「神奈川県」の一方向にたどる場合

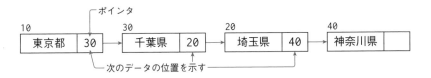

(2) 双方向リスト

双方向リストとは,前のデータへのポインタと,次のデータへのポインタを持つリストのことです。前後のどちらにもたどっていくことができます。

[例] データを「東京都」⇔「千葉県」⇔「埼玉県」⇔「神奈川県」の双方向にたどる場合

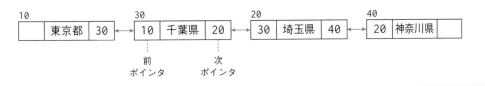

16. 文字列処理

文字列処理は,配列の要素に文字が1文字ずつ格納されている状態で行います。

```
        1   2   3   4  ← 要素番号
配列 | 基 | 本 | 合 | 格 |
```

(1) 文字列の追加

文字列の追加には,末尾に追加する場合と,途中に追加する場合があります。

●末尾に追加

●途中に追加

途中に追加する文字の後を,事前に追加する文字数分だけ後ろにずらしておき,そこに文字を追加します。

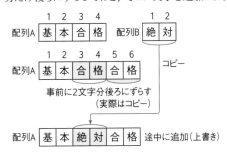

(2) 文字列の部分削除

　文字列の途中を削除する場合，削除する後ろの文字列を前に移動する処理が必要です。

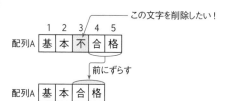

　なお，「前にずらす処理」では，移動する順番が重要になります。

- 失敗の例（はじめに「格」から移動し，次に「合」を移動）

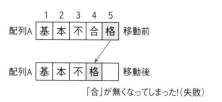

- 成功の例（はじめに「合」から移動し，次に「格」を移動）

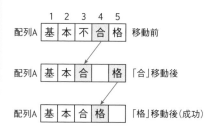

---

17. break 文

　for 文や while 文の条件式が真であっても，break 文によって繰返し処理を抜けることができます。

※ break 文は「擬似言語の記述形式」には掲載されていませんが，8. で紹介した繰返し処理に関連して出題されることが予想されます。

[例]

```
total ← 1
for (iを1から100まで1ずつ増やす)
  total ← total×2
  if (totalが10000以上)
    break
  endif
endfor
```

- 繰返し処理の中で，total の値を2倍する
- 繰返し処理は 100 回行うが，もし total が 10000 以上になったら，break 文によって繰返し処理を強制的に終了して，for 文の次の処理に移る

18. オブジェクト指向

オブジェクト指向とは，データの処理をオブジェクトにまとめて部品として扱い，その部品の組み合わせでソフトウェアを構築する考え方です。

オブジェクトとは，属性（データ）とその振る舞い（メソッド）を一体化（カプセル化）したものです。

(1) クラス

クラスとは，オブジェクトのひな型のことで，データと処理がひとまとめになっています。データのことをフィールド，処理のことをメソッドといい，フィールドやメソッドのことを，クラスのメンバといいます。

手続とは，呼び出されるとまとまった処理をして，呼び出した側に戻るプログラムのことで，メソッドで実現します。

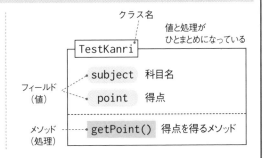

(2) インスタンス

クラスはひな型のようなものなので，値の格納や処理の実行ができません。そこで，クラスをもとに，値の格納や処理の実行が可能なインスタンス（オブジェクト）を作成します。

コンストラクタは，インスタンス化の際に呼び出される特殊なメソッドのことをいいます。

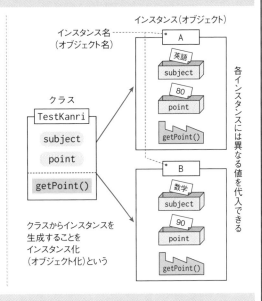

(3) インスタンスの参照

インスタンスが作成されると，メモリ上に対応する領域が確保されます。この場所を表す値のことを，参照といいます。クラスを利用するときは，インスタンスを作成して変数に代入するわけですが，このときに代入されるのは「そのインスタンスがある場所を示す値」（参照）というわけです。「1.変数」では，変数という箱の中に値が直接入っていると説明しましたが，オブジェクト指向では異なる点に注意してください。

[例] 科目Bサンプル問題 問8〔プログラム〕の一部

○prioSched() ……手続

```
PrioQueue: prioQueue ← PrioQueue()
```
クラス名　　インスタンス名　　コンストラクタ名(引数)

```
prioQueue.enqueue("A", 1)
```
インスタンス名　メソッド(引数)

「.」で区切ります

よく出る計算問題と重要公式

※シラバスにおける中分類－小分類を示します⬇

1. 基数変換

基礎理論－離散数学

（1）n進数⇒10進数

【求め方】 各桁の重みをかけて積算する

[例1] 2進整数 $(0111)_2$ を10進数へ変換

$$(0\ 1\ 1\ 1)_2 = (1 \times 4) + (1 \times 2) + (1 \times 1) = (7)_{10}$$

```
 8 4 2 1
 の の の の
 位 位 位 位
```

[例2] 16進整数 $(A7)_{16}$ を10進数へ変換

$$(A\ \ 7)_{16} = (10 \times 16) + (7 \times 1) = (167)_{10}$$

```
16    1
の    の
位    位
```

[例3] 2進小数 $(0.11)_2$ を10進数へ変換

$$(0\ .\ 1\ 1)_2 = (1 \times 0.5) + (1 \times 0.25) = (0.75)_{10}$$

```
  1   1
  2   4
  の  の
  位  位
```

[例4] 16進小数 $(0.C8)_{16}$ を10進数へ変換

$$(0\ .\ C\ \ 8)_{16} = \left(12 \times \frac{1}{16}\right) + \left(8 \times \frac{1}{16^2}\right)$$

```
  1   1           = 0.75 + 0.03125
 16  16²
  の  の           = (0.78125)₁₀
  位  位
```

$= 0.75 + 0.03125$

$= (0.78125)_{10}$

（2）10進数⇒n進数

【求め方】・整数部は，割り算で余りを並べる

[例1] 10進整数 $(5)_{10}$ を2進数へ変換

```
2 ) 5
2 ) 2 … 1
2 ) 1 … 0
    0 … 1
```
下から上へ順に並べる
∴ $(5)_{10} = (0101)_2$

[例2] 10進整数 $(178)_{10}$ を16進数へ変換

```
16 ) 178
16 )  11 … 2
      0 … 11
```
下から上へ順に並べる
∴ $(178)_{10} = (B2)_{16}$

・小数部は，掛け算で答えの整数部を並べる

[例3] 10進小数 $(0.625)_{10}$ を2進数へ変換

```
  0.625      0.25       0.5
×    2     ×    2     ×    2      0 （終了）
  1.25       0.5        1.0
```

$(0\ .\ 1\ 0\ 1)_2$　　　∴ $(0.625)_{10} = (0.101)_2$

[例4] 10進小数 $(0.28125)_{10}$ を16進数へ変換

```
  0.28125      0.5
×     16     ×  16          0 （終了）
  4.5          8.0
```

$(0\ .\ 4\ 8)_{16}$　　∴ $(0.28125)_{10} = (0.48)_{16}$

（3）2進数⇒16進数

【求め方】 2進数を4桁ずつに区切って変換

[例] 2進数 $(01011100)_2$ を16進数へ変換

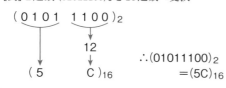

```
( 0101   1100 )₂

           12         ∴ (01011100)₂
( 5       C )₁₆        = (5C)₁₆
```

（4）16進数⇒2進数

【求め方】 16進数1桁を2進数4桁に変換

[例] 16進数 $(A7)_{16}$ を2進数へ変換

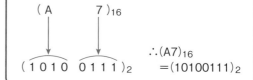

```
( A        7 )₁₆

                      ∴ (A7)₁₆
( 1010   0111 )₂      = (10100111)₂
```

2. シフト演算

◇ n 進数の数を k 桁分シフトする演算

【求め方】
- 左シフト：元の数のn^k倍
- 右シフト：元の数のn^{-k}倍
  （ただし，桁あふれはないものとする）

[例] 2進数$(0010)_2$をシフト演算で6倍する。
（ただし，桁あふれはないものとする）

[解] 元の数$(0010)_2$を6倍

$= ($元の数を4倍$) + ($元の数を2倍$)$

2桁分左シフト　　　1桁分左シフト

$\downarrow 2^2 = 4$倍　　　　$\downarrow 2^1 = 2$倍

$= (1000)_2 \qquad + (0100)_2$

$= (1100)_2$

$\therefore$ 2進数$(0010)_2$を6倍すると，$(1100)_2$

---

3. 論理式・論理回路・論理演算の公式

試験問題の表記ルール

論理式	図記号	ベン図	真理値表		

論理積（AND）
$Z = A \cdot B$
$Z = A \cap B$

入力		出力
A	B	Z
1	1	1
0	1	0
1	0	0
0	0	0

● 否定論理積（NAND）
真理値表の出力Zは，論理積（AND）の否定になります。

論理和（OR）
$Z = A + B$
$Z = A \cup B$

入力		出力
A	B	Z
1	1	1
0	1	1
1	0	1
0	0	0

● 否定論理和（NOR）
真理値表の出力Zは論理和（OR）の否定になります。

否定（NOT）
$Z = \overline{A}$
$Z = \neg A$

入力	出力
0	1
1	0

排他的論理和（XOR）
$Z = \overline{A} \cdot B$
$\quad + A \cdot \overline{B}$

入力		出力
A	B	Z
1	1	0
0	1	1
1	0	1
0	0	0

[例1] 8ビットの値の全ビットを反転するビット演算

```
    01101001
? )?????????
    10010110
```

```
      01101001
XOR )11111111
      10010110
```
…(答)$(11111111)_2 (= (FF)_{16})$と
XOR（排他的論理和）をとる

[例2] 8ビットの値の下位4ビットだけをそのまま取り出すビット演算（上位4ビットは0）

```
    01101001
? )?????????
    00001001
```

```
      01101001
AND )00001111
      00001001
```
…(答)$(00001111)_2 (= (0F)_{16})$と
AND（論理積）をとる

（1）基本公式

$$A+A=A \qquad A\cdot A=A$$
$$A+\bar{A}=1 \qquad A\cdot\bar{A}=0$$
$$A+1=1 \qquad A\cdot 1=A$$
$$A+0=A \qquad A\cdot 0=0 \qquad \bar{\bar{A}}=A$$

（2）結合法則

$$(A+B)+C=A+(B+C)$$
$$(A\cdot B)\cdot C=A\cdot(B\cdot C)$$

（3）分配法則

$$A\cdot(B+C)=(A\cdot B)+(A\cdot C)$$
$$A+(B\cdot C)=(A+B)\cdot(A+C)$$

（4）ド・モルガンの法則

$$\overline{A\cdot B}=\bar{A}+\bar{B} \qquad \overline{A+B}=\bar{A}\cdot\bar{B}$$

（5）吸収法則

$$A+(A\cdot B)=A \qquad A\cdot(A+B)=A$$

◇ 回路の入力と出力の関係の論理式

［例1］次の回路の
入力と出力の関係
の論理式

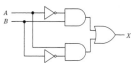

［解］

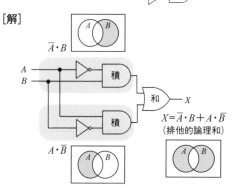

$$X=\bar{A}\cdot B+A\cdot\bar{B}$$
（排他的論理和）

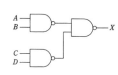

［例2］図のNANDゲートの組合せ回路で，入力A，B，C，Dに対する出力Xの論理式

［解］

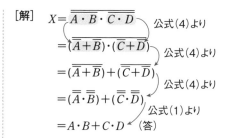

$$X=\overline{\overline{A\cdot B\cdot \overline{C\cdot D}}} \qquad \text{公式(4)より}$$
$$=\overline{(\bar{A}+\bar{B})\cdot(\bar{C}+\bar{D})} \qquad \text{公式(4)より}$$
$$=\overline{(\bar{A}+\bar{B})}+\overline{(\bar{C}+\bar{D})} \qquad \text{公式(4)より}$$
$$=(\bar{\bar{A}}\cdot\bar{\bar{B}})+(\bar{\bar{C}}\cdot\bar{\bar{D}}) \qquad \text{公式(1)より}$$
$$=A\cdot B+C\cdot D \qquad \text{（答）}$$

［例3］図に示すディジタル回路と等価な論理式

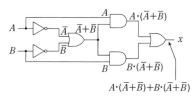

$$A\cdot(\bar{A}+\bar{B})+B\cdot(\bar{A}+\bar{B})$$

［解］

$$X=A\cdot(\bar{A}+\bar{B})+B\cdot(\bar{A}+\bar{B})$$
$$=(A\cdot\bar{A})+(A\cdot\bar{B})+(B\cdot\bar{A})+(B\cdot\bar{B})$$
$$\qquad\qquad \underbrace{}_{0} \qquad\qquad\qquad\qquad \underbrace{}_{0}$$
$$=A\cdot\bar{B}+\bar{A}\cdot B \qquad \text{（答）}$$

---

4. 順列

（1）順列

公式 $r\leqq n$ のとき，異なる n 個のものから r 個を取り出して並べる順列の総数

$$_nP_r=\frac{n!}{(n-r)!} \qquad 0!=1$$

［例1］A，B，C，Dの4人いる。並び方は何通りか。
［解］$_nP_r={}_4P_4=4\times3\times2\times1=24$通り（答）

（2）円順列

公式 異なる n 個のものの円順列の総数

$$\frac{_nP_n}{n}=(n-1)!$$

［例2］A，B，C，Dの4人いる。4人が円周上にならぶ並び方は何通りか。
［解］$(n-1)!=(4-1)!=3!=3\times2\times1=6$通り（答）

（3）重複順列

公式 異なる n 個のものから重複を許して r 個を取り出す順列の総数

$$n^r$$

［例3］1，2，3，4の4つの数字がある。重複を許して3桁の整数は何個作れるか。
［解］$n^r=4^3=64$個（答）

5. 組合せ

公式 $r \leqq n$ の異なる n 個のものから，異なる r 個を取り出す組合せの総数

$$_nC_r = \frac{_nP_r}{r!} = \frac{n!}{r!(n-r)!}$$

[例] 10人のメンバがいる。メンバ同士が1対1で打ち合わせを行う。なお，各メンバは，他のすべてのメンバと1回ずつ打ち合わせを行う場合，打ち合わせの回数は何回か。

[解]「打ち合わせは1対1で行う」より，異なる10人の中から2人選ぶ組み合わせの数を求める。

$$_{10}C_2 = \frac{10!}{2!(10-2)!} = \frac{10 \times 9 \times 8!}{(2 \times 1)! \times 8!} = 45回 \text{（答）}$$

6. 確率

公式 ある事象Aの起こる確率

$$P(A) = \frac{事象Aの起こる場合の数}{起こりうるすべての場合の数}$$

$$= \frac{n(A)}{n(U)}$$

・ある事象Aの起こる確率は，0と1の間の値をとる。

$$0 \leqq P(A) \leqq 1$$

・Aでない事象が起こることをAの余事象が起こるという。余事象の確率は，次式で表す。

$$P(\overline{A}) = 1 - P(A)$$

[例] 1～7までの数字の付いた7枚のカードの中から3枚のカードを同時に取り出す。このとき，そのカードの数字について，次の確率を求めよ。

① 和が15以下となる確率

7枚の中から3枚のカードの取り出し方は，

$$_7C_3 = \frac{7!}{3!(7-3)!} = \frac{7 \times 6 \times 5 \times 4!}{(3 \times 2 \times 1) \times 4!} = 35通り$$

和が15より大きくなるのは，(7, 6, 5)，(7, 6, 4)，(7, 6, 3)，(7, 5, 4) の4通りであるから，求める確率は，

$$1 - \frac{4}{35} = \frac{31}{35} \text{（答）} \quad 余事象の確率$$

② 積が奇数となる確率

積が奇数となるのは，3枚とも奇数のときで，1, 3, 5, 7の4通りある。この中から3枚取り出すのは，

$$_4C_3 = \frac{4!}{3!(4-3)!} = \frac{4 \times 3!}{3! \times 1!} = 4通り$$

$$\therefore 求める確率は，\frac{4}{35} \text{（答）}$$

7. 再帰計算

再帰とは，関数の定義の一部に，その関数自身を使うようなものをいう。また，このような関数を再帰関数という。

[例] 再帰的に計算する関数F(n)の定義において，F(3)の値を求める。

$$\begin{cases} n > 0 のとき，F(n) = n \times F(n-1) \\ n = 0 のとき，F(n) = 1 \end{cases}$$

[解] $F(3) = 3 \times F(2)$
$\qquad F(2) = 2 \times F(1)$
$\qquad F(1) = 1 \times F(0) = 1 \quad (F(0) = 1 なので)$
$\qquad \therefore F(2) = 2 \times 1 = 2$
$\qquad F(3) = 3 \times 2 = 6 \quad \text{（答）}$

[参考] 関数 $F(n)$ は，n の階乗 $n!$ を求める。

n の階乗は，$n!$ と表記し，

$$n! = n \cdot (n-1) \cdot (n-2) \cdots 2 \cdot 1$$

で計算される（ただし，0! = 1）

8. 2分探索木　　　アルゴリズムとプログラミング−データ構造

2分探索木は，2分木の各ノードに1つずつデータを格納したもの。ルートのデータより小さいデータは，ルートより左の部分木内に，大きいデータは右の部分木内に存在するという性質がある。

[適切な例]

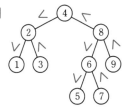

[不適切な例]

左部分木の②は，ルートの①より小さい値でなければならない。他にも図中の×印の部分が誤っている。

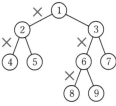

9. MIPS (Million Instructions Per Second)　コンピュータ構成要素−プロセッサ

MIPS：1秒間に何百万回の命令を実行できるかの単位

公式

$$MIPS = \frac{命令数}{命令実行に要する時間（秒）\times 10^6}$$

[例1] 平均命令実行時間が20ナノ秒のコンピュータの性能は何MIPSか。

[解]
・1命令を実行する平均が20ナノ秒
・1秒＝10^9ナノ秒なので，命令実行に要する時間

　は $\dfrac{20}{10^9}$ 秒

$$\therefore MIPS = \frac{1}{\dfrac{20}{10^9}\times 10^6} = 50MIPS（答）$$

[例2] 50MIPSのプロセッサの平均命令実行時間は幾らか。

[解] 1秒（＝10^9ナノ秒）をMIPS値（5×10^7）で割って求める。

$$\frac{10^9}{5\times 10^7} = 20ナノ秒（答）$$

10. システムの実効アクセス時間　　　コンピュータ構成要素−メモリ

公式　システムの実効アクセス時間
　　　　＝cp＋m（1−p）

　m：主記憶のアクセス時間
　c：キャッシュメモリのアクセス時間
　p：ヒット率（キャッシュメモリに必要なデータが存在する確率）

[例] 主記憶のアクセス時間70ナノ秒，キャッシュメモリのアクセス時間10ナノ秒，ヒット率を0.6としたとき，このシステムの実効アクセス時間は幾らか。

[解] m＝70，c＝10，p＝0.6を公式に代入する。
　　システムの実効アクセス時間
　　　＝10×0.6＋70（1−0.6）＝6＋28
　　　＝34ナノ秒（答）

◇ システムの稼働時間と停止時間

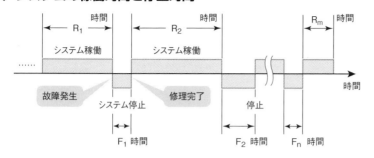

（1）MTBF（平均故障間隔：Mean Time Between Failures）

システムが連続して正しく動作している時間の平均値。図では次のように計算する。

$$MTBF = \frac{R_1 + R_2 + \cdots + R_m}{m} \text{（時間）}$$

（2）MTTR（平均修理時間：Mean Time To Repair）

故障によりシステムが停止してから，修理を完了して稼働を再開するまでの時間の平均値。

$$MTTR = \frac{F_1 + F_2 + \cdots + F_n}{n} \text{（時間）}$$

（3）稼働率

ある期間中にシステムが稼働している率（システムがある時点で稼働している確率）で，システムの可用性を表す。稼働率 ≤ 1。

公式1
$$稼働率 = \frac{MTBF}{MTBF + MTTR}$$

［例］MTBFが45時間でMTTRが5時間の装置の稼働率
［解］
$$稼働率 = \frac{45}{45+5} = 0.9 \text{（答）}$$

① 直列系システムの稼働率

稼働率 ＝ a　　　稼働率 ＝ b

いずれか1つの装置の故障でも，システム全体が停止してしまう場合。

公式2
システム全体の稼働率 ＝ a × b

［例］稼働率が0.8の装置A，0.9の装置Bが直列接続している場合のシステムの稼働率を求めよ。
［解］$0.8 \times 0.9 = 0.72$（答）

② 並列系システムの稼働率

1つ以上の装置が正常に動作していれば，システム全体として正常に動作するとみなす。

公式3
システム全体の稼働率 ＝ 1 － (1 － a)(1 － b)

［例］稼働率が0.8の装置A，0.9の装置Bが並列接続している場合，システムの稼働率を求めよ。
［解］$1 - (1-0.8)(1-0.9) = 0.98$（答）

（4）故障率

故障率 ＝ 1 － 稼働率

12. 画面表示の情報量

公式

$$V = \frac{m \times n \times c}{8}(バイト)$$

V：画面表示の情報量
m：画面の横方向ドット数
n：画面の縦方向ドット数
c：色情報のビット数

[例] 1画面を1024×768ドットで表示する表示装置がある。1ドットについて色情報が24ビットで表されているとすると，1画面の情報量は約何Mバイトか（1MB＝1,024KB，1KB＝1,024Bとする）。

[解] m＝1024，n＝768，c＝24を公式に代入する。

$$V = \frac{1024 \times 768 \times 24}{8 \times 1024 \times 1024} = 2.25MB（答）$$

13. 音声の記録に関する計算

公式 音声のサンプリングデータを記録

記録できる音声の長さ（秒）
＝記憶装置の容量（バイト）÷記憶に必要な容量（1秒間）

＝記憶装置の容量（バイト）÷ $\dfrac{\overset{（1秒間での）}{サンプリング回数} \times \overset{（サンプリング1回に必要な）}{ビット数}}{8（ビット→バイトへ変換）}$

[例] 音声のサンプリングを1秒間に11,000回行い，サンプリングした値をそれぞれ8ビットのデータとして記録する。このとき，512×10⁶バイトの容量をもつフラッシュメモリに記録できる音声の長さは，最大何分か。

[解]
・記憶装置の容量：512×10^6バイト
・サンプリング回数：11,000回／秒
・サンプリング1回に必要なビット数：8ビット
以上を公式に代入。

記録できる音声の長さ（秒）

$$= 512 \times 10^6 \div \frac{11,000 \times 8}{8} \fallingdotseq 46545秒$$

$$\fallingdotseq 775.75分（答）$$

14. データ伝送時間

(1) データ伝送時間

公式1

伝送時間（秒）

$$= \frac{伝送データ量（ビット）}{回線の伝送速度（bps）\times 伝送効率}$$

[例1] 2秒で128kビットを送れる場合のデータ伝送速度を求めよ。

[解]

$$データ伝送速度 = \frac{128（kビット）}{2（秒）}$$

$$= 64kビット／秒（答）$$

(2) 伝送効率

公式2

$$伝送効率 = \frac{正しく受信されたデータのビット数}{送信された総ビット数}$$

[例2] 1.5Mビット／秒の伝送路を用いて12Mバイトのデータを転送するのに必要な伝送時間は何秒か。ここで，伝送路の伝送効率を50％とする。

[解] 公式1より，

$$伝送時間（秒） = \frac{12M \times 8ビット}{1.5Mビット／秒 \times 0.5}$$

$$= 128（秒）（答）$$

公式1 ホストアドレスの個数を求める

x：アドレスプレフィックス

とすると，　　　　　　←IPアドレスの全体長

ホストアドレスの個数＝$2^{32-x}-2$　（個）

←ブロードキャストアドレス，ネットワークアドレスの2つ

（なお，32－xは，ホストアドレス部のビット長）

［例1］192.168.0.0/23（サブネットマスク255.255.254.0）のIPv4ネットワークにおいて，ホストとして使用できるアドレスの個数の上限を求める。

［解］192.168.0.0/23 ←アドレスプレフィックス

ホストアドレスの個数＝$2^{32-23}-2=2^9-2$

＝510個（答）

公式2 ネットワークアドレスを求める

ネットワークアドレス

＝（IPアドレス）AND（サブネットマスク）

［例2］次のIPアドレスとサブネットマスクをもつPCがある。このPCのネットワークアドレスを求める。

IPアドレス：　　　　　10.170.70.19

サブネットマスク：255.255.255.240

［解］

	ネットワークアドレス部			ホストアドレス部
IPアドレス	00001010 10.	10101010 170.	01000110 70.	0001 0011 19
サブネットマスク 論理積AND	11111111 255.	11111111 255.	11111111 255.	1111 0000 240
ネットワーク アドレス	00001010 10.	10101010 170.	01000110 70.	0001 0000 16

ネットワークアドレスのホストアドレス部はすべて0

公式3 ブロードキャストアドレスを求める

ブロードキャストアドレス

＝（IPアドレス）OR（サブネットマスク）

↑ビット反転

［例3］IPアドレス 192.168.57.123/22 が属するネットワークのブロードキャストアドレスを求める。

［解］

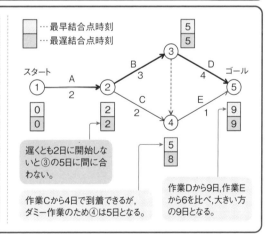

1が22個 / 0が10個

| サブネットマスク | 11111111 | 11111111 | 111111 00 | 00000000 | ビット反転 |
| サブネットマスク | 00000000 | 00000000 | 000000 11 | 11111111 | |

IPアドレス 論理和OR	11000000 192.	10101000 168.	00111001 57.	01111011 123
ブロードキャスト アドレス	11000000 192.	10101000 168.	00111011 59.	11111111 255 |（答）

---

16. アローダイアグラム（PERT図）　　　プロジェクトマネジメントープロジェクトの時間

【求め方】

・最早結合点時刻

先行作業を終了し，結合点に到達できる最も早い時刻

・最遅結合点時刻

後続作業に遅れがでないよう，先行作業を終了して遅くとも到達しなければならない限界の時刻。

・ダミー作業

作業順を表す。作業日数は0

・クリティカルパス

最早結合点時刻と最遅結合点時刻の等しい結合点を結んだ経路のこと。

□…最早結合点時刻
■…最遅結合点時刻

遅くとも2日に開始しないと③の5日に間に合わない。

作業Cから4日で到着できるが，ダミー作業のため④は5日となる。

作業Dから9日，作業Eから6を比べ，大きい方の9日となる。

17. ROI の計算

ROI（Return On Investment：投資収益率）とは，企業の収益力や事業における投下資本の運用効率を示す指標のこと。大きいほど収益性に優れた投資案件と評価できる。

公式

$$\text{ROI} = \frac{\text{利益}}{\text{投資額}} \times 100$$

［例］投資額100万円，5年間の利益合計が135万円の場合，ROIを求める。

［解］

$$\text{ROI} = \frac{135}{100} \times 100 = 135\% \ \text{（答）}$$

18. 線形計画法

線形計画法とは，x，yがいくつかの1次方程式を満たすとき，1次式ax＋byの最大・最小を求める問題をいう。1次方程式で表される条件の領域は多角形になり，直線ax＋by=kがその多角形の頂点を通る場合を調べることで，最大値・最小値が求められる。

［例］製品X及びYを生産するために2種類の原料A，Bが必要である。製品1個の生産に必要となる原料の量と調達可能量は表に示すとおりである。製品XとYの1個当たりの販売利益が，それぞれ100円，150円であるとき，最大利益は何円か。

原料	製品Xの1個 当たりの必要量	製品Yの1個 当たりの必要量	調達可能量
A	2	1	100
B	1	2	80

［解］
製品Xの生産量をx，製品Yの生産量をyとする。原料Aと原料Bについて，設問の表で式を立てると次のようになる。

原料A：$2x+y \leqq 100$ …①
原料B：$x+2y \leqq 80$ …②

（設問より，x，yは0以上の整数）
一方，利益金額（zとする）

$z = (100円 \times x個) + (150円 \times y個)$ …③

が，①，②の領域と交わるzの最大値が最大利益

金額となる。

このことをグラフにして説明すると以下のとおり。

$$\begin{cases} ①より \quad y \leqq -2x+100 \quad \cdots ①' \\ ②より \quad y \leqq -\dfrac{1}{2}x+40 \quad \cdots ②' \\ ③より \quad y \leqq -\dfrac{2}{3}x+\dfrac{z}{150} \quad \cdots ③' \end{cases}$$

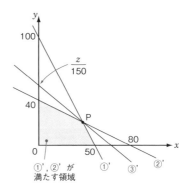

①'，②'の交点の座標をPとすると，

①'－②'より $x \leqq 40$
②'×4－①'より $y \leqq 20$

よって，最大利益になるのは，製品Xを40個，製品Yを20個生産した場合。

最大利益金額＝$\underbrace{(100円 \times 40個)}_{製品X} + \underbrace{(150円 \times 20個)}_{製品Y}$
＝7,000円（答）

令和6年度

基本情報技術者

【科目A】試験時間　90分

問題は次の表に従って解答してください。

問題番号	選択方法
問1～問60	全問必須

【科目B】試験時間　100分

問題は次の表に従って解答してください。

問題番号	選択方法
問1～問20	全問必須

この問題セットは，2024年7月5日にIPAより公開された「令和6年度 基本情報技術者試験 公開問題」がベースになっています。実際の試験と同じ問題数・出題傾向になるように，それぞれ問題を追加して作成しています。

・科目A　20問のみの公開
　→40問を追加し，実際の試験と同じ全60問に

・科目B　6問のみの公開
　→14問を追加し，実際の試験と同じ全20問に

※参考「IPA 独立行政法人 情報処理推進機構：問題冊子・解答例（2024年度，令和6年度）」
https://www.ipa.go.jp/shiken/mondai-kaiotu/sg_fe/koukai/2024r06.html

問題文中で共通に使用される表記ルール

各問題文中に注記がない限り，次の表記ルールが適用されているものとする。

1.論理回路

図記号	説明
	論理積素子（AND）
	否定論理積素子（NAND）
	論理和素子（OR）
	否定論理和素子（NOR）
	排他的論理和素子（XOR）
	論理一致素子
	バッファ
	論理否定素子（NOT）
	スリーステートバッファ
	素子や回路の入力部又は出力部に示される○印は，論理状態の反転又は否定を表す。

2.回路記号

図記号	説明
	抵抗（R）
	コンデンサ（C）
	ダイオード（D）
	トランジスタ（Tr）
	接地
	演算増幅器

問1

入力記号，出力記号の集合が {0, 1} であり，状態遷移図で示されるオートマトンがある。0011001110 を入力記号とした場合の出力記号はどれか。ここで，S_1 は初期状態を表し，グラフの辺のラベルは，入力／出力を表している。

〔状態遷移図〕

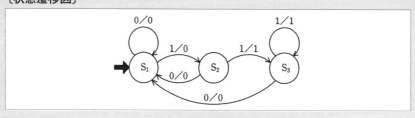

ア 0001000110　　　　イ 0001001110
ウ 0010001000　　　　エ 0011111110

[平成30年度 春期 基本情報技術者試験 午前 問4]

問 1 [基礎理論] 状態遷移図

★☆☆
★★☆
★★☆

パズル

オートマトンとは，入力に応じて処理を行い出力する動作をモデル化したものです。初期状態から，入力したデータの処理によって次の状態へ移り変わり（遷移），終了状態（受理状態）で終わるまでの様子を表した図が状態遷移図です。矢印の向きが遷移を表します。

① 入力記号の左端から1つ目 0011001110 は入力が 0 なので，出力は以下のようになります。

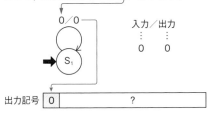

この時点で状態遷移は S_1 のままです。

② 入力信号の左端から2つ目 0011001110 では，入力が 0 なので出力は 0 となり，状態遷移は S_1 のままです。

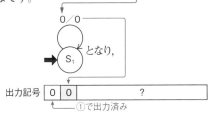

以下，同様に考えます。

③ 入力記号の左端から3つ目 0011001110 では，入力が 1 なので出力は 0 となり，S_2 に遷移します。

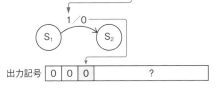

ここで，出力記号の左端から3つ目が 1 である**ウ**，**エ**の選択肢は誤りであることがわかります。

④ 入力記号の左端から4つ目 0011001110 では，出力は 1 となり S_3 に遷移します。

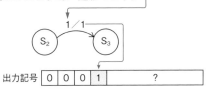

⑤ 入力記号の左端から5つ目 0011001110 では，出力は 0 となり S_1 に遷移します。

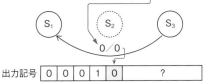

⑥ 入力記号の左端から6つ目 0011001110 では，出力は 0 となり S_1 のままです。

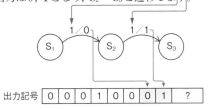

⑦ 入力記号の左端から7，8つ目 0011001110 では，出力は 0，1 となり，$S_2 \rightarrow S_3$ と遷移します。

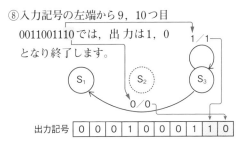

この時点で**ア**が正解とわかりますが，入力記号の最後の桁まで解説します。

⑧ 入力記号の左端から9，10つ目 0011001110 では，出力は 1，0 となり終了します。

出力記号 | 0 | 0 | 0 | 1 | 0 | 0 | 0 | 1 | 1 | 0 |

解答 問1 **ア**

試験対策の要点

令和6年度 科目A—科目B

対策問題① 科目A—科目B

対策問題② 科目A—科目B

対策問題③ 科目A—科目B

問 2

数値を2進数で表すレジスタがある。このレジスタに格納されている正の整数xを10倍にする操作はどれか。ここで、桁あふれは起こらないものとする。

ア xを2ビット左にシフトした値にxを加算し、更に1ビット左にシフトする。
イ xを2ビット左にシフトした値にxを加算し、更に2ビット左にシフトする。
ウ xを3ビット左にシフトした値と、xを2ビット左にシフトした値を加算する。
エ xを3ビット左にシフトした値にxを加算し、更に1ビット左にシフトする。

[平成29年度 秋期 基本情報技術者試験 午前 問1]

問 3

正規分布の説明として、適切なものはどれか。

ア 故障確率に用いられ、バスタブのような形状をした連続確率分布のこと
イ 全ての事象の起こる確率が等しい現象を表す確率分布のこと
ウ 平均値を中心とする左右対称で釣鐘状の連続確率分布のこと
エ 離散的に発生し、発生確率は一定である離散確率分布のこと

[平成26年度 春期 基本情報技術者試験 午前 問4]

問 4

X及びYはそれぞれ0又は1の値をとる変数である。$X \square Y$をXとYの論理演算としたとき、次の真理値表が得られた。$X \square Y$の真理値表はどれか。

X	Y	X AND ($X \square Y$)	X OR ($X \square Y$)
0	0	0	1
0	1	0	1
1	0	0	1
1	1	1	1

ア

X	Y	$X \square Y$
0	0	0
0	1	0
1	0	0
1	1	1

イ

X	Y	$X \square Y$
0	0	0
0	1	1
1	0	0
1	1	1

ウ

X	Y	$X \square Y$
0	0	1
0	1	1
1	0	0
1	1	1

エ

X	Y	$X \square Y$
0	0	1
0	1	1
1	0	1
1	1	0

[令和6年度 基本情報技術者試験 公開問題 科目A 問1]

問2 [基礎理論] シフト演算　頻出

ビットの桁を左右に移動させて行うシフト演算の問題です。n進数の数をkビットシフトするとき（桁あふれはないものとする），左シフトの場合は元の数の n^k 倍，右シフトの場合は元の数の n^{-k} 倍になります。選択肢の記述にしたがって計算していくと次のようになります。

ア $(x$ を4倍 $+x) \times 2 = 10x$

$$\underbrace{2ビット左シフト}_{} + \underbrace{元の数}_{} \times \underbrace{加算結果を1ビット左シフト}_{}$$

計算結果から，正の整数 x を10倍していることがわかります。よって正解です。

他の選択肢は，次のように計算できます。

イ $(4x+x) \times 4 = 20x$ ⇒ 20倍になります。

ウ $8x+4x=12x$ ⇒ 12倍になります。

エ $(8x+x) \times 2 = 18x$ ⇒ 18倍になります。

問3 [基礎理論] 正規分布

正規分布とは，平均値を中心に多くのデータが集積する連続確率分布です。平均値を中心に左右対称で，釣鐘状の形をしています。

ア バスタブ曲線に関する記述です。システムが稼働した後に発生する故障は，その発生原因によって，初期故障（製造工程で加わった欠陥などが故障原因），偶発故障（ごくまれに故障する安定期），摩耗故障（部品の劣化や摩耗などが故障原因）の3種類に分類されます。多数の機器から構成されるシステムで発生する故障率の変化は，次の図のように形が浴槽に似ているバスタブ曲線で表されます。

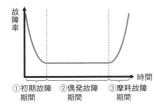

イ 一様分布に関する記述です。一様分布は，すべての事象の起こる確率が等しい現象を表す確率分布です。

ウ 正解です。正規分布に関する記述です。

エ 離散一様分布に関する記述です。離散的とは，連続的な集合（たとえば実数）の部分集合（たとえば整数）が，ばらばらに散らばった状態をいいます。

問4 [基礎理論] 真理値表　頻出

選択肢を当てはめて，設問の真理値表と一致するかを見てみます。

[例]

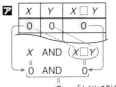

他も同様にして求めます。

(1) X AND (X□Y)

X	Y	ア	イ	ウ	エ
0	0	0	0	0	0
0	1	0	0	0	0
1	0	0	0	0	1
1	1	1	1	1	0

設問の真理値表

X AND $(X□Y)$
0
0
0
1

パターン一致　×

設問の真理値表のパターンに一致しない**エ**が誤りであることがわかります。

(2) X OR (X□Y)

X	Y	ア	イ	ウ	エ
0	0	0	0	1	1
0	1	1	1	1	1
1	0	1	1	1	1
1	1	1	1	1	1

設問の真理値表

X OR $(X□Y)$
1
1
1
1

×　×　パターン一致

設問の真理値表のパターンに一致しない**ア**，**イ**が誤りであることがわかります。

以上より，設問の真理値と値がすべて一致している**ウ**が正解です。

解答　問2 **ア**　　問3 **ウ**　　問4 **ウ**

試験対策の要点 / 令和6年度 科目A 科目B / 対策問題① 科目A 科目B / 対策問題② 科目A 科目B / 対策問題③ 科目A 科目B

問 5 ★★☆

キューに関する記述として，最も適切なものはどれか。

ア 最後に格納されたデータが最初に取り出される。
イ 最初に格納されたデータが最初に取り出される。
ウ 添字を用いて特定のデータを参照する。
エ 二つ以上のポインタを用いてデータの階層関係を表現する。

[平成27年度 春期 基本情報技術者試験 午前 問5]

問 6 ★★☆

キーが小文字のアルファベット1文字（a，b，…，zのいずれか）であるデータを，大きさが10のハッシュ表に格納する。ハッシュ関数として，アルファベットのASCIIコードを10進表記法で表したときの1の位の数を用いることにする。衝突が起こるキーの組合せはどれか。ASCIIコードでは，昇順に連続した2進数が，アルファベット順にコードとして割り当てられている。

ア aとi   イ bとr   ウ cとl   エ dとx

[令和6年度 基本情報技術者試験 公開問題 科目A 問2]

解答・解説

問 5 ★★☆ 【基礎理論】 **キュー**　　　　　　頻出

キューとは，格納されたデータの一方の端からデータを格納し，他方の端からデータを取り出すデータ構造のことです。このようなデータの出し入れをFIFO（First-In First-Out：先入れ先出し）と呼びます。

また，スタックとは，1次元配列に格納された後から入れたデータを先に出すデータ構造のことをいいます。このようなデータの出し入れをLIFO（Last-In First-Out：後入れ先出し）と呼びます。

● キュー（①，②，③，④の順に格納）

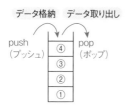

● スタック（①，②，③，④の順に格納）

データ格納　データ取り出し
push（プッシュ）　④　pop（ポップ）
　　　③
　　　②
　　　①

ア スタックに関する記述です。

イ 正解です。キューに関する記述です。

ウ 配列に関する記述です。

エ 木構造に関する記述です。2つのポインタを用いてデータの階層関係を表現する木構造を2分木といいます。また，多分木は，3つ以上のポインタを用いてデータの階層関係を表現します。

[木構造の例]

問 6 ★★☆ 【基礎理論】 **ハッシュ表の衝突**　　パズル

ハッシュ法とは，キーとなるデータを入力値として，ハッシュ関数によってデータの格納場所を決定する方法です。またハッシュ関数とは，入力値からデータの格納場所を求める際に使われる計算式や方法のことです。

問題文の「衝突が起こる」とは，異なる入力からデータの格納場所が同じ値になることを指します。

ここまでを図で整理すると，次のようになります。

入力 → ハッシュ関数 → データの格納場所（ハッシュ表）

ASCIIコードとは，2進数7桁で表現できる128種類（0 ～ 127）に英数字や記号，制御文字などを割り当てた文字コードです。

ASCIIコードのコード表は一度は見てみることをお勧めしますが，コード表を覚えていなくても解答することができます。解答ポイントは3つあります。

＜ポイント1＞

問題文「キーが小文字のアルファベット1文字であるデータを，大きさが10のハッシュ表に格納する」が1つ目のポイントです。図で説明します。

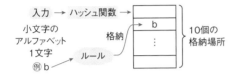

＜ポイント2＞

問題文「ハッシュ関数として，アルファベットのASCIIコードを10進表記法で表したときの1の位の数を用いる」が2つ目のポイントです。図で説明します。

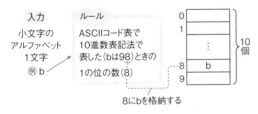

＜ポイント3＞

問題文「ASCIIコードでは，昇順に連続した2進数」の，「連続した」の記述が特に重要なポイントになります。

これはすなわち，「連続した数字が振られている」と解釈します。アルファベット順に連続した数字で振られているので，次のようになっています。

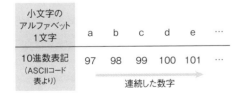

この3つのポイントを踏まえて，問題を解いていきます。なお，小文字のアルファベットaの10進表記が97であることを知らないと想定して解説します。

【例1】aの10進数表記が10と仮定

「10進表記の1の位」が衝突する場合を一覧にすると，次のようになります。

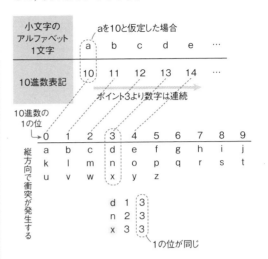

よって，**エ**のdとxが衝突が起きるキーの組合せとなります。

📖 **参考**

【例1】ではaの10進数表記を10と仮定して考えましたが，この数字を変えても結果は同じ（dとxが衝突の起きるキーの組合せ）になります。

【例2】aの10進数表記が11と仮定

この場合，「10進表記の1の位」が衝突する場合を一覧にすると，次のようになります。

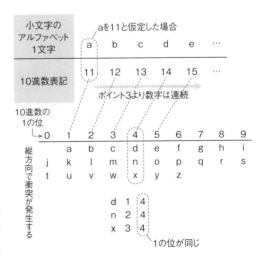

解答 問5 **イ**　　問6 **エ**

問 7 ★★★

リストは，配列で実現する場合とポインタで実現する場合とがある。リストを配列で実現した場合の特徴として，適切なものはどれか。

ア リストにある実際の要素数にかかわらず，リストの最大長に対応した領域を確保し，実際には使用されない領域が発生する可能性がある。

イ リストにある実際の要素数にかかわらず，リストへの挿入と削除は一定時間で行うことができる。

ウ リストの中間要素を参照するには，リストの先頭から順番に要素をたどっていくので，要素数に比例した時間が必要となる。

エ リストの要素を格納する領域の他に，次の要素を指し示すための領域が別途必要となる。

[平成25年度 秋期 基本情報技術者試験 午前 問6]

問 8 ★★★

図は，逆ポーランド表記法で書かれた式abcd＋＋＋をスタックで処理するときのスタックの変化の一部を表している。この場合，スタックの深さは最大で4となる。最大のスタックの深さが最も少ない逆ポーランド表記法の式はどれか。

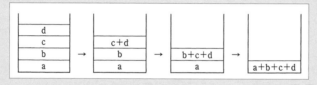

ア ab＋c＋d＋
イ ab＋cd＋＋
ウ abc＋＋d＋
エ abc＋d＋＋

[平成25年度 春期 基本情報技術者試験 午前 問6]

解答・解説

問 7 ★★★ 【基礎理論】 リスト

たとえば，社員A，社員K，社員Tのデータを，配列で実現したリスト，ポインタで実現したリストを説明します。

① 配列で実現したリスト

配列の添字を使って順序を表します。データの参照や更新は，一定時間で行えます。しかし，挿入や削除の場合は関係するデータを前後にずらさなくてはならないので，一定時間で処理できません。

② ポインタで実現したリスト

ポインタを使って順序を表しています。データの順序通りに値を格納する必要はありません。

上のリスト構造に，新たな社員Gを社員Aと社員Kの間に追加すると次のようになります。

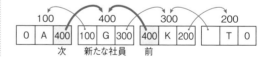

色網部分と太線部分を変更すればよいことがわかります。

ポインタで実現したリストは，データをずらす必要はなく，データについているポインタを更新するだけで挿入，削除を一定時間で処理できます。

ア 正解です。なお，ポインタで実現する場合はリストにある実際の要素数だけ領域を確保します。

イ リストをポインタで実現する場合の特徴です。リストを配列で実現した場合，リストへの挿入と削除は一定時間で行うことはできません。たとえば，配列の前方と後方にデータを挿入する場合で比較してみます。

[例1] 配列の前方にデータを挿入する場合

　データ2をデータ1とデータ3の間に挿入する場合，データ3以降の全データを1つずつ後ろにずらす処理をする必要があるため，処理時間が長くなります。

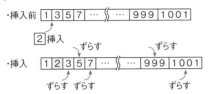

[例2] 配列の後方にデータを挿入する場合

　データ1000をデータ999とデータ1001の間に挿入する場合，データ1001だけ後ろにずらす処理をして，空いたところにデータ1000を挿入するので，処理時間は例1に比べて短くなります。

ウ リストをポインタで実現する場合の特徴です。リストを配列で実現した場合，リストの中間要素を参照するには，次のように計算すれば実現できるので，処理時間は要素数に無関係です。

[例]

$$\frac{先頭の添字＋末尾の添字}{2} = \frac{0 + 10}{2} = 5$$

エ リストをポインタで実現する場合の特徴です。設問文「次の要素を指し示す」のは，ポインタのことです。

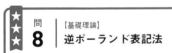
問 **8** ［基礎理論］ 逆ポーランド表記法

　逆ポーランド表記法は，演算子をオペランドの後に書く方法です。

[例1] A×(B＋C)の算術式を逆ポーランド表記法で表すと，ABC＋×となります。

[例2] (A＋B)×(C＋D)の算術式を逆ポーランド表記法で表すと，AB＋CD＋×となります。

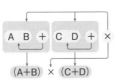

ア ab＋c＋d＋

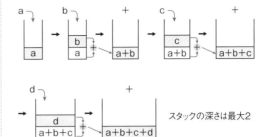

スタックの深さは最大2

イ ab＋cd＋＋

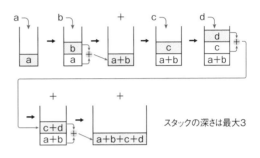

スタックの深さは最大3

ウ abc＋＋d＋

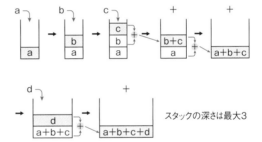

スタックの深さは最大3

エ abc＋d＋＋

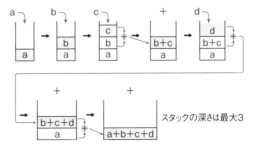

スタックの深さは最大3

　以上より，正解は最大のスタックの深さがもっとも少ない**ア**です。

解答　問7 **ア**　　問8 **ア**

問9 機械学習における教師あり学習の説明として，最も適切なものはどれか。

ア 個々の行動に対しての善しあしを得点として与えることによって，得点が最も多く得られるような方策を学習する。

イ コンピュータ利用者の挙動データを蓄積し，挙動データの出現頻度に従って次の挙動を推論する。

ウ 正解のデータを提示したり，データが誤りであることを指摘したりすることによって，未知のデータに対して正誤を得ることを助ける。

エ 正解のデータを提示せずに，統計的性質や，ある種の条件によって入力パターンを判定したり，クラスタリングしたりする。

[平成31年度 春期 基本情報技術者試験 午前 問4]

問10 図に示す構成で，表に示すようにキャッシュメモリと主記憶のアクセス時間だけが異なり，他の条件は同じ2種類のCPU XとYがある。

あるプログラムをCPU XとYとでそれぞれ実行したところ，両者の処理時間が等しかった。このとき，キャッシュメモリのヒット率は幾らか。ここで，CPU以外の処理による影響はないものとする。

図　構成

表　アクセス時間

	単位　ナノ秒	
	CPU X	CPU Y
キャッシュメモリ	40	20
主記憶	400	580

ア 0.75　　　**イ** 0.90　　　**ウ** 0.95　　　**エ** 0.96

[令和6年度 基本情報技術者試験 公開問題 科目A 問3]

問11 JavaScriptの言語仕様のうち，オブジェクトの表記法などの一部の仕様を基にして規定したものであって，"名前と値の組みの集まり"と"値の順序付きリスト"の二つの構造に基づいてオブジェクトを表現する，データ記述の仕様はどれか。

新シラバス

ア DOM　　　**イ** JSON　　　**ウ** SOAP　　　**エ** XML

[平成31年度 春期 応用情報技術者試験 午前 問7]

問9 【基礎理論】
機械学習

機械学習とは，人間が経験などから反復的に学習しパターンを得るように，コンピュータが大量に記憶したデータから特定のパターンを見つけ出し，その結果を新たなデータにも当てはめ判断するなどといった学習能力をもたせるための技術のことです。

機械学習には，次のような手法があります。

(1)教師あり学習

学習データに正誤の情報を付けてコンピュータに学習させる方法です。たとえば，「犬の写真に犬」「猫の写真に猫」と何の写真であるかの正解情報を付けてそれらの特徴を学ばせることにより，未知のデータを判断することができるようになります。

(2)教師なし学習

学習データに正解の情報を付けないでコンピュータに学習させる方法です。たとえば，Web上の写真を大量に学習させ，コンピュータが「犬」と「猫」というものを自律的に学習する方法です。

(3)強化学習

正解を与える代わりに，得られる収益（報酬）が最大になるような方策を学習する手法です。たとえば，AIが囲碁のプロ棋士に勝利した事例などがあります。

ア 強化学習に関する記述です。

イ 機械学習における教師なし学習に関する記述です。

ウ 正解です。機械学習における教師あり学習に関する記述です。

エ 機械学習における教師なし学習に関する記述です。

問10 【基礎理論】
キャッシュメモリのヒット率 頻出

巻頭「よく出る計算問題と重要公式」の10.の公式を使います。

公式 **システムの実効アクセス時間**

システムの実効アクセス時間＝cp＋m（1－p）
　　m：主記憶のアクセス時間
　　c：キャッシュメモリのアクセス時間
　　p：ヒット率（キャッシュメモリに必要なデータが存在する確率）

① CPU X
　m：主記憶のアクセス時間＝400ナノ秒
　c：キャッシュメモリのアクセス時間＝40ナノ秒
　p：ヒット率　？
　　∴CPU Xシステムの実効アクセス時間
　　　＝40p＋400（1－p）……①'

② CPU Y
　m：主記憶のアクセス時間＝580ナノ秒
　c：キャッシュメモリのアクセス時間＝20ナノ秒
　p：ヒット率　？
　　∴CPU Yシステムの実効アクセス時間
　　　＝20p＋580（1－p）……②'
設問の条件より，①'＝②' なので，
　　40p＋400（1－p）＝20p＋580（1－p）
　　　－360p＋400＝－560p＋580
　　　　　　∴ 200p＝180
　　　　　　　　　p＝0.90　（答）

問11 【基礎理論】
JSON 新シラバス

ア DOM (Document Object Model)

DOMとは，マークアップ言語によって記述されたドキュメントを木構造で表現することで，プログラム側から操作可能にする仕組みのことです。

イ JSON (JavaScript Object Notation)

正解です。JSONとは，JavaScriptのオブジェクト表記法などを基にしたデータ記述言語です。「軽量」「データ転送効率が良い」「シンプルで可読性が高い」などの点で優れています。

ウ SOAP (Simple Object Access Protocol)

SOAPとは，Webサービス間でサーバとクライアントが，XML形式のメッセージ交換を行う際に使用されるプロトコル（通信規約）です。

エ XML (eXtensible Markup Language)

XMLとは，文書の標準化やデータ交換を目的にしたマークアップ言語です。データ記述の仕様という点ではJSONと同じですが，XMLはHTMLの記法を基にしている点が異なります。

解答　問9 **ウ**　　問10 **イ**　　問11 **イ**

問12　稼働状況が継続的に監視されているシステムがある。稼働して数年後に新規業務をシステムに適用する場合に実施する，キャパシティプランニングの作業項目の順序として，適切なものはどれか。

〔キャパシティプランニングの作業項目〕
①　システム構成の案について，適正なものかどうかを評価し，必要があれば見直しを行う。
②　システム特性に合わせて，サーバの台数，並列分散処理の実施の有無など，必要なシステム構成の案を検討する。
③　システムの稼働状況から，ハードウェアの性能情報やシステム固有の環境を把握する。
④　利用者などに新規業務をヒアリングし，想定される処理件数や処理に要する時間といったシステムに求められる要件を把握する。

ア ③，②，④，①　　　　　　　**イ** ③，④，②，①
ウ ④，②，①，③　　　　　　　**エ** ④，③，①，②

［平成30年度 秋期 基本情報技術者試験 午前 問14］

問13　優先度に基づくプリエンプティブなスケジューリングを行うリアルタイムOSで，二つのタスクA，Bをスケジューリングする。Aの方がBよりも優先度が高い場合にリアルタイムOSが行う動作のうち，適切なものはどれか。

ア Aの実行中にBに起動がかかると，Aを実行可能状態にしてBを実行する。
イ Aの実行中にBに起動がかかると，Aを待ち状態にしてBを実行する。
ウ Bの実行中にAに起動がかかると，Bを実行可能状態にしてAを実行する。
エ Bの実行中にAに起動がかかると，Bを待ち状態にしてAを実行する。

［令和元年度 秋期 基本情報技術者試験 午前 問18］

問14　あるシステムの今年度のMTBFは3,000時間，MTTRは1,000時間である。翌年度はMTBFについて今年度の20％分の改善，MTTRについて今年度の10％分の改善を図ると，翌年度の稼働率は何％になるか。

ア 69　　　　　**イ** 73　　　　　**ウ** 77　　　　　**エ** 80

［令和6年度 基本情報技術者試験 公開問題 科目A 問4］

問12 【コンピュータシステム】 キャパシティプランニングの作業手順

キャパシティプランニングとは，情報システムの構築や改修などの際に，求められるサービスの機能やレベル，処理量に応じたハードウェア構成などを見積もり，将来の予測も踏まえた最適な計画を立てることです。

＜キャパシティプランニングの作業手順＞
1. 現行システムの状況から，処理能力等を把握（③）
2. 将来の予測計画や，処理量の増加などを分析（④）
3. 新システムに必要な性能要件からハードウェア構成等を検討（②）
4. 評価と見直し（①）

したがって，正解は**イ**の③，④，②，①です。

問13 【コンピュータシステム】 2つのタスクスケジューリング

優先度方式のスケジューリングでは，各タスクに優先度を付けておき，優先度の高いタスクから先に実行します。実行中のタスクより優先度が高いタスクに起動がかかると，そちらを優先して実行します。そして，実行中のタスクは，「実行可能状態」へと遷移してCPUの割当てを待ちます。

問題文「Aの方がBより優先度が高い場合」とは，「AとBの2つでは，Aの方を優先して先に実行する」ということです。

ア，**イ** AよりBを優先して先に実行しているので誤りです。

ウ 正解です。

エ 優先度が高いタスクAが実行状態になると，タスクBは実行中→実行可能状態に遷移し，Bは待ち状態になりません。

問14 【コンピュータシステム】 稼働率の計算

頻出

稼働率については，巻頭「よく出る計算問題と重要公式」の11.を参照してください。

稼働率は，次の計算公式を使用します。

公式 稼働率
$$稼働率 = MTBF \ / \ MTBF + MTTR$$

(1) 翌年度のMTBF

MTBFは平均故障間隔のことで，システムが連続して正しく動作している時間の平均値を指します。MTBFは長いほど良い（改善されている）ことになります。

問題文「今年度のMTBFは3,000時間…（略）…翌年度は今年度の20%分の改善」より，翌年度のMTBFは今年度の3,000時間の20%増しになります。よって，次のように計算します。

$$翌年度のMTBF = 3000 \times (1 + 0.2)$$
$$= 3600 時間$$

(2) 翌年度のMTTR

MTTRは平均修理時間のことで，故障により停止している時間の平均値を指します。MTTRは短いほど良い（改善されている）ことになります。

問題文「MTTRは1,000時間…（略）…今年度の10%分の改善」より，翌年度のMTTRは今年度の1,000時間の10%減になります。よって，次のように計算します。

$$翌年度のMTTR = 1000 \times (1 - 0.1)$$
$$= 900 時間$$

(3) 翌年度の稼働率

以上(1)(2)より，
$$翌年度の稼働率 = \frac{3600}{(3600 + 900)}$$
$$= 0.8$$

となるので，正解は**エ**の80%です。

解答 問12 **イ** 問13 **ウ** 問14 **エ**

問15

セキュアOSを利用することによって期待できるセキュリティ上の効果はどれか。

ア 1回の利用者認証で複数のシステムを利用できるので，強固なパスワードを一つだけ管理すればよくなり，脆弱なパスワードを設定しにくくなる。

イ Webサイトへの通信路上に配置して通信を解析し，攻撃をブロックすることができるので，Webアプリケーションソフトウェアの脆弱性を悪用する攻撃からWebサイトを保護できる。

ウ 強制アクセス制御を設定することによって，ファイルの更新が禁止できるので，システムに侵入されてもファイルの改ざんを防止できる。

エ システムへのログイン時に，パスワードのほかに専用トークンを用いて認証が行えるので，パスワードが漏えいしても，システムへの侵入を防止できる。

[令和5年度 春期 応用情報技術者試験 午前 問37]

問16

RAID5の記録方式に関する記述のうち，適切なものはどれか。

ア 複数の磁気ディスクに分散してバイト単位でデータを書き込み，さらに，1台の磁気ディスクにパリティを書き込む。

イ 複数の磁気ディスクに分散してビット単位でデータを書き込み，さらに，複数の磁気ディスクにエラー訂正符号（ECC）を書き込む。

ウ 複数の磁気ディスクに分散してブロック単位でデータを書き込み，さらに，複数の磁気ディスクに分散してパリティを書き込む。

エ ミラーディスクを構成するために，磁気ディスク2台に同じ内容を書き込む。

[平成29年度 秋期 基本情報技術者試験 午前 問12]

問15 【コンピュータシステム】 セキュアOS

新シラバス

セキュアOSとは，セキュリティを強化したオペレーティングシステム (OS) のことです。

ア シングルサインオンによるセキュリティの効果に関する記述です。シングルサインオンとは，一度の利用者認証で複数システムの利用が可能になる仕組みです。

イ WAF (Web Application Firewall) によるセキュリティの効果に関する記述です。組織内のコンピュータネットワークに対する外部からの侵入を防ぐために設置されるシステムをファイアウォール (Firewall) と呼び，内外の通信を監視してアクセス制御を行います。WAFは，ファイアウォールのなかでもWebサーバやWebアプリケーションに起因する脆弱性への攻撃を遮断します。

ウ 正解です。セキュアOSによるセキュリティの効果に関する記述です。

エ 多要素認証によるセキュリティの効果に関する記述です。多要素認証とは，「知識情報」「所持情報」「生体情報」のうち，2つ以上の要素を用いて認証する仕組みです。

①知識情報 (本人だけが知っている情報)
　(例) 利用者ID，パスワード
②所持情報 (本人だけが持っている物)
　(例) ICチップを内蔵したカード，認証トークン
③生体情報 (自分の身体)
　(例) 指紋，手の静脈パターン，顔認識，虹彩，網膜パターン

問16 【コンピュータシステム】 タスクの状態遷移

頻出

RAIDは，高速性や耐障害性を高める目的で，複数の磁気ディスク装置やSSDなどを，仮想的な1台の装置として管理する技術です。仕組みの違いにより，レベルが定義されています。RAID1～5はデータおよび冗長ビットの記録方法と記録位置の組合せです。

用語整理 RAID

①RAID0
　1つのデータを複数のデータに分け，複数の磁気ディスク装置に書き込む。ストライピングともいう。
②RAID1
　まったく同じデータを複数の磁気ディスク装置に書き込む。ミラーリングともいう。
③RAID2
　データをハミング符号化して複数の磁気ディスク装置に書き込む。チェック用のディスクによって，エラー訂正が可能。
④RAID3
　データをパリティ符号化して複数の磁気ディスク装置に書き込む。1台のディスクが故障した場合は，残りのディスクのデータで情報の復元が可能。パリティ記録用のディスクが1台必要になる。
⑤RAID4
　データを転送単位のブロックごとにパリティ符号化し，複数の磁気ディスク装置に書き込む。パリティ記録用のディスクが1台必要になる。
⑥RAID5
　同一の磁気ディスク装置に格納していたパリティデータを，巡回的にすべてのディスクに分配する。

ア RAID3に関する記述です。
イ RAID2に関する記述です。
ウ RAID5に関する記述です。
エ RAID1に関する記述です。

解答 問15 **ウ**　　問16 **ウ**

問17 ページング方式の仮想記憶において，ページ置換えアルゴリズムにLRU方式を採用する。主記憶に割り当てられるページ枠が4のとき，ページ1, 2, 3, 4, 5, 2, 1, 3, 2, 6の順にアクセスすると，ページ6をアクセスする時点で置き換えられるページはどれか。ここで，初期状態では主記憶にどのページも存在しないものとする。

ア 1　　　　イ 2　　　　ウ 4　　　　エ 5

[平成24年度 秋期 基本情報技術者試験 午前 問19]

問18 インタプリタの説明として，適切なものはどれか。

ア 原始プログラムを，解釈しながら実行するプログラムである。
イ 原始プログラムを，推論しながら翻訳するプログラムである。
ウ 原始プログラムを，目的プログラムに翻訳するプログラムである。
エ 実行可能なプログラムを，主記憶装置にロードするプログラムである。

[平成31年度 春期 基本情報技術者試験 午前 問19]

解答・解説

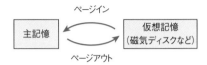

★★★ 問 **17** 【コンピュータシステム】 ページ置換えアルゴリズム LRU　　　　　　　頻出

LRU（Least Recently Used）方式は，参照されてから次に参照されるまでの経過時間が最も長いページをページアウトする方式です。ページイン，ページアウトでページが置き換えられます。

ページイン
主記憶　⇄　仮想記憶（磁気ディスクなど）
ページアウト

ページが読み込まれる順に検討します。図中の記号 (古)，(新) は，次の意味です。

(古)：参照されてから次に参照されるまでの経過時間が長いページを表す

(新)：最近参照されたことを表す

(1) 1, 2, 3, 4の順にアクセス

ページ枠が4なので，主記憶の内容は次のようになります。

(古) | 1 | 2 | 3 | 4 | (新)

(2) 次に，ページ5にアクセス

ページ5にアクセスしたいのですが，主記憶の中にページ5は存在しません。このため，磁気ディスクなどの仮想記憶から主記憶にページ5をページインする必要があります。ページ5がページインすると，最も昔に参照されたページ①がページアウトされます。

(3) 次に，ページ2にアクセス

ページ②を参照したので，ページ2は"最近参照された"ので，次の図のような順に変わります。

(古) | 3 | 4 | 5 | 2 | (新)

(4) 次に，ページ1にアクセス

(5) 次に，ページ3にアクセス

(6) 次に，ページ2にアクセス

(古) | 5 | 1 | 3 | 2 | (新)

(7) 次に，ページ6にアクセス

ページ置換えアルゴリズムは，FIFO方式も重要です。

参考　　FIFO

　FIFO（First-In First-Out）は，先入れ先出し方式です。先にページインしたページから先に追い出します。ページインとは，磁気ディスクやSSDなどから主記憶にページをロードすることです。

★★★ 問 **18** 【コンピュータシステム】 インタプリタ　　　　　　　　　頻出

インタプリタは原始プログラムの命令文を1つずつ解釈して翻訳しながら実行する言語処理プログラムです。実行速度は遅いのですが，誤った命令を1つ1つ直しながら実行できるメリットがあります。

ア 正解です。インタプリタに関する記述です。

イ コンパイラの型推論に関する記述です。型推論とは，原始プログラムに変数や関数の型を明示しなくてもコンパイラが型を推定してくれる機能です。

ウ コンパイラに関する記述です。

エ ローダに関する記述です。

解答 ──── 問17 **エ** 　　問18 **ア**

問19 7セグメントLED点灯回路で，出力ポートに16進数で6Dを出力したときの表示状態はどれか。ここで，P7を最上位ビット（MSB），P0を最下位ビット（LSB）とし，ポート出力が1のとき，LEDは点灯する。

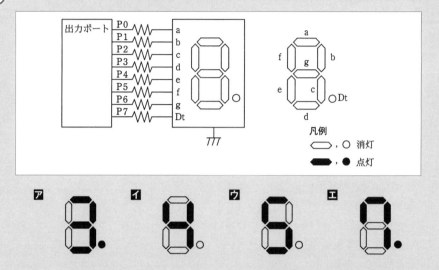

[平成24年度 春期 基本情報技術者試験 午前 問25]

問20 複数のWebサービスの入出力処理を連結させて新たなサービスを提供する，"ロジックマッシュアップ"の例はどれか。

ア 利用者が選択した飲食店情報のページを表示する際に，他のWebサービスが提供する地図コンテンツをアクセスマップとして表示する。

イ 利用者が選択した投資商品の情報を表示する際に，関連する経済指標のデータを複数のWebサービスから取得し，グラフに加工して表示する。

ウ 利用者が入力した予算の範囲で宿泊可能な施設のリストを他のWebサービスから取得し，それらの宿泊施設の空室状況を別のWebサービスから取得して表示する。

エ 利用者がマウスのドラッグで地図を操作した際に，Webページ全体ではなく一部を読み直すことによって地図をスクロールして表示する。

[令和6年度 基本情報技術者試験 公開問題 科目A 問5]

問21 液晶ディスプレイなどの表示装置において，傾いた直線の境界を滑らかに表示する手法はどれか。

ア アンチエイリアシング　　　イ シェーディング
ウ テクスチャマッピング　　　エ バンプマッピング

[令和6年度 基本情報技術者試験 公開問題 科目A 問6]

解答・解説

問19 【コンピュータシステム】LED点灯回路 パズル／頻出

巻頭の「よく出る計算問題と重要公式」の1.を参考に，16進数の6Dを8ビットの2進数に基数変換します。

$$(6 \quad D)_{16}$$
$$(13)_{10}$$
$$(0110 \quad 1101)_2$$

$$(6D)_{16} = (01101101)_2 \quad \cdots \cdots \quad ①$$

ここで，設問文「P7を最上位ビット，P0を最下位ビット」と設問の図より，P0とaが対応，P1とbが対応，……P7とDtが対応していることがわかります。

また，設問文「ポート出力が1のとき，LEDは点灯する」にも注意します。

まとめると，次の図のようだとわかります。

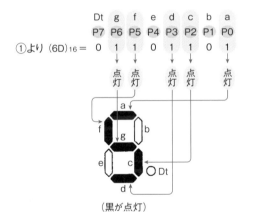

（黒が点灯）

上記の図から，正解は**ウ**です。

問20 【コンピュータシステム】ロジックマッシュアップ 新シラバス

ロジックマッシュアップとは，外部のサービスやソフトウェアからデータや機能を呼び出して使用できるWeb APIを利用することでさまざまな機能やデータを連結し，独自の新たなサービスを生み出す手法のことです。

問題文より，

・複数のWebサービスの入出力処理を連結さ

せて
・新たなサービスを提供
している選択肢を選ぶことがポイントです。

ア 不適切な記述です。「利用者が選択した飲食店情報のページを表示」は，第三者のWebサービスから出力を受けとっているわけではありません。よって，「複数のWebサービスを連結させて」いません。

イ 不適切な記述です。「利用者が選択した……」は，**ア**と同様にWebサービスといえません。

ウ 正解です。2つのWebサービスを連結させて，新たなサービスを提供しています。

・Webサービス1
→利用者が入力した予算の範囲で宿泊可能な施設のリストを他のWebサービスから取得
・Webサービス2
→それらの宿泊施設の空室状況を別のWebサービスから取得

エ 不適切な記述です。ロジックマッシュアップの例ではなく，地図の表示方法に関する記述です。

問21 【技術要素】アンチエイリアシング 頻出

ア アンチエイリアシング
正解です。ディジタル画像の傾いた直線や曲線などで発生する階段状のギザギザの境界線を目立たなくする手法のことです。

イ シェーディング
3D画像に立体感を生じさせるため，物体の表面に陰付けを行う手法のことです。

ウ テクスチャマッピング
3D画像の物体の表面に画像を貼り付けることによって，表面の質感を表現する手法のことです。

エ バンプマッピング
モデル表面に溝や凹凸などのディテールを追加する特殊なテクスチャである法線マップなどを用いることで，3D画像の物体に凸凹の立体感を付ける手法のことです。

解答 問19 **ウ** 問20 **ウ** 問21 **ア**

試験対策の要点

令和6年度 科目A 科目B

対策問題① 科目A 科目B

対策問題② 科目A 科目B

対策問題③ 科目A 科目B

問22

データベースが格納されている記憶媒体に故障が発生した場合,バックアップファイルとログを用いてデータベースを回復する操作はどれか。

ア アーカイブ
イ コミット
ウ チェックポイントダンプ
エ ロールフォワード

[平成30年度 秋期 基本情報技術者試験 午前 問30]

 問23

DBMSに実装すべき原子性(atomicity)を説明したものはどれか。

ア 同一データベースに対する同一処理は,何度実行しても結果は同じである。
イ トランザクション完了後にハードウェア障害が発生しても,更新されたデータベースの内容は保証される。
ウ トランザクション内の処理は,全てが実行されるか,全てが取り消されるかのいずれかである。
エ 一つのトランザクションの処理結果は,他のトランザクション処理の影響を受けない。

[令和6年度 基本情報技術者試験 公開問題 科目A 問7]

 問24

新シラバス

ビッグデータの基盤技術として利用されるNoSQLに分類されるデータベースはどれか。

ア 関係データモデルをオブジェクト指向データモデルに拡張し,操作の定義や型の継承関係の定義を可能としたデータベース
イ 経営者の意思決定を支援するために,ある主題に基づくデータを現在の情報とともに過去の情報も蓄積したデータベース
ウ 様々な形式のデータを一つのキーに対応付けて管理するキーバリュー型データベース
エ データ項目の名称や形式など,データそのものの特性を表すメタ情報を管理するデータベース

[平成30年度 春期 応用情報技術者試験 午前 問30]

解答・解説

 問22 【技術要素】
データベースを回復する操作

ア アーカイブ

記録の保管所,履歴などを意味します。複数のファイルがひとまとめに整理されたデータのことをいいます。

イ コミット

トランザクションの正常終了時に出される命令です。この命令が発行されることでトランザクションが終了し,データベースの更新内容が確定されます。

ウ チェックポイントダンプ

データの処理状況を定期的あるいは不定期的に書き込んでおいたものです。

エ ロールフォワード

正解です。媒体障害発生時に,バックアップファイルとログファイルを使用し,障害発生直前の状態にデータベース内容を復元することです。バックアップファイル取得時点の状況を再現したあと,ログファイルに記憶されている更新後情報を使用して,必要な時点まで更新していきます。

問23 [技術要素] ACID特性

DBMSのデータベースの更新において，個々のトランザクション処理が満たすべき性質としてACID特性があります。

用語整理 ACID特性

● Atomicity（原子性）

正常にトランザクションが終了すれば，そのときの対象となった各データの内容は全部反映され，中止すれば，すべてが元に戻されなければならない。

● Consistency（一貫性）

トランザクションにより，データの矛盾が生じない。

● Isolation（独立性）

複数のトランザクションが処理されるとき，お互いの処理が干渉してはならない。

● Durability（耐久性）

トランザクション完了後，その結果が記録されて，失われることがない。

ア Consistency（一貫性）に関する記述です。

イ Durability（耐久性）に関する記述です。

ウ 正解です。Atomicity（原子性）に関する記述です。

エ Isolation（独立性）に関する記述です。

問24 [基礎理論] キーバリュー型データベース 新シラバス

NoSQL（Not only SQL）とは，RDB（Relational Database：関係データベース）以外のデータベースを指す総称です。NoSQLはその名の通り，データへのアクセス方法をSQLに限定しません。

RDBは，スキーマ定義やトランザクションのACID特性などによって信頼性を高めています。それに対してNoSQLは，スキーマレスで軽量なので，データの参照や追加を低コストで実行できる特徴があります。

NoSQLには，次のような種類があります。

用語整理 NoSQLの種類

● キーバリュー型データベース

1つのキーと1つの値を結び付けてデータを格納

● ドキュメント型データベース

XML，JSONなどの構造でデータを格納

● グラフ型データベース

グラフ理論によってデータ間の関係性を表現

● カラム指向型データベース

キーバリュー型にカラムを追加

ア オブジェクト指向データベースに関する記述です。オブジェクト指向データベースでは，データとその処理方法を1つのオブジェクトとしてデータベースに格納します。

イ データウェアハウスに関する記述です。データウェアハウスとは，複数の基幹システムの情報を時系列で蓄積できるシステムのことです。

ウ 正解です。キーバリュー型データベースは，データを識別するための「キー」とデータの「値」を1つの組にして格納します。

エ データディクショナリに関する記述です。データディクショナリとは，データの一貫性を保つため，データ項目の名称や意味を登録した辞書のことです。

解答 問22 **エ**　　問23 **ウ**　　問24 **ウ**

問25 携帯電話網で使用される通信規格の名称であり，次の三つの特徴をもつものはどれか。

(1) 全ての通信をパケット交換方式で処理する。
(2) 複数のアンテナを使用する MIMO と呼ばれる通信方式が利用可能である。
(3) 国際標準化プロジェクト 3GPP（3rd Generation Partnership Project）で標準化されている。

ア LTE（Long Term Evolution）　　**イ** MAC（Media Access Control）
ウ MDM（Mobile Device Management）　**エ** VoIP（Voice over Internet Protocol）

[平成30年度 秋期 基本情報技術者試験 午前 問35]

問26 ネットワーク機器に付けられている MAC アドレスの構成として，適切な組合せはどれか。

	先頭24ビット	後続24ビット
ア	エリア ID	IP アドレス
イ	エリア ID	固有製造番号
ウ	OUI（ベンダ ID）	IP アドレス
エ	OUI（ベンダ ID）	固有製造番号

[平成24年度 秋期 基本情報技術者試験 午前 問33]

問27 次のネットワークアドレスとサブネットマスクをもつネットワークがある。このネットワークをある PC が利用する場合，その PC に**割り振ってはいけない**IP アドレスはどれか。

ネットワークアドレス： 200.170.70.16
サブネットマスク： 255.255.255.240

ア 200.170.70.17　　　　　　**イ** 200.170.70.20
ウ 200.170.70.30　　　　　　**エ** 200.170.70.31

[平成30年度 春期 基本情報技術者試験 午前 問32]

解答・解説

問25 [技術要素] **携帯電話網で使用される通信規格**

設問文と選択肢に出る用語を解説します。

● パケット交換方式

　ネットワークのデータ通信において，1つのデータをパケットと呼ばれる細かく分割した複数のデータにして送受信する方式のことです。

● MIMO（multiple input and multiple output）

　無線 LAN や携帯電話の通信において，送信側と受信側の双方で複数のアンテナを使って行うことで安定して速い通信を実現する品質向上の技術です。

● 3GPP（3rd Generation Partnership Project）

　第三世代携帯電話（3G）から第5世代移動通信（5G）システムまで，標準仕様の検討や策定を行う国際的なプロジェクトのことです。

ア LTE (Long Term Evolution)

正解です。第三世代携帯電話 (3G) をさらに高速化させた携帯電話用の通信規格です。3GPPで標準化され, さらなる大容量化・高速化が進められています。スマートフォンやタブレットなどで広く使われています。

イ MAC (Media Access Control)

LANの媒体アクセス制御を行う OSI 参照モデル第2層のデータリンク層を上下に分けたうちの下側の副層のことです。

ウ MDM (Mobile Device Management)

携帯端末管理を行う仕組みやツールのことです。携帯端末の業務利用においては, 情報セキュリティが重視されます。たとえば, 不要なアプリのインストールを制限したり, 紛失時にリモートロックを掛けるなどして, 一元的に管理・監視を行います。

エ VoIP (Voice over Internet Protocol)

IPネットワーク上で音声通話を実現する技術です。アナログである音声データをディジタル符号化し, パケットに変換して送受信します。

★★ 問 **26** [技術要素] **MACアドレスの構成**

MAC (Media Access Control) アドレスとは, ネットワーク機器に付けられている固有の番号です。

MACアドレスの先頭24ビットは, ネットワーク機器の製造業者 (ベンダ) ごとに割り当てた番号です。この番号をOUI (Organizationally Unique Identifier), またはベンダ ID といいます。

そして, 後半24ビットは, ベンダが自社製品に一意に付けた固有の製造番号です。

MACアドレス | OUI(ベンダID) ← 24ビット | ベンダごとの固有の番号 ← 24ビット

よって, 正解は**エ**の

　先頭24ビット　OUI (ベンダID)
　後続24ビット　固有製造番号

です。

★★★ 問 **27** [技術要素] **IPアドレス** 　頻出

IPアドレスのなかには特別な意味を持つアドレスが次の2つあり, PCに割り振ってはいけません。

● ネットワークアドレス

IPアドレスのホストアドレス部がすべて0のアドレスです。このアドレスはネットワーク全体を意味します。

● ブロードキャストアドレス

IPアドレスのホストアドレス部がすべて1のアドレスです。このアドレスは, ネットワークに属する全ノードに対してデータ送信する際に使用されます。

サブネットマスクが255.255.255.240, ネットワークアドレスが200.170.70.16なので, 第4オクテットは00010000です。よって, 次のようになります。

	255	255	255	240
サブネットマスク	11111111	11111111	11111111	1111|0000

・IPアドレス
- ネットワークアドレス (ホスト部がすべて0) 　.0001|0000=16
- ブロードキャストアドレス (ホスト部がすべて1) 　.0001|1111=31

　　　　　　　　　　　　　　　　　　ホスト部

サブネットマスクが255.255.255.240なので, ホスト部は4ビットです, よって, このネットワークが持つIPアドレスの範囲は,

　200.170.70.17 ～ 200.170.17.30

です。このうち最初の200.170.70.16はネットワークアドレス, 最後の200.170.70.31はブロードキャストアドレスです。

したがって, PCに割り振ることのできるIPアドレスの範囲は

　200.170.70.17 ～ 200.170.17.30

です。**エ**の200.170.17.31はブロードキャストアドレスなので, PCに割り振ってはいけません。

解答　問25 **ア**　　問26 **エ**　　問27 **エ**

問 28 OpenFlow を使った SDN (Software-Defined Networking) の説明として，適切なものはどれか。

ア RFID を用いる IoT (Internet of Things) 技術の一つであり，物流ネットワークを最適化するためのソフトウェアアーキテクチャ

イ 様々なコンテンツをインターネット経由で効率よく配信するために開発された，ネットワーク上のサーバの最適配置手法

ウ データ転送と経路制御の機能を論理的に分離し，データ転送に特化したネットワーク機器とソフトウェアによる経路制御の組合せで実現するネットワーク技術

エ データフロー図やアクティビティ図などを活用し，業務プロセスの問題点を発見して改善を行うための，業務分析と可視化ソフトウェアの技術

[平成31年度 春期 基本情報技術者試験 午前 問35]

問 29 LAN間接続装置に関する記述のうち，適切なものはどれか。

ア ゲートウェイは，OSI基本参照モデルにおける第1～3層だけのプロトコルを変換する。

イ ブリッジは，IPアドレスを基にしてフレームを中継する。

ウ リピータは，同種のセグメント間で信号を増幅することによって伝送距離を延長する。

エ ルータは，MACアドレスを基にしてフレームを中継する。

[令和6年度 基本情報技術者試験 公開問題 科目A 問8]

問 28 【技術要素】OpenFlow を使った SDN

ネットワークをソフトウェアによって柔軟に制御・構築する考え方のことをSDN（Software-Defined Networking）といい、これを実現する技術のひとつがOpenFlowです。

従来のネットワーク機器は、制御機能とデータ転送機能の両方を実装していましたが、これを論理的に分離し、データ転送をOpenFlowスイッチが担い、制御機能を有したOpenFlowコントローラが集中管理を行います。制御機能をプログラミングすることで、柔軟なネットワーク構築を行うことが可能になります。

ア EPCglobalネットワークに関する記述です。RFID（Radio Frequency IDentifier）とは、カードに埋め込んだ微小なICチップ（無線チップ）に情報を記憶し、電波によって情報交換や管理を行う技術です。IoT（Internet of Things）とは、「モノのインターネット」といわれ、さまざまなものに通信機能をもたせてインターネットに接続させ、情報交換を行う仕組みです。

イ コンテンツデリバリネットワーク（CDN：Content Delivery Network）に関する記述です。ウェブコンテンツにアクセスするユーザに最も近いサーバから効率的に配信する仕組みです。

ウ 正解です。OpenFlowを使ったSDNに関する記述です。

エ 業務モデリングに関する記述です。データフロー図（DFD）は、情報の流れと処理に着目して業務プロセスを構造化していく手法です。また、アクティビティ図は、開始状態から矢印で示された手順に従って処理や活動を行い、終了状態へ移行する流れを図に表したものです。

DFDの例

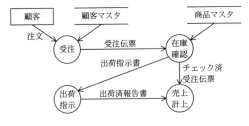

問 29 【技術要素】LAN間接続装置　頻出

LAN間接続装置に関する問題です。各装置の主な機能や特徴をまとめると、次のようになります。

用語整理 LAN間接続装置

- リピータ
  - 減衰して変形した信号の波形を増幅・整理して流す。
  - ネットワークを延長する。
  - データリンクレベルでエラーが発生していても、そのままデータは流れる。
  - 速度は変換しない。
  - 第1層物理層で転送。
- ブリッジ
  - フレームを理解して隣のネットワークに流すか判断する。
  - 信号を復元するため、ブリッジの数に制限はない。
  - 第2層データリンク層で転送。
- ルータ
  - 宛先のルートをIPアドレスにより決定してパケットを配送する。
  - 任意のデータリンク同士を接続できる。
  - 第3層ネットワーク層で転送。
- ゲートウェイ
  - プロトコルの変換を行う。
  - 第7層アプリケーション層で転送。

ア ゲートウェイは、OSI基本参照モデルにおける第1層から第7層までで転送を行います。

イ ブリッジはMACアドレスを基にしてフレームを中継します。

ウ 正解です。

エ ルータは、IPアドレスを基にしてフレームを中継します。

解答 問28 **ウ**　　問29 **ウ**

問30

SEO の説明はどれか。

ア EC サイトにおいて，個々の顧客の購入履歴を分析し，新たに購入が見込まれる商品を自動的に推奨する機能

イ Web ページに掲載した広告が契機となって商品が購入された場合，売主から成功報酬が得られる仕組み

ウ 検索エンジンの検索結果一覧において自社サイトがより上位にランクされるように Web ページの記述内容を見直すなど様々な試みを行うこと

エ 検索エンジンを運営する企業と契約し，自社の商品・サービスと関連したキーワードが検索に用いられた際に広告を表示する仕組み

[平成26年度 秋期 応用情報技術者試験 午前 問73]

問31

ペネトレーションテストに該当するものはどれか。

ア 検査対象の実行プログラムの設計書，ソースコードに着目し，開発プロセスの各工程にセキュリティ上の問題がないかどうかをツールや目視で確認する。

イ 公開 Web サーバの各コンテンツファイルのハッシュ値を管理し，定期的に各ファイルから生成したハッシュ値と一致するかどうかを確認する。

ウ 公開 Web サーバや組織のネットワークの脆弱性を探索し，サーバに実際に侵入できるかどうかを確認する。

エ 内部ネットワークのサーバやネットワーク機器の IPFIX 情報から，各 PC の通信に異常な振る舞いがないかどうかを確認する。

[令和6年度 基本情報技術者試験 公開問題 科目A 問9]

問32

リスク対応のうち，リスクファイナンシングに該当するものはどれか。

ア システムが被害を受けるリスクを想定して，保険を掛ける。

イ システムの被害につながるリスクの顕在化を抑える対策に資金を投入する。

ウ リスクが大きいと評価されたシステムを廃止し，新たなセキュアなシステムの構築に資金を投入する。

エ リスクが顕在化した場合のシステムの被害を小さくする設備に資金を投入する。

[平成31年度 春期 基本情報技術者試験 午前 問40]

問 30 [技術要素] SEO ★★☆
新シラバス

SEO（Search Engine Optimization）とは，検索エンジンの最適化のことです。Google などの検索エンジンにおいて上位に表示されるように，Web サイト全体やページの工夫を行います。

ア レコメンデーションに関する記述です。たとえば，洗剤を検索・購入した人に対して柔軟剤を自動的に推奨するなど，顧客の傾向・嗜好に合わせた商品を表示する仕組みです。

イ アフェリエイト（成果報酬型広告）に関する記述です。Web ページに広告を掲載し，その広告を通じて商品の購入や会員登録が行われた場合に報酬を得ることができる仕組みです。

ウ 正解です。SEO に関する記述です。

エ リスティング広告（検索連動型広告）に関する記述です。利用者が検索したキーワードに合わせて表示される Web 広告のことです。

問 31 [技術要素] ペネトレーションテスト ★★☆

ペネトレーションテスト（侵入テスト）とは，ネットワークに接続されているコンピュータシステムに対して攻撃者の視点から実際に侵入を試みることで，セキュリティ上の脆弱性を発見する手法です。

ア レビューに関する記述です。

イ ファイルチェックサムに関する記述です。ハッシュ値とは，キーとなるデータを入力値として，ハッシュ関数を用いて出力した値のことです。

ウ 正解です。

エ NetFlow によるネットワークトラフィック監視に関する記述です。IPFIX（IP Flow Information Export）情報とは，ネットワークトラフィックを監視・分析する技術のひとつです。

問 32 [技術要素] リスクファイナンシング ★★☆

リスク対応には，リスクコントロールとリスクファイナンシングがあります。

> **用語整理 リスク対応**
>
> ●リスクコントロール
>
> リスクを予防したり，軽減したりすることによって，リスクをコントロールすることを指します。リスクコントロールには，次のような方法があります。
>
> ・リスク軽減
>
> リスクの大きさに応じて，リスクを軽減できる方策を講じることです。たとえば，バックアップをとるといった方法があります。
>
> ・リスク回避
>
> リスクが予想される業務を回避する方法です。たとえば，重要データを外部から切り離してアクセスできないようにすることなどが該当します。
>
> ・リスク分散
>
> 重要情報や業務を一点に集中させない方法です。たとえば，業務をアウトソーシングする，システムを分散させるなどが該当します。
>
> ●リスクファイナンシング
>
> リスクが現実化した際に，財政面の損失を抑えることを指します。リスクファイナンシングには，次のような方法があります。
>
> ・リスク移転
>
> リスクを他へ移転する方法です。たとえば，外部の保険会社に損害を補填してもらうことなどが該当します。
>
> ・リスク保有
>
> 発生する損失よりリスク対策の経費が大きい場合に，あえてリスク対策をしないという方法です。

ア 正解です。

イ リスクの顕著化を抑える対策は，リスクコントロールの「リスク軽減」に該当します。

ウ リスクが大きいシステムを廃止し，新たなシステム構築を行うことは，リスクコントロールの「リスク回避」に該当します。

エ 被害を小さくする設備に資金を投入することは，リスクコントロールの「リスク軽減」に該当します。

解答 問30 **ウ**　　問31 **ウ**　　問32 **ア**

問 33

セキュアブートの説明はどれか。

ア BIOSにパスワードを設定し，PC起動時にBIOSのパスワード入力を要求することによって，OSの不正な起動を防ぐ技術

イ HDDにパスワードを設定し，PC起動時にHDDのパスワード入力を要求することによって，OSの不正な起動を防ぐ技術

ウ PCの起動時にOSやドライバのディジタル署名を検証し，許可されていないものを実行しないようにすることによって，OS起動前のマルウェアの実行を防ぐ技術

エ マルウェア対策ソフトをスタートアッププログラムに登録し，OS起動時に自動的にマルウェアスキャンを行うことによって，マルウェアの被害を防ぐ技術

[平成30年度 秋期 基本情報技術者試験 午前 問43]

問 34

SQLインジェクションの対策として，有効なものはどれか。

ア URLをWebページに出力するときは，"http://"や"https://"で始まるURLだけを許可する。

イ 外部からのパラメータでWebサーバ内のファイル名を直接指定しない。

ウ スタイルシートを任意のWebサイトから取り込めるようにしない。

エ プレースホルダを使って命令文を組み立てる。

[令和6年度 基本情報技術者試験 公開問題 科目A 問10]

問 33 【技術要素】 セキュアブート

セキュアブート (Secure Boot) とは，コンピュータの起動時にあらかじめディジタル署名のあるプログラムしか実行できないようにするセキュリティ技術のことです。起動時にOSやドライバのディジタル署名を検証し，許可されていないものを実行しないことよって，マルウェアなどの悪意のある不正なプログラムが実行されることを未然に防ぎます。

ア BIOSパスワードに関する記述です。

イ HDDパスワードに関する記述です。

ウ 正解です。

エ ウイルス対策ソフトに関する記述です。セキュアブートはOS起動前のマルウェアの実行を防ぐ技術です。

問 34 【技術要素】 SQLインジェクション

SQLインジェクションとは，データベースへ悪意のある問合せや操作を行うSQL文を与えることで，データベースを改ざんしたり不正に情報を入手する攻撃のことです。WebブラウザからWebサーバに送信するHTTPリクエストメッセージ中に，攻撃コードを挿入する手法などがあります。

ア クロスサイトスクリプティング (XSS) の対策に関する記述です。クロスサイトスクリプティングとは，サイト間を横断して悪意のあるスクリプトを実行させる攻撃です。利用者を悪意のあるWebサイトに誘導して，ブラウザ上でスクリプトを実行させます。その結果，利用者のブラウザを通して，ターゲットとなった脆弱性のあるWebサイトに不正なスクリプトが送りこまれて，内容が書き換えられます。たとえば，利用者がそのWebサイトで入力したID番号やパスワードなどの情報が攻撃者のサイトに送られるように変換するスクリプトが実行された場合，その情報が詐取されてしまいます。

URLには，"http://"や"https://"から始まるURLだけでなく，"javascript:"の形式で始まるURLなどもあります。このようなURLにスクリプトが含まれていると，クロスサイトスクリプティング攻撃が可能となる場合があります。

イ ディレクトリトラバーサル攻撃の対策に関する記述です。ディレクトリトラバーサル (directory traversal) とは，管理者の想定外のパスでサーバ内のファイルを直接指定することによって，本来は閲覧などが許されないファイルに不正アクセスする攻撃のことです。

ウ クロスサイトスクリプティング攻撃の対策に関する記述です。スタイルシートには，「expression()」などを利用してスクリプトを記述することができます。このため，任意のサイトに置かれたスタイルシートを取り込めるような設計をすると，生成するウェブページにスクリプトが埋め込まれてしまう可能性があります。

エ 正解です。プレースホルダとは，プログラミングやデータベースにおいて，ある値や情報を後で入力するために，とりあえず一時的に確保した場所や記号・変数のことを指します。プレースホルダを使うと，ユーザの入力値の中でSQLで特別な意味を持つ文字を無効化してからSQL文に組み込むことができるので，SQLインジェクションの有効な対策となります。

解答　問33 **ウ**　問34 **エ**

問35

WPA3はどれか。

ア HTTP通信の暗号化規格
イ TCP/IP通信の暗号化規格
ウ Webサーバで使用するディジタル証明書の規格
エ 無線LANのセキュリティ規格

[令和元年度 秋期 基本情報技術者試験 午前 問37]

問36

社内ネットワークとインターネットの接続点にパケットフィルタリング型ファイアウォールを設置して，社内ネットワーク上のPCからインターネット上のWebサーバの80番ポートにアクセスできるようにするとき，フィルタリングで許可するルールの適切な組みはどれか。

ア

送信元	宛先	送信元 ポート番号	宛先 ポート番号
PC	Web サーバ	80	1024 以上
Web サーバ	PC	80	1024 以上

イ

送信元	宛先	送信元 ポート番号	宛先 ポート番号
PC	Web サーバ	80	1024 以上
Web サーバ	PC	1024 以上	80

ウ

送信元	宛先	送信元 ポート番号	宛先 ポート番号
PC	Web サーバ	1024 以上	80
Web サーバ	PC	80	1024 以上

エ

送信元	宛先	送信元 ポート番号	宛先 ポート番号
PC	Web サーバ	1024 以上	80
Web サーバ	PC	1024 以上	80

[平成29年度 春期 基本情報技術者試験 午前 問42]

問35 【技術要素】 **WPA3**

WPA (Wi-Fi Protected Access) は，無線LANの暗号化方式の規格で，現在までにWPA，WPA2，WPA3が規格化されています。

ア HTTPS (Hypertext Transfer Protocol Secure) に関する記述です。WebサーバとWebブラウザ間の通信プロトコルHTTPに暗号機能を追加し安全性を向上させたもので，通信経路上における第三者によるなりすましや，盗聴を防ぎます。認証と暗号化を行うプロトコルであるSSL (Secure SocketsLayer) /TLS (Transport Layer Security) が利用されています。

イ トランスポート (TCP) 層のプロトコルであるSSL/TLSや，インターネット (IP) 層のプロトコルIPsec (Security Architecture for Internet Protocol) に関する記述です。IPsecはIPパケットの機密性や完全性を暗号技術を使って実現する仕組みです。改ざんを防止するパケット認証を行う「認証ヘッダ (AH)」と認証と暗号化まで行う「暗号ペイロード (ESP)」の2つのプロトコルを含みます。

ウ ITU-T X.509に関する記述です。ディジタル証明書は，インターネット上のデータのやりとりや取引で，偽造やなりすましを防ぎ正当性を保証する電子的な証明書で，認証局 (CA)によって発行されます。ディジタル証明書にはデータの正当性を保証するディジタル署名が添付されます。

エ 正解です。WPA3に関する記述です。

問36 【技術要素】 **フィルタリング** 頻出

ポート番号とは，TCPまたはUDPを使ったネットワークにおいて，どのアプリケーションの通信データかを識別するための番号です。ポート番号によって，複数のアプリケーションが同時にネットワークを利用している場合でも通信データの種類を特定できます。

設問条件で，Webサーバのポート番号が80であることがポイントになります。

設問文「〜社内ネットワーク上のPCからインターネット上のWebサーバの80番ポートにアクセスできるようにするとき，〜」より，
① 次のようなことがわかります。

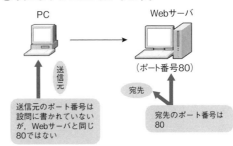

選択肢から，80でないポート番号は"1024以上"しかないので，PCのポート番号は"1024以上"と考えます。なお，ポート番号の0〜1023は予約済み (ウェルノウンポート番号) のため，PCからのWebサーバアクセスは1024以上となっています。

② 次に，WebサーバからPCに送信することがわかります (なぜならば**ア**〜**エ**の選択肢の2行目がすべて同じWebサーバからPCに送信していることからわかります)。

①，②より**ウ**が正解です。

解答　問35 **エ**　　問36 **ウ**

問37

AIによる画像認識において，認識させる画像の中に人間には知覚できないノイズや微小な変化を含めることによってAIアルゴリズムの特性を悪用し，判定結果を誤らせる攻撃はどれか。

新シラバス

ア　適応的選択文書攻撃
イ　敵対的サンプル攻撃
ウ　DRDoS攻撃
エ　モデル反射攻撃

[令和3年度 秋期 情報処理安全確保支援士試験 午前Ⅱ 問1 一部改変]

問38

ファジングで得られるセキュリティ上の効果はどれか。

ア　ソフトウェアの脆弱性を自動的に修正できる。
イ　ソフトウェアの脆弱性を検出できる。
ウ　複数のログデータを相関分析し，不正アクセスを検知できる。
エ　利用者IDを統合的に管理し，統一したパスワードポリシを適用できる。

[平成31年度 春期 基本情報技術者試験 午前 問45]

問39

階層構造のモジュール群から成るソフトウェアの結合テストを，上位のモジュールから行う。この場合に使用する，下位のモジュールの代替となるテスト用のモジュールはどれか。

ア　エミュレータ　　　　　　イ　シミュレータ
ウ　スタブ　　　　　　　　　エ　ドライバ

[令和6年度 基本情報技術者試験 公開問題 科目A 問11]

★★★ 問37 【技術要素】 敵対的サンプル攻撃 新シラバス

ア 適応的選択文書攻撃

適応的選択文書（Adaptive Chosen Message）攻撃とは，攻撃者が任意に選んだ文書に対して，真の署名者に署名させたのち，そこで得た情報を用いて別の文書の署名を偽造する攻撃のことです。

イ 敵対的サンプル攻撃

正解です。敵対的サンプル（Adversarial Examples）攻撃とは，AIによる画像認識において，認識させる画像の中に人間には知覚できないノイズや微小な変化を含めることで，AIアルゴリズムの特性を悪用し，判定結果を誤らせる攻撃のことです。

ウ DRDoS攻撃

DRDoS（Distributed Reflection Denial of Service）攻撃は，DDoS攻撃の一種です。送信元IPアドレスを攻撃対象のアドレスに偽装したパケットを多数のコンピュータに送信し，その応答を攻撃対象に集中させることでダウンさせます。リフレクション攻撃とも呼ばれます。

エ モデル反射攻撃

モデル反射（Model Inversion）攻撃とは，学習モデルの入出力を利用して，個人情報などのプライバシーを入手する攻撃のことです。

★★ 問38 【技術要素】 ファジング

ファジングとは，検査対象の製品に問題を生ずる可能性のあるテストデータを送り，その応答や挙動を監視することで脆弱性を検出する手法です。

ア ファジングは脆弱性を検出しますが，自動的に修正までは行いません。ソフトウェアの脆弱性は，ソフトウェアのアップデートで修正することができます。

イ 正解です。ファジングに関する記述です。

ウ SIEM（Security Information and Event Management）に関する記述です。

エ ID管理システムに関する記述です。

★★ 問39 【開発技術】 下位モジュールの代替となる テスト用のモジュール 頻出

ア エミュレータ

他の機種のOSやCPUでアプリケーションを動作させるソフトウェアです。エミュレータの例としては，ゲーム機用のプログラムをPCで動作させるソフトウェアなどがあります。

イ シミュレータ

ハードウェアやソフトウェアによって仮想的なモデルを作って，模擬的に実験することです。一般的には，現実的に実験することが困難な場合やコストが高い場合などに使用されます。

ウ スタブ

正解です。トップダウンテストでは，最上位のモジュールから順次モジュールテストを行います。上位モジュールからテストを行っていくため，スタブ（テストモジュールの下位モジュールの機能をシミュレートする）を用意する必要があります。

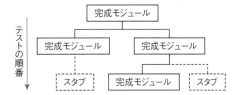

エ ドライバ

ボトムアップテストでは，最下位のモジュールから順次モジュールテストを行います。下位モジュールからテストを行っていくため，ドライバ（テストモジュールの上位モジュールの機能をシミュレートする）を用意する必要があります。

解答 問37 **イ** 問38 **イ** 問39 **ウ**

問40 マイクロサービスアーキテクチャを利用してシステムを構築する利点はどれか。

新シラバス

ア 各サービスが使用する，プログラム言語，ライブラリ及びミドルウェアを統一
しやすい。
イ 各サービスが保有するデータの整合性を確保しやすい。
ウ 各サービスの変更がしやすい。
エ 各サービスを呼び出す回数が減るので，オーバヘッドを削減できる。

［令和3年度 春期 システムアーキテクト試験 午前Ⅱ 問5］

問41 アジャイル開発手法の一つであるスクラムで定義され，スプリントで実施するイベントのうち，毎日決まった時間に決まった場所で行い，開発チームの全員が前回からの進捗状況や今後の作業計画を共有するものはどれか。

ア スプリントプランニング　　イ スプリントレトロスペクティブ
ウ スプリントレビュー　　　　エ デイリースクラム

［令和6年度 基本情報技術者試験 公開問題 科目A 問12］

★★
問 **40** 【開発技術】
マイクロサービスアーキ
テクチャ

新シラバス

マイクロサービスアーキテクチャとは，規模が小さく独立しているサービス同士を組み合わせて連係させることで，1つの大きなアプリケーションやサイトの構築を行うソフトウェア開発技法です。反対に，分割されていない1つのモジュールでアプリケーションやサイトを構築する手法を，モノリシックアーキテクチャと呼びます。

- ●マイクロサービスアーキテクチャのメリット
  - ・障害の影響を局所化できる
  - ・新規機能やバグ修正を迅速にシステムに反映できる（**ウ**）
  - ・サービスの機能に合わせて柔軟性を持った最適な技術を採用できる
  - ・システムリソースを効率よく利用できる
- ●マイクロサービスアーキテクチャのデメリット
  - ・データの一貫性を機能間で維持しにくくなる
  - ・サービス間の通信頻度が増えることでトラブルの発生頻度が高まる
  - ・各サービスの分割の仕方を後で変更することが難しい
  - ・システム設計の難易度が高くなる

ア 使用する言語や技術を統合するのとは反対に，独立したサービスごとに適した技術を採用できるのがマイクロサービスアーキテクチャの利点であるため，不適切な記述です。

イ モノリシックアーキテクチャに比べて，マイクロサービスアーキテクチャはデータの整合性を確保しにくいため，不適切な記述です。

ウ 正解です。マイクロサービスアーキテクチャでは，サービスごとに独立して開発・変更を行えるので，各サービスの変更がしやすいといえます。

エ マイクロサービスアーキテクチャでは，各サービスを呼び出す回数は減りません。また，オーバヘッドも削減できないため，不適切な記述です。

★★
問 **41** 【開発技術】
デイリースクラム

アジャイル (agile) 開発は，ウォータフォールモデルのように工程分けされて順に作業を進めるのではなく，1～2週間の短い単位で「設計，実装，テスト，修正，リリース」のサイクル（イテレーション）を繰り返していく開発手法です。ソフトウェアの仕様変更に機敏に対応でき，短期間での開発を可能にします。また，開発者だけでなく利用者側も参加して作業を進めることで，常にフィードバックが行われ，柔軟な修正・再設計が可能になります。

アジャイル開発手法のひとつであるスクラムとは，少人数のチームに分かれて，短期間の開発サイクルを繰返し行うフレームワークのことです。チームの協同作業の効率化を促し，インパクトの大きな仕事の達成をサポートします。

スプリントとは，スクラムおける工程の反復単位のことです。スプリントは，たとえば数週間程度の期間に設定されます。この期間中にシステムに必要な機能の設計，開発，テストまでを行います。

ア スプリントプランニング
チームメンバ全員でスプリントの作業計画を立てることです。

イ スプリントレトロスペクティブ
スプリント全体の現状認識を共有し，問題点や改善案を話し合い，次のスプリントの効率向上を行うイベントです。たとえば，スプリントでのチームの動きやプロセスの改善などの部分で，良かった点や問題点を話し合い，それを元に次スプリントで挑戦する内容を決めることで効率の向上を目指します。

ウ スプリントレビュー
スプリントの終わりに実施されるイベントで，ステークホルダ（利害関係者）にスプリントの成果を説明してフィードバックをもらうことです。

エ デイリースクラム
正解です。毎日決まった時間に決まった場所で行い，開発チームの全員が前回からの進捗状況や今後の作業計画を共有するイベントを指します。

解答 問40 **ウ** 問41 **エ**

問 42

システムを構成するプログラムの本数とプログラム1本当たりのコーディング所要工数が表のとおりであるとき，システムを95日間で開発するには少なくとも何人の要員が必要か。ここで，システムの開発にはコーディングのほかに，設計及びテストの作業が必要であり，それらの作業にはコーディング所要工数の8倍の工数が掛かるものとする。

	プログラムの本数	プログラム1本当たりのコーディング所要工数（人日）
入力処理	20	1
出力処理	10	3
計算処理	5	9

ア 8 　　　　**イ** 9 　　　　**ウ** 12 　　　　**エ** 13

[平成31年度 春期 基本情報技術者試験 午前 問54]

問 43

図のアローダイアグラムで表されるプロジェクトは，完了までに最短で何日を要するか。

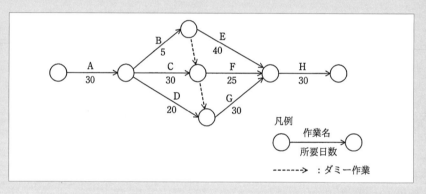

ア 105 　　　　**イ** 115 　　　　**ウ** 120 　　　　**エ** 125

[令和6年度 基本情報技術者試験 公開問題 科目A 問13]

問 42 【プロジェクトマネジメント】 要員数の計算

頻出

問題文「コーディングのほかに，設計及びテストの作業が必要であり，それらの作業にはコーディング所要工数の8倍の工数が掛かる」がポイントです。

①コーディングの所要工数を求めます。

　　入力処理　　出力処理　　計算処理

　$(20 \times 1) + (10 \times 3) + (5 \times 9) = 95$（人日）

②設計やテストの所要工数を求めます（①の8倍）。

　$95 \times 8 = 760$（人日）

③すべての工数（＝①＋②）

　①＋②＝$95 + 760 = 855$（人日）

④95日間で開発するのに必要な人数を求めます。

　$855 \div 95 = 9$　人　（答）

よって，正解は**イ**です。

問 43 【プロジェクトマネジメント】 アローダイアグラム

頻出

要点整理 アローダイアグラム（PERT図）

アローダイアグラム（PERT図）では，プロジェクトをいくつかの作業要素の集まりとみなし，矢印で表すことで，計画の進捗管理を行います。

[例]

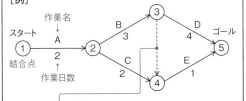

ダミー作業（作業順を表す。作業日数は0）
作業Bが終わっていないと作業Eを開始できない

(1)最早結合点時刻

先行作業を終了し，結合点に到達できる最も早い時刻。次のように求める。

・スタートの結合点では0。
・各結合点では，前の結合点の最早結合点時刻に作業日数を加える。
・複数の作業が到達する結合点では，そのなかで最も大きい値が最早結合点時刻になる。

(2)最遅結合点時刻

後続作業に遅れがでないよう，先行作業を終了して遅くとも到達しなければならない限界の時刻。次のように求める。

・ゴールから計算する。ゴールの結合点の最遅結合点時刻は最早結合点時刻と同じ値になる。
・各結合点では，1つ先の最遅結合点時刻から作業時間を引く。
・結合点から複数の作業が開始される場合は，最も小さい値が最遅結合点時刻になる。

(3)クリティカルパス

最早結合点時刻と最遅結合点時刻の等しい結合点を結んだ経路のこと。クリティカルパスは最長経路なので，重点管理する。

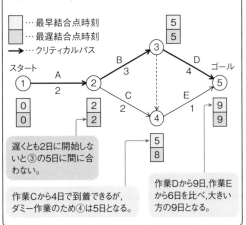

本問は，最早結合点時刻を求めれば，正解が得られます。次図より，完了までに最短で120日（**ウ**）を要することがわかります。

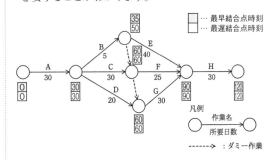

解答　　問42 **イ**　　　問43 **ウ**

問 44 プロジェクトにおけるコミュニケーション手段のうち，プル型コミュニケーションはどれか。

ア イントラネットサイト　　**イ** テレビ会議
ウ 電子メール　　　　　　　**エ** ファックス

[平成25年度 春期 基本情報技術者試験 午前 問54]

問 45 システムの開発部門と運用部門が別々に組織化されているとき，システム開発を伴う新規サービスの設計及び移行を円滑かつ効果的に進めるための方法のうち，適切なものはどれか。

ア 運用テストの完了後に，開発部門がシステム仕様と運用方法を運用部門に説明する。
イ 運用テストは，開発部門の支援を受けずに，運用部門だけで実施する。
ウ 運用部門からもシステムの運用に関わる要件の抽出に積極的に参加する。
エ 開発部門は運用テストを実施して，運用マニュアルを作成し，運用部門に引き渡す。

[令和6年度 基本情報技術者試験 公開問題 科目A 問14]

問 46 次の条件でITサービスを提供している。SLAを満たすための，1か月のサービス時間帯中の停止時間は最大何時間か。ここで，1か月の営業日は30日とし，サービス時間帯中は保守などのサービス計画停止は行わないものとする。

〔SLAの条件〕
・サービス時間帯は，営業日の午前8時から午後10時までとする。
・可用性を99.5％以上とする。

ア 0.3　　　**イ** 2.1　　　**ウ** 3.0　　　**エ** 3.6

[平成26年度 春期 基本情報技術者試験 午前 問57]

問 47 システム監査人がインタビュー実施時にすべきことのうち，最も適切なものはどれか。

ア インタビューで監査対象部門から得た情報を裏付けるための文書や記録を入手するよう努める。
イ インタビューの中で気が付いた不備事項について，その場で監査対象部門に改善を指示する。
ウ 監査対象部門内の監査業務を経験したことのある管理者をインタビューの対象者として選ぶ。
エ 複数の監査人でインタビューを行うと記録内容に相違が出ることがあるので，1人の監査人が行う。

[平成31年度 春期 基本情報技術者試験 午前 問58]

問44 【プロジェクトマネジメント】 プル型コミュニケーション

プル型とは，ユーザが必要な情報を能動的に得るタイプの技術やサービスのことです。Webページにより情報を得ることなどがプル型の例です。

選択肢の中で，自らが能動的に必要な情報を得る手段を選ぶと**ア**のイントラネットサイトが該当します。イントラネットサイトとは，イントラネット（アクセス範囲が社内だけなど限定されたネットワーク）上に作られた，社内向けの情報を共有するためのWebサイトのことです。

問45 【サービスマネジメント】 システム開発から運用への移行

システム開発段階から，運用に関わる要件の抽出に運用部門が積極的に参加することは，運用性の観点から助言や提案ができるなどのメリットがあります。また，開発から運用への移行を円滑かつ効果的に進めることができます。

ア 運用テスト後にシステム仕様と運用方法を説明するのでは，運用テストを効果的に実施することができません。テスト後に説明を受けて運用上の問題点を発見した場合，作業の手戻りとなり，円滑な移行は困難です。

イ 運用部門だけによる運用テストでは，開発部門からの諸情報が明確に伝わらないなど，円滑かつ効果的な移行が期待できません。

ウ 正解です。

エ 運用テストを開発部門で行い，運用マニュアルを作成する方法では，実際の運用に必要な要件の見落としなどが発生する可能性があります。よって，移行が円滑・効果的に進められるとはいえません。

問46 【サービスマネジメント】 SLA 頻出

SLA（Service Level Agreement）とは，ITサービスを提供する事業者が，利用者にサービスの品質を保証する制度です。

問題文より，SLAを満たすには

・可用性を99.5％以上
↓
・サービス時間帯の99.5％以上を稼働
↓
・サービス停止時間を最大で0.5％（1－99.5％）

とする必要があります。

サービスの時間帯は，設問文「営業日の午前8時から午後10時まで」より，1日あたり14時間です。また，「1か月の営業日は30日」です。

よって，求める答えは以下のようになります。

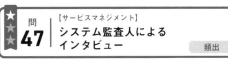

14時間×30日×0.5％×0.01＝2.1時間 **イ**

1か月のサービス時間の合計　SLAを満たす停止時間の割合

問47 【サービスマネジメント】 システム監査人によるインタビュー 頻出

システム監査人がインタビュー実施時にすべきこととして，監査対象部門から得た情報が適切で正確であることを示すために，それを裏付けるための文書や記録を入手するよう努めることがあげられます。

ア 正解です。

イ 不適切な記述です。システム監査人は監査結果をシステム監査報告書にまとめ，「経営層」に報告します。よって，「その場で監査対象部門に」改善を指示することは不適切です。

ウ 「監査業務を経験したことのある管理者」に対してインタビューを行うことは，監査対象と利害関係があるとみなされ，独立かつ客観的に監査が実施されているとはいえず不適切です。

エ 「記録内容に相違が出ることがあるので，1人の監査人が行う」の部分が不適切です。複数の監査人でインタビューを行った場合でも記録内容に相違が出ないことが望まれます。万一，相違が出た場合は，システム監査人によるインタビュー自体が不適切だった可能性があります。複数のシステム監査人によって記録内容の再検討・解釈を行うなどの対応をします。

解答

問44 **ア**　　問45 **ウ**
問46 **イ**　　問47 **ア**

問48 監査調書の説明はどれか。

ア 監査人が行った監査手続の実施記録であり，監査意見の根拠となる。

イ 監査人が監査の実施に当たり被監査部門に対して提出する，情報セキュリティに関する誓約書をまとめたものである。

ウ 監査人が監査の実施に利用した基準書，ガイドラインをまとめたものである。

エ 監査人が正当な注意義務を払ったことを証明するために，監査報告書とともに公表するよう義務付けられたものである。

[平成29年度 秋期 基本情報技術者試験 午前 問60]

問49 ビッグデータ分析の前段階として，非構造化データを構造化データに加工する処理を記述している事例はどれか。

ア 関係データベースに蓄積された大量の財務データから必要な条件に合致するデータを抽出し，利用者が扱いやすい表計算ソフトウェアデータに加工する。

イ 個人情報を含むビッグデータを更に利活用するために，特定の個人を識別することができないように匿名化加工する。

ウ 住所データ項目の中にある，"ヶ"と"が"の混在や，丁番地の表記不統一を，標準化された表記へ統一するために加工する。

エ ソーシャルメディアの口コミを機械学習によって単語ごとに分解し，要約を作り，分析可能なデータに加工し，関係データベースに保管する。

[令和6年度 基本情報技術者試験 公開問題 科目A 問15]

問50 改善の効果を定量的に評価するとき，複数の項目で評価した結果を統合し，定量化する方法として重み付け総合評価法がある。表の中で優先すべき改善案はどれか。

評価項目	評価項目の重み	改善案			
		案1	案2	案3	案4
省力化	4	6	8	2	5
期間短縮	3	5	5	9	5
資源削減	3	6	4	7	6

ア 案1　　イ 案2　　ウ 案3　　エ 案4

[平成26年度 春期 基本情報技術者試験 午前 問62]

問48 【サービスマネジメント】 監査調書

頻出

監査調書は、システム監査人が行った監査業務の実地記録で、監査意見表明の根拠となる監査証拠、その他の関連資料などをまとめたものです。

よって、**ア**が正解です。

問49 【システム戦略】 ビックデータ分析の前処理

ビックデータとは、日々の企業活動などで取り扱われる大規模なデータのことです。たとえば、ショッピングサイトの閲覧履歴や購入履歴などがあります。ビックデータ分析では、これらのデータを対象に、閲覧傾向や購入傾向などの分析を行います。

非構造化データとは、事前に整形されていない元の状態のデータを指します。たとえば、日常会話文のままのメールデータや、音声・画像・動画データなどです。非構造化データは構造が定義されていないので、検索や集計・解析に不向きです。

一方、構造化データとは、明確に定められた構造の（値が数値や記号などに統一されている）データです。Excelでまとめられた表形式のデータや関係データベースに格納されている構造化データであれば、検索や集計・比較などが行いやすいため、データ分析や解析に適しています。

ビックデータの前処理とは、データ分析を行いやすくするために、非構造化データを構造化データに加工することなどを指します。

ア 関係データベースに蓄積されたデータは、構造化データです。また、表計算ソフトウェアデータも構造化データです。したがって、構造化データから構造化データへ加工する記述であるため、誤りです。

イ 匿名化加工に関する記述であるため、誤りです。匿名化加工とは、個人を特定できないように加工することです。なお、個人を特定できる情報としては、氏名・生年月日・住所などがあります。

ウ 表記統一に関する記述です。「丁番地の表記不統一」とは、同じ住所であるにも関わらず、次の

ような表記が混在していることなどを指します。

○○県△△市◆◆町1丁目2番地
○○県△△市◆◆町1-2

エ 正解です。「ソーシャルメディアの口コミ」は、日常会話文ですから、非構造化データです。一方、「関係データベースに保管」は、構造化データです。そのため、「非構造化データから構造化データに加工する処理」の記述です。

問50 【システム戦略】 重み付け総合評価法

パズル
頻出

重み付け総合評価法では、各評価項目に重みを付けて優先順位を検討します。重みとは、各評価項目に対する価値の大小です。

設問の例では、評価項目「省力化」を4倍、他の2項目を3倍する重み付けとなっています。

① 案1は省力化が6、期間短縮が5、資源削減が6なので、重みをかけた数値は次のようになります。

$$(4 \times 6) + (3 \times 5) + (3 \times 6) = 57$$

② 案2以降も同様に

$$(4 \times 8) + (3 \times 5) + (3 \times 4) = 59$$

③ 案3

$$(4 \times 2) + (3 \times 9) + (3 \times 7) = 56$$

④ 案4

$$(4 \times 5) + (3 \times 5) + (3 \times 6) = 53$$

以上より、最も数値が大きく、優先すべき改善案は、案2（**イ**）となります。

解答 問48 **ア**　　問49 **エ**　　問50 **イ**

問51

情報化投資において，リスクや投資価値の類似性でカテゴリ分けし，最適な資源配分を行う際に用いる手法はどれか。

ア 3C分析
イ ITポートフォリオ
ウ エンタープライズアーキテクチャ
エ ベンチマーキング

[令和元年度 秋期 基本情報技術者試験 午前 問61]

 問52

コアコンピタンスを説明したものはどれか。

ア 経営活動における基本精神や行動指針
イ 事業戦略の遂行によって達成すべき到達目標
ウ 自社を取り巻く環境に関するビジネス上の機会と脅威
エ 他社との競争優位の源泉となる経営資源及び企業能力

[令和6年度 基本情報技術者試験 公開問題 科目A 問16]

 問53

マーケティング戦略におけるブルーオーシャンの説明として，適切なものはどれか。

ア 競争が存在していない未知の市場
イ コモディティ化が進んだ既存の市場
ウ 新事業のアイディアを実際のビジネスに育成するまでの期間
エ 製品開発したものを市場化する過程に横たわっている障壁

[令和6年度 基本情報技術者試験 公開問題 科目A 問17]

解答・解説

 問51 【システム戦略】
ITポートフォリオ

ア 3C分析

3Cとは，市場 (Customer)，競合 (Competitor)，自社 (Company) の頭文字です。3C分析は，市場と競合の分析から，自社の戦略のもととなる分析をすることです。

イ ITポートフォリオ

正解です。IT資産をさまざまな面から評価を行い，IT資源 (IT予算) の最適配分を行うものです。

ウ エンタープライズアーキテクチャ

組織全体の業務とシステムを統一的な手法でモデル化した組織の設計・管理手法です。エンタープライズアーキテクチャの目的は，業務とシステムを同時に改善することです。

エ ベンチマーキング

ベストプラクティス (業務や経営に最も優れた実践方法) を探し出し，自社との比較からその違いを分析して，それを埋めていくためのプロセス変革を進めるという経営管理手法のことです。分析では，数値評価を行うことで，客観性を持たせ，具体的な目標を社員に与えることができます。

★★★ 問 52 ［経営戦略］ コアコンピタンス 頻出

コアコンピタンスとは，競合他社を圧倒的に上回るスキルのことを指します。コアコンピタンス経営とは，他社にまねのできない，企業独自のノウハウや技術などの強みを核とした経営を行うことです。

ア 経営理念に関する記述です。

イ KGI（重要目標達成指標）に関する記述です。

ウ SWOT分析の機会（O）と脅威（T）に関する記述です。SWOT分析とは，Strength（強み），Weakness（弱み），Opportunity（機会），Threat（脅威）の頭文字をとったもので，経営戦略を立てるために，自社の強みと弱み，機会と脅威を分析する手法です。

［SWOT分析の例］

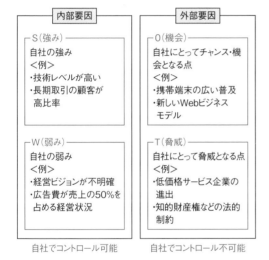

エ 正解です。コアコンピタンスに関する記述です。

★★★ 問 53 ［経営戦略］ ブルーオーシャン

マーケティング戦略におけるブルーオーシャンとは，まったく新しい市場や領域のことです。新市場や新領域を創造することにより，他社と競合することなく事業を展開することが可能になります。

ア 正解です。ブルーオーシャンに関する記述です。

イ コモディティ化に関する記述です。コモディティ化とは，市場参入時に高い付加価値であった商品が，時間経過とともに市場価値が低下し，一般的な商品になることです。コモディティ化が進むと価格面などによって差別化されることが多くなります。

ウ ブルーオーシャンは，期間のことではなく，まったく新しい市場や領域を生み出すことです。

エ 死の谷に関する記述です。商品開発のスタートから事業化までは，「研究」「開発」「事業化（商品化，市場化）」「産業化」の4段階に大きく分けられます。この4段階において次段階へ進む困難さを表す3つの言葉が，「魔の川」「死の谷」「ダーウィンの海」です。

用語整理 新規事業の3つの障壁

● 魔の川
「研究」段階から具体的な商品「開発」段階を隔てる障壁です。

● 死の谷
「開発」段階から「事業化」段階に立ちはだかる障壁です。

● ダーウィンの海
「事業化」段階から「産業化」段階を隔てる障壁です。

解答 問51 **イ** 問52 **エ** 問53 **ア**

問54

コトラーの競争戦略によると，業界でのシェアは高くないが，特定の製品・サービスに経営資源を集中することによって，収益を高め，独自の地位を獲得することを戦略目標とする企業はどれか。

ア マーケットチャレンジャ 　イ マーケットニッチャ
ウ マーケットフォロワ 　　　エ マーケットリーダ

[平成27年度 秋期 基本情報技術者試験 午前 問67]

問55

ネットビジネスでのO to Oの説明はどれか。

ア 基本的なサービスや製品を無料で提供し，高度な機能や特別な機能については料金を課金するビジネスモデルである。

イ 顧客仕様に応じたカスタマイズを実現するために，顧客からの注文後に最終製品の生産を始める方式である。

ウ 電子商取引で，代金を払ったのに商品が届かない，商品を送ったのに代金が支払われないなどのトラブルが防止できる仕組みである。

エ モバイル端末などを利用している顧客を，仮想店舗から実店舗に，又は実店舗から仮想店舗に誘導しながら，購入につなげる仕組みである。

[平成30年度 秋期 基本情報技術者試験 午前 問73]

問56

デジタルサイネージの説明として，適切なものはどれか。

ア 情報技術を利用する機会又は能力によって，地域間又は個人間に生じる経済的又は社会的な格差

イ 情報の正当性を保証するために使用される電子的な署名

ウ ディスプレイに映像，文字などの情報を表示する電子看板

エ 不正利用を防止するためにデータに識別情報を埋め込む技術

[平成31年度 春期 基本情報技術者試験 午前 問74 一部改変]

問54 【経営戦略】競争戦略 頻出

アメリカの経営学者コトラーにより，市場における4つの戦略ポジションが提唱されています。自社がどのポジションに位置するかを把握することで，適切な競争戦略をとることができます。

用語整理 コトラーの競争地位別戦略

● マーケットリーダ

市場で最大シェアを持つ企業やブランドのこと。市場拡大を目指し，新規顧客の獲得や，新製品開発，幅広い層に向けた商品展開といった全方位での事業展開を行う戦略をとる。

● マーケットチャレンジャ

マーケットリーダに次ぐシェアを持つ企業やブランドのこと。市場でのシェアを拡大しマーケットリーダになることを目指すためには，製品やサービス，価格，プロモーションにおいて「差別化」戦略をとることが必要である。

※ マーケットフォロワ

マーケットリーダ，マーケットチャレンジャを追随する企業やブランドのこと。市場においてある一定のシェアを確保するためには，マーケットリーダ，マーケットチャレンジャの戦略を模倣する戦略が有効である。

● マーケットニッチャ

市場の中で，マーケットリーダなどがターゲットしないような小さくとも特定のニーズを持つ「ニッチ(隙間)市場」に位置する企業やブランドのこと。収益を高め，独自の地位を獲得するためには，自社が扱う特定の製品・サービスに経営資源を集中させることが有効な戦略である。

問題文「業界でのシェアは高くないが，特定の製品・サービスに経営資源を集中することで，収益を高め，独自の地位を獲得することを戦略目標とする」のは，**イ**のマーケットニッチャです。

問55 【経営戦略】ネットビジネスでのO to O

O to O (Online to Offline)とは，オンラインとオフラインで連携しあい，顧客の購買活動を促す仕組みや取り組みのことをいいます。たとえば，ネット上の仮想店舗で特売情報やクーポンを提供して顧客を実店舗に誘導，実店舗位置情報をモバイル端末に提供，実店舗に用意されたQRコードにアクセスして商品情報を見たり来店ポイントをためるなどといった取り組みがあります。

ア フリーミアム (freemium)に関する記述です。

イ 受注生産 (BTO：Build To Order)に関する記述です。

ウ エスクローサービスに関する記述です。エスクローサービスとは，ネット上の商取引において第三者が仲介する決算システムのことです。確実に商品の受け渡しや代金の決済ができるといった安全性を保証し，トラブルを防止します。

エ 正解です。O to Oに関する記述です。

問56 【経営戦略】デジタルサイネージ

デジタルサイネージ (Digital Signage：電子看板)とは，デジタル技術を使って表示する広告のことです。ディスプレイやプロジェクタを使用して映像や文字などの情報を表示します。表示内容をリアルタイムで操作することが可能で，多様な情報を展開でき，紙のポスターや看板などと違って広告入替えの手間が少ないなどの特徴があります。

ア デジタルディバイド (情報格差)に関する記述です。

イ デジタル署名に関する記述です。

ウ 正解です。デジタルサイネージに関する記述です。

エ 電子透かしに関する記述です。

解答 問54 **イ** 　問55 **エ** 　問56 **ウ**

問57 HRテックの説明はどれか。

ア ICTを活用して，住宅内のエネルギー使用状況の監視，機器の遠隔操作や自動制御などを可能にし，家庭におけるエネルギー管理を支援するソリューション

イ 既存のビジネスモデルによる業界秩序や既得権益を破壊してしまうほど大きな影響を与える新しいICTやビジネスモデル

ウ 個人の資金に関わる情報を統合的に管理するサービスやマーケットプレイス・レンディングなどの金融サービスを実現するための新しい情報技術

エ 採用，育成，評価，配属などの人事領域の業務を対象に，ビッグデータ解析やAIなどの最新ICTを活用して，業務改善と社員満足度向上を図るソリューション

[令和6年度 基本情報技術者試験 公開問題 科目A 問18]

問58 図は，製品の製造上のある要因の値xと品質特性の値yとの関係をプロットしたものである。この図から読み取れることはどれか。

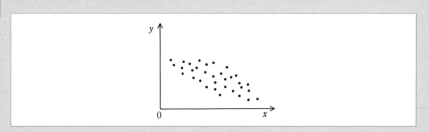

ア xからyを推定するためには，2次回帰係数の計算が必要である。

イ xからyを推定するための回帰式は，yからxを推定する回帰式と同じである。

ウ xとyの相関係数は正である。

エ xとyの相関係数は負である。

[令和6年度 基本情報技術者試験 公開問題 科目A 問19]

問57 【企業と法務】 **HRテック**

　HRテックとは，HR（Human Resources）とテクノロジ（Technology）を組み合わせた造語です。ICTの最先端技術を活用することで人事に関わる業務改善を行うサービス全般を指します。

ア HEMS（Home Energy Management System：住宅エネルギー管理システム）に関する記述です。

イ デジタルトランスフォーメーション（DX：Digital Transformation）に関する記述です。

ウ フィンテックに関する記述です。フィンテックとは，Finance（金融）とTechnology（技術）を組み合わせた造語で，従来の金融サービスと技術を組み合わせた領域のことです。

エ 正解です。人事領域の業務を対象に，最新のICTを活用して業務改善と社員満足向上を図っていますから，HRテックの説明です。

問58 【企業と法務】 **相関図** 頻出

　散布図は，2つの変数の関係を図として表します。設問の図は，「製品の製造上のある要因の値」と「品質特性の値」の関係を表しています。

　また，2つの変数について，関係性とその強弱を－1から1の値で表したものを相関係数といいます。

● **正の相関（相関係数が1に近づく）**

　2つの変数の関連性が図1のように右上がりになります。

● **負の相関（相関係数が－1に近づく）**

　2つの変数の関連性が図2のように右下がりになります。

● **無相関（相関係数が0に近づく）**

　2つの変数の関連性はなく，図3のようになります。

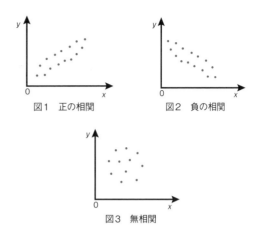

図1　正の相関　　　図2　負の相関

図3　無相関

　回帰分析とは，分析対象の変数について，他の変数との関係からその変化を説明したり，将来の予測を行ったりする手法のことです。分析対象の変数のことを目的変数，他の変数のことを説明変数といい，目的変数と説明変数の関係を表現した式を回帰式（または回帰方程式）と呼びます。

　回帰分析のうち，説明変数が1つのものを単回帰分析，複数のものを重回帰分析と呼びます。また，単回帰分析の中でも，目的変数（y）と説明変数（x）の関係を「y＝ax＋b」といった直線の式で表すことを線形回帰といいます。

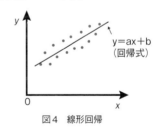

y＝ax＋b（回帰式）

図4　線形回帰

ア 問題文の図は，xとyの関係が線形になります。よって，2次の回帰式ではなく，1次の回帰式で表すことができます。

イ xからyを推定する回帰式と，yからxを推定する回帰式は異なります。

ウ 問題文の図は，負の相関なので，相関係数は負になります。

エ 正解です。

解答　　問57 **エ**　　　問58 **エ**

問59 売上高が100百万円のとき，変動費が60百万円，固定費が30百万円掛かる。変動費率，固定費は変わらないものとして，目標利益18百万円を達成するのに必要な売上高は何百万円か。

ア 108　　　**イ** 120　　　**ウ** 156　　　**エ** 180

［令和元年度 秋期 基本情報技術者試験 午前 問78］

問60 日本において，産業財産権と総称される四つの権利はどれか。

ア 意匠権，実用新案権，商標権，特許権
イ 意匠権，実用新案権，著作権，特許権
ウ 意匠権，商標権，著作権，特許権
エ 実用新案権，商標権，著作権，特許権

［令和6年度 基本情報技術者試験 公開問題 科目A 問20］

解答・解説

問59 【企業と法務】
目標利益達成に必要な売上高

- 変動費：売上高に比例して支出する費用
  ［例］1個10万円の場合，2個なら20万円と，売上に比例するのが変動費です。
  製造業であれば，材料費，部品代です。
- 固定費：売上高にかかわらず一定額支出する費用
  ［例］製造業であれば，工場土地代などです。
- 利益＝売上高－(固定費＋変動費) です。

① 売上高が100百万円のとき，変動費が60百万円，固定費が30百万円掛かる。このときの利益は次のように求められます。

利益＝100－(30＋60)＝10百万円

② 目標利益18百万円を達成するのに必要な売上高は，次式のようになります。

18＝売上高－(30＋変動費)……②'

③ 問題文より，変動費率(売上にしめる変動費の割合) は変わらないとあるので，利益が18百万円のときも

$$変動費率＝\frac{60}{100}＝0.6$$

となります。

④ 売上高をxとすると，②'から

18＝x－(30＋0.6x)
48＝0.4x
x＝120(答)

よって，**イ**が正解です。

参考

本問に関連した重要テーマとして，損益分岐点があります。損益分岐点とは，損失が出るか利益が出るかの境界の売上高をいいます。これを図で表すと，次のようになります。

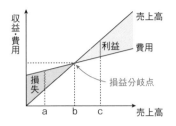

・a点の売上高：費用＞売上高なので損失が出ています。

・b点の売上高：費用＝売上高なので損失も利益も出ていません。

・c点の売上高：費用＜売上高なので利益が出ています。

損益分岐点 (売上高) は，次式で求めます。

$$損益分岐点(売上高) = \frac{固定費}{1 - \dfrac{変動費}{売上高}} \cdots ①$$

本問の値で損益分岐点売上を計算してみます。

売上高　100百万円
変動費　60百万円
固定費　30百万円

を公式に代入すると，

$$損益分岐点(売上高) = \frac{固定費}{1 - \dfrac{変動費}{売上高}}$$

$$= \frac{30}{1 - \dfrac{60}{100}}$$

$$= 75百万円$$

となります。

問 60 【企業と法務】
産業財産権
頻出

産業財産権とは，特許庁が所管している以下の4つの権利の総称です。

用語整理　産業財産権

● 特許権
　自然法則を利用した，新規かつ高度で産業上利用可能な発明を保護する権利

● 実用新案権
　物品の形状，構造，組合せに関する考案を保護する権利

● 意匠権
　独創的で美感を有する物品の形状，模様，色彩等のデザインを保護する権利

● 商標権
　商品・サービスを区別するために使用するマーク (文字や図形など) を保護する権利

したがって，これらを正しく列挙している**ア**が正解です。

なお，産業財産権は知的財産権の一種ですが，創作物に自動的に付与される著作権とは異なり，特許庁に出願・登録することで初めて権利として認められるという特徴があります。

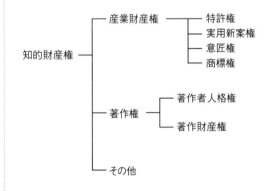

解答　問59 **イ**　　　問60 **ア**

分野：アルゴリズムとプログラミング ▶ ①プログラミングの基本要素

問 **1**

次の記述中の◯◯◯◯に入れる正しい答えを，解答群の中から選べ。

プログラムを実行すると，"◯◯◯◯"と出力される。

〔プログラム〕

```
1  整数型: x ← 1
2  整数型: y ← 2
3  整数型: z ← 3
4  x ← y × 2 + x
5  y ← z × x × 3
6  z ← x + y
7  xの値とyの値とzの値をこの順にコンマ区切りで出力する
```

※プログラム中の行番号は筆者が追記した。

解答群

ア 1,9,10	イ 1,10,9
ウ 5,18,23	エ 5,23,18
オ 5,45,50	カ 5,50,45

[基本情報技術者 サンプル問題（2022年12月26日公開）科目B 問1 一部改変]

問 **1** │ 代入処理のプログラム

代入処理の基本問題です。変数に値を代入すると上書きされ，それまでに代入されていた値が消えてしまう点に注意が必要です。書籍巻頭「科目Bのポイント集」の1，2，4は基本項目として重要なので，しっかり押さえておきましょう。

問題の解説

プログラムをトレースして解説します。

行番号
```
1  整数型: x ← 1
2  整数型: y ← 2
3  整数型: z ← 3
4  x ← y × 2 + x
   5    2       1
5  y ← z × x × 3
   45   3   5
6  z ← x + y
   50   5   45
7  xの値とyの値とzの値をこの順にコンマ区切りで
                              出力する

      5, 45, 50  …（答）
      ↑   ↑   ↑
    xの値 yの値 zの値
```

したがって，正解は**オ**の

5,45,50

です。

解答 **オ**

問 2

★★★
☐☐☐

次のプログラム中の　a　～　b　に入れる正しい答えの組合せを，解答群の中から選べ。

プログラムは，正の整数を素数に分解する素因数分解を，次の (1) ～ (4) の性質を利用して求める。たとえば，84を素因数分解すると，84＝2×2×3×7であり，このプログラムを実行すると2×2×3×7と表示される。

なお，選択肢中のmodは，剰余を求める。

(1) nを2で割り切れなくなるまで繰り返し割る。その際，割り切れるたびに2を表示する。
(2) 割る数を3として，nを3で割り切れなくなるまで繰り返し割る。その際，割り切れるたびに3を表示する。
(3) 以後，同様に割る数を4，5，6，7……と1ずつ増やしながら続けていく。
(4) 割る数をdとしたとき，$\sqrt{n} \geqq d\,(n \geqq d \times d)$ の間が，繰返し処理の条件である。

〔プログラム〕

```
 1    整数型: n ← 84
 2    整数型: d
 3    d ← 2
 4    while(nが(d×d)以上)
 5      if (    a    = 0)
 6        dを表示後, "×"で区切る
 7        n ← n÷d
 8      else
 9        d ← d+1
10      endif
11    endwhile
12       b
```

解答群

	a	b
ア	d mod n	dを表示
イ	d mod n	nを表示
ウ	n mod d	dを表示
エ	n mod d	nを表示

[オリジナル問題]

★★
★ 問 2 ｜ 素因数分解

　素因数分解を求めるアルゴリズムについての問題です。問題に示された計算方法の説明を，簡単な例（たとえば，問題文の84）を使って理解してから，プログラムのどの部分で実行されているかを対比することで，空欄を求めるのがポイントです。

用語の解説

● 素数

素数とは，2以上の自然数で，1とその数自身でしか割り切れない数のことです。

なお自然数とは，正の整数を意味します。具体的には，「1，2，3…」ですが，0を含めることもあります。

例　素数

2　1と2でしか割り切れない数なので，素数です。

4　1，2，4で割り切れるので，素数ではありません。

7　1と7でしか割り切れない数なので，素数です。

● 素因数分解

正の整数を素数の積に分解することです。本問の例を用いると，以下のようになります。

[例]84の素因数分解

$$84 = 2 \times 2 \times 3 \times 7$$

問題の解説

空欄a

プログラムを見ると，行番号5（空欄aのif文）が真の場合は，行番号6で「dを表示」しています。行番号3で「d ← 2」としているため，これは問題文「(1)nを2で割り切れなくなるまで繰り返し割る。その際，割り切れるたびに2を表示する」に対応した処理であることがわかります。

したがって，行番号5のif文には「nがdで割り切れる」という条件式が入ります。これは「n÷dの余りが0になる」ということを意味するので，「n mod d = 0」と書くことができます。

よって，空欄aには

n mod d

が入ります。

空欄b

問題文で与えられた値（84）を使って，プログラムをトレースして空欄bを説明します。

なお，トレース中の①～⑤は，while文の繰返し処理の何回目かを示しています。

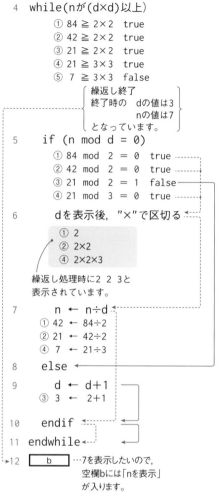

行番号
3　d ← 2
4　while(nが(d×d)以上)
　　① 84 ≧ 2×2　true
　　② 42 ≧ 2×2　true
　　③ 21 ≧ 2×2　true
　　④ 21 ≧ 3×3　true
　　⑤ 7 ≧ 3×3　false

繰返し終了
終了時の　dの値は3
　　　　　nの値は7
となっています。

5　　if (n mod d = 0)
　　① 84 mod 2 = 0　true
　　② 42 mod 2 = 0　true
　　③ 21 mod 2 = 1　false
　　④ 21 mod 3 = 0　true
6　　　dを表示後，"×"で区切る
　　① 2
　　② 2×2
　　④ 2×2×3

繰返し処理時に2 2 3と表示されています。

7　　　n ← n÷d
　　① 42 ← 84÷2
　　② 21 ← 42÷2
　　④ 7 ← 21÷3
8　　else
9　　　d ← d+1
　　③ 3 ← 2+1
10　　endif
11　endwhile
12　　　b　…7を表示したいので，空欄bには「nを表示」が入ります。

よって，空欄bには

nを表示

が入ります。

したがって，正解は**エ**の

a　n mod d

b　nを表示

です。

解答　エ

問 3

次のプログラム中の □□□□ に入れる正しい答えを，解答群の中から選べ。

関数maximumは，異なる三つの整数を引数で受け取り，そのうちの最大値を返す。

〔プログラム〕

```
1  ○整数型: maximum(整数型: x, 整数型: y, 整数型: z)
2    if (          )
3      return x
4    elseif (y > z)
5      return y
6    else
7      return z
8    endif
```

※プログラム中の行番号は筆者が追記した。

解答群

- ア x > y
- イ x > y and x > z
- ウ x > y and y > z
- エ x > z
- オ x > z and z > y
- カ z > y

[令和6年度 基本情報技術者試験 公開問題 科目B 問1]

問 3 ｜ 三つの整数の最大値を求める

　条件分岐に関する基本的な問題です。選択肢を見ると容易な問題に感じますが，正確にプログラムをトレースしないと得点できません。トレース能力を身につけるポイントは，本書巻頭の特集「擬似言語によるアルゴリズムの学習方法」(P.14)でまとめているので，ぜひ参考にしてください。

問題の解説

問題文の「異なる三つの整数を引数で受け取り」より,

行番号1　○整数型: maximum(整数型: x,
　　　　　　　整数型: y, 整数型: z)

のx, y, zが引数として受け取る三つの整数であることがわかります。したがって, x, y, zを比較して, 最大値であるものを返す関数になるように, 行番号2のif文の条件(空欄)を考えればよいわけです。

行番号3を見ると, xを返しているので, 空欄の条件式はxが最大値であることを表現したものになります。

ア, エ, カ 誤り

行番号3でxを最大値として返しているので, 行番号2では異なる三つの整数 (x, y, z) を比較して, xが最大値ということを判定する必要があります。しかし, これらの選択肢はいずれも, 二つの整数しか比較していないため誤りです。

そこで, 残りの イ, ウ, オ について検討していきます。ここで重要になってくるのが, 「and」の理解です。and (かつ) は, 2つの条件式がともに真のとき, 全体として真になります。

---

(1) 2つの条件式が両方とも「真」のとき, 全体は「真」

条件式1　and　条件式2
　真　　かつ　　真
　　全体として真

(2) 2つの条件式が「真」と「偽」のとき, 全体は「偽」

条件式3　and　条件式4
　真　　かつ　　偽
　　全体として偽

※条件式3と条件式4が逆でも同じ

(3) 2つの条件式が両方とも「偽」のとき, 全体は「偽」

条件式5　and　条件式6
　偽　　かつ　　偽
　　全体として偽

イ 正解

「x > y」かつ「x > z」で, 三つの値を比較してxが最大値であることを正しく表現できているため正解です。

ウ 誤り

例えば, 以下のような場合は, xが最大値であるため真とすべきですが, 「y > z」が偽であるため, 条件式全体では偽となってしまいます。

[例] x = 7, y = 3, z = 5

x > y and y > z
　真　　　　偽
　全体として偽

オ 誤り

例えば, 以下のような場合は, xが最大値であるため真とすべきですが, 「z > y」が偽であるため, 条件式全体では偽となってしまいます。

[例] x = 7, y = 5, z = 3

x > z and z > y
　真　　　　偽
　全体として偽

以上より, 正解は イ の
　x > y and x > z
です。

問 4 ★★★

次の記述中の　　　に入れる正しい答えを，解答群の中から選べ。

次のプログラムにおいて，手続proc2を呼び出すと，　　　の順に出力される。

〔プログラム〕

```
1   大域: 整数型: cnt ← 0

2   ○proc1()
3     "A"を出力する
4     for (iを1から3まで1ずつ増やす)
5       "B"を出力する
6       cnt ← cnt+1
7     endfor
8     proc3()

9   ○proc2()
10    proc3()
11    if (cnt > 1)
12      "C"を出力する
13    else
14      "D"を出力する
15      cnt ← cnt+1
16    endif
17    proc1()

18  ○proc3()
19    "E"を出力する
```

解答群

ア　"E", "A", "D", "B", "B", "B", "E"
イ　"E", "C", "D", "A", "B", "B", "B"
ウ　"E", "C", "A", "B", "B", "B", "E"
エ　"E", "D", "C", "A", "B", "B", "B"
オ　"E", "D", "A", "B", "B", "B", "E"
カ　"E", "C", "D", "A", "B", "B", "B", "E"
キ　"E", "D", "C", "A", "B", "B", "B", "E"

[オリジナル問題]

問 4 ★★★ │ 関数呼び出し

本問は，関数呼び出しに関する問題です。関数呼び出しは，重要なテーマの一つです。本書巻頭「科目Bのポイント」の「9. 手続，関数の呼び出し」がポイントになります。本問のように引数と戻り値がない場合，return文を省略する場合がある点に注意しましょう。

問題の解説

関数呼び出しでは，次の2パターンをしっかり理解しておきましょう。

①引数，戻り値がないパターン
　（例）本問
②引数，戻り値があるパターン
　（例）「令和6年度」の問3（P.91参照）

本問は①のパターンです。戻り値がないので，returnは省略されます。

処理の流れのポイント

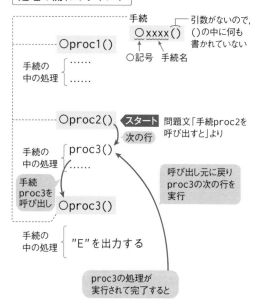

以上のポイントを踏まえて問題を解くと，次のようになります。

〔プログラム〕

○ 数字は処理順
■ 数字は出力順

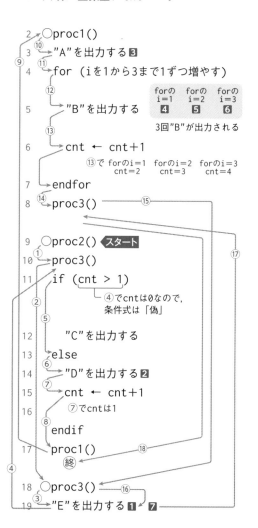

よって，出力順 ■1～■7 を並べると，

"E"，"D"，"A"，"B"，"B"，"B"，"E"
　■1　　■2　　■3　　■4　　■5　　■6　　■7

したがって，正解は **オ** の
　"E"，"D"，"A"，"B"，"B"，"B"，"E"
です。

📖 参考

問題の解説の冒頭で示した「②引数，戻り値があるパターン」についても，重要な部分のみをピックアップして紹介します。詳しくは対応する問題の解説を参照してください。

試験対策の要点

令和6年度
科目A
科目B

対策問題①
科目A
科目B

対策問題②
科目A
科目B

対策問題③
科目A
科目B

[例] 引数,戻り値があるパターン

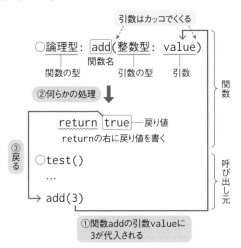

引数はカッコでくくる

○論理型: add(整数型: value)
関数の型　関数名　引数の型　引数

②何らかの処理

return true — 戻り値
returnの右に戻り値を書く

③戻る

○test()
...
→ add(3)

①関数addの引数valueに3が代入される

関数

呼び出し元

なお, 重要なバリエーションとして

・関数から別の関数を呼び出す
・関数から自身の関数を呼び出す(再帰)

の2つも押さえておきましょう。

解答　オ

分野:アルゴリズムとプログラミング ▶ ①プログラミングの基本要素

問5

★★★

次のプログラム中の□□□に入れる正しい答えを, 解答群の中から選べ。

関数convDecimalは, 引数として与えられた, "0"と"1"だけから成る, 1文字以上の文字列を, 符号なしの2進数と解釈したときの整数値を返す。例えば, 引数として"10010"を与えると18が返る。
関数convDecimalが利用する関数intは, 引数で与えられた文字が"0"なら整数値0を返し, "1"なら整数値1を返す。

〔プログラム〕

```
1  ○整数型: convDecimal(文字列型: binary)
2   整数型: i, length, result ← 0
3   length ← binaryの文字数
4   for (iを1からlengthまで1ずつ増やす)
5     result ← ┌──────┐
6   endfor
7   return result
```

※プログラム中の行番号は筆者が追記した。

解答群

ア result + int(binaryの(length − i + 1)文字目の文字)
イ result + int(binaryのi文字目の文字)
ウ result × 2 + int(binaryの(length − i + 1)文字目の文字)
エ result × 2 + int(binaryのi文字目の文字)

[令和6年度 基本情報技術者試験 公開問題 科目B 問2]

問 **5** | 2進数と解釈した文字列を整数値に変換する

基数変換は科目A対策としても重要なテーマです。本書巻頭「よく出る計算問題と重要公式」の1.をしっかり理解しておいてください。本問は，2進数の位取りが「1の位，2の位，4の位，…」といったように，下位桁の2倍になっていることに気付けるかがポイントです。問題文に与えられている「例」を使って，選択肢を一つずつ試してみることで，正解が得られます。

問題の解説

問題文の「例えば，引数として“10010”を与えると18が返る」をもとに解説していきます。このとき，問題文「1文字以上の文字列を，符号なしの2進数と解釈したとき」より，文字列の“10010”は符号なし2進数の10010と解釈されることに注意が必要です。

まず，前提知識として，2進数を10進数へ変換する方法を知っておく必要があります。

[例1] 2進整数 $(0111)_2$ を10進数へ変換

$$(0\ 1\ 1\ 1)_2=(1×4)+(1×2)+(1×1)=(7)_{10}$$

　　　8 4 2 1
　　　の の の の
　　　位 位 位 位

よって，

$$1\ 0\ 0\ 1\ 0=(1×16)+(1×2)=18が返る$$

16 8 4 2 1
の の の の の
位 位 位 位 位

と考えます。

この例の位取りは以下のようになっており，各桁の位取りは下位桁の2倍であることがわかります。

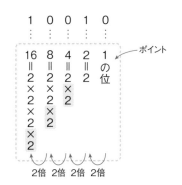

基数変換では各桁の位取りが下位桁の2倍になることを踏まえると，「result×2」で繰返しのたびに位取りを2倍している**ウ**か**エ**が正解ではないかと推測することができます。

よって，先に**ウ**と**エ**について，トレースして確かめてみましょう。問題文「引数として“10010”を与えると18が返る」より，行番号7の

　　return result

のresultが18となる選択肢が正解です。

ウ result × 2 ＋ int(binaryの(length − i ＋1)文字目の文字)

行番号
2　result ← 0
　　　0

3　length ← binaryの文字数
　　　5　　　[例]“10010”は5文字

4　for (iを1からlengthまで1ずつ増やす)
　　　　　　　　　5

① for文1回目 (i＝1)

result ← result×2＋
　0　　　　0

int(binaryの(length−i＋1)文字目の文字)
　　　　　　　　5　　1
　　　　　　　　　5
　　　　　　　　　↑ "0"
　　　　　　　"10010"
　　　　　1文字目 ↑↑↑ 5文字目
　　　　　の文字 2 3 4 の文字

問題文「関数intは，引数で与えられた文字が
・“0”なら整数値0
・“1”なら整数値1 }を返す」
より，この部分は**整数0**

②の★へ

② for文2回目 （i=2）

result ← result×2+
　1　　　　　 ★0

int(binaryの(length−i+1)文字目の文字)
　　　　　　　5　　2
　　　　　　　　4
　　　　　　　　"1"
　　　　　　　　1

③ for文3回目 （i=3）

result ← result×2+
　2　　　　　 1

int(binaryの(length−i+1)文字目の文字)
　　　　　　　5　　3
　　　　　　　　3
　　　　　　　　"0"
　　　　　　　　0

④ for文4回目 （i=4）

result ← result×2+
　4　　　　　 2

int(binaryの(length−i+1)文字目の文字)
　　　　　　　5　　4
　　　　　　　　2
　　　　　　　　"0"
　　　　　　　　0

⑤ for文5回目 （i=5）

result ← result×2+
　9　　　　　 4
　　　 for文終了時の値は9（誤り）
int(binaryの(length−i+1)文字目の文字)
　　　　　　　5　　5
　　　　　　　　1
　　　　　　　　"1"
　　　　　　　　1

　以上より，for文終了時のresultの値は9とな
り，行番号7の

　　return result

で9が返るので，誤りです。

■ result×2＋int(binaryのi文字目の文字)

行番号2・3は■と同じなので省略します。

① for文1回目 （i=1）

result ← result×2+
　1　　　　　 0

int(binaryのi文字目の文字)
　　　　　　 1
　　　　　　 "1"
　　　　　　 1
　　　　 "10010"

② for文2回目 （i=2）

result ← result×2+
　2　　　　　 1

int(binaryのi文字目の文字)
　　　　　　 2
　　　　　　 0
　　　　 "10010"

③ for文3回目 （i=3）

result ← result×2+
　4　　　　　 2

int(binaryのi文字目の文字)
　　　　　　 3
　　　　　　 0
　　　　 "10010"

④ for文4回目 （i=4）

result ← result×2+
　9　　　　　 4

int(binaryのi文字目の文字)
　　　　　　 4
　　　　　　 1
　　　　 "10010"

⑤ for文5回目 （i=5）

result ← result×2+
　18　　　　 9

int(binaryのi文字目の文字)
　　　　　　 5
　　　　　　 0
　　　　 "10010"

　以上より，for文終了時のresultの値は18と
なり，行番号7の

　　return result

で18が返るので，■が正解です。

解答　　■

問6

次のプログラム中の　　a　　と　　b　　に入れる正しい答えの組合せを，解答群の中から選べ。

関数factorialは非負の整数nを引数にとり，その階乗を返す関数である。非負の整数nの階乗はnが0のときに1になり，それ以外の場合は1からnまでの整数を全て掛け合わせた数となる。

なお，この関数factorialに，引数として負の整数nをとった場合，プログラムの動きは　　b　　となる。

〔プログラム〕

```
1  ○整数型: factorial(整数型: n)
2   if (n=0)
3     return 1
4   endif
5   return    a
```

※プログラム中の行番号は筆者が追記した。

解答群

	a	b
ア	(n−1)×factorial(n)	エラーとなり異常停止する
イ	(n−1)×factorial(n)	無限に実行され終了しない
ウ	(n−1)×factorial(n)	0を返して正常に終了する
エ	n×factorial(n−1)	エラーとなり異常停止する
オ	n×factorial(n−1)	無限に実行され終了しない
カ	n×factorial(n−1)	0を返して正常に終了する

[基本情報技術者 サンプル問題（2022年12月26日公開）科目B 問7 一部改変]

問6 │ 整数の階乗を返す関数

重要項目の1つである「再帰」に関する問題です。再帰は，しっかり理解してしまえば難しい問題ではありません。本問でマスターしてしまいましょう。なお，再帰については，書籍巻頭「科目Bのポイント集」13で具体例を交えて解説しているので，そちらも参照してください。

問題の解説

空欄a

再帰とは，処理中に自分自身を呼び出すことができる性質のことを指します。

nの階乗とは，1からn（非負の整数）までのすべての整数の積です。nの階乗は「n!」と表記し，

n! ＝n・(n−1)・(n−2)……2・1

で計算されます（ただし，0! ＝1，nは非負）。

（例）5の階乗

5! ＝5×4×3×2×1＝120

本問を解くには，解答群のnに適当な数を代入してみる方法があります。例えばn＝4とすると，4の階乗は24なので（4! ＝4×3×2×1＝24），factorial(4) ＝24となるものが正解です。

試験対策の要点

令和6年度

科目A 科目B

対策問題① 科目A 科目B

対策問題② 科目A 科目B

対策問題③ 科目A 科目B

ア, イ, ウ (n−1)×factorial(n)

n=4を代入します。

(4−1)×factorial(4)

↳ 再帰で自分自身を呼び出しても
factorial(4)なので, 式が終了しません。
よって誤りです。

エ, オ, カ

n×factorial(n−1)

factorial(4)=4×factorial(4−1)
factorial(3)=3×factorial(3−1)
factorial(2)=2×factorial(2−1)
factorial(1)=1×factorial(1−1)
$$\begin{array}{c} \| \\ 1 \end{array}$$

factorial(0)は, 行番号2, 3で1が返る

factorial(1)=1×1=1
factorial(2)=2×1=2
factorial(3)=3×2=6
factorial(4)=4×6=24 （答）

以上より, 空欄aは

n×factorial(n−1)

です。

空欄b

関数factorialの引数nとして適当な負の値
を設定し, プログラムをトレースしていきます。な
お, 空欄aには正しいコードである,

n×factorial(n−1)

が入っているものとします。

[例] n＝−2の場合

行番号

```
1   factorial(−2)
2   if (n=0)
        条件式は「偽」

5       return n × factorial(n−1)
```

（n＝−2, factorial(n−1) → −3）

行番号

```
1   factorial(−3)
2   if (n=0)
        条件式は「偽」

5       return n × factorial(n−1)
```

（n＝−3, factorial(n−1) → −4）

行番号

```
1   factorial(−4)
```

以下同様で, nの値は−2, −3, −4, …となり,
行番号2は無限に「偽」となる

以上より, 空欄bは

無限に実行され終了しない

です。

したがって, 正解は **オ** の

a　n × factorial(n−1)
b　無限に実行され終了しない

です。

解答　**オ**

分野：アルゴリズムとプログラミング ▶ ②データ構造及びアルゴリズム

問7 ★★★

次のプログラム中の [＿＿＿] に入れる正しい答えを, 解答群の中から選べ。ここで, 配列
の要素番号は1から始まる。

　図1に示すグラフの頂点には, 1から順に整数で番号が付けられている。グラフは無向グラフであり,
各頂点間には高々一つの辺がある。一つの辺は両端の頂点の番号を要素にもつ要素数2の整数型の
配列で表現できる。例えば, {1, 3}は頂点1と頂点3を端点とする辺を表す。グラフ全体は, グラフに
含まれる辺を表す要素数2の配列を全て格納した配列 (以下, 辺の配列という) で表現できる。辺の配
列の要素数はグラフの辺の個数と等しい。図1のグラフは整数型配列の配列 {{1, 3}, {1, 4}, {3, 4}, {2,
4}, {4, 5}} と表現できる。

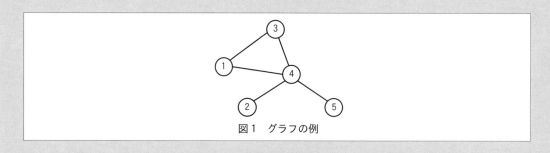

図1 グラフの例

関数edgesToMatrixは，辺の配列を隣接行列に変換する。隣接行列とは，グラフに含まれる頂点の個数と等しい行数及び列数の正方行列で，i行j列の成分は頂点iと頂点jを結ぶ辺があるときに1となり，それ以外は0となる。行列の対角成分は全て0で，無向グラフの場合は対称行列になる。図1のグラフを表現する隣接行列を図2に示す。

$$\begin{pmatrix} 0 & 0 & 1 & 1 & 0 \\ 0 & 0 & 0 & 1 & 0 \\ 1 & 0 & 0 & 1 & 0 \\ 1 & 1 & 1 & 0 & 1 \\ 0 & 0 & 0 & 1 & 0 \end{pmatrix}$$

図2 図1のグラフを表現する隣接行列

関数edgesToMatrixは，引数edgeListで辺の配列を，引数nodeNumでグラフの頂点の個数をそれぞれ受け取り，隣接行列を表す整数型の二次元配列を返す。

〔プログラム〕

```
1  ○整数型の二次元配列: edgesToMatrix(整数型配列の配列: edgeList, 整数型: nodeNum)
2    整数型の二次元配列: adjMatrix ← {nodeNum行nodeNum列の0}
3    整数型: i, u, v
4    for (iを1からedgeListの要素数まで1ずつ増やす)
5      u ← edgeList[i][1]
6      v ← edgeList[i][2]
7      ［          ］
8    endfor
9    return adjMatrix
```

※プログラム中の行番号は筆者が追記した。

解答群

ア adjMatrix[u, u] ← 1

イ adjMatrix[u, u] ← 1
   adjMatrix[v, v] ← 1

ウ adjMatrix[u, v] ← 1

エ adjMatrix[u, v] ← 1
   adjMatrix[v, u] ← 1

オ adjMatrix[v, u] ← 1

カ adjMatrix[v, v] ← 1

[令和6年度 基本情報技術者試験 公開問題 科目B 問3]

試験対策の要点

令和6年度
科目A 科目B

対策問題①
科目A 科目B

対策問題②
科目A 科目B

対策問題③
科目A 科目B

★★ 問 **7** │ グラフを表現する隣接行列を二次元配列で表現する

> グラフ，隣接行列，正方行列などの事前知識がないと，問題を解くのは難しかったかもしれません。これらは科目Aの基礎知識なので，参考書などで事前に対策しておきましょう。

用語の解説

● グラフ

　グラフとは，対象物の関係性を表すものです。例えば「駅と路線」といった関係性を表すことができます。

　グラフは丸と線で表現します。対象物を「頂点」といい，線を「辺」と呼びます。

　グラフには，辺に向きがない「無向グラフ」と，辺に向きがある「有向グラフ」があります。

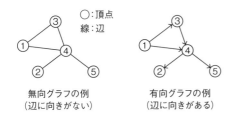

このようなグラフは，配列を使って表現することができます。例えば，{1，3}は，頂点1と頂点3を端点とする辺を表します。図1のグラフ（無向グラフ）を配列で表現すると，以下のようになります。

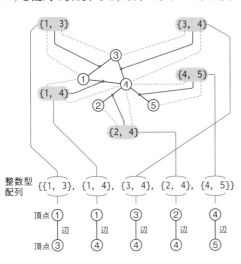

● 正方行列

　行数と列数が同じ個数の行列のことです。

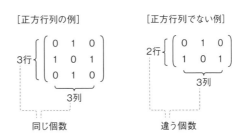

● 隣接行列

　隣接行列は，頂点の対がグラフ中で隣接しているか否かを要素で示します。図2のように，グラフに含まれる頂点の個数と等しい行数・列数の正方行列となります。

　図2の，頂点1と頂点3を結ぶ辺{1，3}で説明します。

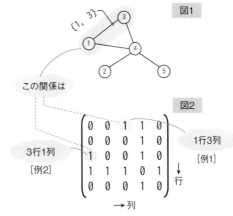

問題文
「i行j列の成分は頂点iと頂点jを結ぶ辺があるときに1となり，それ以外は0となる」より

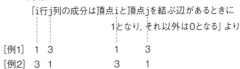

問題の解説

図1のすべての辺を隣接行列に変換すると，図2のようになります。

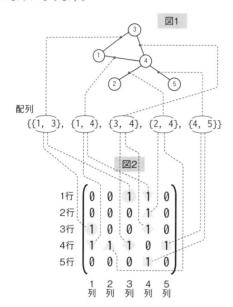

このとき，問題文の二次元配列edgeListの要素番号（edgeList[1][1]など）は，以下のような関係になっています。

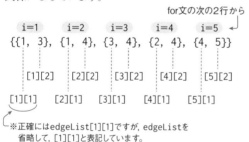

※正確にはedgeList[1][1]ですが，edgeListを省略して，[1][1]と表記しています。

空欄

以上を踏まえて，プログラムの解説に入ります。

行番号

1　関数の定義
　　引数は整数型配列の配列edgeList，整数型nodeNum
　　　　　　　　　　　　　　　　　　　　　グラフの頂点の個数
　　　　　　　　　　　　　　　　　　　　　（図1では5）

2　nodeNum行nodeNum列の0からなる配列を作成
　　　　5　　　　　5

　配列adjMatrix
$$\begin{pmatrix} 0 & 0 & 0 & 0 & 0 \\ 0 & 0 & 0 & 0 & 0 \\ 0 & 0 & 0 & 0 & 0 \\ 0 & 0 & 0 & 0 & 0 \\ 0 & 0 & 0 & 0 & 0 \end{pmatrix}$$

3　整数型変数i，u，vの定義

4　for　(iを1からedgeListの要素数まで1ずつ
　　　　　　　　　　　　5　　　　　　　　増やす)

5　①for文1回目（i＝1）

　　u ← edgeList[i][1]
　　1　　　　　　　1
　　　　　　　　1

6　　v ← edgeList[i][2]
　　　3　　　　　　　1
　　　　　　　　　　3

　配列edgeList
　{{ 1, 3 }, {1, 4}, {3, 4}, {2, 4}, {4, 5}}
　　[1][1]　[1][2]

この部分は，1行3列と3行1列を　　$\begin{pmatrix} 0 & 0 & 1 & 0 & 0 \\ 0 & 0 & 0 & 0 & 0 \\ 1 & 0 & 0 & 0 & 0 \\ 0 & 0 & 0 & 0 & 0 \\ 0 & 0 & 0 & 0 & 0 \end{pmatrix}$
1にする部分に対応する

よって，**エ**の

　adjMatrix[u, v] ← 1
　　　　　　1　3

　adjMatrix[v, u] ← 1
　　　　　　3　1

を空欄に入れることで，

・1行3列を1
・3列1行を1

に設定することができます。

for文の2回目（i＝2）以降も同様に考えることができます。

したがって，正解は**エ**の，
　adjMatrix[u, v] ← 1
　adjMatrix[v, u] ← 1
です。

解答　**エ**

102

試験対策の要点

令和6年度
科目A
科目B

対策問題①
科目A
科目B

対策問題②
科目A
科目B

対策問題③
科目A
科目B

問 8 ★★★ ☐☑☑

次のプログラム中の ☐☐☐ に入れる正しい答えを，解答群の中から選べ。

　手続delNodeは，空でない単方向リストから，引数posで指定された位置の要素を削除する手続である。引数posは，リストの要素数以下の正の整数とする。リストの先頭の位置を1とする。

　クラスListElementは，単方向リストの要素を表す。クラスListElementのメンバ変数の説明を表に示す。ListElement型の変数はクラスListElementのインスタンスの参照を格納するものとする。大域変数listHeadには，リストの先頭要素の参照があらかじめ格納されている。

表　クラスListElementのメンバ変数の説明

メンバ変数	型	説明
val	文字型	要素の値
next	ListElement	次の要素の参照 次の要素がないときの状態は未定義

〔プログラム〕

```
1  大域: ListElement: listHead  // リストの先頭要素が格納されている

2  ○delNode(整数型: pos)  /* posは，リストの要素数以下の正の整数 */
3    ListElement: prev
4    整数型: i
5    if (posが1と等しい)
6      listHead ← listHead.next
7    else
8      prev ← listHead
9      /* posが2と等しいときは繰返し処理を実行しない */
10     for (iを2からpos−1まで1ずつ増やす)
11       prev ← prev.next
12     endfor
13     prev.next ← ☐☐☐
14   endif
```

※プログラム中の行番号は筆者が追記した。

解答群

ア	listHead	イ	listHead.next
ウ	listHead.next.next	エ	prev
オ	prev.next	カ	prev.next.next

[基本情報技術者試験 サンプル問題 (2022年12月26日公開) 科目B 問10 一部改変]

問 **8** │ 単方向リストから指定された位置の要素を削除する手続き

単方向リスト，オブジェクト指向についての基本問題です。Javaなどのオブジェクト指向言語が未学習の方には，科目Aで学ぶ用語の理解だけではプログラムの読解は難しいかもしれません。本試験まで時間がない方は，本問を避けて他の問題で得点できるように学習を進めることをおすすめします。ただし，情報系の仕事に就いている，もしくは就く予定があるならば，オブジェクト指向の実装は必須の技能なので，何とかマスターしてほしいです。

用語の解説

● 単方向リスト

リストは，データ部とポインタ部で構成されており，ポインタをたどることによってデータを取り出すことができるデータ構造のことを指します。ポインタ部には，次のデータや前のデータのアドレス（格納場所）が入っています。単方向リストは，リストの一種で，次のデータへのポインタを1つだけもっているリストです。

・リスト構造

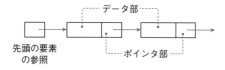

・単方向リスト

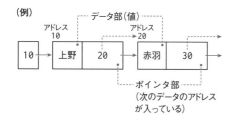

● オブジェクト指向

オブジェクト指向とは，データの処理をオブジェクトにまとめて部品として扱い，その部品の組み合わせでソフトウェアを構築する考え方です。オブジェクトとは，属性（データ）とその振る舞い（メソッド）を一体化（カプセル化）したものです。

以下，オブジェクト指向に関連する用語の説明が続きますが，実践力をつけるにはJavaなどのオブジェクト指向言語を学習することをおすすめします。

● クラス

クラスとは，オブジェクトのひな型のことで，データと処理がひとまとめになっています。データのことをフィールド，処理のことをメソッドといい，フィールドやメソッドのことを，クラスのメンバといいます。

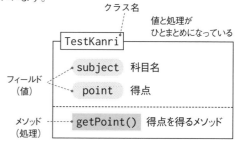

● インスタンス（オブジェクト）

クラスはひな型のようなものなので，値の格納や処理の実行ができません。そこで，クラスをもとに，値の格納や処理の実行が可能なインスタンス（オブジェクト）を作成します。

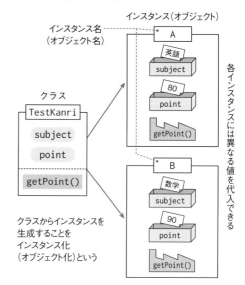

試験対策の要点

令和6年度
科目A
科目B

対策問題①
科目A
科目B

対策問題②
科目A
科目B

対策問題③
科目A
科目B

● インスタンスの参照

インスタンスが作成されると，メモリ上に対応する領域が確保されます。この場所を表す値のことを，参照といいます。クラスを利用するときは，インスタンスを作成して変数に代入するわけですが，このときに代入されるのは「そのインスタンスがある場所を示す値」（参照）というわけです。「科目Bのポイント集」の1では，変数という箱の中に値が直接入っていると説明しましたが，オブジェクト指向では異なる点に注意してください。

● メンバ変数

クラスの参照可能な変数やメソッドは，そのクラスのメンバと呼ばれます。メンバ変数は，インスタンスに所属する変数（フィールド）のことです。

● 大域変数（グローバル変数）

大域変数とは，プログラム中のどこにあるコードからでも同じように値の読み取りや書き換えが可能な変数のことです。

問題の解説

要素を削除するには，削除したい要素の1つ手前の「次の要素の参照」を，削除される要素の次の要素を指すように書き換える必要があります。

よって，削除する要素の1つ手前の要素の参照を知るために，for文で目的の要素の参照を探します。

図で説明します。なお，ここで使用されているprevは「前の」という意味で，「previous」を略したものと考えられます。

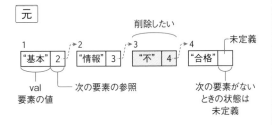

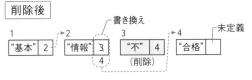

prev.nextの次なので
prev.next.nextと考えます。

for文の繰返しで，目的の要素の参照を探しながら，1つ手前（pos－1）の要素の参照も

    prev ← prev.next

によって，prevに保存しておくようにします。これで，for文の終了時点では，削除したい要素の1つ手前の参照，上図では"情報"をデータ部に持つ要素の参照が保存されます。

空欄を考えると，ここでは削除する要素の1つ手前（prev）から，削除する要素の後ろにある要素を参照する必要があります。削除後にprevの次に参照するのは「（prevの次）の次」なので，空欄には

    prev.next.next

が入ります。

したがって，**カ**の

    prev.next.next

が正解です。

📖 参考

行番号5,6は，先頭の要素（解説の例では"基本"）を削除したい場合の処理です。こちらも図解します。

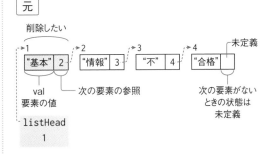

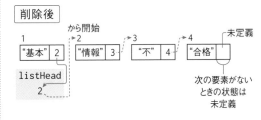

ここでは，上の図のように2から開始したいので，listHeadにlistHead.next（上の例では2）を代入して，listHead（先頭位置）を2に書き換えます。

解答　**カ**

問 9

次の記述中の ▢ に入れる正しい答えを，解答群の中から選べ。ここで，配列の要素番号は1から始まる。

　手続orderは，図の2分木の，引数で指定した節を根とする部分木をたどりながら，全ての節番号を出力する。大域の配列treeが図の2分木を表している。配列treeの要素は，対応する節の子の節番号を，左の子，右の子の順に格納した配列である。例えば，配列treeの要素番号1の要素は，節番号1の子の節番号から成る配列であり，左の子の節番号2，右の子の節番号3を配列 {2, 3} として格納する。

　手続orderをorder(1)として呼び出すと，▢ の順に出力される。

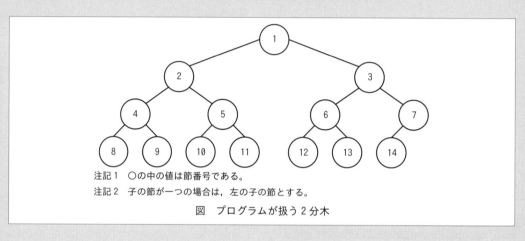

注記1　○の中の値は節番号である。
注記2　子の節が一つの場合は，左の子の節とする。

図　プログラムが扱う2分木

〔プログラム〕

```
1  大域：整数型配列の配列: tree ← {{2, 3}, {4, 5}, {6, 7}, {8, 9},
                             {10, 11}, {12, 13}, {14}, {}, {}, {},
                             {}, {}, {}, {}}   // {}は要素数0の配列

2  ○order(整数型: n)
3    if (tree[n]の要素数が2と等しい)
4      order(tree[n][1])
5      nを出力
6      order(tree[n][2])
7    elseif (tree[n]の要素数が1と等しい)
8      order(tree[n][1])
9      nを出力
10   else
11     nを出力
12   endif
```

※プログラム中の行番号は筆者が追記した。

解答群

- ア　1, 2, 3, 4, 5, 6, 7, 8, 9, 10, 11, 12, 13, 14
- イ　1, 2, 4, 8, 9, 5, 10, 11, 3, 6, 12, 13, 7, 14
- ウ　8, 4, 9, 2, 10, 5, 11, 1, 12, 6, 13, 3, 14, 7
- エ　8, 9, 4, 10, 11, 5, 2, 12, 13, 6, 14, 7, 3, 1

[基本情報技術者試験 サンプル問題 (2022年12月26日公開) 科目B 問9]

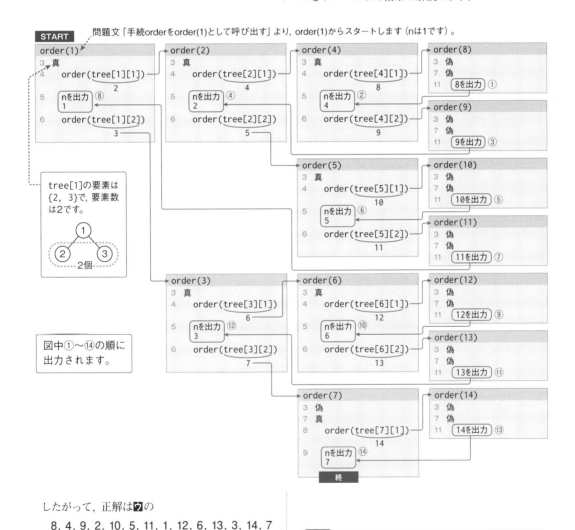

★★★ 問 **9** ┃ 2分木の節番号を出力するプログラム

　2分木の問題ですが，プログラムを見ると再帰の知識も問われていることがわかります。再帰については，本書巻頭「科目Bのポイント集」の13.を確認してください。なお，解説では最後まで説明していますが，本試験では時間短縮のために，1件目が8，2件目が4とわかった時点で解答してしまい，時間が余るようなら続きを検討するとよいでしょう。

問題の解説

　問題文に与えられている値を使って，プログラムをトレースして解きます。注意する点としては，プログラム中の

```
order(tree[n][1])
order(tree[n][2])
order(tree[n][1])
```

が，自分自身を呼び出す再帰処理であることです。では，問題文に与えられている値を使い，プログラムをトレースした結果で解説します。

したがって，正解は**ウ**の

　8, 4, 9, 2, 10, 5, 11, 1, 12, 6, 13, 3, 14, 7

です。

解答　**ウ**

次の記述中の ▭ に入れる正しい答えを，解答群の中から選べ。ここで，配列の要素番号は1から始まる。

関数mergeは，昇順に整列された整数型の配列data1及びdata2を受け取り，これらを併合してできる昇順に整列された整数型の配列を返す。

関数mergeをmerge({2, 3}, {1, 4})として呼び出すと，/*** α ***/の行は ▭ 。

〔プログラム〕

```
1  ○整数型の配列: merge(整数型の配列: data1, 整数型の配列: data2)
2    整数型: n1 ← data1の要素数
3    整数型: n2 ← data2の要素数
4    整数型の配列: work ← {(n1+n2)個の未定義の値}
5    整数型: i ← 1
6    整数型: j ← 1
7    整数型: k ← 1

8    while ((i ≦ n1) and (j ≦ n2))
9      if (data1[i] ≦ data2[j])
10       work[k] ← data1[i]
11       i ← i + 1
12     else
13       work[k] ← data2[j]
14       j ← j + 1
15     endif
16     k ← k + 1
17   endwhile

18   while (i ≦ n1)
19     work[k] ← data1[i]
20     i ← i + 1
21     k ← k + 1
22   endwhile

23   while (j ≦ n2)
24     work[k] ← data2[j] /*** α ***/
25     j ← j + 1
26     k ← k + 1
27   endwhile

28   return work
```

※プログラム中の行番号は筆者が追記した。

解答群

ア 実行されない　　　イ 1回実行される
ウ 2回実行される　　　エ 3回実行される

[令和6年度 基本情報技術者試験 公開問題 科目B 問4]

試験対策の要点

令和6年度
科目A—科目B

対策問題①
科目A—科目B

対策問題②
科目A—科目B

対策問題③
科目A—科目B

★★★ 問**10** ｜ 2つの配列を併合して，整列した新たな配列を返す

重要テーマのひとつである整列に関する問題です。本問は，マージソートを使っています。本書巻頭「科目Bのポイント集」の12.で，代表的な整列方法を説明しているので，事前に学習しておきましょう。

問題の解説

問題文「merge({2, 3}, {1, 4})として呼び出す」を例に，プログラムをトレースして解説します。

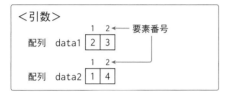

```
行番号
1  ○整数型の配列: merge
   (整数型の配列: data1, 整数型の配列: data2)
                 {2, 3}                   {1, 4}
2    整数型: n1 ← data1の要素数
           2           2
3    整数型: n2 ← data2の要素数
           2           2
4    整数型の配列:
     work ← {(n1+n2)個の未定義の値}
        4
         要素番号 1      2      3      4  ←要素番号
     配列work 未定義 未定義 未定義 未定義
5    整数型: i ← 1
           1
6    整数型: j ← 1
           1
7    整数型: k ← 1
           1
```

① while文1回目

```
8    while ((i ≤ n1) and (j ≤ n2)) 真
            1    2        1    2
9      if (data1[i] ≤ data2[j]) 偽
            1              1
            2              1
12     else
13       work[k] ← data2[j]
           1           1
          1        1    1  ←k
          work 1
```

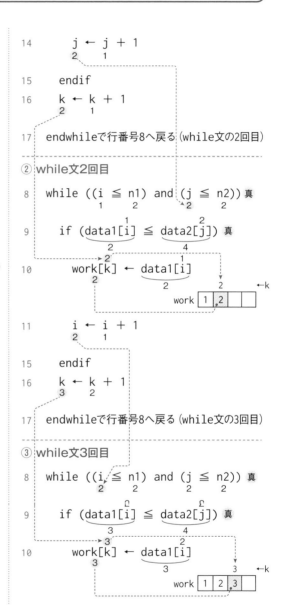

```
14       j ← j + 1
         2    1
15     endif
16     k ← k + 1
       2   1
17   endwhileで行番号8へ戻る（while文の2回目）
```

② while文2回目

```
8    while ((i ≤ n1) and (j ≤ n2)) 真
            1    2        2    2
9      if (data1[i] ≤ data2[j]) 真
            2              4
10       work[k] ← data1[i]
           2           2
          2        2    2  ←k
          work 1 2
11     i ← i + 1
       2   1
15     endif
16     k ← k + 1
       3   2
17   endwhileで行番号8へ戻る（while文の3回目）
```

③ while文3回目

```
8    while ((i ≤ n1) and (j ≤ n2)) 真
            2    2        2    2
9      if (data1[i] ≤ data2[j]) 真
            3              4
10       work[k] ← data1[i]
           3           3
          3        3    3  ←k
          work 1 2 3
```

```
11      i ← i + 1
        3   2

15    endif
16    k ← k + 1
      4   3
```

17 endwhileで行番号8へ戻る（while文の4回目）

④ while文4回目

```
8    while ((i ≦ n1) and (j ≦ n2)) 偽
            3    2       2    2
```

17 endwhile（while文終了）

```
18  while (i ≦ n1) 偽              繰返し処理
          3   2                   実行されない
22  endwhile
```

```
23  while (j ≦ n2) 真
          2   2
                4
24    work[k] ← data2[j]
          4        4        4 ←k
                 work │1│2│3│,4│
```

/*** α ***/
1回目の実行

```
25    j ← j + 1
      3   2

26    k ← k + 1
      5   4
```

27 endwhileで行番号23へ戻る

```
23  while (j ≦ n2) 偽              繰返し処理
          3   2                   実行されない
27  endwhile（while文終了）
28  return work
    （プログラム終了）
```

　以上で本問の関数mergeは終了し，行番号28
で昇順に整列された整数型の配列workが呼び出
し元に戻ります。

```
           1 2 3 4
    work │1│2│3│4│
```

　したがって，正解は**イ**の
　1回実行される
です。

解答　**イ**

110

問 **11** 次の記述中の □□□ に入れる正しい答えを，解答群の中から選べ。ここで，配列の要素番号は1から始まる。

関数binSortをbinSort(□□□)として呼び出すと，戻り値の配列には未定義の要素は含まれておらず，値は昇順に並んでいる。

〔プログラム〕

```
1  ○整数型の配列: binSort(整数型の配列: data)
2   整数型: n ← dataの要素数
3   整数型の配列: bins ← {n個の未定義の値}
4   整数型: i

5   for (iを1からnまで1ずつ増やす)
6    bins[data[i]] ← data[i]
7   endfor

8   return bins
```

※プログラム中の行番号は筆者が追記した。

解答群

　ア {2, 6, 3, 1, 4, 5}　　　イ {3, 1, 4, 4, 5, 2}
　ウ {4, 2, 1, 5, 6, 2}　　　エ {5, 3, 4, 3, 2, 6}

[基本情報技術者 サンプル問題 (2022年12月26日公開) 科目B 問11]

★★ 問 **11** │ ビンソート（バケットソート）のアルゴリズム

高頻度で出題が予想される，整列アルゴリズムに関する問題です。ただしその中でも，一般的には解説されていないビンソート（バケットソート）に関する問題なので，内容を知らない方には難易度が高かったことでしょう。本問でしっかりと学習しておきましょう。

問題の解説

問題文「関数binSortを…呼び出すと，…値は昇順に並んでいる」より，関数binSortは，整列処理だとわかります。ところが，〔プログラム〕を見ると，1つの代入処理しかないfor文があるだけです。整列処理なので，値の大小比較があるはずですが，それらしきif文もありません。このことから，binSortという関数名を見て，ビンソート（バケットソート）のアルゴリズムであると気が付くように，事前学習をしている必要があります。

ビンソートにも種類があり，本問のように単純に

配列の各要素をバケツに入れる方法では，ソート対象のデータは重複が許されません。なお，データが重複してもソートが行えるビンソートの方法としては，データの分布を考慮したり，データを入れるバケツを動的に追加する方法などがあります。

解答群を見ると，イ～エはデータが重複しており，戻り値の配列に未定義の要素が含まれてしまうので，問題文「戻り値の配列には，未定義の要素は含まれておらず」という記述に反します。

したがって，正解はアの

　{2, 6, 3, 1, 4, 5}

となります。

試験対策の要点

令和6年度
科目A
科目B

対策問題①
科目A
科目B

対策問題②
科目A
科目B

対策問題③
科目A
科目B

単純に配列の各要素をバケツに入れる方法では「データの重複時のソート」は許されていないことを知っていると,解説のように簡単に解ける問題ですが,本問のビンソートについても詳しく解説します。

for文の代入文

```
bins[data[i]] ← data[i]
```

より,配列の各要素は,「要素番号」と一致する値を持つデータを入れるためのバケツとして扱います。なお,バケツは,整列前の要素数だけ用意されます。

解答群の値を使って解説します。

ア binSort({2,6,3,1,4,5}):正常に実行できる

配列bins 1 2 3 4 5 6 データ件数だけ
要素番号 1 2 3 4 5 6 配列が用意される

・データ2は,要素番号2へ格納
・データ6は,要素番号6へ格納
  ＜略＞
・データ5は,要素番号5へ格納

なお,配列に格納後,先頭から順に取り出せば昇順に,逆に配列の最後尾から先頭に向かって順に取り出せば降順となります。

イ binSort({3,1,4,4,5,2}):重複データがあり整列できない

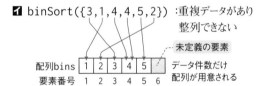

未定義の要素

配列bins 1 2 3 4 5 　 データ件数だけ
要素番号 1 2 3 4 5 6 配列が用意される

※変数に値が格納されていない状態を"未定義"といいます。

本問のような配列を単純に使用したビンソートでは,データ件数の6件分の要素が入る配列が用意され,**ア**と同様に格納されます。ただし,値が重複している要素4では値が上書きされるので(2件あった4が1件になる),「1,2,3,4,4,5」となるべきところが,「1,2,3,4,5」となってしまいます。

そのため,要素番号6は「未定義の要素」となります。このことは,問題文「戻り値の配列には未定義の要素は含まれておらず」という記述に反するので誤りです。

ウは値2が,**エ**は値3が重複しているので,**イ**と同じ理由で誤りです。

ビンソートが未学習の状態で,少しでも正解の確率が高い選択肢を選ぶコツも紹介します。ポイントは,「戻り値の配列には未定義の要素は含まれておらず」と,わざわざ問題文で明記されていることに違和感を持つことです。

試験問題冒頭の「擬似言語の記述形式」の最後には,〔未定義,未定義の値〕という項目があり,「変数に値が格納されていない状態を,"未定義"という。変数に"未定義の値"を代入すると,その変数は未定義になる。」と説明されています。つまり,変数や配列を用意したのに,値を代入していない状態が「未定義」であるということがわかります。

以上を踏まえて問題文を読むと,何らかの条件を満たしたデータについては,「戻り値の配列に未定義の要素が含まれてしまう」からこそ,未定義の要素について明記しているのではないかという予想が立ちます。**イ**～**エ**は「データが重複している点」で**ア**とは異なり,このことが未定義の要素が含まれてしまう(不正解の)原因になっているのではないかと考えることもできるでしょう。

ただしこれは,少しでも可能性のある選択肢を選ぶための最終手段です。もちろん筆者としては,ビンソートなどの比較的マイナーな整列アルゴリズムも,しっかり学習して本試験を受験していただけると嬉しく思います。

解答 **ア**

次の記述中の □ に入れる正しい答えを，解答群の中から選べ。

関数makeOrderArrayは，整数型の配列inを引数にとり，整数型の配列を返す関数である。

関数makeOrderArrayをmakeOrderArray({30, 50, 40, 20, 40, 60})として呼び出したとき，戻り値の配列outは □ となる。

〔プログラム〕

```
1    ○整数型の配列: makeOrderArray(整数型の配列: in)
2      整数型の配列: out ← {}  // 要素数0の配列
3      整数型: i, j

4      for (iを1からinの要素数まで1ずつ増やす)
5        outの末尾に1を追加する
6      endfor

7      for (iを1からinの要素数－1まで1ずつ増やす)
8        for (jをi+1からinの要素数まで1ずつ増やす)
9          if (in[i] > in[j])
10           out[j] ← out[j] + 1
11         else
12           if (in[i] < in[j])
13             out[i] ← out[i] + 1
14           endif
15         endif
16       endfor
17     endfor
18     return out
```

解答群

ア　20, 30, 40, 40, 50, 60
イ　60, 50, 40, 40, 30, 20
ウ　5, 3, 3, 6, 4, 1
エ　5, 2, 3, 6, 3, 1
オ　2, 6, 4, 1, 3, 6
カ　2, 5, 3, 1, 3, 6

[オリジナル問題]

問12 │ 配列要素の順位付け

配列要素の順位付けプログラムをトレースして解く問題です。for文による2重の繰返しで配列を処理する問題は，高確率で出題が予想されるパターンです。トレース上達のコツは，巻頭の特集「擬似言語によるアルゴリズムの学習方法」(P.14参照)でも紹介しているので，ぜひチェックしてみてください。

問題の解説

　本問は，配列要素の順位付けの問題です。問題を解くにあたり，まずは次のような点を押さえておきましょう。

(1)**戻り値の配列要素すべてを1で初期化している点**
　　行番号5　outの末尾に1を追加する

(2)**引数で与えられた配列の要素同士で大小を比較し，戻り値の配列要素に＋1している点**
　　行番号9　if (in[i] > in[j])
　　行番号10　out[j] ← out[j] + 1

　　行番号12　if (in[i] < in[j])
　　行番号13　out[i] ← out[i] + 1

　行番号4〜6の実行結果は次のようになります。

```
行番号
4    for (iを1からinの要素数まで1ずつ増やす)
                        6
5        outの末尾に1を追加する
6    endfor
```

```
              1  2  3  4  5  6 …要素番号
整数型の配列 out 1  1  1  1  1  1
```

　行番号7〜17の2重のfor文の動きは次のようになります。

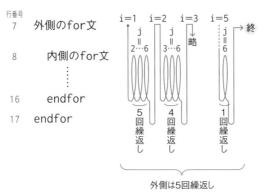

　以上を踏まえて，問題文で与えられた値でトレースをしていきます。

```
               1   2   3   4   5   6
整数型の配列 in 30  50  40  20  40  60
                  要素数6
```

1.外側のfor文の1回目の繰返し（i＝1）

① 内側のfor文の1回目（j＝2）

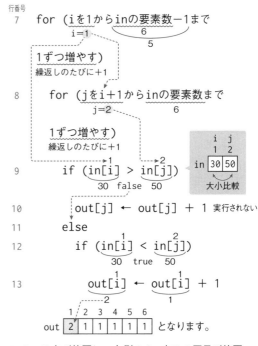

14〜16　if文が終了し，内側のfor文の1回目が終了（内側のfor文は2回目の繰り返しへ）

② 内側のfor文の2回目（j＝3）

```
行番号
8        for (jをi+1からinの要素数まで
         1ずつ増やす)
         内側のfor文の2回目では，
         jの値は1増えてj=3となります。
```

```
                          i    j
                          1    3
                       in 30      40
                          大小比較
9        if (in[i] > in[j])
             1       3
            30 false 40
10           out[j] ← out[j] + 1  実行されない
11       else
12           if (in[i] < in[j])
                 1       3
                30 true 40
13               out[i] ← out[i] + 1
                     1        1
                     3        2
         1  2  3  4  5  6
out      3  1  1  1  1  1  となります。
```

14〜16　if文が終了し，内側のfor文の2回目が終了

ここまでの動きを振り返ってみると、配列inの左端の30を基準に、右側の要素をずらしながら大小を比較しています。そして、基準の左端の方が小さい場合は、配列outの左端を＋1します。

ここで、iは左端要素30の要素番号1、jは大小比較する相手の要素番号を保持しています。

外　内
1-①　　　in 30 50 …
　　　　　　大小比較

out 2 1 … …左端の方が小さいので+1
　＋1されて2

1-②　　　in 30 　 40 …
　　　　　　大小比較

out 3 　 1 … …左端の方が小さいので+1
　＋1されて3

では、左端の要素30より比較相手が小さい場合（要素番号4の要素20との比較）だと、どのようになるのか見ていきます。

③ 内側のfor文の3回目（j＝4）

行番号
8　　　for（jをi＋1からinの要素数まで
　　　　1ずつ増やす）

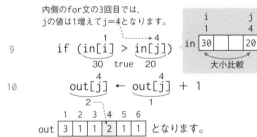

内側のfor文の3回目では、jの値は1増えてj＝4となります。

9　　　if（in[i] > in[j]）
　　　　　　30　true　20

10　　　out[j] ← out[j] + 1
　　　　　　2　　　　　1

out 3 1 1 2 1 1 となります。
　　　1 2 3 4 5 6

11~16　if文が終了し、内側の for 文の3回目が終了

このように、基準の左端の方が小さい場合は、配列outの要素番号jの要素を＋1することになります。つまりこの問題では、次のようなアルゴリズムで要素の順位付けを行っているということがわかります。

---

(1) 順位の初期値はすべて1とする

(2) 配列inの先頭から順番に、1つ次の要素以降と大小を比較し、小さい方の順位を1つ下げる（要素を＋1する）

・in[i] > in[j] の場合
　　順位が入る配列out[j]に1を加えることで、要素番号jの値の順位を1つ下げる

・in[i] < in[j] の場合
　　順位が入る配列out[i]に1を加えることで、要素番号iの値の順位を1つ下げる

以上を踏まえて、トレースを続けていきます。原理がわかったので、これ以降は解説を簡略化します。

④ 内側のfor文の4回目（j＝5）

行番号
8　　　for（jをi＋1からinの要素数まで
　　　　1ずつ増やす）
　　　　　　＋1
　　　　　　j＝5

9　　　if（in[i] > in[j]）
　　　　　　1　　　5
　　　　　　30 false 40

11　　　else

12　　　if（in[i] < in[j]）
　　　　　　1　　　5
　　　　　　30　true　40

13　　　out[i] ← out[i] + 1
　　　　　　1　　　　　1
　　　　　　4　　　　　3

out 4 1 1 2 1 1 となります。
　　　1 2 3 4 5 6

⑤ 内側のfor文の5回目（j＝6）

行番号
8　　　for（jをi＋1からinの要素数まで
　　　　1ずつ増やす）
　　　　　　　　　　　　6

　　　　　　＋1
　　　　　　j＝6

9　　　if（in[i] > in[j]）
　　　　　　1　　　6
　　　　　　30 false 60

11　　　else

12　　　if（in[i] < in[j]）
　　　　　　1　　　6
　　　　　　30　true　60

13　　　out[i] ← out[i] + 1
　　　　　　1　　　　　1
　　　　　　5　　　　　4

out 5 1 1 2 1 1 となります。
　　　1 2 3 4 5 6

14~16　内側 for 文の5回目が終了し、内側 for 文を抜けて外側 for 文の2回目処理に入ります。

試験対策の要点

令和6年度

科目 A

科目 B

対策問題①
科目 A
科目 B

対策問題②
科目 A
科目 B

対策問題③
科目 A
科目 B

なお，一番左端の要素はこれ以降，比較・加算されることがないので，この時点で確定します。したがって，正解はoutの左端の要素が5である**ウ**か**エ**に絞られます。

---

2. 外側のfor文の2回目の繰返し（i＝2）

① 内側のfor文の1回目（j＝3）

行番号
7　for（iを1からinの要素数−1まで
　　1ずつ増やす）
　　　　　＋1
　　　　i=2

8　　　for（jをi＋1からinの要素数まで
　　　　　　3
　　　　1ずつ増やす）
　　　　　　＋1
　　　　　j=3

9　　　　if (in[i] > in[j])
　　　　　　　2　　　3
　　　　　　50 true 40

10　　　　out[j] ← out[j] + 1
　　　　　　3　　　　3
　　　　　　2　　　　1

　　out　| 5 | 1 | 2 | 2 | 1 | 1 |　となります。
　　　　　　1　2　3　4　5　6

② 内側のfor文の2回目（j＝4）

行番号
8　　　for（jをi＋1からinの要素数まで
　　　　1ずつ増やす）
　　　　　　＋1
　　　　　j=4

9　　　　if (in[i] > in[j])
　　　　　　　2　　　4
　　　　　　50 true 20

10　　　　out[j] ← out[j] + 1
　　　　　　4　　　　4
　　　　　　3　　　　2

　　out　| 5 | 1 | 2 | 3 | 1 | 1 |　となります。
　　　　　　1　2　3　4　5　6

③ 内側のfor文の3回目（j＝5）

行番号
8　　　for（jをi＋1からinの要素数まで
　　　　1ずつ増やす）
　　　　　　＋1
　　　　　j=5

9　　　　if (in[i] > in[j])
　　　　　　　2　　　5
　　　　　　50 true 40

10　　　　out[j] ← out[j] + 1
　　　　　　5　　　　5
　　　　　　2　　　　1

　　out　| 5 | 1 | 2 | 3 | 2 | 1 |　となります。
　　　　　　1　2　3　4　5　6

④ 内側のfor文の4回目（j＝6）

行番号
8　　　for（jをi＋1からinの要素数まで
　　　　1ずつ増やす）
　　　　　　＋1
　　　　　j=6

9　　　　if (in[i] > in[j])
　　　　　　　2　　　6
　　　　　　50 false 60

11　　　else

12　　　　if (in[i] < in[j])
　　　　　　　2　　　6
　　　　　　50 true 60

13　　　　out[i] ← out[i] + 1
　　　　　　2　　　　2
　　　　　　2　　　　1

　　out　| 5 | 2 | 2 | 3 | 2 | 1 |　となります。
　　　　　　1　2　3　4　5　6

14〜16　内側for文の4回目が終了し，内側for文を抜けて外側for文の3回目処理に入ります。

左から2番目の要素はこれ以降，比較・加算されることがないので，この時点で確定します。したがって，正解はoutの左から2番目の要素が2である**エ**に絞られます。

以上より，正解は**エ**の
　5, 2, 3, 6, 3, 1
です。

解答　　**エ**

★★★
問
13
☐☐☐

次の記述中の ☐☐☐ に入れる正しい答えを，解答群の中から選べ。ここで，配列の要素番号は1から始まる。

関数searchは，引数dataで指定された配列に，引数targetで指定された値が含まれていればその要素番号を返し，含まれていなければ−1を返す。dataは昇順に整列されており，値に重複はない。

関数searchには不具合がある。例えば，dataの ☐☐☐ 場合は，無限ループになる。

〔プログラム〕

```
1  ○整数型: search(整数型の配列: data, 整数型: target)
2    整数型: low, high, middle
3    low ← 1
4    high ← dataの要素数
5    while (low ≦ high)
6      middle ← (low+high)÷2の商
7      if (data[middle] < target)
8        low ← middle
9      elseif (data[middle] > target)
10       high ← middle
11     else
12       return middle
13     endif
14   endwhile
15   return −1
```

※プログラム中の行番号は筆者が追記した。

解答群

ア 要素数が1で，targetがその要素の値と等しい
イ 要素数が2で，targetがdataの先頭要素の値と等しい
ウ 要素数が2で，targetがdataの末尾要素の値と等しい
エ 要素に−1が含まれている

[基本情報技術者 サンプル問題 (2022年12月26日公開) 科目B 問13]

★★★
問**13** │ 無限ループが発生する条件

無限ループになる原因は，while文の条件式にあります。この条件式で使われている変数 (low，high) の値の変化を，具体的なデータを用いて正確かつ迅速にトレースできることが求められます。

問題は，探索のプログラムです。問題文「dataは昇順に整列されており，値に重複はない」に留意しながら，解答群の記述に合う具体的なデータを考え，プログラムをトレースしてみましょう。

ア 要素数が1でtargetがその要素の値と等しい

問題文の「引数targetで指定された値が含まれていればその要素番号を返し，含まれていなければ−1を返す」より，変数targetは，探索データであることがわかります。

そこで，解答群 ア の例として次のようなデータを考え，プログラムの流れをトレースしてみます。

```
           1
配列data   5
target     5
```

〔プログラム〕

行番号3　low ← 1
　　　　　　　1

行番号4　high ← dataの要素数
　　　　　　1　　　　　1

行番号5　while (low ≦ high)　　真
　　　　　　　　　1　　　1

行番号6　middle ← (low+high)÷2の商
　　　　　　1　　　　1　　1

行番号7　if (data[middle] < target) 偽
　　　　　　　　　　1　　　　　5
　　　　　　　　　5

行番号8　　low ← middle　（実行されない）

行番号9　elseif (data[middle] > target) 偽
　　　　　　　　　　　1　　　　　5
　　　　　　　　　　5

行番号10　high ← middle　（実行されない）

行番号11　else　（実行される）

行番号12　　return middle
　　　　　　　　　　1
（returnが実行されてプログラムは正常終了）

行番号13　endif

行番号14　endwhile

以上より，行番号12のreturnが実行され，引数targetで指定された値5と等しい要素番号1を返して，プログラムは正常終了しています。したがって，無限ループは発生しません。

イ 要素数が2で，targetがdataの先頭要素の値と等しい

条件に合致する次の例で，プログラムをトレースします。

```
           1  2
配列data    5  7
target      5
```

〔プログラム〕

行番号3　low ← 1
　　　　　　1

行番号4　high ← dataの要素数
　　　　　　2　　　　　2

行番号5　while (low ≦ high)　　真
　　　　　　　　1　　　2

行番号6　middle ← (low+high)÷2の商
　　　　　　1　　　　1　　2

行番号7　if (data[middle] < target) 偽
　　　　　　　　　　1　　　　　5
　　　　　　　　5

行番号8　　low ← middle　（実行されない）

行番号9　elseif (data[middle] > target) 偽
　　　　　　　　　　　1　　　　　5
　　　　　　　　　5

行番号10　high ← middle　（実行されない）

行番号11　else　（実行される）

行番号12　　return middle
　　　　　　　　　1
（returnが実行されてプログラムは正常終了）

行番号13　endif

行番号14　endwhile

以上より，引数targetで指定された値5がdataの先頭要素の値と等しい場合，dataの先頭の要素番号1を正しく返してプログラムは正常終了しています。したがって，無限ループは発生しません。

ウ 要素数が2で，targetがdataの末尾要素の値
と等しい

条件に合致する次の例で，プログラムをトレース
します。

```
            1  2
配列data   5  7
target     7
```

〔プログラム〕

行番号3　low ← 1
　　　　　　　1

行番号4　high ← dataの要素数
　　　　　　2　　　　　　2

行番号5　while (low ≦ high)　真
　　　　　　　　1　　　2

行番号6　middle ← (low+high)÷2の商
　　　　　　1　　　　　1　　　2

行番号7　if (data[middle] < target) 真
　　　　　　　　　1　　　　　　　7
　　　　　　　　　5

行番号8　low ← middle （実行:lowの値は
　　　　　　1　　　1　　　　　　変化しない）

行番号9　elseif (data[middle] > target)
　　　　　　　　　　　　　　　　（実行されない）

行番号10　high ← middle （実行されない）

行番号11　else （実行されない）

行番号12　return middle （実行されない）

行番号13　endif

行番号14　endwhile

　以上より，行番号8
　　low ← middle
　　　1　　　1
でlowの値は変化しません。
　また，行番号10の
　　high ← middle
が実行されないため，lowとhightの値は無限に
変化しません。よって，行番号5の
　　while (low ≦ high)
は無限に「真」となり，無限ループが発生します。

エ 要素に－1が含まれている
　ウの例で，配列dataの要素番号2とtargetの
7を－1に置き換えても無限ループになります。し
かし，**ア**の例で5を－1とすると，正常終了します。
よって，要素に－1が含まれているか否かは無関係
です。

　したがって，正解は**ウ**の
　　要素数が2で，targetがdataの末尾要素の
　　値と等しい
です。

解答　**ウ**

試験対策の要点

令和6年度
科目A｜科目B

対策問題①
科目A｜科目B

対策問題②
科目A｜科目B

対策問題③
科目A｜科目B

問 14

マージソートに関する次の記述を読んで，設問に答えよ。

　マージソートは，整列（ソート）したいデータ（要素）列を，細かく分割した後に，併合（マージ）を繰り返して全体を整列する方法である。

　ここでは，それぞれの要素数が1になるまでデータ列の分割を繰り返し，分割されたデータ列を昇順に並ぶように併合していくアルゴリズムを考える。例として，要素数が8の場合のアルゴリズムの流れを図1に示す。

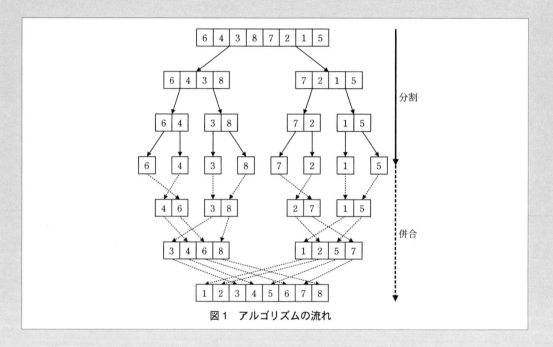

図1　アルゴリズムの流れ

再帰呼出しを使って記述したマージソートのアルゴリズムを図2に示す。

(1)　与えられたデータ列の要素数が1以下であれば，整列済みのデータ列とし，呼出し元に処理を戻す。要素数が2以上であれば，(2)に続く。

(2)　データ列を，要素数がほぼ同じになるよう前半と後半のデータ列に分割する。

(3)　前半と後半のデータ列に対し，それぞれマージソートのアルゴリズムを再帰的に呼び出す。

(4)　前半と後半の二つのマージソート済みデータ列を，要素が昇順に並ぶよう一つのデータ列に併合する。

図2　マージソートのアルゴリズム

試験対策の要点

令和6年度
科目A
科目B

対策問題①
科目A
科目B

対策問題②
科目A
科目B

対策問題③
科目A
科目B

設問

図3中の a ～ c に入れる正しい答えの組み合わせを, 解答群の中から選べ。

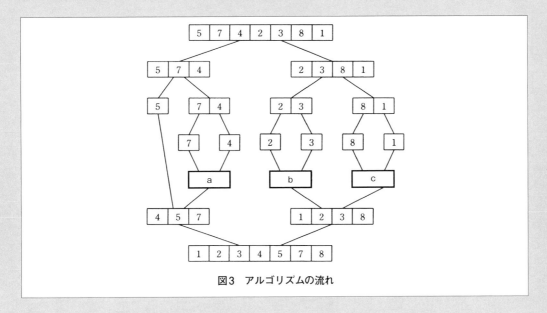

図3　アルゴリズムの流れ

解答群

	a	b	c
ア	7 4	2 3	8 1
イ	7 4	3 2	8 1
ウ	4 7	3 2	1 8
エ	4 7	2 3	1 8

[平成22年度 春期 基本情報技術者試験 午後 問8 一部改変]

問**14** | マージソート

図1でアルゴリズムの流れが図で示され，図2でアルゴリズムの解説がされているので，マージソートを知らなくても解くことができる問題です。しかし，本試験では時間が限られていることなどからも，マージソートについて事前に学習しておいた方が有利であることは間違いありません。整列法にはさまざまなものがありますが，できるだけ広く押さえておきましょう。

問題の解説

まず，問題文の例を説明します。図2「マージソートのアルゴリズム」と対比しながら理解しましょう。たとえば，説明文中の (2) は，図2の (2) のことです。

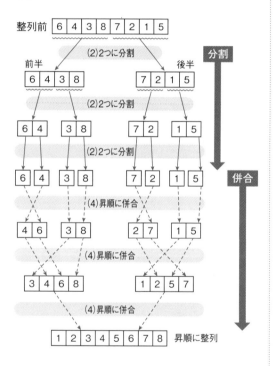

空欄a～c

問題文の例を踏まえて，設問の図3を解説します。

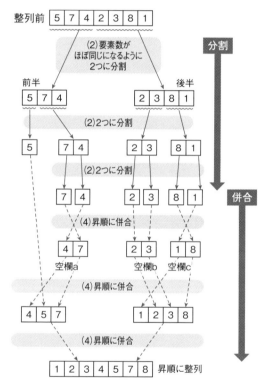

したがって，正解は**エ**の

a [4 | 7]

b [2 | 3]

c [1 | 8]

です。

解答 **エ**

★★★
問 **15**
☑☑☑

次のプログラム中の　a　～　c　に入れる正しい答えの組合せを，解答群の中から選べ。ここで，配列の要素番号は1から始まる。

一度の注文で購入された商品のリストを，注文ごとに記録した注文データがある。表に，注文データの例を示す。

表　注文データの例

注文番号	購入された商品のリスト
1	A, B, D
2	A, D
3	A
4	A, B, E
5	B
6	C, E

注文データから，商品xと商品yとが同一の注文で購入されやすい傾向を示す関連度L_{xy}を，次の式で計算する。

$$L_{xy} = \frac{M_{xy} \times 全注文数}{K_x \times K_y}$$

ここで，M_{xy}は商品xと商品yとが同一の注文で購入された注文数，K_xは商品xが購入された注文数，K_yは商品yが購入された注文数を表す。表の例では，M_{AB}が2，全注文数が6，K_Aが4，K_Bが3であるので，商品Aと商品Bの関連度L_{AB}は，$(2 \times 6) / (4 \times 3) = 1.0$である。

手続putRelatedItemは，大域変数ordersに格納された注文データを基に，引数で与えられた商品との関連度が最も大きい商品のうちの一つと，その関連度を出力する。プログラムでは，商品は文字列で表し，注文は購入された商品の配列，注文データは注文の配列で表している。注文データには2種類以上の商品が含まれるものとする。また，注文データにある商品以外の商品が，引数として与えられることはないものとする。

〔プログラム〕

```
   // 注文データ（ここでは表の例を与えている）
1  大域: 文字列型配列の配列: orders ← {{"A", "B", "D"}, {"A", "D"}, {"A"},
                              {"A", "B", "E"}, {"B"}, {"C", "E"}}
2  ○putRelatedItem(文字列型: item)
3    文字列型の配列: allItems ← ordersに含まれる文字列を
                      重複なく辞書順に格納した配列
                      // 表の例では{"A", "B", "C", "D", "E"}

4    文字列型の配列: otherItems ← allItemsの複製から値がitemである
                      要素を除いた配列

5    整数型: i, itemCount ← 0
6    整数型の配列: arrayK ← {otherItemsの要素数個の0}
7    整数型の配列: arrayM ← {otherItemsの要素数個の0}
```

```
 8    実数型: valueL, maxL ← −∞
 9    文字列型の配列: order
10    文字列型: relatedItem

11    for (orderにordersの要素を順に代入する)
12      if (orderのいずれかの要素の値がitemの値と等しい)
13        itemCountの値を1増やす
14      endif
15      for (iを1からotherItemsの要素数まで1ずつ増やす)
16        if (orderのいずれかの要素の値がotherItems[i]の値と等しい)
17          if (orderのいずれかの要素の値がitemの値と等しい)
18            [  a  ]の値を1増やす
19          endif
20          [  b  ]の値を1増やす
21        endif
22      endfor
23    endfor
24    for (iを1からotherItemsの要素数まで1ずつ増やす)
25      valueL ← (arrayM[i]×[  c  ])÷(itemCount×arrayK[i])
                                    /* 実数として計算する */
26      if (valueLがmaxLより大きい)
27        maxL ← valueL
28        relatedItem ← otherItems[i]
29      endif
30    endfor
31    relatedItemの値とmaxLの値をこの順にコンマ区切りで出力する
```

※プログラム中の行番号は筆者が追記した。

解答群

	a	b	c
ア	arrayK[i]	arrayM[i]	allItemsの要素数
イ	arrayK[i]	arrayM[i]	ordersの要素数
ウ	arrayK[i]	arrayM[i]	otherItemsの要素数
エ	arrayM[i]	arrayK[i]	allItemsの要素数
オ	arrayM[i]	arrayK[i]	ordersの要素数
カ	arrayM[i]	arrayK[i]	otherItemsの要素数

[令和6年度 基本情報技術者試験 公開問題 科目B 問5]

★★★ 問15 | 注文データから商品間の関連度を求める

　ネットショッピングサイトで「あなたへのおすすめ商品」を表示する際などに利用されている，「関連度」についての問題です。内容はかなり難しいので，本試験でこのような問題が出てきた場合はいったん飛ばしてもよいかもしれません。ただし，問題文に示された「公式と例」を根気強く読み解けば正解できる問題なので，時間に余裕がある人は諦めずに挑戦しましょう。

試験対策の要点

令和6年度

科目A 科目B

対策問題① 科目A 科目B

対策問題② 科目A 科目B

対策問題③ 科目A 科目B

問題の解説

問題文に示された式

$$L_{xy} = \frac{M_{xy} \times 全注文数}{K_x \times K_y}$$

を使った例を理解することが，問題を解く第一歩になります。

[問題文の例]

表の例では，M_{AB}が2，全注文数が6，K_Aが4，K_Bが3であるので，商品Aと商品Bの関連度L_{AB}は

$$\frac{2\times6}{4\times3}=1.0$$

である。

問題文の表を説明します。

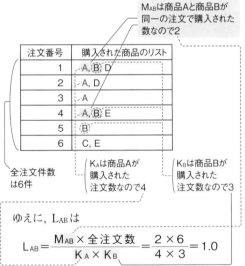

M_{AB}は商品Aと商品Bが同一の注文で購入された数なので2

注文番号	購入された商品のリスト
1	A, B, D
2	A, D
3	A
4	A, B, E
5	B
6	C, E

全注文件数は6件

K_Aは商品Aが購入された注文数なので4

K_Bは商品Bが購入された注文数なので3

ゆえに，L_{AB}は

$$L_{AB}=\frac{M_{AB}\times 全注文数}{K_A\times K_B}=\frac{2\times6}{4\times3}=1.0$$

と計算されます。

　以上を踏まえて，プログラムの空欄を考えましょう。先ほど使った問題文の例を使いながら，プログラムを解説していきます。

行番号1　大域変数orderに注文データが格納されています。

行番号2　手続putRelatedItemの引数itemは，例にならって"A"とします。プログラムは商品Aとの関連度が最も大きい商品のうちの1つと，その関連度を出力します。

行番号3　ordersに含まれる文字列を重複なく辞書順に格納した配列allItemsを準

備します。

　表の例では{"A", "B", "C", "D", "E"}です。

行番号4　配列otherItemsは，allItemsの複製から値がitemである要素を除いた配列です。よって，"A"を除いて，otherItemsは{"B", "C", "D", "E"}です。

行番号5～10　各変数の定義と初期化を行います。

行番号11　for（orderにordersの要素を順に代入する）

行番号12～13　if（orderのいずれかの要素の値がitemの値と等しい）
　　　　itemCountの値を1増やす

‥‥‥商品Aが購入された注文数をitemCountに求めています。例では「K_Aは4」の部分です。

行番号15　for（iを1からotherItemsの要素数まで1ずつ増やす）

行番号16　if（orderのいずれかの要素の値がotherItems[i]の値と等しい）

行番号17　if（orderのいずれかの要素の値がitemの値と等しい）
（＝"A"）

行番号18　商品"A"と商品"A"以外とが同一の注文で購入された注文数を求めます。
[a] の値を1増やす

（注文数）
- "A"と"B"両方購入 ― 2
- "A"と"C"両方購入 ― 0
- "A"と"D"両方購入 ― 2
- "A"と"E"両方購入 ― 1

arrayM[i]か arrayK[i]

| 2 | 0 | 2 | 1 |

otherItems | "B" | "C" | "D" | "E" |

‥‥ 行番号25（空欄cの説明）より求まります。行番号18の段階ではどちらとも決まりません。

行番号20　行番号16が真のとき，[b] の値を1増やします。

　　　　行番号16の条件式は，「orderのいずれかの要素の値がotherItems[i]の値と等しい」なので，商品"A"と同一の注文で購入された商品の注文数を空欄

bで求めます。

なお、求める配列は、行番号18の解説より、arrayM[i]かarrayK[i]となります。

行番号24　for（iを1からotherItemsの要素数まで1ずつ増やす）

行番号25　この行と問題に示されている式を見比べるのがポイントです。その際には、÷の記号を手掛かりにして式の分子と分母を絞り込みます。

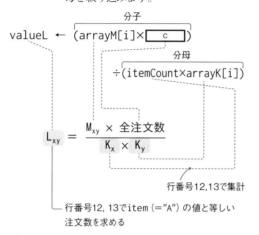

以上を踏まえて、空欄を解説します。

空欄a

空欄aを含む行番号18が実行される条件は以下の通りです。

- 行番号16のif文の条件式
「orderにotherItems[i]の値が含まれる」が真
　＜かつ＞
- 行番号17のif文の条件式
「orderにitemが含まれる」が真

たとえば、引数itemが"A"だったとします。この場合だと、

- orderに"A"以外の対象商品が含まれる
　＜かつ＞
- orderに"A"が含まれる

となります。

"A"とそれ以外の対象商品を同時購入した注文

数は、問題文の式ではM_{xy}の部分なので、M_{xy}に対応するarrayM[i]が空欄aに入ります。

空欄b

空欄bを含む行番号20が実行される条件は、行番号16の条件式が真となる場合です（空欄aの解説参照）。

したがって、引数itemが"A"だったとすると、行番号20は「orderに"A"以外の対象商品が含まれていれば、空欄bの値を1増やす」処理になっています。このような処理で求められる注文数は、問題文の式ではK_yの部分なので、K_yに対応するarrayK[i]が空欄bに入ります。

空欄c

問題文の式と行番号25を見比べると、空欄cは問題文の式の分子部分（arrayM[i]か全注文数）になります。空欄aの解説より、M_{xy}はarrayM[i]に対応していたので、空欄cには全注文数が入ります。

全注文数は注文データの配列であるordersの要素数が対応しているので、ordersの要素数が空欄cに入ります。

したがって、正解はオの
　a　arrayM[i]
　b　arrayK[i]
　c　ordersの要素数
です。

解答　オ

問 16 ★★★

次の記述中の　a　と　b　に入れる正しい答えの組合せを，解答群の中から選べ。

　確率(乱数)を用いて数値計算などを行う方法を，モンテカルロ法という。この方法を用いて次の手順で円周率 π を求める。

〔手順〕
(1) $0 \sim 1$ の一様な実数の乱数を2つ発生させ，それらを x, y とする。
(2) こうした乱数の組を多数発生させ，図のようにプロットする。すると，(x, y) で示される点は，縦横1の正方形の中に，図のように均一にプロットされると考えられる。

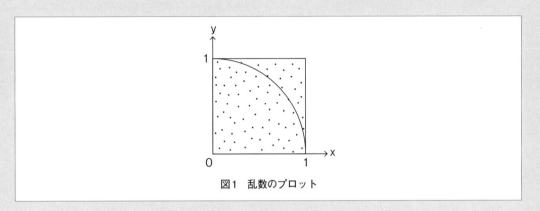

図1　乱数のプロット

(3) 乱数のプロットした図より
　・正方形の面積
　　　$= 1 \times 1 = 1$
　・円の面積の $\dfrac{1}{4}$ の面積(半径は1)
　　　$= \dfrac{1}{4} \times \pi \times 1^2$
　　　$= \dfrac{\pi}{4}$

(4) 正方形の面積と，円の面積の $\dfrac{1}{4}$ の面積の比は，プロットされた点の数に比例するはずである。よって，

　　　m…円の $\dfrac{1}{4}$ にプロットされた個数
　　　n…円の外側にプロットされた個数

とすると，次式の関係が成立する。

$$1 : \frac{\pi}{4} = \boxed{\text{a}} : \boxed{\text{b}}$$

$$\therefore \pi = \frac{4\boxed{\text{b}}}{\boxed{\text{a}}}$$

解答群

	a	b
ア	m	(m＋n)
イ	n	(m＋n)
ウ	(m＋n)	m
エ	(m＋n)	n

［オリジナル問題］

★★★ 問16 │ モンテカルロ法によるπの計算

　モンテカルロ法を初めて知った方は戸惑ったかもしれませんが，問題文で手順が説明されているので，これに沿って考えていけば正解できます。本試験でも「よく読めば実は前提知識なしで解ける問題」が出題される可能性が高いので，一見難しそうに見えても最後まで諦めないことをおすすめします。ただし，比例式のような数学の基礎知識は，試験までに最低限押さえておきましょう。

用語の解説

● 比例式

　$a:b＝c:d$ の形で表すことのできる式を，比例式といいます。

［例］1個100円の商品の価格と値段

$$3倍 \begin{cases} 2倍 \stackrel{1個 ー 100円}{} 2倍 \\ 2個 ー 200円 \\ 3個 ー 300円 \end{cases} 3倍$$

このような関係は，次のような比例式で表現します。

```
個  個    円    円
1 ： 2 ＝ 100 ： 200
1 ： 3 ＝ 100 ： 300
```

　比例式でよく使われる公式としては，以下のようなものがあります。

公式

a：b＝c：d　「内側の積」と「外側の積」は等しい
　　　　　　　　b×c　　　a×d

［例］1個100円の商品の個数と値段

1：2＝100：200

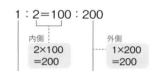

内側　2×100 ＝200　　外側　1×200 ＝200

問題の解説

　問題文の手順に沿って，解説していきます。

〔手順〕

(1)「0〜1の一様な実数の乱数」とは，すべての値の出現確率が等しい乱数のことです。手順(1)では，0〜1の一様な実数を2つ発生させ，それらをx, yとします。

(2) 0〜1の一様な実数の乱数の組を多数発生させ，図1のようにプロットします。すると，(x, y)で示される点は，縦横1の正方形の中に，図のようにどこにも偏りがなく均一にプロットされると考えられます。

(3) 図1より，次のことがわかります。

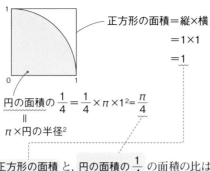

正方形の面積＝縦×横
　　　　　＝1×1
　　　　　＝1

円の面積の $\frac{1}{4} = \frac{1}{4} \times \pi \times 1^2 = \frac{\pi}{4}$

‖

$\pi \times$ 円の半径^2

(4) 正方形の面積 と，円の面積の $\frac{1}{4}$ の面積の比は，

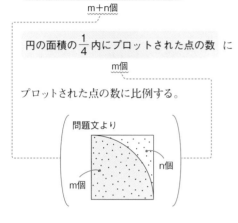

正方形内にプロットされた点の数 と

円の面積の $\frac{1}{4}$ 内にプロットされた点の数 に

プロットされた点の数に比例する。

問題文より

よって，

$$1 : \frac{\pi}{4} = (m+n) : m$$

という式が成立します。この式は，次のように解きます。

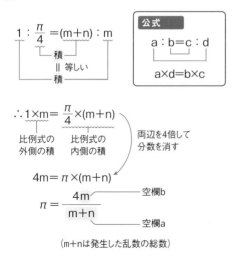

$1 : \frac{\pi}{4} = (m+n) : m$

公式

a : b＝c : d

a×d＝b×c

∴ $1 \times m = \frac{\pi}{4} \times (m+n)$

比例式の　　比例式の
外側の積　　内側の積

両辺を4倍して
分数を消す

$4m = \pi \times (m+n)$

$\pi = \dfrac{4m}{m+n}$ ── 空欄b

── 空欄a

（m+nは発生した乱数の総数）

したがって，正解は **ウ** の

a　　(m＋n)

b　　m

です。

解答　**ウ**

試験対策の要点

令和6年度
科目A
科目B

対策問題①
科目A
科目B

対策問題②
科目A
科目B

対策問題③
科目A
科目B

A社は従業員450名の商社であり，昨年から働き方改革の一環として，在宅でのテレワークを推進している。A社のシステム環境を図1に示す。

・従業員には，一人に1台デスクトップPC（以下，社内PCという）を貸与している。
・従業員が利用するシステムには，自社で開発しA社に設置している業務システムのほかに，次の二つのSaaS（以下，二つのSaaSをA社利用クラウドサービスという）がある。
  1. メール機能，チャット機能及びクラウドストレージ機能をもつグループウェア（以下，A社利用グループウェアという）
  2. オンライン会議サービス
・テレワークでは，従業員の個人所有PC（以下，私有PCという）の業務利用（BYOD）を許可している。
・テレワークでは，社内PC及び私有PCのそれぞれに専用のアプリケーションソフトウェア（以下，専用アプリという）を導入し，社内PCのデスクトップから私有PCに画面転送を行うリモートデスクトップ方式を採用している。
・専用アプリには，リモートデスクトップからPCへのファイルのダウンロード及びファイル，文字列，画像などのコピー＆ペーストを禁止する機能（以下，保存禁止機能という）があり，A社では私有PCに対して当該機能を有効にしている。
・業務システムには，社内PCのデスクトップから利用者ID及びパスワードを入力してログインしている。
・A社利用クラウドサービスへのログインは，A社利用クラウドサービス側の設定によってA社の社内ネットワークからだけ可能になるように制限している。ログインには利用者ID及びパスワードを用いている。

図1　A社のシステム環境（抜粋）

テレワークの定着が進むにつれて，社内PCからインターネットへの接続が極端に遅くなり，業務に支障をきたしているので改善できないかと，従業員から問合せがあった。A社の社内ネットワークとインターネットとの間の通信量を調査したところ，テレワーク導入前に比べ，業務時間帯で顕著に増加していることが判明した。そのため，情報システム部では，テレワークでA社利用クラウドサービスに接続する場合には，A社の社内ネットワークも社内PCも介さずに直接接続することを可能にするネットワークの設定変更を実施することにした。

設定変更に当たり，情報セキュリティ上の問題がないかをA社の情報セキュリティリーダーであるBさんが検討したところ，幾つか問題があることが分かった。その一つは，A社利用クラウドサービスへの不正アクセスのリスクが増加することである。そこでBさんは，リスクを低減するために，情報システム部に対策を依頼することにした。

設問

次の対策のうち，情報システム部に依頼することにしたものはどれか。解答群のうち，最も適切なものを選べ。

解答群

  ア　A社の社内ネットワークからA社利用クラウドサービスへの通信を監視する。
  イ　A社の社内ネットワークとA社利用クラウドサービスとの間の通信速度を制限する。
  ウ　A社利用クラウドサービスにA社外から接続する際の認証に2要素認証を導入する。
  エ　A社利用クラウドサービスのうち，A社利用グループウェアだけを直接接続の対象とする。
  オ　専用アプリの保存禁止機能を無効にする。

[令和6年度 基本情報技術者試験 公開問題 科目B 問6]

試験対策の要点

令和6年度

科目A

科目B

対策問題①

科目A

科目B

対策問題②

科目A

科目B

対策問題③

科目A

科目B

 問 **17** │ 不正アクセスリスク増加に対する情報セキュリティ対策

情報セキュリティの問題では，先に設問文を読んで「何を問われているか」を把握したうえで，本文を読むことをおすすめします。本問では，設問文より「情報システム部に依頼したものはどれか」を答えればよいことがわかるので，「情報システム部」「依頼」を手掛かりに本文を素早く読み解いていきましょう。

用語の解説

● クラウドサービス

インターネットでソフトウェアやインフラなどの各種機能を利用できるサービスのことです。この提供範囲によって，クラウドサービスの形態は「SaaS・PaaS・IaaS」に3分類されます。

● SaaS (Software as a Service)

メール機能やグループウェアなどのソフトウェア（アプリケーション）機能だけが提供されるクラウドサービスのことです。

● PaaS (Platform as a Service)

プログラム実行環境やデータベースなどのプラットフォーム機能を提供するクラウドサービスのことです。

● IaaS (Infrastructure as a Service)

基本的にはサーバーやメモリーなどのハードウェア部分だけが提供・管理されるクラウドサービスのことです。

● テレワーク

テレワークとは，Tele（離れて）とWork（仕事）を組み合わせた造語です。勤務場所から離れた場所で，情報通信技術（ICT）を使って仕事をすることを指します。時間や場所を有効に活用して柔軟な働き方ができることが特徴です。

● BYOD (Bring Your Own Device)

従業員が，私物の情報端末（スマートフォンなど）を企業に持ち込んで，業務で利用することです。情報漏洩やウイルス感染など，セキュリティリスクが増大する危険性があります。

● リモートデスクトップ

遠隔地のPCにネットワークを介したアクセスを行い，手元の端末で操作する技術です。たとえばテレワーク時に自宅PCから社内PCへ接続すれば，会社と同じ環境で仕事を進められます。

● グループウェア

社内の情報共有や業務遂行の効率化を目的としたソフトウェアツールのことです。

● 2要素認証

次の3種類の要素のうちの2種類を組み合わせて使用することで，セキュリティを強化する認証方法のことです。なお，問題文に出てくる「利用者IDとパスワード」はどちらも①に該当するため，あわせて1つの要素とされる点には注意が必要です。
①知識情報（本人だけが知っている情報）
　（例）利用者ID，パスワード
②所持情報（本人だけが持っている物）
　（例）ICチップを内蔵したカード，認証トークン
③生体情報（自分の身体）
　（例）指紋，手の静脈パターン，顔認識，虹彩，網膜パターン

問題の解説

長文問題の解き方に沿って，問題を解説していきます。

1. 設問文を読んで「何が問われているか」を把握

設問文を読むと，「情報システム部に依頼することにしたものはどれか」が問われています。そこで，「情報システム部」「依頼」を手掛かりに本文を読み解きましょう。

2.「情報システム部」「依頼」の単語がある問題文を確認

問題文の最後に「リスクを低減するために，情報システム部に対策を依頼することにした。」という記述があります。つまり，情報システム部に依頼した理由は，「リスクを低減するため」であることがわかります。

では次に，「リスクとは何を指すのか」を明らかにするため，今度は「リスク」という単語を本文から探しましょう。

3.「リスク」についての記述を確認

問題文の後半には，「A社利用クラウドサービスへの不正アクセスのリスクが増加する」と書かれています。そこで，「なぜリスクが増加するのか」という問題意識を持って本文を読み解くと，「A社の社内ネットワークも社内PCも介さずに直接接続することを可能にするネットワークの設定変更を実施することにした」という記述に目が止まります。

4.「社内ネットワークも社内PCも介さないこと」のリスクを把握

図1の最後では，「A社利用クラウドサービスへのログインは，A社利用クラウドサービス側の設定によってA社の社内ネットワークからだけ可能になるように制限している。ログインには利用者ID及びパスワードを用いている」とされていることから，A社の社内ネットワークや社内PCを介せば，情報セキュリティ上で有利になることがわかります。裏を返せば，3.の記述の部分は，情報セキュリティ上のリスクを増加させるということになります。

以上より，「A社の社内ネットワークも社内PCも介さずに直接接続することを可能にするネットワークの設定変更を実施すること」によるリスクを低減させるために，情報システム部に依頼する内容として正しいものを答えればよいことがわかります。これを踏まえて選択肢を検討します。

ア 通信を監視していても，発生のタイミングによっては不正アクセス発生後に判明する場合も考えられます。リスク低減とまではいきません。

イ 通信速度を遅くしても，不正アクセスは低減できません。

ウ 正解です。「A社利用クラウドサービスにA社外から接続する際の認証に2要素認証を導入する」ことでセキュリティを強化し，不正アクセスを防止できるため，「A社の社内ネットワークも社内PCも介さずに直接接続することを可能にするネットワークの設定変更を実施すること」によって増加するセキュリティリスクへの対策として適切です。

エ A社グループウェアだけを直接接続対象としても，不正アクセスのリスクは低減できません。

オ 専用アプリは，設定変更前から使用されているものです。A社の社内ネットワークも社内PCも介さずに直接接続する設定への変更とは関係ありません。

したがって，正解は**ウ**の
　A社利用クラウドサービスにA社外から接続する際の認証に2要素認証を導入する。
です。

解答　**ウ**

試験対策の要点

令和6年度

科目A

科目B

対策問題①

科目A

科目B

対策問題②

科目A

科目B

対策問題③

科目A

科目B

問18

SSHによる通信に関する次の記述を読んで，設問に答えよ。

SSHは遠隔ログインのための通信プロトコル及びソフトウェアであり，通信データの盗聴対策や，通信相手のなりすましを防ぐ仕組みを備えている。SSHでは，サーバにログインしてデータをやり取りする通信（以下，ログインセッションという）に先立って，安全な通信経路の確立と利用者認証を行う必要がある。安全な通信経路の確立，利用者認証及びログインセッションを合わせてSSHセッションと呼ぶ。その流れを，図1に示す。

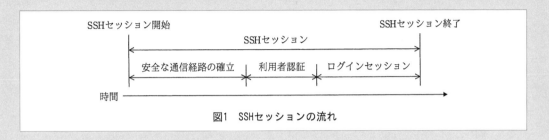

図1　SSHセッションの流れ

〔安全な通信経路の確立の概要〕

安全な通信経路の確立は，次のようにして行う。
(1) クライアントがサーバにアクセスする。
(2) サーバとクライアントが，SSHセッションで使用する暗号アルゴリズムについて合意する。
(3) サーバとクライアントが，通信データの暗号化に使用するセッション鍵と，他のSSHセッションと区別するためのセッション識別子について合意する。
(4) クライアントがサーバ認証を行う。サーバ認証では，クライアントがあらかじめ入手して正当性を確認しておいた　a　を用い，サーバによるセッション識別子へのディジタル署名が正しいかどうかを検証する。
(5) 合意した暗号アルゴリズムとセッション鍵を用いて，共通鍵暗号方式による通信データの暗号化を開始する。これ以降の通信は，全て暗号化される。

〔利用者認証の概要〕

クライアントからサーバへのログインでは，サーバは利用者認証を行う。SSHの利用者認証の方式には，ディジタル署名を用いる"公開鍵認証"とパスワードを用いる"パスワード認証"がある。

"公開鍵認証"では，クライアントの公開鍵を事前にサーバに登録しておき，この登録されている公開鍵に対応する秘密鍵をクライアントがもっていることをサーバが確認する。この確認では，クライアントがセッション識別子などに対するディジタル署名をサーバに送信し，サーバが　b　を用いてディジタル署名を検証する。

"パスワード認証"では，クライアントが利用者IDとパスワードを送信し，サーバは受け取ったパスワードが当該利用者のパスワードと一致していることを検証する。

なお，"パスワード認証"は，"公開鍵認証"に比べて，安全性が低いと考えられている。

本文中の a と b に入れる正しい答えの組み合わせを，解答群の中から選べ。

(一)安全な通信経路の確立時に合意したセッション鍵
(二)クライアントの公開鍵
(三)クライアントの秘密鍵
(四)サーバの公開鍵
(五)サーバの秘密鍵

解答群

	a	b
ア	(一)	(二)
イ	(一)	(三)
ウ	(一)	(五)
エ	(四)	(一)
オ	(四)	(二)
カ	(四)	(三)
キ	(五)	(一)
ク	(五)	(二)
ケ	(五)	(三)

[平成29年度 秋期 基本情報技術者試験 午後 問1 一部改変]

★★★ 問**18** | SSH による通信

　SSHの意味，SSHのセッション開始から終了までの動作についての基礎知識は，必ず押さえておく必要があります。そのうえで，科目Bでは，知識の応用力が試されます。どのように問われるかを確認しておきましょう。

用語の解説

● SSH (Secure Shell)

SSH (Secure Shell) とは，ネットワーク上のコンピュータに手元の端末から接続して遠隔操作するための通信プロトコルおよびソフトウェアです。SSHはTelnetと違い，通信データの盗聴対策，通信相手のなりすましを防ぐ仕組みを備えています。

SSHでは，サーバにログインしてデータをやり取りする通信（"ログインセッション"という）に先立って，図1のSSHセッションが行われます。

クライアント　　　　　　　　　サーバ

　①　正当なサーバ？　

利用者

正当な利用者？　②

SSH セッション開始

①安全な通信経路の確立（正当なサーバか確認）
・暗号アルゴリズム，セッション鍵，セッション識別子をクライアントとサーバが合意する。
・クライアントがサーバ認証を行う。
　正当なサーバかどうかをチェックする。
・通信データの暗号化を開始する。
②利用者認証（正当なクライアントか確認）
・サーバが正当な利用者かをチェックする。
　方式−（ⅰ）公開鍵認証　（ⅱ）パスワード認証
③ログインセッション

SSH セッション終了

問題の解説

空欄a

問題文〔安全な通信経路の確立の概要〕(4)「クライアントがサーバ認証を行う」の部分がポイントになります。空欄aは，この「サーバ認証」を行うために使用されるものになります。

「サーバ認証」とは，正当なサーバであるかどうかをクライアントがチェックして確認することです。

選択肢（一）は，空欄aの段階では「安全な通信経路は確立していません」から，不正解です。

また，「正当なサーバ」かどうかを確認するのに，クライアントの鍵は不要ですから，（二），（三）は不

正解です。

よって，空欄aは，サーバに関する鍵である（四）か（五）が正解候補になります。

問題文「クライアントがあらかじめ入手して正当性を確認しておいた　a　」より，空欄aにはサーバの公開鍵が入ります。

サーバの秘密鍵はサーバが持っていて，クライアントはサーバの公開鍵を持ちます。そして，このサーバの公開鍵を用いてディジタル署名が正しいかをチェックすることで，正当なサーバであることを確認します。

よって，空欄aは（四）の
　　サーバの公開鍵
が入ります。

空欄b

問題文〔利用者認証の概要〕「サーバは利用者認証を行う」の部分がポイントになります。

空欄aと同様に考えます。サーバが利用者（クライアント）認証を行うには，サーバがクライアントの公開鍵を用いて，（クライアントの）ディジタル署名を検証します。

よって，空欄bは（二）の
　　クライアントの公開鍵
が入ります。

したがって，正解は**オ**です。

解答　**オ**

問 **19** マルウェア対策に関する次の記述を読んで，設問に答えよ。

　T社は，社員60名の電子機器の設計開発会社であり，技術力と実績によって顧客の信頼を得ている。社内のサーバには，設計資料や調査研究資料など，営業秘密情報を含む資料が多数保管されている。

　T社では，マルウェアの感染を防ぐために，PCとサーバでウイルス対策ソフトを稼働させ，情報セキュリティ運用規程にのっとり，最新のウイルス定義ファイルとセキュリティパッチを適用している。

〔マルウェア対策の見直し〕

　最近，秘密情報の流出など，情報セキュリティを損ねる予期しない事象（以下，インシデントという）による被害に関する報道が多くなっている。この状況に危機感を抱いたシステム課のM課長は，運用担当のS君に，情報セキュリティ関連のコンサルティングを委託しているY氏の支援を受けて，マルウェア対策を見直すよう指示した。

　S君から相談を受けたY氏がT社の対策状況を調査したところ，マルウェアの活動を抑止する対策が十分でないことが分かった。Y氏はS君に，特定の企業や組織内の情報を狙ったサイバー攻撃（以下，標的型攻撃という）の現状と，T社が実施すべき対策について説明した。Y氏が説明した内容を次に示す。

〔標的型攻撃の現状と対策〕

　最近，標的型攻撃の一つである　　a　　攻撃が増加している。　　a　　攻撃は，攻撃者が，攻撃対象の企業や組織が日常的に利用するWebサイトの　　b　　を改ざんし，WebサイトにアクセスしたPCをマルウェアに感染させるものである。これを回避するには，WebブラウザやOSのセキュリティパッチを更新して，最新の状態に保つことが重要である。しかし，ゼロデイ攻撃が行われた場合は，マルウェアの感染を防止できない。

　マルウェアは，PCに侵入すると，攻撃者がマルウェアの遠隔操作に利用するサーバ（以下，攻撃サーバという）との間の通信路を確立した後，企業や組織内のサーバへの侵入を試みることが多い。サーバに侵入したマルウェアは，攻撃サーバから送られる攻撃者の指示を受け，サーバに保管された情報の窃取，破壊などを行うことがある。マルウェアと攻撃サーバの間の通信（以下，バックドア通信という）は，HTTPで行われることが多いので，マルウェアの活動を発見するのは容易ではない。

　Y氏は，このようなマルウェアの活動を抑止するために，次の3点の対応策をS君に提案した。

・DMZに設置されているプロキシサーバとPCでの対策の実施
・ログ検査の実施
・インシデントへの対応体制の構築

〔DMZに設置されているプロキシサーバとPCでの対策の実施〕

　S君は，プロキシサーバとPCで，次の3点の対策を行うことにした。

・プロキシサーバで，遮断するWebサイトをT社が独自に設定できるURLフィルタリング機能を新たに稼働させる。
・プロキシサーバで利用者認証を行い，攻撃サーバとの通信路の確立を困難にする。
・プロキシサーバでの利用者認証時に，PCの利用者が入力した認証情報がマルウェアによって悪用されるのを防ぐための設定を，Webブラウザに行う。

〔ログ検査の実施〕

　S君は，ログ検査について検討し，次の対策と運用を行うことにした。

プロキシサーバは，社内LANのPCとサーバが社外のWebサーバとの間で通信した内容をログに記録している。業務サーバ，ファイルサーバ，FWなどの機器も，ログインや操作履歴をログに記録しているので，プロキシサーバだけでなく他の機器のログも併せて検査する。ログ検査では，複数の機器のログに記録された事象の関連性も含めて調査することから，DMZにNTP（Network Time Protocol）サーバを新規に導入し，ログ検査を行う機器でNTPクライアントを稼働させる。導入するNTPサーバは，外部の信用できるサーバから時刻を取得する。NTPサーバの導入に伴って，表1に示すパケットフィルタリングルールをFWに追加する。

表1　FWに追加するパケットフィルタリングルール

項番	送信元	宛先	サービス	動作
1	DMZのNTPサーバ	インターネットのNTPサーバ	NTP	許可
2	社内LANのサーバ	DMZのNTPサーバ	NTP	許可

注記　FWは，最初に受信して通過させるパケットの設定を行えば，応答パケットの通過を自動的に許可する機能をもつ。

ログ検査では，次の2点を重点的に行う。
・プロキシサーバでの利用者認証の試行が，短時間に大量に繰り返されていないかどうかを調べる。この検査によって，マルウェアによるサーバへの総当たり攻撃が行われた可能性があることを発見できる。
・セキュリティベンダやセキュリティ研究調査機関が公開した，バックドア通信の特徴に関する情報を基に，プロキシサーバのログに記録された通信内容を調べる。この検査によって，バックドア通信の痕跡を発見できることが多い。

〔インシデントへの対応体制の構築〕
　S君は，インシデントによる情報セキュリティ被害の発生，拡大及び再発を最少化するために社内に構築すべき対応体制についてまとめた。

　以上の検討を基に，S君は，マルウェア対策の改善案をまとめてM課長に報告した。改善案は承認され，実施に移すことになった。

設問

本文中の ___a___ と ___b___ に入れる適切な字句の組み合わせを解答群の中から選び，記号で答えよ。

解答群

	a	b
ア	DDos	IPアドレス
イ	DDos	Webページ
ウ	総当たり	IPアドレス
エ	総当たり	Webページ
オ	フィッシング	IPアドレス

	a	b
カ	フィッシング	Webページ
キ	水飲み場型	IPアドレス
ク	水飲み場型	Webページ
ケ	レインボー	IPアドレス
コ	レインボー	Webページ

[平成29年度 春期 応用情報技術者試験 午後 問1 一部改変]

試験対策の要点

令和6年度

科目A

科目B

対策問題①
科目A
科目B

対策問題②
科目A
科目B

対策問題③
科目A
科目B

問 **19** │ マルウェア対策

マルウェアに関する問題は，重要テーマのひとつです。代表的なマルウェアの種類，被害の内容，感染経路，予防方法などについて，事前に整理しておきましょう。

用語の解説

● DMZ (DeMilitarized Zone)

外部ネットワーク（インターネット）や，内部ネットワーク（LAN）からも隔離された領域のこと。外部に公開するサーバ(Web サーバ，メールサーバ)をDMZに置いておけば，外部からの不正アクセスをファイアウォールによって遮断できます。

また，仮に公開するサーバ(Webサーバ，メールサーバ) がウイルスに感染してしまった場合でも，内部ネットワーク（LAN）にまで被害が及ぶことはありません。

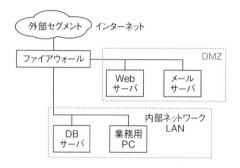

● プロキシ

プロキシとは，「代理」を意味し，HTTPなどの通信を中継するための仕組みを指します。プロキシの機能としては，クライアントとWebサーバの通信経路の間で，「通信内容を転送する，通信内容を改変して転送する，サーバの代わりにクライアントに応答する」といった処理を行います。

● プロキシサーバ

内部LANとインターネットの境界に設置されるサーバで，LAN内のPCに代わって（代理として）プロキシサーバ自身のIP アドレスを使いインターネットとの接続を行います。プロキシサーバ導入のメリットとしては，次のようなものがあります。

・内部ネットワークのPCの匿名性を確保できる
・Web ページの情報をキャッシュできる

・認証されたユーザだけが通信可能
・ユーザからの通信を一元管理できる
・フィルタリングの設定が可能

● DNSサーバ

DNS (Domain Name System) とは，IP アドレスとドメイン名を対応付けるシステムのことです。そして，この対応付けを行うのがDNSサーバです。

● パケットフィルタリング

IP パケットの送信元／宛先アドレス，プロトコル，インタフェース，ポート番号などを検査し，テーブルに事前に登録してあるデータと一致する場合，そのパケットをネットワークの内外へ中継したり遮断したりする機能です。

● マルウェア

マルウェア (malware) とは，有害な動作を行う目的で作成された悪意のあるソフトウェアや悪質なコードの総称。具体的にはコンピュータウイルスやワーム，ボット，ランサムウェアなどがあります。

● ゼロデイ攻撃

新たなセキュリティホール (脆弱性) が発見され，修正プログラムの提供や公表がされる前に行われるサイバー攻撃のことです。

問題の解説

特定の企業や組織内の情報を狙ったサイバー攻撃 (標的型攻撃) の現状と，実施すべき対策についての説明を読んで，具体的な標的型攻撃を答えます。先に，選択肢に出てくる攻撃について確認します。

● DDoS (Distributed Denial of Sercice) 攻撃

サーバなどに対して攻撃を行い，サービスの提供

を低下させたり，不能にしたりすることです。

● 総当たり攻撃

総当たり攻撃は，ブルートフォース攻撃ともいいます。パスワードなどの解読をするために，文字，記号，数字などのすべての組合せを使って試みるものです。

● フィッシング

メールなどで偽の案内をして，正規のWebサイトにそっくりな偽のWebサイトへ誘導して，口座の暗証番号やクレジット番号，電話番号などの個人情報を盗む手法です。キャッシュカードの暗証番号の変更と偽り，正規の銀行のWebサイトにそっくりな偽のWebサイトに誘導して，暗証番号を入力させるなどの例があります。

● 水飲み場型攻撃

利用者が，あらかじめ改ざんされたWebページを閲覧すると，マルウェアに感染するように仕掛ける手法です。

● レインボー攻撃

パスワードを不正に得る手法の一つです。パスワードとして使われるような文字列のハッシュ値をテーブル化しておき，解読したいパスワードのハッシュ値と比較することで，パスワードを推測する手法です。

設問文〔標的型攻撃の現状と対策〕「日常的に利用するWebサイトの　b　を改ざんし，WebサイトにアクセスしたPCをマルウェアに感染させる」より，水飲み場型（攻撃）についての記述です。水飲み場型攻撃は，Webページを改ざんしてマルウェアに感染させます。

以上より，空欄aは
　水飲み場型
が，空欄bは
　Webページ
です。

したがって，正解は**ク**です。

解答　**ク**

分野：情報セキュリティ

問 **20**

A社は，金属加工を行っている従業員50名の企業である。同業他社がサイバー攻撃を受けたというニュースが増え，A社の社長は情報セキュリティに対する取組が必要であると考え，新たに情報セキュリティリーダーをおくことにした。

社長は，どのような取組が良いかを検討するよう，情報セキュリティリーダーに任命されたB主任に指示した。B主任は，調査の結果，IPAが実施しているSECURITY ACTIONへの取組を社長に提案した。

SECURITY ACTIONとは，中小企業自らが，情報セキュリティ対策に取り組むことを自己宣言する制度であるとの説明を受けた社長は，SECURITY ACTIONの一つ星を宣言するために情報セキュリティ5か条に取り組むことを決め，B主任に，情報セキュリティ5か条への自社での取組状況を評価するように指示した。

B主任の評価結果は表1のとおりであった。

表1　B主任の評価結果

	情報セキュリティ 5 か条	評価結果
1	OS やソフトウェアは常に最新の状態にしよう！	一部の PC について実施している
2	（省略）	（省略）
3	パスワードを強化しよう！	（省略）
4	共有設定を見直そう！	（省略）
5	脅威や攻撃の手口を知ろう！	（省略）

　表1中の1の評価結果について B主任は，次のとおり説明した。

・A社が従業員にPCを貸与する時に導入したOSとA社の業務で利用しているソフトウェア（以下，標準ソフトという）は，自動更新機能を使用して最新の状態に更新している。

・それ以外のソフトウェア（以下，非標準ソフトという）はどの程度利用されているか分からないので，試しに数台のPCを確認したところ，大半のPCで利用されていた。最新の状態に更新されていないPCも存在した。

　A社では表1中の1について評価結果を"実施している"にするために新たに追加すべき対策として2案を考え，どちらかを採用することにした。

設問

　表1中の1の評価結果を"実施している"にするためにA社で新たに追加すべき対策として考えられるものは次のうちどれか。考えられる対策だけを全て挙げた組合せを，解答群の中から選べ。

（一）PC 上のプロセスの起動・終了を記録する Endpoint Detection and Response (EDR) の導入
（二）PC の OS 及び標準ソフトを最新の状態に更新するという設定ルールの導入
（三）全ての PC への脆弱性修正プログラムの自動適用を行う IT 資産管理ツールの導入
（四）非標準ソフトのインストール禁止及び強制アンインストール
（五）ログデータを一括管理，分析して，セキュリティ上の脅威を発見するための Security Information and Event Management (SIEM) の導入

解答群

ア	（一），（二）	イ	（一），（三）	ウ	（一），（四）
エ	（一），（五）	オ	（二），（三）	カ	（二），（四）
キ	（二），（五）	ク	（三），（四）	ケ	（三），（五）
コ	（四），（五）				

［情報セキュリティマネジメント サンプル問題（2022年12月26日公開）科目B 問51］

問20 ｜ 情報セキュリティ 5 か条

　本問は，IPAが提唱している「情報セキュリティ5か条」に関する問題です。「情報セキュリティ5か条」は，単に試験対策だけでなく実社会でも役立つ内容なので，確認しておくことをおすすめします。問題としては，EDRやSIEMなどのセキュリティ用語が出ていますが，各選択肢で用語の意味まで記述されているので，比較的やさしかったと思います。しかし，用語の意味が記述されないパターンが出題される可能性もあるので，重要な用語はしっかり学習しておきましょう。

問題の解説

表1の情報セキュリティ5か条の1「OSやソフトウェアは常に最新の状態にしよう！」の評価結果「一部のPCについて実施している」を，「実施している」にするために新たに追加すべき対策を選択肢から選びます。

問題文より，PCにはOSの他に，標準ソフト，非標準ソフトがあることがわかります。それらについて，どのような対策が取られているかを問題文より読み取ります。

① OS，標準ソフト（A社の業務で使用しているソフトウェア）

表1の直後の1つ目の箇条書き問題文「……OSと……（以下，標準ソフトという）は，自動更新機能を使用して最新の状態に更新している。」より，セキュリティの観点で適切な状態になっています。よって，新たに追加すべき対策はありません。

② 非標準ソフト（①以外のソフトウェア）

表1の直後の2つ目の箇条書き問題文「（以下，非標準ソフトという）は……最新の状態に更新されていないPCも存在した。」より，セキュリティの観点で適切な状態ではありません。

したがって，②非標準ソフト（①以外のソフトウェア）に対して，セキュリティ対策を実施する選択肢を選択します。

（一）不適切な記述です。EDRとは，選択肢文のように「PC上のプロセスの起動・終了を記録する」仕組みです。よって，「ソフトウェアを最新の状態に更新するもの」ではありません。

（二）不適切な記述です。解説①より，OSや標準ソフトは，自動更新機能を使用して最新の状態に更新されています。よって，「OSや標準ソフトは，自動更新機能を使用して最新の状態に更新する」必要はありません。

（三）正解です。「全てのPCへの脆弱性修正プログラムの自動適用を行うIT資産管理ツールの導入」より，IT資産管理ツールの導入によって，すべてのPCへの脆弱性修正プログラムの自動適用を行うことができます。よって，②非標準ソフト（①以外のソフトウェア）についても，常に最新の状態に保つことができます。

（四）正解です。自動更新機能を使用して最新の状態に更新されていないのは，②非標準ソフト（①以外のソフトウェア）だけです。よって，その非標準ソフト自体を使用しないようにすれば，自動更新機能を使用して最新の状態に更新する必要がなくなります。

（五）不適切な記述です。SIEMとは，選択肢文「ログデータを一括管理，分析して，セキュリティ上の脅威を発見するため」のものであり，「自動更新機能を使用して最新の状態に更新する」機能ではありません。

したがって，正解は**ク**の

（三），（四）

です。

📖 参考

IPAによって公開されている「情報セキュリティ5か条」を以下に示します。

(1) OSやソフトウェアは常に最新の状態にしよう！
　※説明文省略
(2) ウイルス対策ソフトを導入しよう！
　※説明文省略
(3) パスワードを強化しよう！
　※説明文省略
(4) 共有設定を見直そう！
　データ保管などのクライアントサービスやネットワーク接続の複合機の設定を間違ったため無関係な人に情報を見られるトラブルが増えています。クラウドサービスや機器は必要な人のみ共有されるよう設定しましょう。
(5) 脅威や攻撃の手口を知ろう！
　取引先や関係者と偽ってウイルス付きのメールを送ってきたり，正規のウェブサイトに似せた偽サイトを立ち上げてID・パスワードを盗もうとする巧妙な手口が増えています。脅威や攻撃の手口を知って対策をとりましょう。

※引用　IPA「情報セキュリティ5か条」(2024年8月3日閲覧) https://www.ipa.go.jp/security/security-action/download/5point_poster.pdf

解答　**ク**

対策問題①

基本情報技術者

【科目A】試験時間　90分

問題は次の表に従って解答してください。

問題番号	選択方法
問1〜問60	全問必須

【科目B】試験時間　100分

問題は次の表に従って解答してください。

問題番号	選択方法
問1〜問20	全問必須

この問題セットは，IPAより公開されている情報をもとに作成した模擬試験です。

問題文中で共通に使用される表記ルール

各問題文中に注記がない限り，次の表記ルールが適用されているものとする。

1.論理回路

図記号	説明
	論理積素子（AND）
	否定論理積素子（NAND）
	論理和素子（OR）
	否定論理和素子（NOR）
	排他的論理和素子（XOR）
	論理一致素子
	バッファ
	論理否定素子（NOT）
	スリーステートバッファ
	素子や回路の入力部又は出力部に示される○印は，論理状態の反転又は否定を表す。

2.回路記号

図記号	説明
	抵抗（R）
	コンデンサ（C）
	ダイオード（D）
	トランジスタ（Tr）
	接地
	演算増幅器

問 1

　　ある整数値を，負数を2の補数で表現する2進表記法で表すと最下位2ビットは"11"であった。10進表記法の下で，その整数値を4で割ったときの余りに関する記述として，適切なものはどれか。ここで，除算の商は，絶対値の小数点以下を切り捨てるものとする。

　ア その整数値が正ならば3
　イ その整数値が負ならば－3
　ウ その整数値が負ならば3
　エ その整数値の正負にかかわらず0

［平成30年度 春期 基本情報技術者試験 午前 問1］

問 2

　　次に示す手順は，列中の少なくとも一つは1であるビット列が与えられたとき，最も右にある1を残し，他のビットを全て0にするアルゴリズムである。例えば，00101000 が与えられたとき，00001000 が求まる。aに入る論理演算はどれか。

　手順1　与えられたビット列Aを符号なしの2進数と見なし，Aから1を引き，結果をBとする。
　手順2　AとBの排他的論理和（XOR）を求め，結果をCとする。
　手順3　AとCの［　a　］を求め，結果をAとする。

　ア 排他的論理和（XOR）　　　**イ** 否定論理積（NAND）
　ウ 論理積（AND）　　　　　　**エ** 論理和（OR）

［平成30年度 秋期 基本情報技術者試験 午前 問2］

問 1 【基礎理論】 2進数表記

★★☆

パズル

2の補数は，負数を表現するのに用いられ，次のように求められます。

> **参考 2の補数を求める**
>
> 手順①：各ビット（桁）の0と1を反転させる。
> 手順②：反転後のビットパターンに1を加える。
>
> [例]10進数の−5を2の補数で表現する
>
> 負数−5を求めるには，はじめに，−5を正数にした＋5を2進数に変換します。
>
> $(+5)_{10} = (0101)_2$
>
> 8421
> のののの
> 位位位位
> 4の位 1の位
> $(4×1)+(1×1)=5$
> 10進数
>
> 続いて，2の補数表現で $(-5)_{10}$ を求めます。
>
> $(+5)_{10} = (0101)_2$
> ↓↓↓↓ ）0と1を反転
> 1010
> ＋ 1 ）＋1する
> $(-5)_{10}$ ←1011
>
> $(-5)_{10} = (1011)_2$ となります。

設問文「2進表記法で表すと最下位2ビットは"11"であった」という条件に合う任意の整数を例として，設問文に従った計算を行い，正しい選択肢を選ぶことにします。

なお，選択肢より，「ある整数値」が正と負の場合があるので，正と負の2通りを試してみます。

1.「ある整数値」が正の場合

[例] $(+7)_{10}$ を4で割った余りを求めます。

設問文「最下位2ビットは"11"」の条件に合致する例で考えます。例えば，＋7は2進表記法では $(0111)_2$ と表されるので，設問条件に合います。

$(+7)_{10} \div 4 = 1 \cdots \underset{余り}{3}$

∴余りは3なので，**ア**は正解候補，**エ**は誤り

2.「ある整数値」が負の場合

[例] $(-5)_{10}$ を4で割った余りを求めます。

負数−5は2の補数で表現すると $(1011)_2$ となるので，「最下位2ビットは"11"」という設問条件に合います。

$(-5)_{10} \div 4 = -1 \cdots \underset{余り}{-1}$

∴余りは−1なので，**イ**，**ウ**，**エ**は誤り

以上より，**ア**が正解です。

問 2 【基礎理論】 ビット操作アルゴリズム

★★☆

 頻出

設問の例を手順にしたがって計算すれば，正解が得られます。

[設問の例]

$A = 00101000$ が与えられたとき，
00001000 が求まる。

[手順1] A から1を引いて，結果を B とします。

$A=00101000$
$-)\ \ \ \ \ \ 00000001$
$00100111 \Rightarrow B$

[手順2] A XOR $B \Rightarrow C$ とします。

$A=00101000$
XOR $)B=00100111$
$00001111 \Rightarrow C$

[手順3] A と C の □ a □ を求めます。

$A=00101000$
□ a □ $)C=00001111$
$00001000 \leftarrow$ 結果は設問より

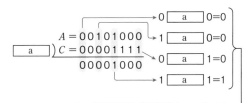

より，□ a □ は論理積（AND）です

> **解答** 問1 **ア**　　問2 **ウ**

試験対策の要点

令和6年度 科目A 科目B

対策問題① 科目A 科目B

対策問題② 科目A 科目B

対策問題③ 科目A 科目B

次の状態遷移図で表現されるオートマトンで受理されるビット列はどれか。ここで，ビット列は左から順に読み込まれるものとする。

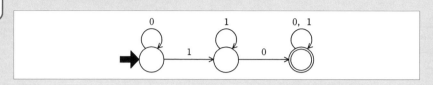

ア 0000　　　イ 0111　　　ウ 1010　　　エ 1111

[平成28年度 春期 基本情報技術者試験 午前 問2]

AIに利用されるニューラルネットワークにおける活性化関数に関する記述として，適切なものはどれか。

ア ニューラルネットワークから得られた結果を基に計算し，結果の信頼度を出力する。

イ 入力層と出力層のニューロンの数を基に計算し，中間層に必要なニューロンの数を出力する。

ウ ニューロンの接続構成を基に計算し，最適なニューロンの数を出力する。

エ 一つのニューロンにおいて，入力された値を基に計算し，次のニューロンに渡す値を出力する。

[令和5年度 ITパスポート試験公開問題 問91]

入力されたビットに対して出力されるビットが0か1のいずれかである確率を遷移確率という。遷移確率を表にしたとき，a，b，c，dの関係はどれか。

入力＼出力	0	1
0	a	b
1	c	d

ア $a+b+c+d=1$　　　イ $a+b=1$, $c+d=1$
ウ $a+c=1$, $b+d=1$　　　エ $a+d=1$, $b+c=1$

[平成27年度 春期 基本情報技術者試験 午前 問4]

★★☆ 問 **3** 【基礎理論】
オートマトン
パズル

➡◯の初期状態から始まって，最後に◎の受理状態で終わる文字列が正解となります。

ア 0000

この部分を4回遷移して終わります
受理状態で終了しません

イ 0111

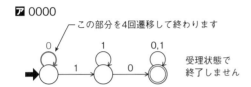
この部分で終了します
受理状態で終了しません

ウ 1010

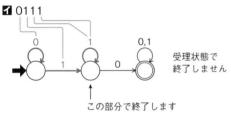
受理状態で終了します（正解）

エ 1111

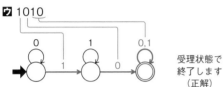
この部分を3回遷移して終わります
受理状態で終了しません

★★☆ 問 **4** 【基礎理論】
活性化関数
新シラバス

ニューラルネットワークとは，人間の神経細胞（ニューロン）の仕組みを，人工ニューロンという数式的なモデルで実現したシステムのことです。AIにおけるディープラーニングなどに用いられます。

活性化関数とは，あるニューロンにおける入力信号の総和を，出力信号に変換する関数です。代表的な活性化関数として，シグモイド関数，tanh関数，ReLU関数などがあります。

[ニューラルネットワークの一部]

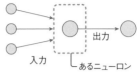
入力値を出力値に変換（活性化関数）
出力
入力
あるニューロン

ア 評価関数に関する記述です。
イウ 活性化関数は，ニューロンの数を決定する関数ではありません。
エ 正解です。活性化関数に関する記述です。

★★★ 問 **5** 【基礎理論】
遷移確率
パズル

設問の表を理解します。設問文「出力されるビットが0か1のいずれか」に注意します。

$$\begin{cases} \text{・入力が0のとき出力が0になる確率：} a \\ \text{・入力が0のとき出力が1になる確率：} b \end{cases}$$

「出力されるビットが0か1のいずれか」なので，確率aと確率bの和は1になります。

$$\therefore a+b=1 \quad \cdots ①$$

$$\begin{cases} \text{・入力が1のとき出力が0になる確率：} c \\ \text{・入力が1のとき出力が1になる確率：} d \end{cases}$$

①と同様に，確率cと確率dの和は1になります。

$$\therefore c+d=1 \quad \cdots ②$$

①，②より，正解は**イ**です。

参考 **確率の和**

6つの目があるサイコロで考えます。"1"〜"6"の各々の目が出る確率は1/6です。このとき，"1"〜"6"のいずれかの目が出る確率は，1/6を6個加算した1になります。

解答 問3 **ウ** 問4 **エ** 問5 **イ**

問 6

ポインタを用いた線形リストの特徴のうち，適切なものはどれか。

ア 先頭の要素を根としたn分木で，先頭以外の要素は全て先頭の要素の子である。
イ 配列を用いた場合と比較して，2分探索を効率的に行うことが可能である。
ウ ポインタから次の要素を求めるためにハッシュ関数を用いる。
エ ポインタによって指定されている要素の後ろに，新たな要素を追加する計算量は，要素の個数や位置によらず一定である。

[平成27年度 秋期 基本情報技術者試験 午前 問5]

問 7

2分探索に関する記述のうち，適切なものはどれか。

ア 2分探索するデータ列は整列されている必要がある。
イ 2分探索は線形探索よりも常に速く探索できる。
ウ 2分探索は探索をデータ列の先頭から開始する。
エ n個のデータの2分探索に要する比較回数は，$n\log_2 n$に比例する。

[平成26年度 秋期 基本情報技術者試験 午前 問6]

解答・解説

問 6 【基礎理論】
ポインタを用いた線形リスト

　線形リストは，データを格納するデータ部と，データが存在する場所（番地）を格納するポインタ部によって，データ全体を操作できるようなデータ構造です。

参考 　線形リスト

＜線形リストの例＞双方向リスト

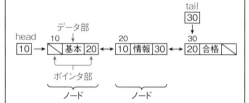

　双方向リストでは，ポインタ部が2つあり，前後のセルの番地が格納されています。

＜追加データ＞

　＜追加前＞の双方向リストに，次のデータを「情報」と「合格」の間に追加します。

＜追加後＞

● 「情報」の次ポインタを25に変更し，追加データ「絶対」の前ポインタを同じ20にします。

● 「合格」の前ポインタを30から，25に変更します。
　追加データ「絶対」の次ポインタを30にします。
　以上で，「絶対」を「情報」と「合格」の間に追加することができました。

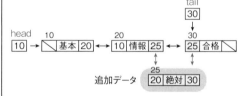

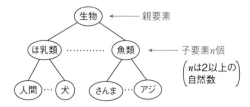

　ポインタを用いた線形リストでは，新たな要素を追加する計算量は，（たとえば「基本」と「情報」の間に多数のデータがあったとしても）要素の個数や追加する位置によらず一定になります。

ア n分木とは，次のような構造をしています。

[n分木の例]

生物 ← 親要素

ほ乳類 ………… 魚類 ← 子要素n個
（nは2以上の自然数）

人間 … 犬　　さんま … アジ

nが2であるような（2個以下の子しか持てない）ものは2分木と呼ばれています。

[2分木の例]

☑2分探索とは、整列済みのデータを半分に絞り込む操作を繰り返すことで探索を行う方法です（詳細は問7の解説参照）。

☑ポインタを用いた線形リストでは、ポインタから次の要素を求めるためにハッシュ関数は用いません。ハッシュ関数とは、入力値から、規則性のない値を求めるための演算式や演算手法のことです。得られた値は、ハッシュ値と呼ばれます。ハッシュ関数を使ってハッシュ値を求め、求める要素を特定する手法をハッシュ法といいます。
また、同一ハッシュ値を持つ要素を連結リスト（たとえば双方向リスト）によってつなげていくことで、ハッシュ値が同じ値となってしまう衝突を回避する手法をチェイン法といいます。

☒正解です。ポインタを用いた線形リストの特徴に関する記述です。

★★★
問 **7** 【基礎理論】
2分探索
頻出

2分探索法の探索は、次のように行われます。

参考 **2分探索の流れ**

2分探索を行うには、探索するデータ列が整列されている必要があります。

たとえば、商品番号1, 2, ……, 9とします。
検索キーを8とすると

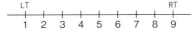

①LT, RTの中央の値を求めます。

$(1 + 9) \div 2 = 5$

②中央の値5と検索キー8を比べます。

中央の値 < 8ですから、検索する値8は右半分に存在する可能性があります。

③6をLTとして、再度①に戻ります。

検索キーを発見もしくは、探索できなくなったとき、探索終了します。

なお、中央の値が求まらない場合、たとえば

の場合は、中央の値を3または4とすることで、探索をします。

参考 **2分探索法の比較回数**

平均比較回数：$[\log_2 n]$
最大比較回数：$[\log_2 n] + 1$
※ nはデータ量
※ $[]$はガウス記号で、小数点以下は切り捨て

[例] データ量が $n = 1000$ 件の場合
　　　$(\log_{10} 2 \fallingdotseq 0.3010)$

$$\log_2 n = \log_2 1000 = \log_2 10^3$$

$$= 3\log_2 10 \quad = 3\frac{\log_{10} 10}{\log_{10} 2}$$

$$\fallingdotseq \frac{3 \times 1}{0.3010} \quad \fallingdotseq 9.9668$$

小数点以下切り捨てて、平均比較回数は9回、最大比較回数は10回となります。

☑正解です。2分探索するデータ列は、昇順または降順で整列されている必要があります。

☑不適切な記述です。線形探索とは、対象データを先頭から順番に探索する方法です。2分探索は線形探索よりも速く探索できる場合が多いですが、"常に速く探索できる"とはいえません。たとえば、対象データの先頭に探索データが存在している場合を考えると、線形探索では1回目で探索できます。

☑不適切な記述です。本解説の「参考－2分探索の流れ」を参照してください。2分探索は、データ列の中央値と探索データを比較し、その大小からデータ列の右半分か左半分の探索データ列を少なくしながら探索する方法です。

☒不適切な記述です。本解説の「参考－2分探索法の比較回数」を参照してください。n個のデータの2分探索に要する平均比較回数は、$[\log_2 n]$です。

解答 問6 ☒ 問7 ☑

問 8

次の流れ図において，

①→②→③→⑤→②→③→④→②→⑥

の順に実行させるために，①においてmとnに与えるべき初期値aとbの関係はどれか。ここで，a，bはともに正の整数とする。

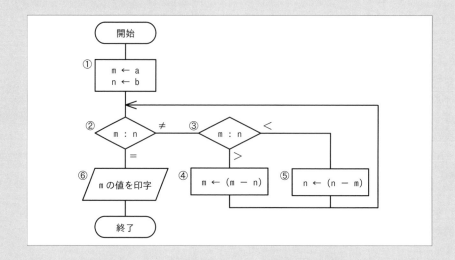

ア a＝2b　　**イ** 2a＝b　　**ウ** 2a＝3b　　**エ** 3a＝2b

［令和5年度 基本情報技術者試験 公開問題 科目A 問11］

問 9

新シラバス

自然数をキーとするデータを，ハッシュ表を用いて管理する。キーxのハッシュ関数$h(x)$を

$$h(x) = x \bmod n$$

とすると，任意のキーaとbが衝突する条件はどれか。ここで，nはハッシュ表の大きさであり，$x \bmod n$はxをnで割った余りを表す。

ア $a+b$がnの倍数　　**イ** $a-b$がnの倍数

ウ nが$a+b$の倍数　　**エ** nが$a-b$の倍数

［令和元年度 秋期 応用情報技術者試験 午前 問7］

解答・解説

問 8 ［基礎理論］
流れ図

設問の条件を挙げます。

①→②→③→⑤→②→③→④→②→⑥
　　　└─Ⅰ─┘　　└──Ⅱ──┘

 まず，Ⅰの②→③→⑤に注目します。

上記の順に実行されるためには，②でm≠n，③でm＜nと判定されなくてはなりません。

①でm←a，n←bとしているので，③でm＜nと判定されるためには，a＜bである必要があります。このことから，a＞bのときに成立する選択肢**ア**，**ウ**は誤りです。

● 次に，正解候補の**イ**と**エ**のみを検討します。

イ 2a＝b

2a＝bを満たすaとbとしては，例えばa＝1，b＝2が当てはまります。そこで，①でm←1，n←2

としてみて，流れ図を検討します。

②でm≠nなので，③へ進みます。

③m＜nなので，⑤へ進みます。
　　1　2

⑤でn ← (n − m)
　　1　2　1

②m＝n＝1なので，⑥へ進み，処理が終了してしまいます。したがって誤りです。

エ 3a＝2b

例えばa＝2，b＝3が当てはまるので，
m ← 2，n ← 3としてみて，流れ図を検討します。

②でm≠なので，③へ進みます。

③m＜nなので，⑤へ進みます。
　　2　3

⑤でn ← (n − m)
　　1　3　2

② でm≠nなので，再び③へ進みます。

③m＞nなので，④へ進みます。
　　　　2　1

④でm ← (m − m)
　　1　2　1

そして，②でm：n＝1：1となり，⑥に進むことになります。

したがって，正解は**エ**の

　3a ＝ 2b

です。

★★★ 問 **9** 【基礎理論】
シノニムが起きる条件
新シラバス

本問のハッシュ関数 $h(x)$ について，任意のキー a と b が衝突するとは，

　$h(a) = h(b)$

となってしまい，異なるデータaとbから同じハッシュ値が算出される事態を指します（このように，同じハッシュ値を持つデータをシノニムといいます）。

したがって，

　$a \bmod n = b \bmod n$

となる条件が，本問の答えとなります。

$\begin{cases} \cdot\, \text{a を n で割ったときの商を g，余りを r} \\ \cdot\, \text{b を n で割ったときの商を h，余りを r} \\ \text{※上の条件より，余り (mod) は同じになる。} \end{cases}$

とすると，

$\begin{cases} a = gn + r \\ b = hn + r \end{cases}$

と整理できます。これらをrについて解くと，

$\begin{cases} r = a - gn \\ r = b - hn \end{cases}$

となり，上の2式より

　$a - gn = b - hn$

　$\therefore a - b = n(g - h)$

となります。以上より，**イ**の「$a-b$ が n の倍数」という条件が答えです。

別解

$a \bmod n = b \bmod n$ となる数を考えた上で，これを選択肢に当てはめて正解を得る方法もあります。

たとえば，「$a = 31$，$b = 17$，$n = 7$」とします。

　$a \div n = 31 \div 7 = 4 \cdots 3$

　$b \div n = 17 \div 7 = 2 \cdots 3$

となり，余りはどちらも3です。

ア $31 + 17 (= 48)$ は7の倍数ではないため，誤りです。

イ $31 - 17 (= 14)$ は7の倍数であるため，正解です。

ウ 7は48の倍数ではないため，誤りです。

エ 7は14の倍数ではないため，誤りです。

解答 　問8 **エ** 　　問9 **イ**

問10 デバイスドライバの説明として，適切なものはどれか。

ア PCに接続された周辺機器を制御するソフトウェア
イ アプリケーションプログラムをPCに導入するソフトウェア
ウ キーボードなどの操作手順を登録して，その操作を自動化するソフトウェア
エ 他のPCに入り込んで不利益をもたらすソフトウェア

[平成31年度 春期 基本情報技術者試験 午前 問17]

問11 コンデンサに蓄えた電荷の有無で情報を記憶するメモリはどれか。

ア EEPROM **イ** SDRAM
ウ SRAM **エ** フラッシュメモリ

[平成29年度 秋期 基本情報技術者試験 午前 問21]

問12 内部割込みに分類されるものはどれか。

ア 商用電源の瞬時停電などの電源異常による割込み
イ ゼロで除算を実行したことによる割込み
ウ 入出力が完了したことによる割込み
エ メモリパリティエラーが発生したことによる割込み

[平成26年度 秋期 基本情報技術者試験 午前 問10]

解答・解説

問10 ［コンピュータシステム］
デバイスドライバ

デバイスドライバとは，アプリケーションプログラムの要求に従って，PCに接続された周辺機器（ディスプレイやプリンタ，記憶装置など）を直接制御する役割を持つソフトウェアです。新しい周辺機器を接続するさいに，その製品用に用意されたデバイスドライバをOSに組み込む形で使用します。

ア 正解です。デバイスドライバに関する記述です。
イ インストーラに関する記述です。
ウ RPA (Robotic Process Automation) に関する記述です。
エ マルウェアに関する記述です。

問11 【コンピュータシステム】 半導体メモリ

頻出

コンデンサとは，電荷（静電エネルギー）を蓄えたり放出したりする素子です。

ア EEPROM (Electrically Erasable Programmable Read-Only Memory)

1バイト単位でデータの消去および書込みが可能な不揮発性メモリです。電源遮断時にもデータ保持ができます。

イ SDRAM (Synchronous DRAM)

正解です。外部バスインタフェースが一定のクロック信号に同期して動作するDRAMです。

DRAM (Dynamic Random Access Memory) は，コンピュータの主記憶（メインメモリ）として広く使われており，コンデンサに電荷を蓄えた状態か否かによって1ビットを表現します。データを保存するためには，一定時間ごとに再書込み（リフレッシュ）が必要になります。DRAMは，電源遮断時（＝電気が切れたとき）にデータ保持ができない揮発性メモリです。

ウ SRAM (Static Random Access Memory)

メモリセルにはフリップフロップ回路が用いられ，キャッシュメモリによく利用されます。揮発性メモリですが，DRAMと異なり，定期的なリフレッシュは不要です。

エ フラッシュメモリはEEPROMの一種で，電気的にデータの書換えや消去が可能で，電源を切ってもデータが失われない不揮発性の半導体メモリです。安価・構造が簡単・高集積化が可能・バックアップ用電源が不要などの特徴をもち，ディジタルカメラや携帯電話などの記憶媒体として広く使用されています。

問12 【コンピュータシステム】 内部割込み

割込みとは，実行中のプログラムの処理を中断し，再び実行するための情報を保存してから，エラーなどの処理を優先的に行う割込み処理ルーチンに制御を移すことです。

> **用語整理 割込み**
>
> ●内部割込みは，実行中のプログラムから発生する。
>
> ① **プログラム割込み**
>   プログラム実行中のエラー（ゼロ除算，演算結果のオーバフローなど）によって発生する。
>
> ② **SVC（スーパバイザコール）割込み**
>   システムコールなどによって，OSの機能が呼び出されたときに発生する。
>
> ●外部割込みは，内部割込みの発生要因以外によって発生する。
>
> ① **入出力割込み**
>   入出力動作が終了したときに発生する。
>
> ② **機械チェック割込み**
>   ハードウェアが故障したときに発生する。
>
> ③ **タイマ割込み**
>   プログラムの実行時間が設定時間を超過したときに発生する。
>
> ④ **コンソール割込み**
>   オペレータが介入したときに発生する。

ア 外部割込み（機械チェック割込み）に分類されます。

イ 正解です。内部割込み（プログラム割込み）に分類されます。

ウ 外部割込み（入出力割込み）に分類されます。

エ 外部割込み（機械チェック割込み）に分類されます。

解答　問10 **ア**　　問11 **イ**　　問12 **イ**

問13

2台の処理装置から成るシステムがある。少なくともいずれか一方が正常に動作すればよいときの稼働率と，2台とも正常に動作しなければならないときの稼働率の差は幾らか。ここで，処理装置の稼働率はいずれも0.9とし，処理装置以外の要因は考慮しないものとする。

ア 0.09   **イ** 0.10   **ウ** 0.18   **エ** 0.19

[令和元年度 秋期 基本情報技術者試験 午前 問16]

問14

フォールトトレラントシステムを実現する上で不可欠なものはどれか。

ア システム構成に冗長性をもたせ，部品が故障してもその影響を最小限に抑えることによって，システム全体には影響を与えずに処理が続けられるようにする。

イ システムに障害が発生したときの原因究明や復旧のために，システム稼働中のデータベースの変更情報などの履歴を自動的に記録する。

ウ 障害が発生した場合，速やかに予備の環境に障害前の状態を復旧できるように，定期的にデータをバックアップする。

エ 操作ミスが発生しにくい容易な操作にするか，操作ミスが発生しても致命的な誤りにならないように設計する。

[平成30年度 春期 基本情報技術者試験 午前 問13]

問15

2層クライアントサーバシステムと比較した3層クライアントサーバシステムの特徴として，適切なものはどれか。

ア クライアント側で業務処理専用のミドルウェアを採用しているので，業務処理の追加・変更などがしやすい。

イ クライアント側で業務処理を行い，サーバ側ではデータベース処理に特化できるので，ハードウェア構成の自由度も高く，拡張性に優れている。

ウ クライアント側の端末には，管理が容易で入出力のGUI処理だけを扱うシンクライアントを使用することができる。

エ クライアントとサーバ間でSQL文がやり取りされるので，データ伝送量をネットワークに合わせて最少化できる。

[平成27年度 秋期 基本情報技術者試験 午前 問13]

解答・解説

問13 【コンピュータシステム】
稼働率の計算   頻出

システム全体の稼働率を求める公式を使用して解きます。

公式 **システム全体の稼働率**

個々の稼働率をx，yとする

● 直列接続の稼働率

$$x \times y$$

● 並列接続の稼働率

$$1-(1-x)(1-y)$$

① 少なくともいずれか一方が正常に動作すればよいときの稼働率

並列公式を使用

$$1 - (1 - 0.9)^2 = 0.99 \quad \cdots ①'$$

② 2台とも正常に動作しなければならないときの稼働率

直列公式を使用

$$0.9^2 = 0.81 \quad \cdots ②'$$

③ ①と②の差＝①'－②'

$$0.99 - 0.81 = 0.18 \quad (答)$$

問 14 【コンピュータシステム】 フォールトトレラントシステム　頻出

フォールトトレラントシステムとは，システム信頼性設計の考え方のひとつです。プロセッサ，メモリ，チャネル，電源系の二重化を行うなどして冗長性を持たせ，片方に障害が発生した場合でもその影響を最小限に抑え，システム全体の機能に影響を与えずに処理が継続できるようにするものです。

ア 正解です。フォールトトレラントシステムに関する記述です。

イ ログファイルに関する記述です。

ウ バックアップに関する記述です。

エ フールプルーフ (fool proof) に関する記述です。フールプルーフとは，「人間がシステム操作を誤ったとしても，システムの信頼性と安全性を保つ」というシステム信頼性設計の考え方です。フールプルーフでは，「システム利用者のミスは避けられない」といっ前提に立っています。

フールプルーフは，広義の意味ではフォールトトレランスに含まれます。しかし，設問文の「不可欠なもの」より，アの方が適切です。

問 15 【コンピュータシステム】 3層クライアントサーバシステム

3層クライアントサーバシステムでは，次の3つの層を設けています。各層の結合度を小さくすることで，システムの拡張性や柔軟性を増しています。また，各機能を独立して開発できるため，開発効率も高くなります。

[3層クライアントサーバシステム]

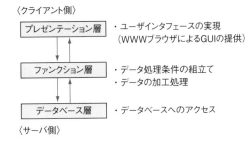

従来の2層クライアントサーバシステムでは，サーバ側でデータベースへのアクセスのみを行い，その他の機能に関しては，すべてクライアント側で行っています。このため，3層クライアントサーバシステムは，2層クライアントサーバシステムに比べてクライアント側の負荷が減少し，クライアントとサーバ間の通信量を削減することが可能です。

ア 3層クライアントサーバシステムは，クライアント側のアプリケーションを画面表示と編集機能だけにし，業務処理やデータベース処理などをサーバに移したものです。「クライアント側で業務処理」の部分が適切でありません。

イ クライアント側は画面表示と編集機能だけなので，「クライアント側で業務処理を行い」の部分が適切でありません。

ウ 正解です。クライアント側で画面表示に関わるGUI処理を扱っているので，適切な記述です。

エ 「クライアントとサーバ間でSQL文がやり取りされる」の部分が適切でありません。プレゼンテーション層でユーザが入力した文字列を受け取り，ファンクション層でSQL文が作成されます。そしてSQL文はデータベース層で解釈・実行されます。したがって，SQL文は「ファンクション層とデータベース層間」でやり取りされます。

解答　問13 ウ　　問14 ア　　問15 ウ

問16

OSIによるオープンソースソフトウェアの定義に従うときのオープンソースソフトウェアに対する取扱いとして，適切なものはどれか。

- **ア** ある特定の業界向けに作成されたオープンソースソフトウェアは，ソースコードを公開する範囲をその業界に限定することができる。
- **イ** オープンソースソフトウェアを改変して再配布する場合，元のソフトウェアと同じ配布条件となるように，同じライセンスを適用して配布する必要がある。
- **ウ** オープンソースソフトウェアを第三者が製品として再配布する場合，オープンソースソフトウェアの開発者は第三者に対してライセンス費を請求することができる。
- **エ** 社内での利用などのようにオープンソースソフトウェアを改変しても再配布しない場合，改変部分のソースコードを公開しなくてもよい。

[平成31年度 春期 基本情報技術者試験 午前 問20]

問17

三つのタスクA〜Cの優先度と，各タスクを単独で実行した場合のCPUと入出力（I/O）装置の動作順序と処理時間は，表のとおりである。A〜Cが同時に実行可能状態になって3ミリ秒経過後から7ミリ秒間のスケジューリングの状況を表したものはどれか。ここで，I/Oは競合せず，OSのオーバヘッドは考慮しないものとする。また，表中の（ ）内の数字は処理時間を表すものとし，解答群の中の"待ち"は，タスクが実行可能状態にあり，CPUの割当て待ちであることを示す。

タスク	優先度	単独実行時の動作順序と処理時間（ミリ秒）
A	高	CPU(2) → I/O(2) → CPU(2)
B	中	CPU(3) → I/O(5) → CPU(2)
C	低	CPU(2) → I/O(2) → CPU(3)

ア
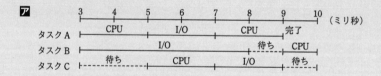

イ
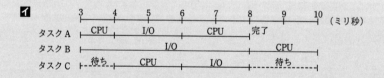

ウ
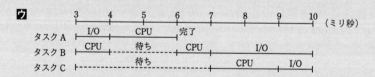

エ
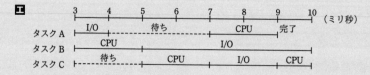

[平成30年度 春期 基本情報技術者試験 午前 問16]

★★★
問 **16** 【コンピュータシステム】
オープンソースソフトウェア

オープンソースソフトウェア (OSS：Open Source Software) とは, 著作権は開発者に帰属したまま, ソースコードの公開を前提に, 改良や再配布が誰でも無償で行えるようにしたソフトウェアのことです。オープンソースの発展, 促進活動を行っている組織である OSI (Open Source Initiative) により策定された「オープンソースの定義」では, 満たすべき基準として以下を掲げています。

1. 自由な再配布ができること
2. ソースコードが入手可能なこと
3. 変更や派生ソフトウェアの作成ができること。また同じライセンスの下での頒布ができること
4. 作者のソースコードの完全性を保証
5. 個人やグループに対して差別をしないこと
6. 利用する分野に対して差別をしないこと
7. 再配布において追加ライセンスを必要としないこと
8. 特定製品に依存しないこと
9. そのソフトウェアとともに頒布される他のソフトウェアに制限を設けないこと
10. 技術的に中立でなければならない

上記の定義に従って選択肢を検討します。

ア 「利用する分野に対して差別をしないこと」の点で適切ではありません。

イ 元のオープンソースと同じライセンスを適用できることを求めていますが, 同じライセンスを強制するものではありません。よって, 不適切です。

ウ 「自由な再配布ができること」の点で適切ではありません。

エ 正解です。

★★★
問 **17** 【コンピュータシステム】
マルチタスク

> パズル
> 頻出

①設問文「各タスクを単独で実行した場合のCPU」より, CPUで実行するタスクは1つだけであり, タスクに優先度がある点に注意します。

優先度	高	中	低
タスク	A	B	C

たとえば, タスクBがCPUで実行されている途中でタスクAがCPU実行を要求した場合, タスクBはCPU実行を途中で中断し, タスクAが終了した時点でCPU実行を再開します。

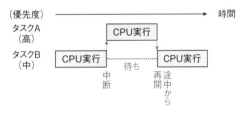

②設問文「I/Oは競合せず」より, I/Oは並行して2つの処理が実行可能です。

以上より, 設問の表をスケジューリングすると次のようになります。

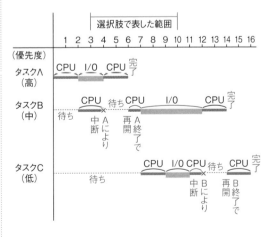

以上より, ウ が正解です。

解答 問16 エ 　 問17 ウ

問 18

A，Bという名の複数のディレクトリが，図に示す構造で管理されている。"¥B¥A¥B" がカレントディレクトリになるのは，カレントディレクトリをどのように移動した場合か。ここで，ディレクトリの指定は次の方法によるものとし，→は移動の順序を示す。

〔ディレクトリ指定方法〕
(1) ディレクトリは，"ディレクトリ名¥…¥ディレクトリ名"のように，経路上のディレクトリを順に"¥"で区切って並べた後に，"¥"とディレクトリ名を指定する。
(2) カレントディレクトリは，"."で表す。
(3) 1階層上のディレクトリは，".."で表す。
(4) 始まりが"¥"のときは，左端にルートディレクトリが省略されているものとする。
(5) 始まりが"¥"，"."，".."のいずれでもないときは，左端に".¥"が省略されているものとする。

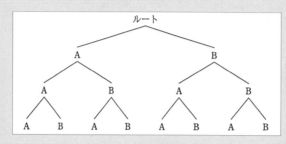

ア ¥A　→　..¥B　→　.¥A¥B

イ ¥B　→　.¥B¥A　→　..¥B

ウ ¥B　→　¥A　→　¥B

エ ¥B¥A　→　..¥B

[平成29年度 春期 基本情報技術者試験 午前 問18]

問 19

二つの入力と一つの出力をもつ論理回路で，二つの入力A，Bがともに1のときだけ，出力Xが0になる回路はどれか。

ア AND回路　　　　イ NAND回路
ウ OR回路　　　　　エ XOR回路

[平成31年度 春期 基本情報技術者試験 午前 問22]

問 20

AR（Augmented Reality）の説明として，最も適切なものはどれか。

ア 過去に録画された映像を視聴することによって，その時代のその場所にいたかのような感覚が得られる。

イ 実際に目の前にある現実の映像の一部にコンピュータを使って仮想の情報を付加することによって，拡張された現実の環境が体感できる。

ウ 人にとって自然な3次元の仮想空間を構成し，自分の動作に合わせて仮想空間も変化することによって，その場所にいるかのような感覚が得られる。

エ ヘッドマウントディスプレイなどの機器を利用し人の五感に働きかけることによって，実際には存在しない場所や世界を，あたかも現実のように体感できる。

[平成30年度 春期 基本情報技術者試験 午前 問26]

★★☆
問 18 【コンピュータシステム】
ディレクトリ管理

カレントディレクトリとは，ユーザが作業を行っているディレクトリのことをいい，ユーザの作業状況によってその位置は変化します。（※ア～エとも解説が不要な部分のディレクトリは省いています）

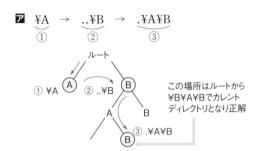

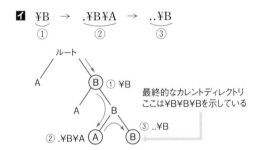

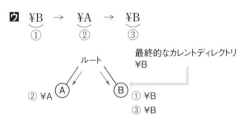

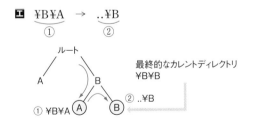

★★☆
問 19 【コンピュータシステム】
論理回路　　　頻出

AND回路，OR回路，XOR回路は，巻頭の「よく出る計算問題と重要公式」の3.を参照してください。

イ NAND回路

真理値表はAND回路の出力を否定したもので，次のようになります。よって，イが正解です。

入力		出力
A	B	X
1	1	0
0	1	1
1	0	1
0	0	1

出力が0となるのは，入力がともに1のときだけ

設問条件「2つの入力A，Bがともに1のとき」ア～エの回路の出力は次のようになります。

ア1　イ0　ウ1　エ0

ここで，エのXOR回路は，入力がともに0のときにも出力が0となります。これは設問条件「～ともに1のときだけ～」に合わないので正解となりません。

★★★
問 20 【技術要素】
AR

AR（Augmented Reality：拡張現実）とは，人が現実世界で感知する実際の風景に「コンピュータを使って仮想の情報」を加えて表現することによって，拡張された現実の環境を実現するものです。たとえばスマートフォンに表示される現実世界の映像に，CGやGPSによる位置情報を付加して表現する情報サービスやゲームなどが登場しています。

なお，ARとともに取り上げられる技術としてVR（Virtual Reality：仮想現実）があります。VRとは，コンピュータで作られた仮想的な世界を，現実世界のように体感できる技術のことです。

ア ARは，過去に録画された映像を視聴することではありません。

イ 正解です。ARに関する記述です。

ウ 3D仮想空間（3次元の仮想空間）に関する記述です。

エ ヘッドマウントディスプレイ（HMD：Head Mount Display）を利用したVRに関する記述です。

解答　問18 **ア**　　問19 **イ**　　問20 **イ**

問21 関係モデルとその実装である関係データベースの対応に関する記述のうち，適切なものはどれか。

- **ア** 関係は，表に対応付けられる。
- **イ** 属性も列も，左から右に順序付けられる。
- **ウ** タプルも行も，ともに重複しない。
- **エ** 定義域は，文字型又は文字列型に対応付けられる。

[平成28年度 春期 基本情報技術者試験 午前 問26]

問22 ロックの両立性に関する記述のうち，適切なものはどれか。

- **ア** トランザクション T_1 が共有ロックを獲得している資源に対して，トランザクション T_2 は共有ロックと専有ロックのどちらも獲得することができる。
- **イ** トランザクション T_1 が共有ロックを獲得している資源に対して，トランザクション T_2 は共有ロックを獲得することはできるが，専有ロックを獲得することはできない。
- **ウ** トランザクション T_1 が専有ロックを獲得している資源に対して，トランザクション T_2 は専有ロックと共有ロックのどちらも獲得することができる。
- **エ** トランザクション T_1 が専有ロックを獲得している資源に対して，トランザクション T_2 は専有ロックを獲得することはできるが，共有ロックを獲得することはできない。

[平成27年度 秋期 基本情報技術者試験 午前 問29]

問23 関係モデルにおいて，関係から特定の属性だけを取り出す演算はどれか。

- **ア** 結合 (join)
- **イ** 射影 (projection)
- **ウ** 選択 (selection)
- **エ** 和 (union)

[令和元年度 秋期 基本情報技術者試験 午前 問27]

解答・解説

問21 [技術要素] **関係データベース** 頻出

　関係モデルとは，データを「関係」という二次元の表形式で表現するデータモデルのことです。表の行（レコード）を組（タプル），列（フィールド）を属性（アトリビュート）といいます。

　関係モデルの実装である関係データベース（リレーショナルデータベース）は，広く使われています。

ア 正解です。

イ 属性も列も，順序付けられてはいません。

ウ タプルは重複できませんが，演算結果によっては行が重複する場合があります。

氏名	出身地
合格太郎	東京都
合格太郎	東京都
合格花子	東京都

重複OK
※主キーがない場合や一意制約がない場合

エ 定義域とは，属性が取りうる値の集合のことで，データ型と同じ意味です。たとえば，次の問27の関係Zを例にとると，属性"学生番号"において

・属性名＝学生番号

・属性値＝2または4

・定義域＝ |2, 4|

となります。

よって，定義域は，数値型などにも対応付けることができます。

問22 【技術要素】ロックの両立性　頻出

● 専有ロック

　自分のトランザクションだけで資源を専有することです。すでにその資源が共有ロックまたは専有ロックされている場合は，ロックが解除されるまで待ちます。

● 共有ロック

　共有ロック同士の場合，同じ資源の参照を許します。すでに専有ロックされている場合は，ロックが解除されるまで待ちます。

　上記をまとめると，次のようになります。

資源の状態	獲得するロック	可否
専有ロック	専有ロック	×
	共有ロック	×
共有ロック	専有ロック	×
	共有ロック	○

ア，ウ，エ　共有ロックまたは専有ロックされている資源に対しては，専有ロックはできません。

イ　正解です。

問23 【技術要素】関係モデルの演算　頻出

　関係モデル（関係データベースのデータモデル）に対する基本的な操作には，次のものがあります。なお，設問文にある「属性」とは関係データベースの「列」に当たります。

ア 結合（join）

　共通の列をもとに複数の表を結合して新しい表を作ることです。

イ 射影（projection）

　正解です。表の中から特定の「列」（属性）を取り出すことを指します。

ウ 選択（selection）

　表の中から特定の条件を満たす「行」を取り出すことです。

エ 和（union）

　共通の列をもつ2つの表の行を結合して新しい表を作ることです。同じ行の重複は取り除きます。

解答　問21 ア　　問22 イ　　問23 イ

161

問 24 "売上"表への次の検索処理のうち, B⁺木インデックスよりもハッシュインデックスを設定した方が適切なものはどれか。ここで, インデックスを設定する列を＜＞内に示す。

新シラバス

売上（伝票番号, 売上年月日, 商品名, 利用者ID, 店舗番号, 売上金額）

ア 売上金額が1万円以上の売上を検索する。＜売上金額＞
イ 売上年月日が今月の売上を検索する。＜売上年月日＞
ウ 商品名が 'DB' で始まる売上を検索する。＜商品名＞
エ 利用者IDが '1001' の売上を検索する。＜利用者ID＞

［令和5年度 秋期 応用情報技術者試験 午前 問26］

問 25 10Mビット／秒の回線で接続された端末間で, 平均1Mバイトのファイルを, 10秒ごとに転送するときの回線利用率は何％か。ここで, ファイル転送時には, 転送量の20％が制御情報として付加されるものとし, 1Mビット＝10^6ビットとする。

ア 1.2　　　イ 6.4　　　ウ 8.0　　　エ 9.6

［令和元年 秋期 基本情報技術者試験 午前 問30］

問 26 TCP/IPネットワークでDNSが果たす役割はどれか。

ア PCやプリンタなどからのIPアドレス付与の要求に対して, サーバに登録してあるIPアドレスの中から使用されていないIPアドレスを割り当てる。
イ サーバにあるプログラムを, サーバのIPアドレスを意識することなく, プログラム名の指定だけで呼び出すようにする。
ウ 社内のプライベートIPアドレスをグローバルIPアドレスに変換し, インターネットへのアクセスを可能にする。
エ ドメイン名やホスト名などとIPアドレスとを対応付ける。

［平成30年度 秋期 基本情報技術者試験 午前 問33］

解答・解説

問 24 ［技術要素］ **インデックス**

新シラバス

インデックスとは, データベースに格納されているデータを高速に検索するための仕組みです。インデックスを使用することで, データベースのアクセス効率を高めることができます。

インデックスにはいくつかの種類がありますが, 本問の「B⁺木インデックス」と「ハッシュインデックス」は, それぞれ次のような特徴があります。

● B⁺木インデックス

RDBMSで最も一般的に使用されています。データの管理は木構造で行います。

【主な特徴】

・節ごとにキー値の範囲とその子要素へのポインタを保持しています。よって, 範囲検索を円滑に行えます。
・木構造の深さが一定なので, どのようなキー値であっても探索コストが大きく変わりません。
・大量のデータに対する操作であっても, ある程度の速度が期待できます。
・インデックスノードはソートされた状態になっているので, 整列処理が高速に行えます。

● ハッシュインデックス

ハッシュ関数を使用して，キー値とレコードの格納位置を直接関連付ける方式です。

【主な特徴】

・キー値をもとにレコードの格納位置を一意に特定できるので，B+木インデックスより高速なアクセスが可能です。

・一致検索しか行えず，範囲検索やキー値を順番に読み込んで処理を行う用途には使用できません。

以上を踏まえて，選択肢を検討します。

ア「売上金額が1万円以上の売上げを検索する。＜売上金額＞」より，条件検索にあたるので，ハッシュインデックスには不向きです。

イ「売上年月日から今月の売上げを検索する。＜売上年月日＞」より，範囲検索にあたるので，ハッシュインデックスには不向きです。

ウ「商品名が‘DB’で始まる売上を検索する。＜商品名＞」より，条件検索にあたるので，ハッシュインデックスには不向きです。

エ 正解です。キー値（利用者IDが‘1001’）に関連付けられた単一のデータを検索するので，ハッシュインデックス向きです。

問 25 【技術要素】 回線利用率の計算 ★★

回線利用率（％）の公式を使います。

$$回線利用率 = \frac{実際の伝送データ量}{転送可能な最大データ量} \times 100$$

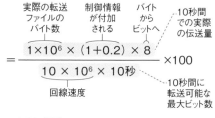

実際の転送ファイルのバイト数　制御情報が付加される　バイトからビットへ　10秒間での実際の伝送量

$$= \frac{1 \times 10^6 \times (1+0.2) \times 8}{10 \times 10^6 \times 10秒} \times 100$$

回線速度　10秒間に転送可能な最大ビット数

$$= 9.6\%（答）$$

問 26 【技術要素】 DNS ★★

頻出

インターネットに繋がっているコンピュータには，数字の羅列であるIPアドレスが割り振られていますが，メールやWebなどのサービスを利用する際には人間が認識しやすい「ドメイン名」を使います（たとえば，「gihyo.co.jp」など）。ドメイン名とIPアドレスとの対応付け（名前解決）を管理するのがDNS（Domain Name System）です。ドメイン名からIPアドレスへの変換はDNSサーバで行われます。

ア DHCP（Dynamic Host Configuration Protocol）に関する記述です。

イ RPC（Remote Procedure Call：遠隔手続呼出し）に関する記述です。RPCとは，ネットワークで繋がれた他のサーバ上のプログラムを呼び出す仕組みです。

ウ NAT（Network Address Translation）に関する記述です。

エ 正解です。DNSに関する記述です。

解答　問24 エ　　問25 エ　　問26 エ

問27 ボットネットにおいて C&C サーバが果たす役割はどれか。

ア 遠隔操作が可能なマルウェアに，情報収集及び攻撃活動を指示する。
イ 電子商取引事業者などに，偽のデジタル証明書の発行を命令する。
ウ 不正な Web コンテンツのテキスト，画像及びレイアウト情報を一元的に管理する。
エ 踏み台となる複数のサーバからの通信を制御し遮断する。

[平成29年度 秋期 基本情報技術者試験 午前 問36 一部改変]

問28 二つのLANセグメントを接続する装置Aの機能をTCP/IPの階層モデルで表すと図のようになる。この装置Aはどれか。

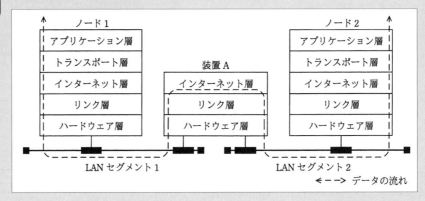

ア スイッチングハブ
イ ブリッジ
ウ リピータハブ
エ ルータ

[平成28年度 秋期 基本情報技術者試験 午前 問31]

問29 ネットワークトラフィックの経路を追跡し，パケットの経路情報について中継機器のアドレスなどを一覧で表示するコマンドはどれか。

新シラバス

ア arp
イ traceroute
ウ ipconfig
エ ping

[オリジナル問題]

解答・解説

問27 【技術要素】 **C&C サーバの役割**

ボット（BOT）とは，感染したコンピュータを乗っ取って遠隔操作を可能にするマルウェアのことです。ボットに感染した複数のコンピュータ（ゾンビコンピュータ）に情報収集や攻撃活動などの指令を送って遠隔操作するのがC&Cサーバで，ゾンビコ

ンピュータとともにボットネットを形成します。

ア 正解です。ボットネットにおけるC&Cサーバが果たす役割です。

イ C&Cサーバが果たす役割ではありません。デジタル証明書とは，インターネット上のデータのやりとりや取引で，偽造やなりすましを防ぎ正当性を保証する電子的な証明書で，認証局（CA）によって発行されます。デジタル証明書にはデー

タの正当性を保証するデジタル署名が添付されます。

デジタル証明書の導入によって可能となるのは次のことです。

- ・データ改ざんを検知できる
- ・公開鍵が正しいか確認できる
- ・認証局 (CA) を通して，データ作成者を証明することができる

ウ C&C サーバが果たす役割ではありません。

エ C&C サーバが果たす役割ではありません。踏み台攻撃とは，攻撃元の特定を困難にするため，中継サイトとして他のサイトやサーバなどを不正に利用することです。多くの場合，踏み台にされた側は，不正利用されていることに気づきません。

★★☆
問 28 [技術要素]
TCP/IP の階層モデル

TCP/IP の階層モデルと OSI 基本参照モデルの違いと，LAN セグメントを接続する装置についてまとめると次のようになります。

層	OSI基本参照モデル	TCP/IP階層モデル	機能
7	アプリケーション層	アプリケーション層 HTTP,POP3, SMTPなど	アプリケーション 間のやりとり
6	プレゼンテーション層		
5	セッション層		
4	トランスポート層	トランスポート層 TCP,UDP	プログラム間の 通信,通信制御
3	ネットワーク層	インターネット層 IP,ICMP,ARP	インターネット 通信
2	データリンク層	ネットワーク インターフェース層 Ethernet,PPPなど	同一ネットワーク 上の通信, ハードウェア仕様
1	物理層		

ア スイッチングハブ

OSI 基本参照モデル第2層のデータリンク層での接続装置です。受け取ったデータを MAC アドレスの宛先を基にして該当する機器のみに送信します。ブリッジと同等の機能を持ちます。

イ ブリッジ

OSI 基本参照モデル第2層のデータリンク層での接続装置です。転送先の MAC アドレスを基にして適切なポートにのみデータを中継します。

ウ リピータハブ

OSI 基本参照モデル第1層の物理層での接続装

置です。電気信号を再生増幅することによって伝送距離を延長する装置で，複数のポートを持ちます。1つのポートから受け取ったデータは他のポートに接続するすべての機器に送信します。

エ ルータ

OSI 基本参照モデル第3層のネットワーク層 (TCP/IP 階層モデルではインターネット層) での接続装置で，IP アドレスを基にしてデータを中継します。ルーティング機能によって，最適な経路選択ができます。また，不要パケットを配送しない，または特定パケットのみ配送する，パケットに対して何らかの制御を配送時に行うなどのフィルタリング機能を備えています。

設問の図で装置Aは，インターネット層でデータを中継していることから，**エ** の "ルータ" です。

★★★
問 29 [技術要素]
traceroute

ア arp

ARP (Address Resolution Protcol) テーブルの表示や設定を行うコマンドです。ARP は，イーサネット環境で，IP アドレスから対応する MAC アドレスを取得するために用いられるプロトコルです。

イ traceroute

正解です。traceroute は，ネットワークトラフィックの経路を追跡し，パケットの経路情報について中継機器のアドレスなどを一覧で表示するコマンドです。ルーティングやパフォーマンスの問題を特定し，ネットワーク構成を最適化するために使用します。

ウ ipconfig

TCP/IP の設定情報，IP アドレスや参照する DNS サーバなどの情報を確認することができるコマンドです。

エ ping

IP ネットワークにおいて，ICMP のエコー要求，エコー応答，到達不能メッセージなどによって，通信相手との接続性を確認するコマンドです。

解答 　　問27 **ア** 　　問28 **エ** 　　問29 **イ**

問30 攻撃者が用意したサーバXのIPアドレスが，A社WebサーバのFQDNに対応するIPアドレスとしてB社DNSキャッシュサーバに記憶された。これによって，意図せずサーバXに誘導されてしまう利用者はどれか。ここで，A社，B社の各従業員は自社のDNSキャッシュサーバを利用して名前解決を行う。

　　ア A社WebサーバにアクセスしようとするA社従業員
　　イ A社WebサーバにアクセスしようとするB社従業員
　　ウ B社WebサーバにアクセスしようとするA社従業員
　　エ B社WebサーバにアクセスしようとするB社従業員

[令和元年度 秋期 基本情報技術者試験 午前 問35]

問31 CAPTCHAの目的はどれか。

　　ア Webサイトなどにおいて，コンピュータではなく人間がアクセスしていることを確認する。
　　イ 公開鍵暗号と共通鍵暗号を組み合わせて，メッセージを効率よく暗号化する。
　　ウ 通信回線を流れるパケットをキャプチャして，パケットの内容の表示や解析，集計を行う。
　　エ 電子政府推奨暗号の安全性を評価し，暗号技術の適切な実装法，運用法を調査，検討する。

[平成31年度 春期 基本情報技術者試験 午前 問36]

問32 IDSの機能はどれか。

　　ア PCにインストールされているソフトウェア製品が最新のバージョンであるかどうかを確認する。
　　イ 検査対象の製品にテストデータを送り，製品の応答や挙動から脆弱性を検出する。
　　ウ サーバやネットワークを監視し，侵入や侵害を検知した場合に管理者へ通知する。
　　エ 情報システムの運用管理状況などの情報セキュリティ対策状況と企業情報を入力し，組織の情報セキュリティへの取組み状況を自己診断する。

[平成30年度 秋期 基本情報技術者試験 午前 問42]

解答・解説

問30 【技術要素】
DNSキャッシュポイズニング
`頻出`

　設問の攻撃はDNSキャッシュポイズニングです。これは，クライアントPCが参照するDNSキャッシュサーバに偽のドメイン情報を記憶させることにより，アクセスしたユーザを偽装されたWebサーバに誘導する手法です。

　DNS (Domain Name System/Service) は，ドメイン名とIPアドレスとの対応付け（名前解決）を行うプロトコルで，DNSキャッシュサーバでは，クライアントPCからの名前解決の問合せ結果を一定期間保存します。これにより同じ問い合わせに対して高速な名前解決ができます。

　FQDN (Fully Qualified Domain Name: 完全修飾ドメイン名) とは，ホスト名を含めたドメイン名表記の形式です。たとえば，「www.gihyo.jp」では，「www」がホスト名，「gihyo.jp」がドメイン名，

「www.gihyo.jp」がFQDNです。FQDNであれば，ホストを一つに限定できるので，そのホストのIPアドレスも一意に決めることができます。

問題文の状況では，

① 「A社WebサーバにアクセスしようとするB社従業員」は，B社DNSキャッシュサーバでA社Webサーバの名前解決をしようとします。

② このような問い合わせに対して，図のように「攻撃者が用意したサーバX」のIPアドレスの返答を受け取ります。

③ 受け取ったIPアドレスは，「A社のWebサーバ」ではなく「攻撃者のサーバX」ですので，B社の従業員は，意図せずに攻撃者のWebサーバXに誘導されてしまいます。

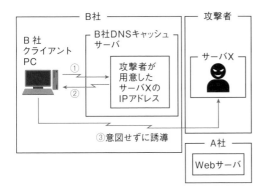

以上より，意図せずサーバXに誘導されてしまう利用者は**イ**の，「A社WebサーバにアクセスしようとするB社従業員」です。

問 **31** 【技術要素】 CAPTCHA　　頻出

CAPTCHA (Completely Automated Public Turing test to tell Computers and Humans Apart) とは，Webページの入力フォームなどで不正利用を防止するために使用される認証技術です。ゆがめたり一部を隠したりした画像から，人間が読み取ることが可能な文字を判読させて手動で入力させます。これにより，応答者が人間であってコンピュータのプログラムでないことを識別します。

ア 正解です。CAPTCHAに関する記述です。

イ ハイブリッド暗号方式に関する記述です。

ウ パケットキャプチャに関する記述です。

エ CRYPTREC (Cryptography Research and Evaluation Committees) に関する記述です。CRYPTRECとは，電子政府推奨暗号の安全性を評価・監視し，暗号技術の適切な実装法・運用法を調査・検討するプロジェクトのことです。

問 **32** 【技術要素】 IDSの機能

IDS (Intrusion Detection System：侵入検知システム) とは，ネットワークを監視し，不正な侵入やその兆候を検知した場合にネットワーク管理者に警告を通知するシステムです。

ア バージョンチェックツールに関する記述です。

イ ファジングに関する記述です。ファジングとは，検査対象の製品に問題を生ずる可能性のあるテストデータを送り，その応答や挙動を監視することで脆弱性を検出する手法です。

ウ 正解です。IDSに関する記述です。

エ 情報セキュリティ対策のためのベンチマークに関する記述です。

解答　　問30 **イ**　　問31 **ア**　　問32 **ウ**

問33

JIS Q 27000:2014（情報セキュリティマネジメントシステム―用語）において，"エンティティは，それが主張するとおりのものであるという特性"と定義されているものはどれか。

ア 真正性　　　**イ** 信頼性　　　**ウ** 責任追跡性　　　**エ** 否認防止

[平成30年度 春期 基本情報技術者試験 午前 問39]

問34

コンピュータやネットワークのセキュリティ上の脆弱性を発見するために，システムを実際に攻撃して侵入を試みる手法はどれか。

ア ウォークスルー　　　　　　　**イ** ソフトウェアインスペクション
ウ ペネトレーションテスト　　　**エ** リグレッションテスト

[平成29年度 秋期 基本情報技術者試験 午前 問45]

問35

1台のファイアウォールによって，外部セグメント，DMZ，内部セグメントの三つのセグメントに分割されたネットワークがある。このネットワークにおいて，Webサーバと，重要なデータをもつデータベースサーバから成るシステムを使って，利用者向けのサービスをインターネットに公開する場合，インターネットからの不正アクセスから重要なデータを保護するためのサーバの設置方法のうち，最も適切なものはどれか。ここで，ファイアウォールでは，外部セグメントとDMZとの間及びDMZと内部セグメントとの間の通信は特定のプロトコルだけを許可し，外部セグメントと内部セグメントとの間の直接の通信は許可しないものとする。

ア WebサーバとデータベースサーバをDMZに設置する。
イ Webサーバとデータベースサーバを内部セグメントに設置する。
ウ WebサーバをDMZに，データベースサーバを内部セグメントに設置する。
エ Webサーバを外部セグメントに，データベースサーバをDMZに設置する。

[平成29年度 春期 基本情報技術者試験 午前 問43]

解答・解説

問33 【技術要素】
JIS Q 27000:2014

　JIS Q 27000:2014とは，ISMSに関する用語および定義について規定した規格です。

　ISMS（Information Security Management System：情報セキュリティマネジメントシステム）とは，企業などが組織として守るべき情報資産のセキュリティレベルを定め，管理・運用していくための仕組みのことです。

　JIS Q 27000:2014では，「エンティティ」とは，「情報を使用する組織及び人，情報を扱う設備，ソフトウェア及び物理的媒体などを意味する」と定義されています。"実体"，"主体"ともいいます。

ア 真正性（authenticity）
　　正解です。真正性の項目において，「エンティティは，それが主張するとおりのものであるという特性」と定義されています。情報の使用者やシステム，ソフトウェアなどが，なりすましや偽ではなく正当なものであるということです。

イ 信頼性（reliability）
　　「意図する行動と結果とが一貫しているという特性」と定義されています。情報システムの処理に不具合がなく，期待する処理が確かに行われている特性のことです。

ウ 責任追跡性（accountability）
　　情報に対して行われた操作について，利用者と操作を一意に過去にさかのぼって特定し追跡で

きる特性のことです。

エ 否認防止 (non-repudiation)

「主張された事象又は処理の発生，及びそれを引き起こしたエンティティを証明する能力」と定義されています。操作や事象を証明でき，あとになって否認されないようにする能力のことです。

★★
★ **問 34** 【技術要素】
ペネトレーションテスト
頻出

ア ウォークスルー

ソフトウェアのレビュー方式のひとつです。作成者を含めた複数人の関係者が参加して会議形式で行います。レビュー対象となる成果物（作成された仕様書など）を作成者が説明し，参加者が質問やコメントをします。

イ ソフトウェアインスペクション

ソフトウェア開発の各工程で実際にプログラムを動かすテストより前の段階で実施するレビュー技法です。第三者によって仕様やソースコードを検証し，不備や欠陥などの問題点を洗い出します。モデレータと呼ばれる責任者が作業全体を統括し，参加者の選出や役割任命，チェックリストの作成，進行役などを務めます。参加者は明確な役割をもってチェックリストなどに基づいたコメントをし，正式な記録を残します。

ウ ペネトレーションテスト

正解です。ペネトレーションテスト（侵入テスト）とは，ネットワークに接続されているコンピュータシステムに対して，攻撃者の視点から実際に侵入を試みることで，セキュリティ上の脆弱性を発見する手法のひとつです。

エ リグレッションテスト

プログラムを変更したときに，その変更によって他の部分に予想外の影響が及んでいないかを確認するテストです。退行テスト，レグレッションテストともいいます。

★★
★ **問 35** 【技術要素】
不正アクセスからデータを
保護するサーバ設置方法
頻出

DMZ (DeMilitarized Zone) とは，外部セグメント（インターネット）や，内部セグメント（LAN）からも隔離された領域のことです。外部に公開す

るサーバ（たとえばWebサーバ，メールサーバ）をDMZに置いておけば，外部からの不正アクセスをファイアウォールによって遮断できます。また，万が一，DMZ内の公開サーバがウイルスに感染したり，乗っ取られてしまった場合でも，内部セグメント（LAN）にまで被害が及ぶことはありません。

[例] データベースサーバへのアクセス

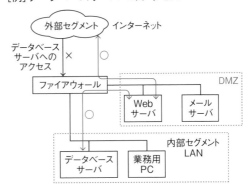

したがって，**ウ** の，外部に公開するWebサーバをDMZに，内部セグメントに重要なデータを持つデータベースサーバを設置する方法が最も適切です。

解答 問33 **ア** 問34 **ウ** 問35 **ウ**

問 36

リバースブルートフォース攻撃に該当するものはどれか

ア 攻撃者が何らかの方法で事前に入手した利用者IDとパスワードの組みのリストを使用して，ログインを試行する。

イ パスワードを一つ選び，利用者IDとして次々に文字列を用意して総当たりにログインを試行する。

ウ 利用者ID，及びその利用者IDと同一の文字列であるパスワードの組みを次々に生成してログインを試行する。

エ 利用者IDを一つ選び，パスワードとして次々に文字列を用意して総当たりにログインを試行する。

[令和元年度 秋期 情報セキュリティマネジメント試験 午前 問19]

問 37

PCのストレージ上の重要なデータを保護する方法のうち，ランサムウェア感染による被害の低減に効果があるものはどれか。

ア WORM (Write Once Read Many) 機能を有するストレージを導入して，そこに重要なデータをバックアップする。

イ ストレージをRAID5構成にして，1台のディスク故障時にも重要なデータを利用可能にする。

ウ 内蔵ストレージを増設して，重要なデータを常時レプリケーションする。

エ ネットワーク上のストレージの共有フォルダをネットワークドライブに割り当てて，そこに重要なデータをバックアップする。

[令和5年度 秋期 応用情報技術者試験 午前 問43]

問 38

開発プロセスにおいて，ソフトウェア方式設計で行うべき作業はどれか。

ア 顧客に意見を求めて仕様を決定する。

イ ソフトウェア品目に対する要件を，最上位レベルの構造を表現する方式であって，かつ，ソフトウェアコンポーネントを識別する方式に変換する。

ウ プログラムを，コード化した1行の処理まで明確になるように詳細化する。

エ 要求内容を図表などの形式でまとめ，段階的に詳細化して分析する。

[平成30年度 春期 基本情報技術者試験 午前 問47]

問**36** 【技術要素】
リバースブルートフォース攻撃 新シラバス

ア パスワードリスト攻撃に関する記述です。アカウント認証情報 (IDやパスワード) を, 別のシステムでも使いまわしている利用者のアカウントを乗っ取る攻撃を指します。

イ 正解です。リバースブルートフォース攻撃とは, IDのリストを元に, よく使われるパスワード (たとえば「123456」「password」など) を組み合わせて総当たり的にログインを試みる攻撃です。IDを固定してパスワードを総当たりするブルートフォース攻撃とは反対に, パスワードを固定してIDを総当たりするのが特徴です。

ウ ジョーアカウント攻撃に関する記述です。IDとパスワードを同じ文字列で設定しているアカウントを狙って, 不正ログインを試みる攻撃です。このような攻撃を防ぐために, IDとパスワードに同じ文字列を設定できないような対策を行っているWebサイトもあります。

エ ブルートフォース攻撃 (総当たり攻撃) に関する記述です。暗号解読方法のひとつで, 不正に取得したい秘密の情報 (たとえば, パスワード) について, 考えられるすべてのパターンを片っ端から試してみる方法です。

問**37** 【技術要素】
WORM (Write Once Read Many) 法 新シラバス

ランサムウェアとは, 感染したPCのデータを暗合化して使用不能にした上で, その解除と引き換えに (身代金として) 金品の要求を行うマルウェアのことです。

ア 正解です。WORM (Write Once Read Many) は, 一度書き込まれたデータは書換えや消去ができないようにする記録方式を指します。書き込まれたデータは読出し専用の状態になり, 追記は新たなデータのみが可能です。WORM機能を有する記憶媒体に保存されたデータは書換えができないので, ランサムウェアによる暗号化を防ぐことができます。

イ RAID5は, 複数台のHDD等に分散して格納され, パリティ (誤り訂正符号) データを生成して保存します。パリティデータはエラーを修復するためのデータのことで, 1台のHDD等が故障した場合でも, パリティ値から元のデータを復元できます。しかし, ランサムウェアによってディスク内のファイルが暗号化されると, パリティビットは暗号化されたデータの冗長ビットに変わるため, データを復元することができなくなります。したがって, RAID5は, ランサムウェア対策のバックアップとしては使うことができません。

ウ ランサムウェアは, 感染したPCに接続されている記憶媒体上のすべてのデータを暗号化しようとします。したがって, 内蔵ストレージ内のレプリケーション (複製) も暗号化されてしまうため効果はありません。

エ ランサムウェアは, 感染したPCからネットワークを介してアクセスできる外付け記憶媒体, 共有フォルダ, ファイルサーバなどにあるデータも暗号化しようとします。よって, ネットワークストレージの共有フォルダに保存したバックアップは, 暗号化されてしまうため効果はありません。

問**38** 【開発技術】
ソフトウェア方式設計 頻出

ソフトウェア方式設計では主に, 次のような作業を行います。

①ソフトウェア構造とコンポーネントの方式設計
②外部, コンポーネット間のインタフェースの方式設計
③データベースの最上位レベルの設計
④ソフトウェア結合のための要求事項の定義
⑤ソフトウェア方式設計の評価

ア システム要件定義で行う作業の記述です。

イ 正解です。ソフトウェア方式設計で行うべき作業の記述です。

ウ ソフトウェア詳細設計で行う作業の記述です。

エ ソフトウェア要件定義で行う作業の記述です。

解答 問36 **イ**　　問37 **ア**　　問38 **イ**

問39

オブジェクト指向の基本概念の組合せとして，適切なものはどれか。

ア 仮想化，構造化，投影，クラス
イ 具体化，構造化，連続，クラス
ウ 正規化，カプセル化，分割，クラス
エ 抽象化，カプセル化，継承，クラス

[平成29年度 春期 基本情報技術者試験 午前 問48]

問40

条件に従うとき，アプリケーションプログラムの初年度の修正費用の期待値は，何万円か。

〔条件〕
(1) プログラム規模：2,000k ステップ
(2) プログラムの潜在不良率：0.04件／k ステップ
(3) 潜在不良の年間発見率：20%／年
(4) 発見した不良の分類
　　影響度大の不良：20%，影響度小の不良：80%
(5) 不良1件当たりの修正費用
　　影響度大の不良：200万円，影響度小の不良：50万円
(6) 初年度は影響度大の不良だけを修正する

ア 640　　　　　イ 1,280　　　　ウ 1,600　　　　エ 6,400

[平成31年度 春期 基本情報技術者試験 午前 問49]

問41

ソフトウェア開発において，構成管理に起因しない問題はどれか。

ア 開発者が定められた改版手続に従わずにプログラムを修正したので，今まで正しく動作していたプログラムが，不正な動作をするようになった。
イ システムテストにおいて，単体テストレベルのバグが多発して，開発が予定どおりに進捗しない。
ウ 仕様書，設計書及びプログラムの版数が対応付けられていないので，プログラム修正時にソースプログラムを解析しないと，修正すべきプログラムが特定できない。
エ 一つのプログラムから多数の派生プログラムが作られているが，派生元のプログラムの修正が全ての派生プログラムに反映されない。

[平成28年度 春期 基本情報技術者試験 午前 問50]

★★★ 問39 【開発技術】 オブジェクト指向の基本概念 頻出

オブジェクト指向には，次のような基本概念があります。

用語整理 オブジェクト指向

● 抽象化

物事の共通点を抜き出し，概念を作ることです。

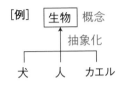

[例] 生物 概念

抽象化

犬　人　カエル

● カプセル化

データ（属性）とメソッド（手続）を一つのオブジェクトにして，外部にはオブジェクトにアクセスするためのメソッドだけを公開し，オブジェクトの実装の詳細をユーザから見えなくすることをいいます。

● 継承

クラス同士の包含関係において，親のクラスで指定された性質が子のクラスに引き継がれることです。

● クラス

オブジェクトを抽象化した対象をいいます。

ア～ウは，オブジェクト指向の基本概念以外の用語が組み合わされているので，不適切です。

★★★ 問40 【開発技術】 修正費用の期待値 パズル

与えられた〔条件〕の意味を理解することで解くことができます。

① (1)，(2) より，潜在不良の件数を求めます。

2,000（kステップ）× 0.04（件／kステップ）
＝ 80 件

② (3) より，潜在不良の年間発見件数を求めます。

80（件）× 0.2 ＝ 16 件

③ (4) より，影響度大の不良の件数を求めます。

16（件）× 0.2 ＝ 3.2 件

④ (5) より，影響度大の不良の修正費用を求めます。

3.2（件）× 200（万円）＝ 640 万円　（答）

★★★ 問41 【開発技術】 構成管理 頻出

SCM（Software Configuration Management：ソフトウェア構成管理）とは，ソースコードや文書などの変更履歴を管理して，任意のバージョンを再現可能とすることです。

ア 開発者が定められた改版手続に従わずにプログラムを修正したので，修正したプログラムが不正な動作をするようになってしまいました。このことから，修正方法が正しく行われなかったといえます。よって，構成管理に起因した問題といえます。

イ 正解です。構成管理に起因する問題は，修正・変更作業に関連しています。単体テストレベルのバグの多発は，修正・変更作業ではありませんから，構成管理に起因しない問題です。

ウ 仕様書，設計書，マニュアル類が計画的に管理されていないために発生する問題です。よって，構成管理に起因した問題です。

エ プログラム間の関係記録が不明確であるために発生する問題です。よって，構成管理に起因した問題です。

解答　　問39 **エ**　　問40 **ア**　　問41 **イ**

問 42 二つのアクティビティが次の関係にあるとき，論理的な依存関係はどれか。

"システム要件定義プロセス"が完了すれば，"システム方式設計プロセス"が開始できる。

ア FF関係（Finish-to-Finish）
イ FS関係（Finish-to-Start）
ウ SF関係（Start-to-Finish）
エ SS関係（Start-to-Start）

[令和元年度 秋期 基本情報技術者試験 午前 問51]

問 43 ソフトウェア開発プロジェクトにおいてWBS（Work Breakdown Structure）を使用する目的として，適切なものはどれか。

ア 開発の期間と費用がトレードオフの関係にある場合に，総費用の最適化を図る。
イ 作業の順序関係を明確にして，重点管理すべきクリティカルパスを把握する。
ウ 作業の日程を横棒（バー）で表して，作業の開始時点や終了時点，現時点の進捗を明確にする。
エ 作業を階層的に詳細化して，管理可能な大きさに細分化する。

[平成30年度 秋期 基本情報技術者試験 午前 問51]

解答・解説

問 42 【プロジェクトマネジメント】
プレジデンスダイアグラム法（PDM） 頻出

アクティビティの論理的な依存関係を表すプレジデンスダイアグラム法（PDM）の問題です。

プレジデンスダイアグラム法（PDM：Precedence Diagramming Method）とは，アクティビティ（作業）をノード（要素）と呼ばれる四角形で表し，その作業順序や依存関係を矢印で示す図です。次の4つの関係を扱うことができます。

・終了-開始関係（FS）
例 「受付」が終了したら，「試験」を開始する

開始　　終了
| 受付 |

| 試験 |

・開始-開始関係（SS）
例 「受付」を開始したら，「試験」を開始する

| 受付 |

| 試験 |

・開始-終了関係（SF）
例 「試験」を開始したら，「受付」を終了する

・終了-終了関係（FF）
例 「受付」が終了したら，「試験」を終了する

また2つのアクティビティ間の時間のずれをラグ（後続作業の待ち時間）やリード（後続作業の前倒し）で表して把握します。

設問文「"システム要件定義プロセス"が完了すれば，"システム方式設計プロセス"が開始できる。」では，完了（Finish）が，開始（Start）の条件となっているので，イのFS関係（Finish-to-Start）が該当します。

WBSとは、プロジェクトを完了するために必要な作業をトップダウン的に洗い出し、階層構造化したものです。作業を階層に細かく分解して、管理をしやすくします。

ア EVM (Earned Value Management) に関する記述です。EVMでは、プロジェクト全体を細かい作業に分割した図を作成します。現時点の進捗を基にして、プロジェクトの発生時期や発生工数を推定できます。

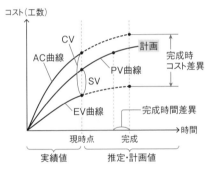

値

- **出来高計画値 (PV)**
  各工程で必要な予定工数
- **出来高実績値 (EV)**
  実際に完成した成果物・実績値
- **投入実績値 (AC)**
  原材料など、実際の投入実績値

推定

- **スケジュール差異 (SV)**
  スケジュールのずれを表す
  SV＝EV－PV
- **コスト差異**
  工数 (コスト) のずれを表す
  CV＝EV－AC

イ アローダイアグラム (PERT図) に関する記述です。プロジェクトをいくつかの作業要素の集まりとみなし、矢印で表すことで、計画の進捗管理を行います。

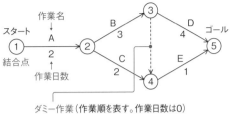

ダミー作業 (作業順を表す。作業日数は0)
作業Bが終わっていないと作業Eを開始できない

ウ ガントチャートに関する記述です。ガントチャートとは、作業日程などの進捗状況を管理するための表のことで、工程別の日程について、予定と実績を対比することができます。日程の遅れや問題点などがチェックできます。

	4 月	5 月	6 月
基本計画			
見積り			
詳細調査			

☐ 予定
☐ 実績

エ 正解です。

解答 問42 **イ** 　　問43 **エ**

試験対策の要点

令和6年度 科目A 科目B

対策問題① 科目A 科目B

対策問題② 科目A 科目B

対策問題③ 科目A 科目B

問44 あるプロジェクトの工数配分は表のとおりである。基本設計からプログラム設計までは計画どおり終了した。現在はプログラミング段階であり，3,000本のプログラムのうち1,200本が完成したところである。プロジェクト全体の進捗度は何％か。ここで，各プログラムの開発工数は，全て等しいものとする。

基本設計	詳細設計	プログラム設計	プログラミング	テスト
0.08	0.16	0.20	0.25	0.31

ア 40　　　　イ 44　　　　ウ 54　　　　エ 59

[平成30年度 春期 基本情報技術者試験 午前 問52]

問45 情報システムの安全性や信頼性を向上させる考え方のうち，フェールセーフはどれか。

ア システムが部分的に故障しても，システム全体としては必要な機能を維持する。
イ システム障害が発生したとき，待機しているシステムに切り替えて処理を続行する。
ウ システムを構成している機器が故障したときは，システムが安全に停止するようにして，被害を最小限に抑える。
エ 利用者が誤った操作をしても，システムに異常が起こらないようにする。

[平成27年度 秋期 基本情報技術者試験 午前 問56]

問46 ITILでは，可用性管理における重要業績評価指標（KPI）の例として，保守性を表す指標値の短縮を挙げている。この指標に該当するものはどれか。

ア 一定期間内での中断の数
イ 平均故障間隔
ウ 平均サービス回復時間
エ 平均サービス・インシデント間隔

[平成27年度 春期 基本情報技術者試験 午前 問56]

★★☆
問 **44** 【プロジェクトマネジメント】
プロジェクト進捗度

パズル

プロジェクト全体の工数配分と，進捗は次のようになっています。

①基本設計　　　　0.08 ……作業完了
②詳細設計　　　　0.16 ……作業完了
③プログラム設計　0.20 ……作業完了
④プログラミング

$$0.25 \times \frac{1200}{3000}$$ ……作業完了

⑤テスト　　　　　0.31 ……未処理

総和が全体の進捗度

プログラミングは，3000本中1200本完成です。そして，全体（全体が1です）から見て0.25の工程なので，プログラミングの進捗度は上のような計算になります。

したがって，プロジェクト全体の進捗度は，次のように計算できます。

$$0.08 + 0.16 + 0.20 + (0.25 \times \frac{1200}{3000}) = 0.54$$

100％表示にするために100を掛けます。
0.54 × 100 ＝ 54％（答）

★★☆
問 **45** 【サービスマネジメント】
フェールセーフ

ア フェールソフトに関する記述です。フェールソフトとは，障害発生時には継続性を最優先し，縮退運転で動作させる考え方です。縮退運転とは，システム全体を停止させずに，一部機能を切り離すなどして稼働を続けることです。フェールソフトの例としては，クラスタ構成のシステムがあります。あるサーバが動作しなくなった場合でも，他のサーバでアプリケーションを引き継いで機能を提供します。

イ デュプレックスシステムに関する記述です。デュプレックスシステムとは，システムが部分的に故障しても，待機しているシステムに切り替えて処理を続行するシステムです。たとえば，オンライン処理を行う現用系と，バッチ処理などを行い

ながら待機させる待機系システムを用意し，現用系に障害が発生した場合は，待機系に切り替え，オンライン処理を続行できるようにします。

ウ 正解です。フェールセーフに関する記述です。フェールセーフとは，障害発生時には安全性を最優先し，被害を最小限にする考え方です。フェールセーフの例としては，異常動作の信号を検知したときに，自動的に停止するなどがあります。

エ フールプルーフに関する記述です。フールプルーフとは，利用者が誤った使い方をしても危険が生じない，もしくは誤った使い方ができないように設計する考え方です。フールプルーフの例としては，ドアが閉まらないと動作しないエレベータなどがあります。

★★☆
問 **46** 【サービスマネジメント】
可用性管理

ITIL（IT Infrastructure Library）とは，ITサービスの管理・運用に関する体系的なガイドラインです。可用性管理とは，ITサービスが必要なときに必要なだけユーザに提供できるようにシステムとマンパワーの維持管理を行うプロセスのことで，これによりITサービスの可用性，信頼性，保守性を実現します。保守性とは，ITサービスに障害が発生したときに，できるだけ早く通常の稼働状況に回復させる能力のことです。

ア 一定期間内での中断の数は，可用性を表す指標です。

イ 平均故障間隔（MTBF：Mean Time Between Failure）は，信頼性を表す指標です。

ウ 正解です。平均サービス回復時間は，保守性を表す指標に該当します。

エ 平均サービス・インシデント間隔（MTBSI：Mean Time Between System Incidents）とは，ITサービスやシステムの障害発生から，次の障害発生のまでの平均時間のことです。信頼性を表す指標です。

解答　　問44 **ウ**　　問45 **ウ**　　問46 **ウ**

問47 "システム管理基準"によれば，情報戦略策定段階の成果物はどれか。

ア 関連する他の情報システムと役割を分担し，組織体として最大の効果を上げる機能を実現するために，全体最適化計画との整合性を考慮して策定する開発計画

イ 経営戦略に基づいて組織体全体で整合性及び一貫性を確保した情報化を推進するために，方針及び目標に基づいて策定する全体最適化計画

ウ 情報システムの運用を円滑に行うために，運用設計及び運用管理ルールに基づき，さらに規模，期間，システム特性を考慮して策定する運用手順

エ 組織体として一貫し，効率的な開発作業を確実に遂行するために，組織体として標準化された開発方法に基づいて策定する開発手順

[平成28年度 春期 基本情報技術者試験 午前 問63]

問48 システム監査人が実施するヒアリングに関する記述のうち，最も適切なものはどれか。

ア 監査業務を経験したことのある被監査部門の管理者をヒアリングの対象者として選ぶ。

イ ヒアリングで被監査部門から得た情報を裏付けるための文書や記録を入手するよう努める。

ウ ヒアリングの中で気が付いた不備事項について，その場で被監査部門に改善を指示する。

エ 複数人でヒアリングを行うと記録内容に相違が出ることがあるので，1人のシステム監査人が行う。

[平成29年度 秋期 基本情報技術者試験 午前 問59]

問47 【システム戦略】 システム管理基準 〔頻出〕

システム管理基準とは，経営戦略に基づいた情報戦略を立案し，効果的な情報システム投資とリスクを低減するためのコントロールを適切に整備，運用するための事項をとりまとめたもので，次の6つの業務別に分類されています。

参考　システム管理基準

1. 全体最適化

　全体最適化の方針・目標，全体最適化計画の承認・策定・運用，組織体制，情報化投資，情報資産管理の方針，事業継続計画，コンプライアンス

2. 企画業務

　開発計画，分析，調達

3. 開発業務

　開発手順，システム設計，プログラム設計，プログラミング，システムテスト・ユーザ受入れテスト，移行

4. 運用業務

　運用管理ルール，運用管理，入力管理，データ管理，出力管理，ソフトウェア管理，ハードウェア管理，ネットワーク管理，構成管理，建物・関連設備管理

5. 保守業務

　保守手順，保守計画，保守の実施，保守の確認，移行，情報システムの廃棄

6. 共通業務

　ドキュメント管理，進捗管理，品質管理，人的資源管理，委託・受託，変更管理，災害対策

（出典：経済産業省「システム管理基準」）

ア 「2. 企画業務」の成果物に関する記述です。

イ 正解です。情報戦略策定段階の成果物に関する記述です。情報戦略策定段階は，「1. 全体最適化」のなかのひとつの段階です。

ウ 「4. 運用業務」の成果物に関する記述です。

エ 「3. 開発業務」の成果物に関する記述です。

問48 【サービスマネジメント】 システム監査で実施するヒアリング

システム監査とは，監査対象から独立かつ客観的立場のシステム監査人が情報システムを総合的に点検及び評価し，組織体の長に助言及び勧告するとともにフォローアップする一連の活動です。

また，システム監査の目的は，組織体の情報システムにまつわるリスクに対するコントロールがリスクアセスメントに基づいて適切に整備・運用されているかを，独立かつ専門的な立場のシステム監査人が検証または評価することによって，保証を与えあるいは助言を行い，もってITガバナンスの実現に寄与することです。

システム監査の基本的事項を定めたものがシステム監査規程です。具体的な内容としては，システム監査実施要領，システム監査報告要領，チェックリストドキュメントの様式例などからなります。

なお内部監査におけるシステム監査規程は，経営者が主導して実施し，最終的な承認者となります。

システム監査人は，被監査組織から独立した（利害関係のない）人物である必要があります。自分の部門についてヒアリングすることは，独立性が保たれていない状態といえます。

ア 監査人の独立性の観点から，監査人は監査対象部門と関係のない第三者とする必要があります。被監査部門のメンバにヒアリングするのでは独立性が保たれているとはいえません。

イ 正解です。

ウ 監査依頼者が監査報告に基づく改善指示を行えるように，システム監査人は監査結果を監査依頼者に報告します。被監査部門に改善を指示するのは監査依頼者であり，システム監査人ではありません。

エ 複数のシステム監査人によるヒアリングであっても，ヒアリング内容を統一することで，記録内容の相違も少なくなります。必ずしも1人のシステム監査人によってヒアリングを行うことが適切とはいえません。

解答　問47 イ　　問48 イ

問49 ★★☆

エンタープライズアーキテクチャの"四つの分類体系"に含まれるアーキテクチャは，ビジネスアーキテクチャ，テクノロジアーキテクチャ，アプリケーションアーキテクチャともう一つはどれか。

- **ア** システムアーキテクチャ
- **イ** ソフトウェアアーキテクチャ
- **ウ** データアーキテクチャ
- **エ** バスアーキテクチャ

[平成28年度 春期 基本情報技術者試験 午前 問62]

問50 ★★☆

電化製品に搭載する部品を試作するとき，全体のコストが最も安くなる開発方法はどれか。ここで，各工程の工期は，作成工程が6か月，改造工程が3か月，評価工程が2か月とする。また，1人月当たりのコストは，作成工程が60万円，改造工程及び評価工程がそれぞれ100万円とする。ただし，人月コスト，購入費及び委託費の三つ以外のコストは考慮しない。

	開発方法	購入費（万円）	委託費（万円）	月当たりの人数（人）		
				作成工程	改造工程	評価工程
ア	サンプルを購入して社内で改造	2,000	0	0	4	1
イ	社外に一括委託	0	3,500	0	0	0
ウ	社内資産を改造	0	0	0	10	3
エ	社内で新規作成	0	0	10	0	2

[平成29年度 秋期 基本情報技術者試験 午前 問66]

問51 ★★☆

RFIに回答した各ベンダに対してRFPを提示した。今後のベンダ選定に当たって，公正に手続を進めるためにあらかじめ実施しておくことはどれか。

- **ア** RFIの回答内容の評価が高いベンダに対して，選定から外れたときに備えて，再提案できる救済措置を講じておく。
- **イ** 現行のシステムを熟知したベンダに対して，RFPの要求事項とは別に，そのベンダを選定しやすいように評価を高くしておく。
- **ウ** 提案の評価基準や要求事項の適合度への重み付けをするルールを設けるなど，選定の手順を確立しておく。
- **エ** ベンダ選定後，迅速に契約締結をするために，RFPを提示した全ベンダに内示書を発行して，契約書や作業範囲記述書の作成を依頼しておく。

[平成28年度 秋期 基本情報技術者試験 午前 問66]

解答・解説

問49 【システム戦略】
エンタープライズアーキテクチャ 頻出

エンタープライズアーキテクチャ（EA：Enterprise Architecture）とは，組織全体の業務とシステムを統一的な手法でモデル化した組織の設計・管理手法です。エンタープライズアーキテクチャの目的は，業務とシステムを同時に改善することです。

エンタープライズアーキテクチャは一般に次の4つのカテゴリに分類されます。

① ビジネスアーキテクチャ（BA）

業務機能の構成。

機能構成図（DMM），機能情報関連図（DFD）などが作成されます。

② データアーキテクチャ（DA）

業務機能に使われる情報の構成。

実体関連ダイアグラム（ERD），データ定義表などが作成されます。

③ アプリケーションアーキテクチャ（AA）

業務機能と情報の流れをまとめたサービスの固まりの構成。

情報システム関連図，情報システム機能構成図などが作成されます。

④ テクノロジアーキテクチャ（TA）

各サービスを実現するためのテクノロジの構成。

ネットワーク構成図，ソフトウェア構成図などが作成されます。

よって，**ウ** が正解です。

ア システムアーキテクチャ

システムに要求される目標を効率的にクリアするためのシステム設計，サブシステム間の関係全体を指す用語です。

イ ソフトウェアアーキテクチャ

ソフトウェアに必要とされる要件を満たす機能を持つソフトウェア設計のことです。

エ バスアーキテクチャ

バス（コンピュータ内部のデータなどの転送路のこと）に関する基本設計思想のことです。

問 **50** 【システム戦略】 コストの算出 ［パズル］

選択肢のコストを計算すると次のようになります。

ア

・購入費 ＝2,000万円
・改造工程 4人×3か月×100万円 ＝1,200万円
・評価工程 1人×2か月×100万円 ＝200万円

計 3,400万円

イ

・委託費 計 3,500万円

ウ

・改造工程 10人×3か月×100万円 ＝3,000万円
・評価工程 3人×2か月×100万円 ＝600万円

計 3,600万円

エ

・作成工程 10人×6か月×60万円 ＝3,600万円
・評価工程 2人×2か月×100万円 ＝400万円

計 4,000万円

以上 **ア**～**エ** を比べると，全体のコストが最も安くなるのは **ア** の3,400万円です。

よって，答えは **ア** です。

問 **51** 【システム戦略】 RFI，RFP

RFI（Requset For Information：情報提供依頼書）とは，発注先候補のベンダ等に，（ベンダ選定の際に必要となる）情報の提供を依頼する文書のことです。

RFP（Request For Proposal：提案依頼書）とは，発注候補の業者に具体的な提案を依頼する文書のことです。RFPには，ベンダ選定の際に必要となる調達条件やシステム概要，要件などが記述されています。

設問文「今後のベンダ選定に当たって，公正に手続を進めるためにあらかじめ実施しておくことはどれか」より，発注先のベンダを公正に選定するために実施すべきことは何なのかという観点で選択肢を検討します。

ア RFIの回答内容の評価が高いベンダといえども，「再提案できる救済措置を講じておく」点で特定のベンダーに対して有利な条件であるため，公正な手続きとはいえません。

イ 「ベンダを選定しやすいように…」という点で特定のベンダーに対して有利な条件であるため，公正な手続きとはいえません。

ウ 正解です。

エ 選定前にベンダに内示書を発行した（内示を与えた）時点で，契約交渉が公正とはいえません。

解答　問49 **ウ**　　問50 **ア**　　問51 **ウ**

問52 コンジョイント分析の説明はどれか。

新シラバス

ア 顧客ごとの売上高，利益額などを高い順に並べ，自社のビジネスの中心をなしている顧客を分析する手法

イ 商品がもつ価格，デザイン，使いやすさなど，購入者が重視している複数の属性の組合せを分析する手法

ウ 同一世代は年齢を重ねても，時代が変化しても，共通の行動や意識を示すことに注目した，消費者の行動を分析する手法

エ ブランドがもつ複数のイメージ項目を散布図にプロットし，それぞれのブランドのポジショニングを分析する手法

[令和4年度 秋期 応用情報技術者試験 午前 問69]

問53 技術経営におけるプロダクトイノベーションの説明として，適切なものはどれか。

ア 新たな商品や他社との差別化ができる商品を開発すること

イ 技術開発の成果によって事業利益を獲得すること

ウ 技術を核とするビジネスを戦略的にマネジメントすること

エ 業務プロセスにおいて革新的な改革をすること

[令和元年度 秋期 基本情報技術者試験 午前 問68]

問54 IoTの応用事例のうち，HEMSの説明はどれか。

ア 工場内の機械に取り付けたセンサで振動，温度，音などを常時計測し，収集したデータを基に機械の劣化状態を分析して，適切なタイミングで部品を交換する。

イ 自動車に取り付けたセンサで車両の状態，路面状況などのデータを計測し，ネットワークを介して保存し分析することによって，効率的な運転を支援する。

ウ 情報通信技術や環境技術を駆使して，街灯などの公共設備や交通システムをはじめとする都市基盤のエネルギーの可視化と消費の最適制御を行う。

エ 太陽光発電装置などのエネルギー機器，家電機器，センサ類などを家庭内通信ネットワークに接続して，エネルギーの可視化と消費の最適制御を行う。

[平成31年度 春期 基本情報技術者試験 午前 問71]

問55 CGM (Consumer Generated Media) の説明はどれか。

ア オークション形式による物品の売買機能を提供することによって，消費者同士の個人売買の仲介役を果たすもの

イ 個人が制作したディジタルコンテンツの閲覧者・視聴者への配信や利用者同士の共有を可能とするもの

ウ 個人商店主のオンラインショップを集め，共通ポイントの発行やクレジットカード決済を代行するもの

エ 自社の顧客のうち，希望者をメーリングリストに登録し，電子メールを通じて定期的に情報を配信するもの

[平成29年度 春期 基本情報技術者試験 午前 問73]

解答・解説

★★★ 問52 【経営戦略】コンジョイント分析
新シラバス

ア パレート分析に関する記述です。この分析で用いられるパレート図は，特定のデータの件数を原因などの分類項目に分け，大きい順に並べた棒グラフとそれらの累積和を折れ線グラフで表したものです。

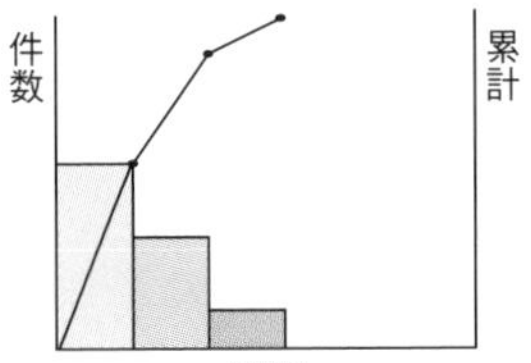

イ 正解です。コンジョイント分析は，ある商品について，どの要素（価格，機能，デザインなど）が，どれくらい顧客の購入意思に影響しているのかを定量的に確かめるための手法です。分析の結果によって，優先すべき要素の組合せを明らかにすることができます。

ウ コーホート分析に関する記述です。分析対象者を「同世代の人の生活様式や，行動・意識」などによってグループ分けし，そのグループごとに行動を調査する手法です。

エ コレスポンデンス分析に関する記述です。データ解析手法のひとつで，調査結果を散布図にして見やすくします。

★★★ 問53 【経営戦略】プロダクトイノベーション

プロダクトイノベーションとは，他社が作れないような革新的な新製品を開発するといった，技術開発の成果そのものに関する技術革新のことです。

ア 正解です。「新たな商品や他社との差別化ができる商品を開発すること」は，プロダクトイノベーションに該当します。

イ 技術経営（MOT：Management Of Technology）に関する記述です。技術開発や技術革新などを経営戦略に結びつけて，事業利益を獲得していくことです。

ウ 技術戦略マネジメントに関する記述です。

エ プロセスイノベーションに関する記述です。製品やサービスの製造や提供などの業務の工程（プロセス）で革新的な改革を行うことです。

★★★ 問54 【経営戦略】HEMS

HEMS（Home Energy Management System：住宅用エネルギー管理システム）とは，家庭で使うエネルギーを節約するための管理システムです。複数の家電製品をネットワークでつないで，電力を可視化し最適制御を行います。

日本政府は，2030年までに全家庭にHEMSを設置することを目指しています。

ア 予知の保全に関する記述です。

イ 先進運転支援システム（ADAS：Advanced Driver-Assistance Systems）に関する記述です。

ウ スマートシティに関する記述です。

エ 正解です。HEMSに関する記述です。

★★★ 問55 【経営戦略】CGM
頻出

CGM（Consumer Generated Media）とは，個人が，自ら使用した商品やサービスなどの評価に関する情報を不特定多数に向けて発信したり，個人が制作したディジタルコンテンツの閲覧者・視聴者への配信や利用者同士の共有を可能とするものをいいます。CGMの例として，ブログやSNS，写真・動画共有サイト，Webの口コミサイトなどがあります。

ア ネットオークションなどに関する記述です。

イ 正解です。CGMに関する記述です。

ウ 楽天市場やYahoo!ショッピングのようなバーチャルモールに関する記述です。

エ メールマガジンなど，電子メールを通じた自社商品の広告，情報を配信するサービスに関する記述です。

解答

問52 イ　問53 ア
問54 エ　問55 イ

問 56 生成AIが，学習データの誤りや不足などによって，事実とは異なる情報や無関係な情報を，もっともらしい情報として生成する事象を指す用語として，最も適切なものはどれか。

新シラバス

ア アノテーション
イ ディープフェイク
ウ バイアス
エ ハルシネーション

[IT パスポート試験 生成AIに関するサンプル問題 (2023年8月31日掲載) 問2]

問 57 図は特性要因図の一部を表したものである。a，bの関係はどれか。

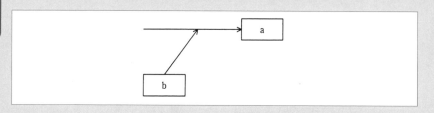

ア bはaの原因である。　　　イ bはaの手段である。
ウ bはaの属性である。　　　エ bはaの目的である。

[平成31年度 春期 基本情報技術者試験 午前 問77]

問 58 ある商品の前月繰越と受払いが表のとおりであるとき，先入先出法によって算出した当月度の売上原価は何円か。

日付	摘要	受払個数		単価
		受入	払出	（円）
1日	前月繰越	100		200
5日	仕入	50		215
15日	売上		70	
20日	仕入	100		223
25日	売上		60	
30日	翌月繰越		120	

ア 26,290
イ 26,450
ウ 27,250
エ 27,586

[平成30年度 秋期 基本情報技術者試験 午前 問77]

解答・解説

問 56 【経営戦略】
ハルシネーション

新シラバス

ア アノテーション
　元のプログラムやデータに指示や情報を付け加えることを指します。AI分野では特に，画像・映像・テキスト・音声などのデータに情報を付加するプロセスをアノテーションと呼びます。アノテーションされたデータは教師データといい，AIの機械学習に利用されます。

イ ディープフェイク
　「深層学習 (deep learning)」と「偽物 (fake)」を

組み合わせた言葉で，画像や動画などを人工的に合成するAI技術を指します。あたかも本物のように見せかけて相手を騙すために悪用される事例が問題となっており，現代におけるセキュリティリスクのひとつといえます。

ウ バイアス

先入観や偏見による偏りを指します。AIの領域では，出力される結果が社会的・文化的バイアスを帯びる可能性があることが問題になります。

エ ハルシネーション

正解です。ハルシネーションとは，学習データの誤りや不足などによって，生成AIが事実とは異なる情報や無関係な情報を，もっともらしい情報として生成してしまう現象を指します。

問 **57** 【企業と法務】
特性要因図

頻出

特性要因図とは，結果（特性）と，それに影響を及ぼす原因（要因）との関連を整理してまとめたものです。

設問の図では，bはaの原因になっています。

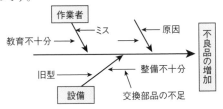

試験対策の要点

令和6年度 科目A 科目B

対策問題① 科目A 科目B

対策問題② 科目A 科目B

対策問題③ 科目A 科目B

問 **58** 【企業と法務】
先入先出法による売上原価

頻出

先入先出法とは，先に受け入れた商品から先に払い出すという算出方法です。つまり，「先に仕入れた古いものから先に売る」方式です。

設問の表で算出します。

日付	古←　商品　→新	説明
1日	100コ 単価200円	前月繰越で単価200円の商品100個受入れました
5日	古 100コ 単価200円　新 50コ 単価215円	単価215円の商品50個受入れました・単価200円,100個は古い商品・単価215円,50個は新しい商品・注意
15日	売上 70コ×200円 =14000円 ① 古 70コ 30コ 残 単価200円　新 50コ 単価215円	先入先出なので,古い単価200円,100個の商品のうち70個を払出します・単価200円の商品の残りは30個です
20日	一番古い 30コ 単価200円　次に古い 50コ 単価215円　新 100コ 単価223円	単価223円,100個を受入
25日	売上 60コ (30コ×200円) + (30コ×215円) = 12450円 ② 一番古い 30コ 単価200円　次に古い 30コ 20コ 残 単価215円　新 100コ 単価223円	売上は,60個なので・単価200円,30個・単価215円,30個払出します
30日	古 20コ 単価215円　新 100コ 単価223円	30日現在の120個を翌月に繰越します

求める売上原価＝①＋②
　　　　　　　＝14,000＋12,450
　　　　　　　＝26,450円　（答）

解答　問56 **エ**　　問57 **ア**　　問58 **イ**

185

問59 ある製品における消費者の購買行動を分析した結果，コンバージョン率が低く，リテンション率が高いことが分かった。この場合に講じるべき施策はどれか。

マーケティング指標	定義
コンバージョン率	製品を認知した消費者のうち，初回購入に至る消費者の割合
リテンション率	製品を購入した消費者のうち，固定客となる消費者の割合

ア 広告によって製品の認知度を高めても初回購入やリピート購入に結び付けられる可能性は低いと想定されるので，この製品の販売からの撤退を検討する。

イ 初回購入に至る消費者の心理的な障壁が高いことが想定されるので，無料サンプルの配布やお試し価格による提供などのセールスプロモーションを実施する。

ウ 製品の機能や性能と製品を購入した消費者の期待に差異があることが想定されるので，製品戦略を見直す。

エ 製品を購入した消費者が固定客化していることから現状のマーケティング戦略は効果的に機能していると判断できるので，新たな施策は不要である。

[平成28年度 春期 応用情報技術者試験 午前 問69]

問60 フォーラム標準に関する記述として，最も適切なものはどれか。

ア 工業製品が，定められた品質，寸法，機能及び形状の範囲内であることを保証したもの

イ 公的な標準化機関において，透明かつ公正な手続の下，関係者が合意の上で制定したもの

ウ 特定の企業が開発した仕様が広く利用された結果，事実上の業界標準になったもの

エ 特定の分野に関心のある複数の企業などが集まって結成した組織が，規格として作ったもの

[令和5年度 ITパスポート試験 公開問題 問10]

★★★ 問59 [企業と法務] コンバージョン率とリテンション率

新シラバス

用語整理 マーケティング指標

● コンバージョン率

商品を知った人の中で，初回で購入した人の割合です。例えばECサイトだと，サイトの訪問者数から，商品を購入した人の割合を計算することで，コンバージョン率を出すことができます。

〔コンバージョン率の計算例〕

・ECサイトを訪れたのは200人

・そのうち10人が商品を購入した

コンバージョン数（購入者数）÷セッション数（訪問者数）×100

= 10÷200×100 = 5%

● リテンション率

商品を知った人の中で，固定客となる人の割合です。例えばECサイトだと，新規顧客が一定期間内に継続して再訪した場合，固定客とみなすことができます。

〔リテンション率の計算例〕

・ECサイトを訪れた人が200人

・そのうち30人が継続してサイトに再訪している

固定客数÷新規客数×100

= 30÷200×100 = 15%

問題文「コンバージョン率が低く」より，初めてECサイトを訪れた顧客が購入する割合が低いことがわかります。また，問題文「リテンション率が高い」より，固定客になる割合は高いことがわかります。

したがって，初回訪問時に購入してもらえたならば，その後固定客として定着する可能性は高いと期待できるため，売上増加のためにはコンバージョン率を高める方策が有効と判断できます。

ア 「広告によって製品の認知度を高めても初回購入やリピート購入に結び付けられる可能性は低いと想定」が誤りです。広告が初回購入やリピート購入につながる可能性はあります。

イ 正解です。コンバージョン率が低いことから，「初回購入に至る消費者の心理的な障壁が高いこと

が想定される」ので，「無料サンプルの配布やお試し価格による提供などのセールスプロモーションを実施する」ことなどが有効です。

ウ 「製品の機能や性能と製品を購入した消費者の期待に差異がある」が誤りです。「リテンション率が高い」ことは製品の満足度が高いことを意味しているので，製品の機能や性能は消費者の期待に十分応えられていると考えられます。

エ 「現状のマーケティング戦略は効果的に機能していると判断できる」が誤りです。「コンバージョン率が低い」ので，マーケティング戦略が効果的に機能しているとはいえません。

★★★ 問60 [企業と法務] フォーラム標準

新シラバス

ア JIS（日本産業規格）に関する記述です。

イ デジュール標準に関する記述です。ISO，JIS規格などがデジュール標準に該当します。

ウ デファクトスタンダードに関する記述です。Windows，Microsoft Officeなどがこれに該当します。

エ 正解です。フォーラム標準は，複数の企業などが結成した組織（フォーラム）内での合意によって作られた，業界内の実質的な標準規格です。ITの分野だと，MPEG，USB，Bluetoothなどがフォーラム標準の規格です。

解答 問59 **イ** 問60 **エ**

科目 B 対策問題①

分野：アルゴリズムとプログラミング ▶ ①プログラミングの基本要素

問 1

　xとyを正の整数とするとき，次のプログラムを実行した結果の戻り値q，rとして，適切なものを解答群の中から選べ。なお，正の整数xとyには0を含まない。

〔プログラム〕

```
1  ○整数型：syo（整数型：x，整数型：y）
2   整数型：q,r
3   q ← 0
4   r ← x
5   while（rがy以上）
6    r ← r − y
7    q ← q + 1
8   endwhile
9   return q,r
```

※プログラム中の行番号は筆者が追記した。

解答群

	qの値	rの値
ア	x÷yの余り	x÷yの商
イ	x÷yの商	x÷yの余り
ウ	y÷xの余り	y÷xの商
エ	y÷xの商	y÷xの余り

[平成28年度 春期 基本情報技術者試験 午前 問8 一部改変]

問 1 ｜ 除算のプログラム

　本問は，基本的なアルゴリズムのひとつで，除算を引き算の繰り返しで求めるものです。難易度はそれほど高くありませんが，基礎知識として事前にしっかりと理解しておきたい項目です。解答の際には，変数x，yを使った除算が，「x÷y」なのか，「y÷x」なのかを，プログラムから正確に見極めることがポイントになります。

問題の解説

　まず，解答群の戻り値q，rに関する選択肢を確認すると，「除算の商」「余り」とあることから，本問は除算のプログラムであると推測できます。

　除算は，「引き算の繰り返し」で求めることがで

きます。たとえば，

[例] 7÷3

①「7」から「3」を「2」回引けたので……商は2

②「7」から「3」を「2」回引いた残りが「1」なので……

　余りは1

188

というように考えることができます。

　そこで、「引き算」が出てくる行番号6に注目してみましょう。ここでは、rからyを引き、次行でqに1を足すことで、回数をqに記憶しながら繰り返し引き算をしています。rには、行番号4でxを代入しているので、これは「r－y」を繰り返すことで「x÷y」を求めているプログラムです。つまり、

● x÷y
①「r」から「y」を「q」回引けたので……商はq
②「r」から「y」を「q」回引いた残りが「（繰り返し終了後の）r」なので……余りはr

ということです。

　したがって、答えは**イ**の
　　qは「x÷yの商」
　　rは「x÷yの余り」
となります。

📖 参考

　本問のプログラムを流れ図に書き換えて、その流れ図でも説明します。

　トレースをわかりやすくするため、x、y、商、余りがすべて異なる値となるものを考え、流れ図に入れて実行を検討します。たとえば、

$$① \quad 7 \div 3 = 2 \quad \cdots 1$$
$$\quad \uparrow \quad \uparrow \quad \uparrow \quad \uparrow$$
$$\quad x \quad y \quad 商 \quad 余り$$

で流れ図をトレースします。

①の場合

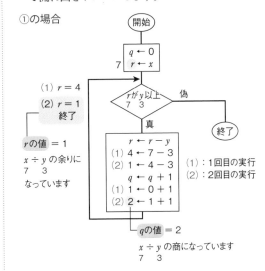

$x=7$, $y=3$で流れ図をトレースすると、
・qの値は2なので、$x \div y$の商になっています。
・rの値は1なので、$x \div y$の余りになっています。
　よって、正解は**イ**です。
② 選択肢**ウ**, **エ**の、x, yが逆の場合も検討します。

$$7 \div 3 = 2 \quad \cdots 1$$
$$\uparrow \quad \uparrow$$
$$y \quad x$$

　②の場合は1回目の条件式「rがy以上」が偽となり、いきなり終了してしまいます。
$$\qquad\qquad\qquad 3 \quad 7$$
　よって、選択肢で$y \div x$となる**ウ**, **エ**は誤りです。

解答　**イ**

プログラム の解説

行番号	プログラム	解説
1	○整数型：syo（整数型：x, 整数型：y）	整数を扱う関数syoを定義（引数は整数型x, y）
2	整数型：q,r	整数を扱う変数qとrを定義
3	q ← 0	変数qに0を代入
4	r ← x	変数rに変数xを代入
5	while （rがy以上）	（rがy以上）の間, 以下の処理を繰り返す
6	r ← r － y	rにr－yを代入
7	q ← q ＋ 1	qにq＋1を代入
8	endwhile	繰り返しの終わり
9	return q,r	呼び出し元にqとrを返す

（行番号5～8の左側に縦書き：引き算）

問2 ★★★

　関数calcXと関数calcYは，引数inDataを用いて計算を行い，その結果を戻り値とする。関数calcXをcalcX(1)として呼び出すと，関数calcXの変数numの値が，1→3→7→13と変化し，戻り値は13となった。関数calcYをcalcY(1)として呼び出すと，関数calcYの変数numの値が，1→5→13→25と変化し，戻り値は25となった。プログラム中のa，bに入れる字句の適切な組合せを解答群の中から選べ。

〔プログラム1〕

```
1  ○整数型：calcX(整数型：inData)
2    整数型：num, i
3    num ← inData
4    for (iを1から3まで1ずつ増やす)
5      num ←  a
6    endfor
7    return num
```

〔プログラム2〕

```
1  ○整数型：calcY(整数型：inData)
2    整数型：num, i
3    num ← inData
4    for ( b )
5      num ←  a
6    endfor
7    return num
```

※プログラム中の行番号は筆者が追記した。

解答群

	a	b
ア	2×num＋i	iを1から7まで3ずつ増やす
イ	2×num＋i	iを2から6まで2ずつ増やす
ウ	num＋2×i	iを1から7まで3ずつ増やす
エ	num＋2×i	iを2から6まで2ずつ増やす

[令和4年度 ITパスポート試験 公開問題 問96]

★★★ **問2　｜　関数の呼び出し**

　繰返し処理の基本問題です。IPAから公開されている「擬似言語の記述形式」をしっかり理解しておく必要があります。このような問題は，繰返し処理における変数の値の変化をトレースで確認する練習が有効です。

問題の解説

問題文よりプログラム1（calcX）では、「変数numの値が1→3→7→13と変化し，戻り値は13」です。プログラム2（calcY）では、「変数numの値が1→5→13→25と変化し，戻り値は25」です。これらを満たすように，空欄の字句を考えます。

空欄a

選択肢を参考に，プログラム1からトレースしてみます。問題文「関数calcXをcalcX(1)として呼び出す」より，引数inDataは1であることがわかります。そこで，問題文「変数numの値が，1→3→7→13と変化」より，トレースで変数numの変化を確かめます。

ア　イ　2×num＋i

num ← inData
 1　　　　　　1

i＝1　　num ← 2×num＋i
　　　　　　3　　　1　　1
　　　　　　　　└numの初期値は1

i＝2　　num ← 2×num＋i
　　　　　　8　　　　3　　2

問題文では，numの値の変化は1→3→7となりますが，**ア**と**イ**ではnumの値が8になるので，この時点で誤りとわかります。

ウ　エ　num＋2×i

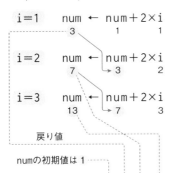

num ← inData
 1　　　　　　1

i＝1　　num ← num＋2×i
　　　　　　3　　　　1　　1

i＝2　　num ← num＋2×i
　　　　　　7　　　└3　　2

i＝3　　num ← num＋2×i
　　　　　13　　　└7　　3

戻り値
numの初期値は 1

問題文の通り，「1→3→7→13」と変化しており，戻り値は13なので正解です。

したがって，空欄aには，**ウ**，**エ**の
　num＋2×i
が入ります。

空欄b

続いて，同様にプログラム2をトレースしてみます。なお，空欄aには，「num＋2×i」を入れて実行します。

問題文「変数numの値が，1→5→13→25と変化し，戻り値は25」より，このように変化しているかをトレースで確かめます。なお，ここでは正解候補の**ウ**と**エ**だけを検討します。

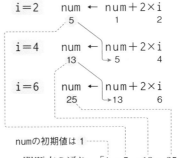

ウ　iを1から7まで3ずつ増やす
　　└→1→4→7と変化

i＝1　　num ← num＋2×i　←この時点で誤り
　　　　　3　　　1　　1　　だとわかります。

i＝4　　num ← num＋2×i
　　　　　11　　└3　　4

i＝7　　num ← num＋2×i
　　　　　25　　└11　　7

問題文「1→5→13→25」となっていないので誤りです。

エ　iを2から6まで2ずつ増やす
　　└→2→4→6と変化

i＝2　　num ← num＋2×i
　　　　　5　　　1　　2

i＝4　　num ← num＋2×i
　　　　　13　　└5　　4

i＝6　　num ← num＋2×i
　　　　　25　　└13　　6

numの初期値は 1

問題文の通り，「1→5→13→25」と変化しているので正解です。

したがって，空欄bには
　iを2から6まで2ずつ増やす
が入ります。

以上より，正解は**エ**です。

解答　　**エ**

問3

プログラム中の空欄に入れる字句として，適切なものを解答群から選べ。

関数ryokinは，年齢区分ごとの人数を表す0以上の整数を引数として受け取り，入園料を返す。なお，入園人数が0人の場合は0を返す。ある動物園の入園料金は，年齢と人数によって，入園単価が下記のようになっている。

年齢区分	個人	団体 (20名以上)
a.16歳から64歳	600円	480円
b.65歳以上	300円	240円
c.15歳以下	200円	160円

なお，年齢区分ごとに20名以上揃わないと団体料金は適用されない。入園料金は，19名以下の場合は「個人」，20名以上は「団体料金」が適用される。また，引数の年齢区分ごとの人数は，0以上の正の整数値が正しく与えられるものとし，不正な人数による例外処理は考慮しない。

(例) 年齢区分aが30名，年齢区分bが10名で，まとまって入園する場合
　　年齢区分aは「団体料金」，年齢区分bは「個人料金」が適用されるので，合計の入園料金は
　　(480円×30人)＋(300円×10人)＝17,400円

〔プログラム〕

```
1  ○整数型：ryokin(整数型：a_su,整数型：b_su,整数型：c_su)
2   整数型：ret,a_tanka,b_tanka,c_tanka
3   if (a_suが20以上)
4     a_tanka ← 480
5   else
6     a_tanka ← 600
7   endif
8   if (b_suが20以上)
9     b_tanka ← 240
10  else
11    ▭
12  endif
13  if (c_suが20以上)
14    c_tanka ← 160
15  else
16    c_tanka ← 200
17  endif
18  ret ← (a_tanka * a_su)+(b_tanka * b_su)+(c_tanka * c_su)
19  return ret
```

解答群

ア	b_tanka ← 160	イ	b_tanka ← 200
ウ	b_tanka ← 300	エ	b_tanka ← 480

[オリジナル問題]

★★★ 問 **3** ｜ 入園料金を計算するプログラム

　本問は，選択処理の基本問題です。IPAから公開されている「擬似言語の記述形式」をしっかり押さえておけば，比較的難しくない問題です。確実に点をとれるようにしておきましょう。

問題の解説

　入園料金は，表のように，年齢と人数によって入園単価が異なります。そこでプログラムでは，年齢区分ごとの人数を表す0以上の整数を引数として受け取り，入園料を返しています。

　「プログラムの解説」より，空欄には，年齢区分bの団体ではない料金を，b_tankaに代入する命令が入ることがわかります。したがって問題文より，

年齢区分bの団体ではない（個人）料金は「300円」なので，空欄には「b区分単価に300を代入」を意味する「b_tanka ← 300」が入ります。

解答　　**ウ**

プログラム の解説

行番号			プログラム	解説
1			○整数型：ryokin(整数型：a_su,整数型：b_su,整数型：c_su)	関数の定義 （引数は，年齢区分ごとの入園者数a_su, b_su, c_su）
2			整数型：ret,a_tanka,b_tanka,c_tanka	計算結果, a, b, c区分の単価が入る変数の定義
a	団体	3	if (a_suが20以上)	もし「年齢区分aの入園者数が20名以上」（団体料金）なら
		4	a_tanka ← 480	a区分単価に480を代入
	個人	5	else	そうでなければ（個人料金なら）
		6	a_tanka ← 600	a区分単価に600を代入
		7	endif	「年齢区分a」についてのif文の終了
b	団体	8	if (b_suが20以上)	もし「年齢区分bの入園者数が20名以上」（団体料金）なら
		9	b_tanka ← 240	b区分単価に240を代入
	個人	10	else	そうでなければ（個人料金なら）
		11	□	b区分単価に300を代入
		12	endif	「年齢区分b」についてのif文の終了

「年齢区分c」についてのif文は省略

行番号	プログラム	解説
18	ret ← (a_tanka * a_su)+(b_tanka * b_su)+(c_tanka * c_su)	a, b, c区分の料金（単価×人数）の合計を計算結果に代入する
19	return ret	入園料（計算結果）を呼び出し元に返す

問4

次の記述中の ☐☐☐☐ に入れる正しい答えを，解答群の中から選べ。

関数gcdは，引数で与えられた二つの正の整数num1とnum2の最大公約数を，次の (1) ～ (3) の性質を利用して求める。

(1) num1とnum2が等しいとき，num1とnum2の最大公約数はnum1である。

(2) num1がnum2より大きいとき，num1とnum2の最大公約数は，(num1 − num2)とnum2の最大公約数と等しい。

(3) num2がnum1より大きいとき，num1とnum2の最大公約数は，(num2 − num1)とnum1の最大公約数と等しい。

手続きgcdをgcd(16,40)として呼び出すと，☐☐☐☐の順に出力される

〔プログラム〕

```
1   ○整数型: gcd(整数型: num1, 整数型: num2)
2     整数型: x ← num1
3     整数型: y ← num2
4     while (x≠y)
5       if (x>y)
6         x ← x−y
7       else
8         y ← y−x
9         yを出力
10      endif
11    endwhile
12    return x
```

※プログラム中の行番号は筆者が追記した。

解答群

ア	16, 8	イ	16, 8, 8
ウ	24, 8	エ	24, 8, 8
オ	24, 16, 8	カ	40, 24, 16, 8

[基本情報技術者試験 サンプル問題 (2022年12月26日公開) 科目B 問4 一部改変]

問4 │ 減算の繰り返しで最大公約数を求める処理

最大公約数を求める処理は出題が予想されるので，あらかじめ十分に学習しておくことをおすすめします。本問では，選択処理と繰返し処理が組み合わされています。基本的な処理なので，慣れるまで地道に学習を積み重ねていきましょう。

用語の解説

● 最大公約数

2つ以上の正の整数に共通な約数（公約数）のうち，最大のものを最大公約数といいます。

【例】12と18

公約数は1，2，3，6で，6が最大公約数

最大公約数を求める方法の1つに，共通な数で割れるだけ割ります。このとき，共通に割れる数の積が最大公約数です。

この方法を用いて，16と40の最大公約数8を，筆算で求めてみます。

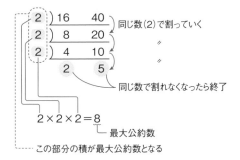

この他には，本問のように引き算で求める方法もあります。

問題の解説

問題文 (1) 〜 (3) より，本問では最大公約数を引き算で求めます。

関数 gcd で，2つの引数を「num1 ＝ 16，num2 ＝ 40」として，最大公約数8を求めてみます。

num1は，行番号2でxに代入されています。また，num2は，行番号3でyに代入されています。

よって，

num1 ＝ x ＝ 16

num2 ＝ y ＝ 40

となります。

このとき，設問の (1) 〜 (3) の性質から，次の①〜④の順番で考えていくことで，最大公約数を求めることができます。

なお，xがnum1，yがnum2のことなので注意しましょう。

① x (num1) ＝ 16，y (num2) ＝ 40

num1 ＜ num2 なので，

(3) num2 が num1 より大きいとき
40　　　　16

があてはまります。

この場合，問題文では「num2 － num1」を計算し
y　　　x

ていますが，これはプログラムの行番号8

y ← y － x

に該当します。

よって，

y ← y － x
24　　40　16

y を出力
24

より，x ＝ 16，y ＝ 24となります。

また，yの値24が出力されます。…… (i)

② x (num1) ＝ 16，y (num2) ＝ 24

num1 ＜ num2 なので，

(3) num2 が num1 より大きいとき
24　　　　16

があてはまります。

よって，①と同様に行番号8，9が実行され，

y ← y － x
8　　24　16

y を出力
8

より，x ＝ 16，y ＝ 8となります。

また，yの値8が出力されます。…… (ii)

③ x (num1) ＝ 16，y (num2) ＝ 8

num1 ＞ num2 なので，

(2) num1 が num2 より大きいとき
16　　　　8

があてはまります。

この場合，問題文では「num1 － num2」を計算し
x　　　y

ていますが，これはプログラムの行番号6

x ← x － y

に該当します。

よって，

x ← x － y
8　　16　8

より, x＝8, y＝8となります。

④x(num1)＝8, y(num2)＝8

num1＝num2なので,

(1)num1とnum2が等しいとき
　　8　　　8

があてはまります。

問題文「num1とnum2の最大公約数はnum1」より, num1はプログラムではxとして使われているので, xの値である「8」が最大公約数として,

```
return x
```

によって呼び出し元に返されます。

以上より, (i), (ii)の順番にyの値が出力されるので, 答えは**ウ**の

24, 8

です。

解答　　**ウ**

分野：アルゴリズムとプログラミング ▶ ①プログラミングの基本要素

問 **5**

次のプログラム中の　　　に入れる正しい答えを, 解答群の中から選べ。

関数calcは, 正の実数xとyを受け取り, $\sqrt{x^3+y^3}$の計算結果を返す。

関数calcが使う関数powは, 第1引数として正の実数aを, 第2引数として実数bを受け取り, aのb乗の値を実数型で返す。

また, 関数sqrtは, 引数として正の実数cを1つ受け取り, cの平方根を実数型で返す。

〔プログラム〕

```
1  ○実数型: calc(実数型: x, 実数型: y)
2    return ┌──────┐
```

解答群

- **ア** ((pow(x, 3)＋pow(y, 3))÷sqrt(2)
- **イ** sqrt((pow(x, 3)＋pow(y, 3))÷pow(x, y))
- **ウ** pow(2, sqrt(x))＋pow(2, sqrt(y))
- **エ** sqrt(pow(pow(3, x), y))
- **オ** sqrt(pow(x, 3)＋pow(y, 3))
- **カ** sqrt(2)÷(pow(x, 3)＋pow(y, 3))

[オリジナル問題]

問 **5**　│　関数calcの計算結果

関数pow, 関数sqrtの処理を問題文から読み取って, 計算結果を求めます。関数powの第2引数の実数bが0.5の場合, 平方根になります。本問では, 平方根を関数sqrtを使って求める選択肢となっている点に注意が必要です。また, 基本的な指数法則の知識も整理しておきましょう。

試験対策の要点

令和6年度

科目A／科目B

対策問題①

科目A／科目B

対策問題②

科目A／科目B

対策問題③

科目A／科目B

用語の解説

● 指数法則

a，bが正の実数，m，nが任意の実数とすると，以下の公式が成り立ちます。

	（例）
$a^m \times a^n = a^{m+n}$	$2^4 \times 2^3 = 2^{4+3} = 2^7$
$(a^m)^n = a^{m \times n}$	$(2^4)^3 = 2^{4 \times 3} = 2^{12}$
$(ab)^m = a^m b^m$	$(2 \times 3)^4 = 2^4 \times 3^4$
$a^m \div a^n = a^{m-n}$	$2^5 \div 2^3 = 2^{5-3} = 2^2$

問題の解説

問題文で与えられた2つの関数powとsqrtを理解することがポイントになります。

なお実数は，負の数や小数点がある数（-2.0や3.14など）も含まれる点に注意が必要です。

● 関数pow

関数powは，次のような計算をします。

$$\underset{\text{第1引数}}{\text{pow(a,}} \ \underset{\text{第2引数}}{\text{b)}} = a^b \quad \left(\begin{array}{l}\text{実数bの値が0.5の場合は，}\\ \sqrt{\ }（\text{平方根}）\text{の計算になります。}\end{array}\right)$$

［例］

pow(3, 2) $= 3^2 = 9$

pow(x, 2) $= x^2$

pow(2, 0.5) $= 2^{0.5} = \sqrt{2}$

● 関数sqrt

関数sqrtは，次のような計算をします。

$$\text{sqrt(}\underset{\uparrow}{\text{c}}) = \sqrt{c}$$
引数は1つ

［例］

sqrt(2) $= \sqrt{2}$

sqrt(3) $= \sqrt{3}$

よって，sqrt(2) $=$ pow(2, 0.5) $= \sqrt{2}$ です。

以上を踏まえて，解答群を説明します。$\sqrt{x^3 + y^3}$の計算結果を返すものが答えです。

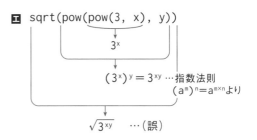

ア ((pow(x, 3)＋pow(y, 3))÷sqrt(2)

$$\frac{(x^3 \quad + \quad y^3)}{\sqrt{2}} \quad \cdots（誤）$$

イ sqrt((pow(x, 3)＋pow(y, 3))÷pow(x, y))

$$\sqrt{\frac{(x^3 \quad + \quad y^3)}{x^y}} \quad \cdots（誤）$$

ウ pow(2, sqrt(x))＋pow(2, sqrt(y))

$$2^{\sqrt{x}} \quad + \quad 2^{\sqrt{y}} \quad \cdots（誤）$$

エ sqrt(pow(pow(3, x), y))

$$3^x$$
$$(3^x)^y = 3^{xy} \cdots \text{指数法則}$$
$$(a^m)^n = a^{m \times n} \text{より}$$
$$\sqrt{3^{xy}} \quad \cdots（誤）$$

オ sqrt(pow(x, 3)＋pow(y, 3))

$$\sqrt{(x^3 \quad + \quad y^3)} \quad \cdots（答）$$

カ sqrt(2)÷(pow(x, 3)＋pow(y, 3))

$$\sqrt{2} \quad \div \quad (x^3 \quad + \quad y^3)$$
$$\therefore \frac{\sqrt{2}}{(x^3 + y^3)} \quad \cdots（誤）$$

したがって正解は，オの

sqrt(pow(x, 3)＋pow(y, 3))

です。

解答 オ

次のプログラム中の □ に入れる正しい答えを，解答群の中から選べ。

関数revは8ビット型の引数byteを受け取り，ビットの並びを逆にした値を返す。例えば，関数revをrev(01001011)として呼び出すと，戻り値は11010010となる。

なお，演算子∧はビット単位の論理積，演算子∨はビット単位の論理和，演算子>>は論理右シフト，演算子<<は論理左シフトを表す。例えば，value >> nはvalueの値をnビットだけ右に論理シフトし，value << nはvalueの値をnビットだけ左に論理シフトする。

〔プログラム〕

```
1  ○8ビット型: rev(8ビット型: byte)
2    8ビット型: rbyte ← byte
3    8ビット型: r ← 00000000
4    整数型: i
5    for (iを1から8まで1ずつ増やす)
6        □
7    endfor
8    return r
```

※プログラム中の行番号は筆者が追記した。

解答群

ア r ← (r << 1) ∨ (rbyte ∧ 00000001)
    rbyte ← rbyte >> 1

イ r ← (r << 7) ∨ (rbyte ∧ 00000001)
    rbyte ← rbyte >> 7

ウ r ← (rbyte << 1) ∨ (rbyte >> 7)
    rbyte ← r

エ r ← (rbyte >> 1) ∨ (rbyte << 7)
    rbyte ← r

[基本情報技術者試験 サンプル問題 (2022年12月26日公開) 科目B 問6]

問 6 │ ビットの並びを逆にした値を返す関数

論理積，論理和，論理シフトをしっかりと押さえておく必要があります。問題文「rev(01001011)として呼び出すと，戻り値は11010010となる」を活用して問題を解きましょう。

用語の解説

● 論理積，論理和

論理式については，巻頭「よく出る計算問題と重要公式」の3も確認してください。ここでは，本問

で出てくる論理積と論理和の入力と出力を真理値表で確認します。

[論理積と論理和の真理値表]

入力		出力	
A	B	論理積	論理和
1	1	1	1
0	1	0	1
1	0	0	1
0	0	0	0

● 論理シフト

論理シフトでは，左右にシフトしたときに空いたビット位置に0が入ります。

<左シフト>

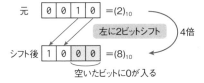

<右シフト>

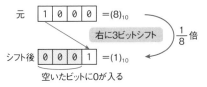

問題の解説

設問で与えられた次の値を使って，解答群について説明します。

rev(01001011)として呼び出すと，
戻り値は11010010となる。

引数 | 0 | 1 | 0 | 0 | 1 | 0 | 1 | 1 | 引数byte

戻り値r | 1 | 1 | 0 | 1 | 0 | 0 | 1 | 0 | ビットの並びが逆になる

なお，0は数字の0のことです。英字のO（オー）と区別したいときに使われます。

プログラムの空欄に**ア**を入れて，処理の流れをトレースしてみます。

行番号2　rbyte ← byte

rbyte | 0 | 1 | 0 | 0 | 1 | 0 | 1 | 1 |

行番号3　r ← 00000000

r | 0 | 0 | 0 | 0 | 0 | 0 | 0 | 0 |

行番号4　整数型：i
　　　　　変数iの定義

行番号5　for（iを1から8まで1ずつ増やす）
　　　　　①i＝1，②i＝2，… ⑧i＝8
　　　　　※①〜⑧は繰返し回数を表します。

空欄　ループ1回目

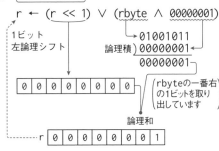

空欄　rbyte ← rbyte >> 1

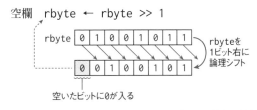

空欄　ループ2回目

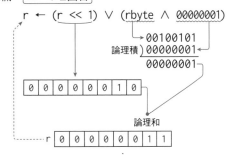

空欄　rbyte ← rbyte >> 1

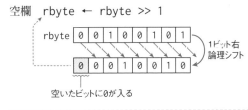

空欄　ループ3回目

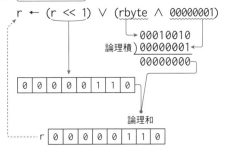

空欄 rbyte ← rbyte >> 1

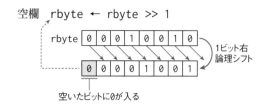

空いたビットに0が入る

ループ4〜8回目

以下同様なので，

r ← (r << 1) ∨ (rbyte ∧ 00000001)
rbyte ← rbyte >> 1

の代入先のrとrbyteの値を一覧で示します。

- 1回目　r：00000001　　rbyte：00100101
- 2回目　r：00000011　　rbyte：00010010
- 3回目　r：00000110　　rbyte：00001001
- 4回目　r：00001101　　rbyte：00000100
- 5回目　r：00011010　　rbyte：00000010
- 6回目　r：00110100　　rbyte：00000001
- 7回目　r：01101001　　rbyte：00000000
- 8回目　r：11010010　　rbyte：00000000
- return　r：11010010

したがって，空欄に**ア**を入れると，設問文のように，「rev(01001011)として呼び出すと，戻り値は11010010となる」ことがわかります。

以上より，正解は**ア**の

r ← (r << 1) ∨ (rbyte ∧ 00000001)
rbyte ← rbyte >> 1

です。

📖 参考

空欄に**イ**〜**エ**を入れた場合の戻り値は，以下のようになります。

イ 戻り値rは，00000000になるので誤り

ループ1回目

r：00000001　　rbyte：00000000

ループ2回目

r ← (r << 7) ∨ (rbyte ∧ 00000001)

r ← 10000000 ∨ 00000000

∴ r：10000000　　rbyte：00000000

ループ3回目

r ← (r << 7) ∨ (rbyte ∧ 00000001)

r ← 00000000 ∨ 00000000

∴ r：00000000　　rbyte：00000000

ループ4回目以降も，以下のようになります。

r：00000000　　rbyte：00000000

ウ 戻り値rは，01001011になるので誤り

ループ1回目

r ← (rbyte << 1) ∨ (rbyte >> 7)

→10010110
論理和）00000000
　　　　10010110

rbyte ← rなので，rとrbyteは10010110です。

ループ2回目以降は，結果を一覧で示します。

- 2回目　00101101
- 3回目　01011010
- 4回目　10110100
- 5回目　01101001
- 6回目　11010010
- 7回目　10100101
- 8回目　01001011　←戻り値r

エ 戻り値rは，01001011になるので誤り

ループ1回目

r ← (rbyte >> 1) ∨ (rbyte << 7)

→00100101
論理和）10000000
　　　　10100101 ←rとrbyte

ループ2回目以降は，結果を一覧で示します。

- 2回目　11010010
- 3回目　01101001
- 4回目　10110100
- 5回目　01011010
- 6回目　00101101
- 7回目　10010110
- 8回目　01001011　←戻り値r

解答　**ア**

試験対策の要点

令和6年度 科目A｜科目B

対策問題① 科目A｜科目B

対策問題② 科目A｜科目B

対策問題③ 科目A｜科目B

問 7

次の記述中の ☐ に入れる正しい答えを，解答群の中から選べ。ここで，配列の要素番号は1から始まる。

関数makeNewArrayは，要素数2以上の整数型の配列を引数にとり，整数型の配列を返す関数である。関数makeNewArrayをmakeNewArray({3, 5, 1, 6, 4, 2})として呼び出したとき，戻り値の配列の要素番号6の値は ☐ となる。

〔プログラム〕

```
1  ○整数型の配列: makeNewArray(整数型の配列: in)
2    整数型の配列: out ← {}  //要素数0の配列
3    整数型: i, tail
4    outの末尾にin[inの要素数]の値を追加する
5    for (iをinの要素数から2まで1ずつ減らす)
6      tail ← out[outの要素数]
7      outの末尾に(tail+in[i])の結果を追加する
8    endfor
9    return out
```

解答群

ア 2	イ 4	ウ 8	エ 14
オ 15	カ 20	キ 25	

［基本情報技術者試験 サンプル問題（2022年12月26日公開）科目B 問3 一部改変］

問 7 ｜ 引数が配列である関数の処理

本問は，ポイントが2つあります。1つは「配列」で，設問では1次元配列が使われています。そしてもう1つは，「関数，引数」です。それぞれ，書籍巻頭「科目Bのポイント集」の5と9をしっかり学習しておきましょう。また，トレース力をしっかり身につけておく必要もあります。

問題の解説

プログラムをトレースして答えを求めます。なお、下記の解説中の①～⑤は繰返しの回数を表します。

● 初期状態 (行番号 1 ～ 3)

引数 　　　　　 1 2 3 4 5 6
in | 3 | 5 | 1 | 6 | 4 | 2 | ←問題文より

戻り値
の配列　out | 　　　空　　　 | ←要素数0

● プログラム (行番号4からトレースします)

行番号
4 outの末尾にin[inの要素数]の値を追加する

配列inの要素数(問題文で与えられた引数)は
6なので,in[6]の値を追加

　　　　 1
out | 2 | …… | ←outの要素数は1

5 for (iをinの要素数から2まで1ずつ減らす)
　　　　　　 6

iの値の変化 ①6 ②5 ③4 ④3 ⑤2
　　　　　　　　　 1ずつ減らす

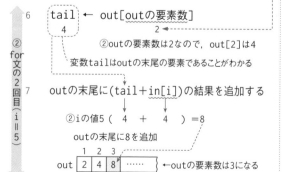

① for文の1回目(i=6)

6 tail ← out[outの要素数]
　　①2
　　①outの要素数は1
　　なのでout[1]
　　　　　　　　 2

7 outの末尾に(tail+in[i])の結果を追加する

　　①iの値6 (2 + 2) =4

　　outの末尾に4を追加

　　　　 1 2
out | 2 | 4 | …… | ←outの要素数は2になる

続いて、for文の2回目以降の (②～⑤) を解説します。

② for文の2回目(i=5)

6 tail ← out[outの要素数]
　　4　　　 2
　　②outの要素数は2なので,out[2]は4
　　変数tailはoutの末尾の要素であることがわかる

7 outの末尾に(tail+in[i])の結果を追加する

　　②iの値5 (4 + 4) =8

　　outの末尾に8を追加

　　　　 1 2 3
out | 2 | 4 | 8 | …… | ←outの要素数は3になる

3回目以降も同様なので、解説を少し簡略します。

③ for文の3回目(i=4)

6 tail ← out[outの要素数]
　　8　　　 3

7 outの末尾に(tail+in[i])の結果を追加する

　　③iの値4 (8 + 6) =14

　　　　　　 1 2 3 4
∴ out | 2 | 4 | 8 | 14 | …… | ←要素数は4

④ for文の4回目(i=3)

6 tail ← out[outの要素数]
　　14　　　 4

7 outの末尾に(tail+in[i])の結果を追加する

　　④iの値3 (14 + 1) =15

　　　　　　 1 2 3 4 5
∴ out | 2 | 4 | 8 | 14 | 15 | …… | ←要素数は5

⑤ for文の5回目(i=2)

6 tail ← out[outの要素数]
　　15　　　 5

7 outの末尾に(tail+in[i])の結果を追加する

　　⑤iの値2 (15 + 5) =20

　　　　　　 1 2 3 4 5 6
∴ out | 2 | 4 | 8 | 14 | 15 | 20 | … | …(答)

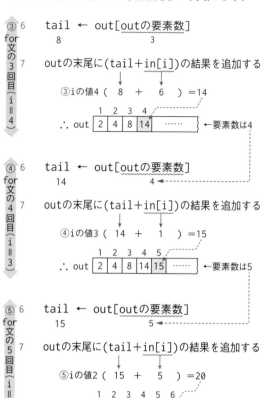

8 endfor 　　 i=2の処理が完了したのでfor文を終了

9 return out 　 戻り値である整数型の配列outを
　　　　　　　　 呼び出し元に戻してプログラム終了

以上より、戻り値である配列outの要素番号6の値は20です。

したがって、正解は**カ**の

　20

です。

解答 　**カ**

関数 checkDigit は，10進9桁の整数の各桁の数字が上位の桁から順に格納された整数型の配列 originalDigit を引数として，次の手順で計算したチェックデジットを戻り値とする。プログラム中の [　　　] に入れる字句として，適切なものはどれか。ここで，配列の要素番号は1から始まる。

〔手順〕

(1) 配列 originalDigit の要素番号1〜9の要素の値を合計する。
(2) 合計した値が9より大きい場合は，合計した値を10進の整数で表現したときの各桁の数字を合計する。この操作を，合計した値が9以下になるまで繰り返す。
(3) (2)で得られた値をチェックデジットとする。

〔プログラム〕

```
 1  ○整数型：checkDigit（整数型の配列：originalDigit）
 2   整数型：i, j, k
 3   j ← 0
 4   for (iを1からoriginalDigitの要素数まで1ずつ増やす)
 5     j ← j+originalDigit[i]
 6   endfor
 7   while (jが9より大きい)
 8     k ← j÷10の商  /* 10進9桁の数の場合，jが2桁を超えることはない */
 9     [          ]
10   endwhile
11   return j
```

解答群

ア j ← j−10×k
イ j ← k+(j−10×k)
ウ j ← k+(j−10)×k
エ j ← k+j

[令和4年度 ITパスポート試験公開問題 問78 一部改変]

問 **8** ┃ チェックディジット

チェックディジットの基本的な意味を知っていると，問題文を正確に早く理解できます。科目Aの基礎的用語をしっかりと押さえておきましょう。また本問は，問題文の〔手順〕に大きなヒントが含まれています。時間的に余裕がないと，プログラムの空欄やその周辺に注目しがちですが，読み落とさないように注意しましょう。

用語の解説

● チェックディジット

チェックディジット（check digit）とは，数字列を処理する際の誤りを検知するために付加される検査用の数字のことです。また，誤り検出方式でもあります。

問題の解説

プログラムを見る前に，初めに問題文の意味と手順を理解します。

少し複雑な問題では，問題文の中に具体的な値が〔例〕としてあげられ，その例を問題文の中で説明しているケースが大半を占めます。しかし，本問の場合は〔例〕が示されていないので，問題文や手順を理解するために，適当な例を考えてみましょう。

今回は，10進数9桁の整数として，次のような値を考えます。〔手順〕(2)で，「合計した値が9より大きい場合」とあるので，9桁の数字の合計が9以上になるように値を設定するのがポイントです。

〔例〕10進数9桁の整数の例

987656789

※9桁の数の合計は65なので，〔手順〕(2)の処理を確認できる

では，さっそく問題文の〔手順〕に沿って，上で考えた例を使って計算してみましょう。

まず，問題文「10進9桁の整数の各桁の数字が上位の桁から順に格納された整数型の配列originalDigit」より，

整数型の配列
originalDigit

1	2	3	4	5	6	7	8	9	…
9	8	7	6	5	6	7	8	9	

のような状態で配列に格納されていることがわかります。

上記の配列を引数として，問題文のプログラムを〔手順〕に従って実行していきます。

● 〔手順〕(1)

配列originalDigitの要素番号1～9の要素の値を合計する。

$$9+8+7+6+5+6+7+8+9=65$$

● 〔手順〕(2)

合計した値が9より大きい場合は，合計した値を10進の整数で表現したときの各桁の数字を合計する。この操作を，合計した値が9以下になるまで繰り返す。

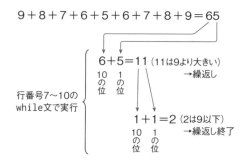

● 〔手順〕(3)

(2)で得られた値をチェックディジットとする。
2がチェックディジットになる。

以上を踏まえ，プログラムをトレースして空欄の答えを求めます。

■ 行番号3～6 〔手順〕(1)の処理

③for文3回目以降（i=3～9）

行番号5は同様に実行され，9つある配列要素の総和が変数jに求まります。

■ 行番号7〜9 〔手順〕(2)の処理

10進9桁の整数の各桁の数字を合計した値(j)の最大値は，「999999999」の「81」です。また，空欄の選択肢はすべて，変数jに代入する処理になっています。これらを念頭に置いて考えていきましょう。

まず，空欄の前の行で

k ← j÷10の商

を行っているので，kは「変数jの10の位の数字」です。また，「変数jの1の位の数字」は，「jからk（変数jの10の位の数字）に10を掛けた数を引く」ことで求めることができます。これは，次の例からもわかります。

[例] j＝65の場合

・変数jの10の位の数字「6」
　「j÷10の商」で求まる（行番号8でkに代入）
　65

・変数jの1の位の数字「5」
　「j−10×k」で求まる
　65　　　　6

以上を整理すると，

・変数jの10の位の数字……k　　　　☆
・変数jの1の位の数字……j−10×k　★

となります。

これらを手掛かりに空欄を考えます。空欄がjに代入する処理であることは確定しているので，

j ← k+(j−10×k)
　　☆　　★
　　変数jの　変数jの
　　10の位　　1の位

となります。

これでプログラムが問題なく実行されるかを，先ほどの例で確かめてみます。

[例] 9桁の合計が65（j＝65）

① j＝65

行番号
8　　　k ← j÷10の商　　65の10の位6をkに代入
　　　　6　　　65

9　　　j ← k+(j−10×k)
　　　⑪　　　6+(65−10×6)
　　　　　　　　　　　5

② j＝11

8　　　k ← j÷10の商　　11の10の位1をkに代入
　　　　1　　　11

9　　　j ← k+(j−10×k)
　　　②　　　1+(11−10×1)

2は9以下なのでwhile文終了。

11 return j

によって，呼び出し元にj＝2が返却される。

したがって，正解は**イ**の

j ← k+(j−10×k)

です。

📖 **別解**

適当な2桁の値を使って，選択肢の計算式で正しく計算できるかを確かめることで正解を得ることもできます。たとえばここでは，j＝23としましょう。この場合，

10の位の数＋1の位の数＝2＋3＝5

と計算される選択肢を探します。

kの値は，10の位の数なので2です。したがって，

j＝23
k＝2

を選択肢に代入して，j＝5となるものが正解です。

ア j ← j−10×k
　　　　23　　　　2　　＝3（5とならないので不正解）

イ j ← k+(j−10×k)
　　　　2　　23　　　2　　　＝5（5なので正解）

ウ j ← k+(j−10)×k
　　　　2　　23　　　　2　＝28（5とならないので不正解）

エ j ← k+j
　　　　2　　23　　＝25（5とならないので不正解）

解答 **イ**

問9

次の記述中の[　　]に入れる正しい答えを，解答群の中から選べ。

　優先度付きキューを操作するプログラムである。優先度付きキューとは扱う要素に優先度を付けたキューであり，要素を取り出す際には優先度の高いものから順番に取り出される。クラスPrioQueueは優先度付きキューを表すクラスである。クラスPrioQueueの説明を図に示す。ここで，優先度は整数型の値1, 2, 3のいずれかであり，大きい値ほど優先度が高いものとする。

　手続prioSchedを呼び出したとき，出力は[　　]の順となる。

コンストラクタ	説明
PrioQueue()	空の優先度付きキューを生成する。

メソッド	戻り値	説明
enqueue(文字列型: s, 整数型: prio)	なし	優先度付きキューに，文字列sを要素として，優先度prioで追加する。
dequeue()	文字列型	優先度付きキューからキュー内で最も優先度の高い要素を取り出して返す。最も優先度の高い要素が複数あるときは，そのうちの最初に追加された要素を一つ取り出して返す。
size()	整数型	優先度付きキューに格納されている要素の個数を返す。

図　クラスPrioQueueの説明

〔プログラム〕

```
1  ○prioSched()
2    PrioQueue: prioQueue ← PrioQueue()
3    prioQueue.enqueue("A", 1)
4    prioQueue.enqueue("B", 2)
5    prioQueue.enqueue("C", 2)
6    prioQueue.enqueue("D", 3)
7    prioQueue.dequeue() /* 戻り値は使用しない */
8    while (prioQueue.size()が1と等しくない)
9      prioQueue.dequeue()の戻り値を出力
10   endwhile
11   prioQueue.enqueue("D", 3)
12   prioQueue.enqueue("B", 2)
13   prioQueue.dequeue() /* 戻り値は使用しない */
14   prioQueue.dequeue() /* 戻り値は使用しない */
15   prioQueue.enqueue("C", 2)
16   prioQueue.enqueue("E", 1)
17   while (prioQueue.size()が0と等しくない)
18     prioQueue.dequeue()の戻り値を出力
19   endwhile
```

※プログラム中の行番号は筆者が追記した。

解答群

ア　"C"，"A"，"E"　　　　　　　　イ　"E"，"A"，"C"
ウ　"B"，"C"，"C"，"A"，"E"　　　　エ　"C"，"C"，"E"，"A"

[基本情報技術者試験 サンプル問題（2022年12月26日公開）科目B 問8 一部改変]

★★★ 問 9 │ 優先度付きキューを操作するプログラム

キューに関する問題ですが, 図に記述されている優先度に基づいて要素を取り出す点には注意が必要です。実際の試験では, スタックの場合の出題も予想されるので, あわせて学習しておきましょう。

用語の解説

● キュー

キューとは, 格納されたデータの一方の端からデータを格納し, 他方の端からデータを取り出すデータ構造のことです。このようなデータの出し入れを, FIFO (First-In First-Out：先入れ先出し) と呼びます。

・キュー (①, ②, ③, ④の順に格納)

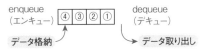

● スタック

スタックとは, 1次元配列で後から格納したデータを, 先に出すデータ構造のことをいいます。このようなデータの出し入れを, LIFO (Last-In First-Out：後入れ先出し) と呼びます。

・スタック (①, ②, ③, ④の順に格納)

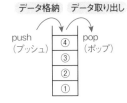

・ポップ (④, ③, ②, ①の順に取り出し)

問題の解説

設問の記述によると, キューに格納する要素には優先度が付いており, 優先度の高い順に取り出されます。このとき, 大きい値ほど優先度が高い点に注意しましょう。また, 優先度が同じ要素が複数あった場合は, 最初に追加された要素から取り出されます。

以上を踏まえて, プログラムの処理の流れを説明します。

行番号1　○prioSched()
　　　　　プログラムの定義
行番号2　PrioQueue: prioQueue ←
　　　　　PrioQueue()
　　　　　空の優先度付きキューを生成
行番号3　prioQueue.enqueue("A", 1)
　　　　　優先度付きキューに文字列 "A" を要素として, 優先度1で追加する

行番号4　prioQueue.enqueue("B", 2)
行番号5　prioQueue.enqueue("C", 2)
行番号6　prioQueue.enqueue("D", 3)
　　　　　行番号3と同様に文字列を追加する

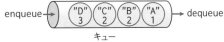

行番号7　prioQueue.dequeue()
　　　　　優先度付きキューからキュー内で最も優先度が高い要素を取り出して返す (優先度は整数型の値1, 2, 3のいずれかであり, 大きい値ほど優先度が高い)

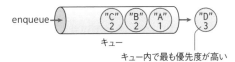

キュー内で最も優先度が高い

行番号8　while (prioQueue.size()が1と等しくない)
行番号9　　prioQueue.dequeue() の戻り値を出力
　　　　　キューに格納されている要素の個数は3。優先度の高い要素から順に, 要素の個数が1になるまでdequeue される

while の1回目

キューの内で最も優先度が高い要素は
("C"2) と ("B"2) なので, 先に追加された
要素である ("B"2) の方を取り出す

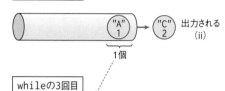

while の2回目

1個

while の3回目

キューの個数が1となっているため, while の
繰返しは終了

行番号10　endwhile
　　　　　繰返しを終了
行番号11　prioQueue.enqueue("D", 3)
行番号12　prioQueue.enqueue("B", 2)

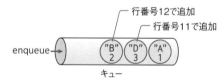

行番号12で追加
行番号11で追加
キュー

行番号13　prioQueue.dequeue()

キュー

行番号14　prioQueue.dequeue()

キュー

行番号15　prioQueue.enqueue("C", 2)
行番号16　prioQueue.enqueue("E", 1)

キュー

行番号17　while (prioQueue.size()が0と
　　　　　　等しくない)
行番号18　　prioQueue.dequeue()の戻り値
　　　　　を出力
　　　　　　キューに格納されている要素の
　　　　　　個数は3。優先度の高い要素から
　　　　　　順にdequeueされる
行番号19　endwhile

行番号17〜19の動き

キューに格納されている要素の中で
優先度が最も高い"C"からdequeuされる

次は"A""E"とも優先度が1で同じため,
最初に追加された"A"が取り出される

最後に, 1つ残った要素"E"が取り出される

優先度付きキューに格納されている要素が0になった
⇒whileの繰返し条件「prioQueue.size()が0と
　等しくない」がfalseになったため, while文を終了

　解説中の (i) 〜 (v) を順に並べると,
「"B", "C", "C", "A", "E"」になります。
　したがって, 正解は**ウ**の
　　"B", "C", "C", "A", "E"
です。

解答　**ウ**

★☆☆ 問 **10** □□□

関数 $f(x, y)$ が次のとおり定義されているとき，$f(775, 527)$ の値を，解答群の中から選べ。ここで，$x \bmod y$ は x を y で割った余りを返す。

〔プログラム〕

```
1  ○整数型：f (整数型：x, 整数型：y)
2   if (yが0と等しい)
3    return x
4   else
5    return f(y, x mod y)
6   endif
```

※プログラム中の行番号は筆者が追記した。

解答群

　　ア　0　　　　イ　31　　　　ウ　248　　　　エ　527

[平成29年度 春期 基本情報技術者試験 午前 問6 一部改変]

★☆☆ 問 **10** │ 再帰的に定義される関数

　頻出テーマのひとつである「再帰」についての問題です。本問のように，引数が2つの再帰関数がよく出題されます。基礎知識を身につけておけば，必ず解けるテーマなので，過去問題で出題形式に慣れておきましょう。問題文に示されている「x mod y」も頻出です。

問題の解説

　プログラムを見ると，y の値が0か，そうでないかで処理が分岐しています。行番号5

　return f(y, x mod y)

がポイントです。引数 (y, x mod y) で関数 f を再帰的に呼び出しています。このとき，関数 mod が使われていますが，頻出関数なのでしっかり押さえておきましょう。

・x mod y：x を y で割った余りを返す

　(例) 7 mod 3 = 1

　　⇒7を3で割った余りは1

　以上を踏まえた上で，f(775,527)の値をトレースで求めましょう。

　関数 $f(x, y)$ に $x = 775$，$y = 527$ を代入します。

　$f(775, 527)$
　$f(x, y)$

　$y = 527$ なので，行番号2は偽です。よって，行番号3の，return x は実行されません。そして，行番号4の else 以下の $f(y, x \bmod y)$ が処理されます。

①$f(527, \underline{775 \bmod 527}) = f(527, 248)$
　　　└ $775 \div 527 = 1 \cdots 248$

となり，$x = 527$，$y = 248$ を引数として関数 $f(x, y)$ が実行されます。

②$f(248, \underline{527 \bmod 248}) = f(248, 31)$
　　　└ $527 \div 248 = 2 \cdots 31$

となり，$x = 248$，$y = 31$ を引数として関数 $f(x, y)$ が実行されます。

③$f(31, \underline{248 \bmod 31}) = f(31, 0)$
　　　└ $248 \div 31 = 8 \cdots 0$（余りが0）

　ここで，$x = 31$，$y = 0$ となりました。

　行番号1，2で，

　　if (yが0と等しい) ならば x を返す

ので，$x = 31$ で，31が呼び出し元に戻ります。

解答　**イ**

問題文中の☐☐☐に入れる正しい答えを，解答群の中から選べ。

3個のスタックを操作するプログラムがある。ここで，どのスタックにおいてもポップ操作が実行されたときには必ず文字を出力するものとする。また，スタック間の文字の移動は行わない。
　クラスStackは，スタックを表すクラスである。クラスStackの説明を図に示す。

コンストラクタ		説明
Stack()		空のスタックを生成する。

メソッド	戻り値	説明
push(文字型：s)	なし	スタックに要素（文字型：s）を格納する。
pop()	文字型	スタックから要素を1つ取り出す。

図　クラスStackの説明

手続き stk を呼び出したとき，出力は☐☐☐の順になる。

〔プログラム〕

```
1  ○stk()
2    Stack: stack1 ← Stack()
3    Stack: stack2 ← Stack()
4    Stack: stack3 ← Stack()
5    stack1.push("A")
6    stack2.push("C")
7    stack3.push("K")
8    stack3.push("S")
9    stack3.pop()の戻り値を出力
10   stack3.push("T")
11   stack3.pop()の戻り値を出力
12   stack1.pop()の戻り値を出力
13   stack2.pop()の戻り値を出力
14   stack3.pop()の戻り値を出力
```

※プログラム中の行番号は筆者が追記した。

解答群

　ア　"S"，"K"，"A"，"C"，"T"　　　　イ　"S"，"T"，"A"，"C"，"K"
　ウ　"T"，"S"，"K"，"C"，"A"　　　　エ　"T"，"S"，"A"，"C"，"K"

［令和元年度 秋期 基本情報技術者試験 午前 問8 一部改変］

★ ★ ★ 問**11** 複数のスタック操作

本問では使用するスタックが3個あることに戸惑うかもしれません。しかし, スタックの個数が増えても, 基本を押さえておけば解けるはずです。図などを使って処理の流れを地道に理解していくことをおすすめします。

用語の解説

● スタック

スタック (stack) とは, 複数のデータを順番に格納し, 最後に格納したデータから先に1件ずつ取り出す後入れ先出し (LIFO : Last In First Out) のデータ構造です。

スタックにデータを格納することをプッシュ (push), スタックからデータを取り出すことをポップ (pop) といいます。

スタック
(①, ②, ③, ④の
　順に格納)

ポップ
(④, ③, ②, ①の
　順に取り出される)

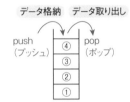

問題の解説

本問では, stk を呼び出したときの出力がどうなるかが問われています。出力を求めるために, プログラムの流れを図で整理しながら解説します。

行番号1　○ stk()
　　　　　手続き stk を宣言しています。
行番号2　Stack: stack1
　　　　　　← Stack()
行番号3　Stack: stack2
　　　　　　← Stack()
行番号4　Stack: stack3
　　　　　　← Stack()
　　　　　3個のスタックを生成しています。スタックの名前は問題に示されていませんが, 解説上必要なので「スタック1」「スタック2」「スタック3」とします。

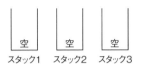

行番号5　stack1.push("A")
　　　　　スタック1に "A" を格納します。

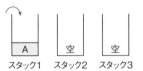

行番号6　stack2.push("C")
　　　　　スタック2に "C" を格納します。

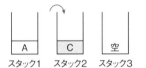

行番号7　stack3.push("K")
　　　　　スタック3に "K" を格納します。

行番号8　stack3.push("S")
　　　　　スタック3に "S" を格納します。

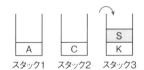

行番号9　stack3.pop() の戻り値を出力
　　　　　スタック3から取り出した値 (S) を出力します。

211

行番号10　stack3.push("T")
　　　　　スタック3に"T"を格納します。

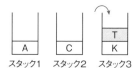

行番号11　stack3.pop()の戻り値を出力
　　　　　スタック3から取り出した値 (T) を出力
　　　　　します。

行番号12　stack1.pop()の戻り値を出力
　　　　　スタック1から取り出した値 (A) を出力
　　　　　します。

行番号13　stack2.pop()の戻り値を出力
　　　　　スタック2から取り出した値 (C) を出力
　　　　　します。

行番号14　stack3.pop()の戻り値を出力
　　　　　スタック3から取り出した値 (K) を出力
　　　　　します。

　以上より，★印の出力を順に並べたものが答え
になります。
　したがって，正解は**イ**の
　"S"，"T"，"A"，"C"，"K"
です。

★★★
問
12
☑☑☑

次の記述中の□□□に入れる正しい答えを，解答群の中から選べ。ここで，配列の要素番号は1から始まる。

次の手続sortは，大域の整数型の配列dataの，引数firstで与えられた要素番号から引数lastで与えられた要素番号までの要素を昇順に整列する。ここで，first ＜ lastとする。手続sortをsort(1，5)として呼び出すと，/*** α ***/の行を最初に実行したときの出力は"□□□"となる。

〔プログラム〕

```
 1  大域: 整数型の配列: data ← {1, 5, 3, 2, 4}

 2  ○sort(整数型: first, 整数型: last)
 3    整数型: pivot, i, j
 4    pivot ← data[(first + last) ÷ 2の商]
 5    i ← first
 6    j ← last

 7    while (true)
 8      while (data[i] < pivot)
 9        i ← i + 1
10      endwhile
11      while (pivot < data[j])
12        j ← j － 1
13      endwhile
14      if (i ≧ j)
15        繰返し処理を終了する
16      endif
17      data[i]とdata[j]の値を入れ替える
18      i ← i + 1
19      j ← j － 1
20    endwhile
21    dataの全要素の値を要素番号の順に空白区切りで出力する  /*** α ***/
22    if (first < i － 1)
23      sort(first, i － 1)
24    endif
25    if (j + 1 < last)
26      sort(j + 1, last)
27    endif
```

※プログラム中の行番号は筆者が追記した。

解答群

ア 12345	イ 12354
ウ 21345	エ 21354

[令和5年度 基本情報技術者試験 公開問題 科目B 問3 一部改変]

試験対策の要点

令和6年度 科目A 科目B

対策問題① 科目A 科目B

対策問題② 科目A 科目B

対策問題③ 科目A 科目B

問 **12** 整列プログラムで実行される配列の値の変化を求める

重要項目の1つである，整列の問題です。類題の出題が今後も予想されるので，代表的な整列方法を，巻頭「科目Bのポイント」の12.で確認しておきましょう。if文の条件式，繰返し処理，配列の要素番号と要素に着目してトレースする学習が効果的です。「解説がわかる」≠「自分で解ける」なので，しっかり身につくまで地道な練習を重ねましょう。

問題の解説

プログラムをトレースします。なお，①～③は，繰返し回数を表します。

設問文「sort(1, 5)として呼び出すと」

行番号1 大域：整数型の配列

	1	2	3	4	5	要素番号
data	1	5	3	2	4	

行番号2 ○sort(整数型：first, 整数型：last)

行番号3 整数型：pivot, i, j

行番号4 pivot ← data[(first + last) ÷ 2の商]

(1+5)÷2=3

data[3]

	1	2	3	4	5
data	1	5	3	2	4

data[3]は，配列dataの要素番号3に格納されている要素3のことです。

行番号5 i ← first

行番号6 j ← last

行番号7 while (true)

(行番号7の while (true)) から (行番号20の endwhile)

までのwhile文の繰返し処理中

行番号15の「繰返し処理を終了する」を実行するまで，無限に繰返し処理を行う

●行番号8～10の繰返し処理

行番号5よりiの値は1からスタート

※①, ②は繰返しの回数

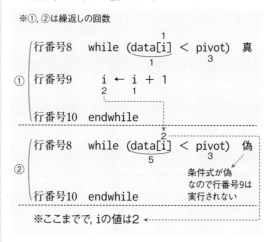

※ここまでで，iの値は2

●行番号11～13の繰返し処理

行番号6よりjの値は5からスタート

※①, ②は繰返しの回数

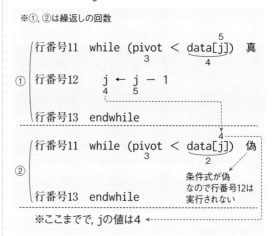

※ここまでで，jの値は4

行番号14 if (i ≧ j) 偽

行番号15 「繰返し処理を終了する」｝実行されない

行番号16 endif

行番号17　<u>data[i]</u>と<u>data[j]</u>の
　　　　　　　2　　　　　　4
　　　　　　5　　　　　　2
　　　　　値を入れ替える

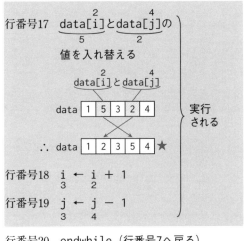

data[i]とdata[j]
　2　　　　4

data | 1 | 5 | 3 | 2 | 4 |

実行される

∴ data | 1 | 2 | 3 | 5 | 4 | ★

行番号18　i ← i + 1
　　　　　3　　3　　2

行番号19　j ← j - 1
　　　　　3　　3　　4

行番号20　endwhile（行番号7へ戻る）

行番号7　while (true)

行番号8　while (data[i] < pivot)　偽
　　　　　　　　　　3　　　3　　　3

行番号10　endwhile

行番号11　while (pivot < data[j])　偽
　　　　　　　　　　3　　　　3
　　　　　　　　　　3
　　　　　　　　　　　　　　　　3

行番号13　endwhile

行番号14　if (i ≧ j)　真
　　　　　　3　　3

行番号15　　繰返し処理を終了する

行番号16　endif

行番号20　endwhile　（終了）

行番号21　dataの全要素の値を要素番号の順に
　　　　　空白区切りで出力する /*** α ***/
　　　　　この時点の配列dataは，上の★印と
　　　　　なっています。

　したがって，設問の答えは**イ**の
　　1 2 3 5 4
です。

解答　　**イ**

分野：アルゴリズムとプログラミング ▶ ②データ構造及びアルゴリズム

問 **13**
★★★
☑☑☑

　手続printArrayを呼び出したときの出力はどれか。ここで，配列の要素番号は1から始まる。

〔プログラム〕

```
1   ○printArray()
2     整数型: n, m
3     整数型の配列: integerArray ← {2, 4, 1, 3}
4     for (nを1から(integerArrayの要素数−1)まで1ずつ増やす)
5       for (mを1から(integerArrayの要素数−n)まで1ずつ増やす)
6         if (integerArray[m] < integerArray[m+1])
7           w ← integerArray[m]
8           integerArray[m] ← integerArray[m+1]
9           integerArray[m+1] ← w
10        endif
11      endfor
12    endfor
13    integerArrayの全ての要素を先頭から順にコンマ区切りで出力する
```

解答群

　　ア　1, 2, 3, 4　　　　　　　**イ**　1, 3, 2, 4
　　ウ　3, 1, 4, 2　　　　　　　**エ**　4, 3, 2, 1

[令和5年度 ITパスポート試験公開問題 問60 一部改変]

問 13 | 二重の for 文

二重の for 文は，必ず押さえておきたい頻出テーマですから，しっかり学習しましょう。また本問では，行番号7～9で配列要素の入れ替えも行われていますが，これも極めてよく出題されるテーマです。

問題の解説

二重の for 文のポイント

for 文が二重になっています。問題文では，n は3まで，m も3までです。そのため，下の図のような繰返し処理を行います。

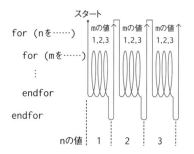

printArray を呼び出したときの動きを，行番号3から順に確認していきます。

行番号
3　整数型の配列: integerArray

```
 1  2  3  4
 2  4  1  3  ←要素数は4
```

●外側の for 文の 1 回目

まず，外側の for 文で1回目の繰返しを行います。

行番号
4　for (nを1から(integerArrayの要素数－1)
　　初回のnは1　　　　　　　　　　　　4
　　まで1ずつ増やす)

5　　for (mを1から(integerArrayの要素数－n)
　　　初回のmは1　　　　　　　　　　　　4　　　1
　　　　　　　　　　　　　　　　　　　　3
　　　まで1ずつ増やす)

6　　　if (integerArray[m] < integerArray[m+1])
　　　　　　　　　2　　　true　　　　4

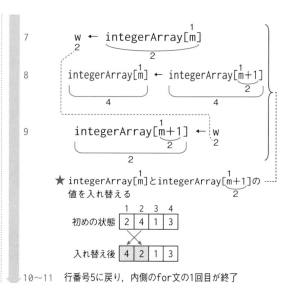

7　　　　w ← integerArray[m]

8　　　integerArray[m] ← integerArray[m+1]

9　　　integerArray[m+1] ← w

★ integerArray[m] と integerArray[m+1] の値を入れ替える

```
      1  2  3  4
初めの状態 2  4  1  3
入れ替え後  4  2  1  3
```

10～11　行番号5に戻り，内側の for 文の1回目が終了

続いて，内側の for 文の2回目と3回目を実行します。

行番号
5　for (mを1から(integerArrayの要素数－n)
　　まで1ずつ増やす)
　　　　　　→ mは＋1されて2となる

6　　if (integerArray[m] < integerArray[m+1])
　　　　　　2　　　false　　　　3

7～9　if文の条件式がfalseなので実行されない

10～11　行番号5に戻り，内側の for 文の2回目が終了

行番号

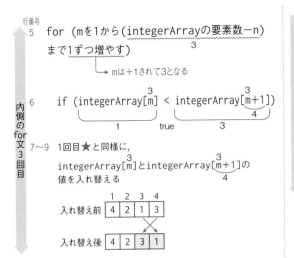

5 for (mを1から(integerArrayの要素数−n)
まで1ずつ増やす)
3

↳ mは+1されて3となる

6 if (integerArray[m] < integerArray[m+1])
3 3 4
1 true 3

内側のfor文3回目

7〜9 1回目★と同様に，
integerArray[m]とintegerArray[m+1]の
3 3 4
値を入れ替える

入れ替え前 | 1 | 2 | 3 | 4 |
| 4 | 2 | 1 | 3 |

入れ替え後 | 4 | 2 | 3 | 1 |

内側のfor文（5行目）の条件式は，「mを1から(integerArrayの要素数−n)まで……」です。integerArrayの要素数は4で，nは現時点で1なので，「integerArrayの要素数−n」は3となります。3回目の繰返しでmは3となったので，内側のfor文は3回で終了します。

●外側のfor文の2回目

続いてプログラムは行番号4に戻り，外側のfor文の2回目に進みます。

行番号

4 for (nを1から(integerArrayの要素数−1)

nは2になる

まで1ずつ増やす)
+1

内側のfor文1回目

5 for (mを1から(integerArrayの要素数−n)
mは1 4 2
まで1ずつ増やす)
2

6 if (integerArray[m] < integerArray[m+1])
1 1
4 false 2
2

7〜9 if文の条件式がfalseなので実行されない

10〜11 行番号5に戻り，内側のfor文の1回目が終了

行番号

5 for (mを1から(integerArrayの要素数−n)
mは+1されて2となる
まで1ずつ増やす)

内側のfor文2回目

6 if (integerArray[m] < integerArray[m+1])
2 2
2 true 3
3

7〜9 ★と同様に，
integerArray[m]とintegerArray[m+1]の
2 2
値を入れ替える

入れ替え前 | 1 | 2 | 3 | 4 |
| 4 | 2 | 3 | 1 |

入れ替え後 | 4 | 3 | 2 | 1 | ◆

内側のfor文（5行目）の条件式は，「mを1から(integerArrayの要素数−n)まで……」です。
4
2

m＝2の処理が終了したので，外側のfor文の2回目が終了します。

●外側のfor文の3回目

同じように，プログラムは行番号4に戻り，外側のfor文の3回目に進みます。

行番号

4 for (nを1から(integerArrayの要素数−1)

nは3になる

まで1ずつ増やす)
+1

5 for (mを1から(integerArrayの要素数−n)
4 3

mは1に戻り，内側のfor文は1回だけ実行される

内側のfor文1回目

まで1ずつ増やす)

6 if (integerArray[m] < integerArray[m+1])
1 1
4 false 2
2

7〜9 if文の条件式がfalseなので実行されない

5行目のfor文の条件式より，内側のfor文の繰返しは1回で終了します。

また，外側forの文（4行目）の条件式は，「nを1から(integerArrayの要素数−1)まで……」です。「integerArrayの要素数−1＝3」なので，外側のfor文の繰返しも3回（n＝3）で終わり，処理はすべて終了します。したがって，プログラムの実行後の配列integerArrayは◆印となります。

したがって，行番号13で「integerArrayの全ての要素を先頭から順にコンマ区切りで出力する」と，「4，3，2，1」となります。

以上より，正解は**エ**の

　4，3，2，1

です。

解答 　**エ**

次の記述中の ☐ に入れる正しい答えを，解答群の中から選べ。ここで，配列の要素番号は1から始まる。

　要素数が1以上で，昇順に整列済みの配列を基に，配列を特徴づける六つの値を返すプログラムである。

　関数summarizeをsummarize({0.1, 0.2, 0.3, 0.4, 0.5, 0.6, 0.7, 0.8, 0.9, 1})として呼び出すと，戻り値は ☐ である。

〔プログラム〕

```
○実数型: findRank(実数型の配列: sortedData, 実数型: p)
 整数型: i
 i ← (p×(sortedDataの要素数−1)) の小数点以下を切り上げた値
 return sortedData[i+1]

○実数型の配列: summarize(実数型の配列: sortedData)
 実数型の配列: rankData ← {}   /* 要素数0の配列 */
 実数型の配列: p ← {0, 0.2, 0.4, 0.6, 0.8, 1}
 整数型: i
 for (iをpの要素数から1まで1ずつ減らす)
   rankDataの末尾にfindRank(sortedData, p[i])の戻り値を追加する
 endfor
 return rankData
```

解答群

ア　{0.1, 0.2, 0.4, 0.6, 0.8, 1}
イ　{0.1, 0.2, 0.5, 0.6, 0.8, 1}
ウ　{0.1, 0.3, 0.4, 0.7, 0.9, 1}
エ　{0.1, 0.3, 0.5, 0.7, 0.9, 1}
オ　{1, 0.8, 0.6, 0.4, 0.2, 0.1}
カ　{1, 0.8, 0.6, 0.5, 0.2, 0.1}
キ　{1, 0.9, 0.7, 0.4, 0.3, 0.1}
ク　{1, 0.9, 0.7, 0.5, 0.3, 0.1}

[基本情報技術者試験 サンプル問題 (2022年12月26日公開) 科目B 問14 一部改変]

★★☆ 問14 │ 配列を特徴づける6つの値を返すプログラム

与えられた引数を使って，プログラムをトレースすれば必ず解ける問題です。関数と引数をしっかりと理解することがポイントなので，「科目Bのポイント集」の9はぜひチェックしてください。

問題の解説

問題に与えられた呼び出し文で，〔プログラム〕をトレースして解説します。

問題に与えられた呼び出し文

summarize({0.1, 0.2, 0.3, 0.4, 0.5, 0.6, 0.7, 0.8, 0.9, 1})

└→ 実数型の配列：sortedData（要素数10）

①配列p[1]＝0の処理

○関数summarize

実数型の配列：rankData ← {}
　　　　　　　　　　　/* 要素数0の配列 */
実数型の配列：
　　p ← {0, 0.2, 0.4, 0.6, 0.8, 1}
整数型：i
for (iをpの要素数から1まで1ずつ減らす) i＝6
　　　　　　　　6
　　rankDataの末尾にfindRank(sortedData,
　　　　　　　　　　　　　　6
　　　　p[i])の戻り値を追加する
　　　　　1
endfor
return rankData　　　　　　　引数

○関数 findRank(sortedData, p)
整数型：i
i ← (p×(sortedDataの要素数－1)) の
9　　　1　　　　10
　　　　　　　　小数点以下を切り上げた値
　　　　　　　　　　　→9
return sortedData[i+1]
　　　　　　　　10
　　　　　　　　1

配列sortedData[10]の要素は1です。
以上より，1つ目の値の戻り値1が配列rankData（初期値は{}）の末尾に加わります。
よって，{1}となります。

②配列p[2]＝0.2の処理

以下，同様なので，ポイントだけに絞って解説します。

○関数summarize
for (iをpの要素数から1まで1ずつ減らす) i＝5
　　rankDataの末尾にfindRank(sortedData,
　　　　　　　　　　　　5
　　　　p[i])の戻り値を追加する
　　　　0.8

○関数 findRank
整数型：i
i ← (p×(sortedDataの要素数－1)) の
8　　0.8　　　　　10
　　　　　　　　小数点以下を切り上げた値
　　　　　　　　　→8
return sortedData[i+1]
　　　　　　　　9
　　　0.9

以上より，2つ目の値の戻り値0.9が配列rankDataの末尾に加わります。
よって，{1, 0.9}となります。

③配列p[3]＝0.4の処理

○関数summarize
for (iをpの要素数から1まで1ずつ減らす) i＝4
　　rankDataの末尾にfindRank(sortedData,
　　　　　　　　　　　　4
　　　　p[i])の戻り値を追加する
　　　　0.6

○関数 findRank
整数型：i
i ← (p×(sortedDataの要素数－1)) の
6　　0.6　　　　　10
　　　　　　　　小数点以下を切り上げた値
　　　　　　　　　→6
return sortedData[i+1]
　　　　　　　　7
　　　0.7

よって，3つ目の値の戻り値0.7が配列rankDataの末尾に加わります。
よって，{1, 0.9, 0.7}となります。

④配列p[4]＝0.6の処理

○関数summarize

for (iをpの要素数から1まで1ずつ増やす) i=3
rankDataの末尾にfindRank(sortedData,
　　　　　　　　　　　　　　　　　　　3
　　　　　　　　　　　p[i])の戻り値を追加する
　　　　　　　　　　　　0.4

○関数 findRank

整数型: i

i ← (p×(sortedDataの要素数－1)) の
4　　0.4　　　　　　　　　　　　　10
　　　　　　　　　　　　小数点以下を切り上げた値
　　　　　　　　　　　　　　　→4
return sortedData[i+1]
　　　　　　　　　5
　　　　　　0.5

よって，4つ目の値の戻り値0.5が配列rankDataの
末尾に加わります。

よって，{1, 0.9, 0.7, 0.5}となります。

ここまでトレースすれば，**ク**が正解とわかります。

したがって，正解は**ク**の

　{1, 0.9, 0.7, 0.5, 0.3, 0.1}

です。

 参考

⑤配列p[5]＝0.8の処理

　　　　　　　2
i=2　　p[i]
　　　　---- 0.2

i ← (p×(sortedDataの要素数－1))の
2　　0.2　　　　　　　　　　　小数点以下を切り上げた値

return sortedData[i+1]
　　　　　　　3
　　　0.3----

よって，5つ目の値の戻り値0.3が配列rankData
の末尾に加わり，{1, 0.9, 0.7, 0.5, 0.3}となり
ます。

⑥配列p[6]＝1の処理

　　　　　　　1
i=1　　p[i]
　　　　---- 0

i ← (p×(sortedDataの要素数－1))の
0　　0　　　　　　　　　　　小数点以下を切り上げた値

return sortedData[i+1]
　　　　　　　1
　　　0.1----

よって，6つ目の値の戻り値0.1が配列rankData
の末尾に加わり，{1, 0.9, 0.7, 0.5, 0.3, 0.1}
となります。

解答　**ク**

 分野：アルゴリズムとプログラミング ▶ ③プログラミングの諸分野への適用

問15

次の記述中の　a　と　b　に入れる正しい答えの組合せを，解答群の中から選べ。

三目並べにおいて自分が勝利する可能性が最も高い手を決定する。次の手順で，ゲームの状態遷移を木構造として表現し，根以外の各節の評価値を求める。その結果，根の子の中で最も評価値が高い手を，最も勝利する可能性が高い手とする。自分が選択した手を○で表し，相手が選択した手を×で表す。

〔手順〕
(1) 現在の盤面の状態を根とし,勝敗がつくか,引き分けとなるまでの考えられる全ての手を木構造で表現する。
(2) 葉の状態を次のように評価する。
　① 自分が勝ちの場合は10
　② 自分が負けの場合は−10
　③ 引き分けの場合は0
(3) 葉以外の節の評価値は,その節の全ての子の評価値を基に決定する。
　① 自分の手番の節である場合,子の評価値で最大の評価値を節の評価値とする。
　② 相手の手番の節である場合,子の評価値で最小の評価値を節の評価値とする。

　ゲームが図の最上部にある根の状態のとき,自分が選択できる手は三つある。そのうちAが指す子の評価値は　a　であり,Bが指す子の評価値は　b　である。

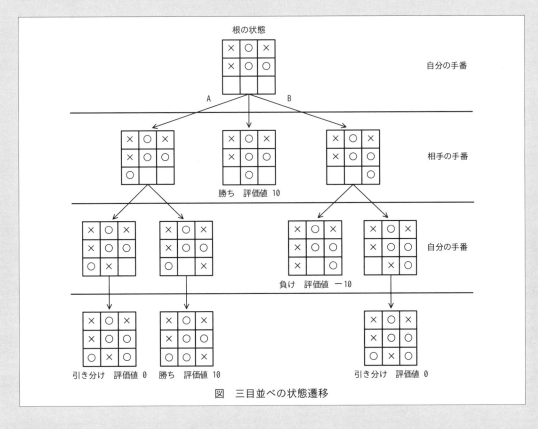

図　三目並べの状態遷移

解答群

	a	b
ア	0	−10
イ	0	0
ウ	10	−10
エ	10	0

[基本情報技術者試験 サンプル問題 (2022年12月26日公開) 科目B 問15]

問 15 │ 三目並べの打ち手の評価

本問は三目並べを題材に,ゲームの状態遷移を木構造として表しています。問題の意味を読解すれば,それほど難しくはないはずです。なお,本問ではプログラムが使われていませんが,今後の本試験ではこのような形式の出題も予想されます。

用語の解説

● 評価値

評価値とは,コンピュータソフトがゲームの形勢判断をした結果を表した数値のことです。例えば,将棋では駒の効きや配置,駒の損得,持ち駒,過去の棋譜(過去にプロが指した手の記録)などを基に形勢判断します。得点表記であれば有利な方をプラス,不利な方をマイナスになります。また,パーセンテージ表記であれば50を起点に上回れば有利,下回れば不利を示します。

● 木構造

木構造とは,データ構造のひとつで,木のような階層構造でデータを管理するものです。木構造の各要素は,次のような用語で区別されます。

・根:最上位の要素
・節:個々の要素
・葉:最下位の要素

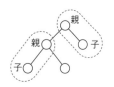

また,木構造では,各階層は親子関係を持っています。根に近い節や根が「親」,根から遠い方の節が「子」になります。よって,根は「親」を持ちません。また,葉は「子」を持ちません。

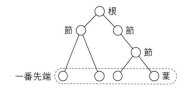

親子関係の例
(図で示したもの以外にも
親子関係は存在します)

問題の解説

「図 三目並べの状態遷移」を説明します。なお,図の最上部(根の状態)の右側に「自分の手番」とあるので,最上部の根の状態から「自分の手番」でゲームを進めます。

最上部(自分の手番)で,○(自分の手)が入る場所は,空白の盤面の3か所のいずれかになります。

よって,次の図のような3通りのパターンがあることを示しています。

なお,3通りのいずれかを指した次は,相手の手番になります。設問の図は同様の考え方で,自分の手番,相手の手番,自分の手番と続きます。

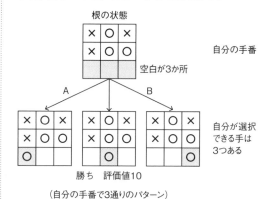

根の状態

自分の手番

空白が3か所

自分が選択
できる手は
3つある

勝ち 評価値10

(自分の手番で3通りのパターン)

空欄 a,b

〔手順〕(2)(3)に注意しながら,空欄を考えていきます。

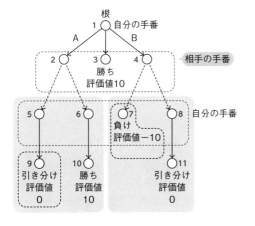

——→ 自分が指す
┈┈→ 相手が指す　　※各節に説明用の番号を付けています。

[1] 節5, 6, 8の評価値（〔手順〕(3)①）

節5, 6, 8は1つしか子を持っていないので, 子の評価値がそのまま節の評価値となります。よって, 評価値はそれぞれ, 0, 10, 0です。

[2] 節2, 4の評価値（〔手順〕(3)②）

節2は子5と6を持ち, 評価値は0と10です（[1]より）。よって, 最小値である0を選びます。

節4は子7と8を持ち, 評価値は -10 と0です（[1]より）。よって, 最小値である -10 を選びます。

したがって, 正解は **ア** の

a　　0

b　　-10

です。

解答　　**ア**

分野：アルゴリズムとプログラミング ▶ ③プログラミングの諸分野への適用

問 16

次のプログラム中の □□□ に入れる正しい答えを, 解答群の中から選べ。

任意の異なる2文字を c_1, c_2 とするとき, 英単語群に含まれる英単語において, c_1 の次に c_2 が出現する割合を求めるプログラムである。英単語は, 英小文字だけから成る。英単語の末尾の文字が c_1 である場合, その箇所は割合の計算に含めない。例えば, 図に示す4語の英単語"importance", "inflation", "information", "innovation"から成る英単語群において, c_1 を"n", c_2 を"f"とする。英単語の末尾の文字以外に"n"は五つあり, そのうち次の文字が"f"であるものは二つである。したがって, 求める割合は, $2 \div 5 = 0.4$ である。c_1 と c_2 の並びが一度も出現しない場合, c_1 の出現回数によらず割合を0と定義する。

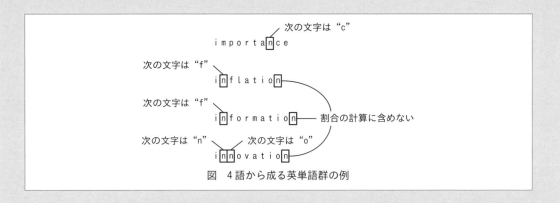

図 4語から成る英単語群の例

　プログラムにおいて，英単語群はWords型の大域変数wordsに格納されている。クラスWordsのメソッドの説明を，表に示す。本問において，文字列に対する演算子"＋"は，文字列の連結を表す。また，整数に対する演算子"÷"は，実数として計算する。

表　クラスWordsのメソッドの説明

メソッド	戻り値	説明
freq(文字列型: str)	整数型	英単語群中の文字列 str の出現回数を返す。
freqE(文字列型: str)	整数型	英単語群の中で，文字列 str で終わる英単語の数を返す。

〔プログラム〕

```
1   大域: Words: words /* 英単語群が格納されている */

2   /* c1の次にc2が出現する割合を返す */
3   ○実数型: prob(文字型: c1, 文字型: c2)
4     文字列型: s1 ← c1の1文字だけから成る文字列
5     文字列型: s2 ← c2の1文字だけから成る文字列
6     if (words.freq(s1 + s2) が0より大きい)
7       return _____
8     else
9       return 0
10    endif
```

※プログラム中の行番号は筆者が追記した。

解答群

ア　(words.freq(s1) − words.freqE(s1)) ÷ words.freq(s1 + s2)

イ　(words.freq(s2) − words.freqE(s2)) ÷ words.freq(s1 + s2)

ウ　words.freq(s1 + s2) ÷ (words.freq(s1) − words.freqE(s1))

エ　words.freq(s1 + s2) ÷ (words.freq(s2) − words.freqE(s2))

[基本情報技術者試験 科目B試験のサンプル問題 (2022年4月25日発表)問5]

★★★ 問 **16** | 文字の出現割合

　問題の図「4語から成る英単語群の例」を理解した上で，表「クラスWordsのメソッドの説明」を理解することがポイントなります。また，解答群の計算式に問題の例を当てはめてみることで，正解を得る方法もあります。

問題の解説

　問題文と〔プログラム〕より，以下のことがわかります。

- ・問題文「c1を"n"，c2を"f"とする」より，
  　⇒c1に"n"，c2に"f"が代入される
- ・〔プログラム〕の行番号4
  　⇒s1にc1の1文字だけからなる文字列が代入される
- ・〔プログラム〕の行番号5
  　⇒s2にc2の1文字だけからなる文字列が代入される

　これを踏まえて問題文を整理すると，次のようになります。

- ・s1に"n"が代入される
- ・s2に"f"が代入される
- ・文字列"nf"の出現回数が0より大きかったら，問題文の「2÷5」を計算し，答えの0.4を呼び出し元に返す

　空欄には，この計算部分を入れます。
　また，「文字列"nf"の出現回数が0の場合」は，行番号8と9で処理します。問題文「c1とc2の並びが一度も出現しない場合，c1の出現回数によらず割合を0と定義する」より，行番号9で「0を呼び出し元に返す」としています。

● 文字列"nf"の出現回数を求める

　まず，文字列"n"と"f"の連結を行います。問題文「文字列に対する演算子"＋"は，文字列の連結を表す。」より，s1が"n"，s2が"f"のとき，連結した"nf"は，

　s1＋s2

と表現することができます。

　よって，出現回数を求めるには，問題の表より，メソッドfreqを使います。例えば，"n"の出現回数は，"n"が代入されているs1を使って，大域変数wordsなので，

　words.freq(s1)

と表すことができます。
　同様に，文字列"nf"の出現回数を求めるには，

　words.freq(s1 + s2)

と表すことができます。
　また，末尾の出現回数は，問題文の表より，メソッドfreqEを使います。例えば，"n"が末尾の出現回数は，

　words.freqE(s1)

と表すことができます。

　以上より，問題文の，「2÷5」を計算して答えの0.4を呼び出し元に返す部分は，次のようになります。

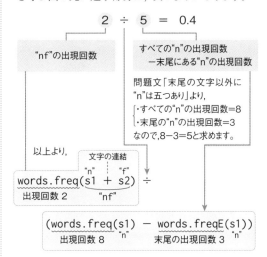

$$2 \div 5 = 0.4$$

"nf"の出現回数

すべての"n"の出現回数
－末尾にある"n"の出現回数

問題文「末尾の文字以外に"n"は五つあり」より，
・すべての"n"の出現回数＝8
・末尾の"n"の出現回数＝3
なので，8－3＝5と求めます。

以上より，

文字の連結
"n" "f"
words.freq(s1 + s2) ÷
出現回数 2　"nf"

(words.freq(s1) － words.freqE(s1))
出現回数 8 "n"　末尾の出現回数 3 "n"

　したがって，正解は**ウ**の

　words.freq(s1 + s2) ÷
　(words.freq(s1) － words.freqE(s1))

です。

📖 **参考**

正解以外の選択肢を説明します。

問題文「c1 を "n", c2 を "f" とする」に注意して, 問題文の図で出現回数を数えます。なお, 問題文の例では, 計算結果が 2÷5＝0.4 となっているので, 計算結果が 0.4 にならない選択肢は誤りです。

ア (words.freq(s1) − words.freqE(s1)) ÷ words.freq(s1 + s2)
   {("n"の出現回数) −(末尾の "n"の出現回数)}÷   "nf"の出現回数 ＝ 2.5 (誤り)
      8   3   2

イ (words.freq(s2) − words.freqE(s2)) ÷ words.freq(s1 + s2)
   {("f"の出現回数) −(末尾の "f"の出現回数)}÷   "nf"の出現回数 ＝ 1.0 (誤り)
      2   0   2

エ words.freq(s1 + s2) ÷ (words.freq(s2) − words.freqE(s2))
   ("nf"の出現回数)   ÷   {("f"の出現回数) −(末尾の "f"の出現回数)}   ＝ 1.0 (誤り)
      2   2   0

解答 **ウ**

分野：情報セキュリティ

問17

A社は, 分析・計測機器などの販売及び機器を利用した試料の分析受託業務を行う分析機器メーカーである。A社では, 図1の"情報セキュリティリスクアセスメント手順"に従い, 年一度, 情報セキュリティリスクアセスメントを行っている。

> ・情報資産の機密性, 完全性, 可用性の評価値は, それぞれ 0〜2 の 3 段階とする。
> ・情報資産の機密性, 完全性, 可用性の評価値の最大値を, その情報資産の重要度とする。
> ・脅威及び脆弱性の評価値は, それぞれ 0〜2 の 3 段階とする。
> ・情報資産ごとに, 様々な脅威に対するリスク値を算出し, その最大値を当該情報資産のリスク値として情報資産管理台帳に記載する。ここで, 情報資産の脅威ごとのリスク値は, 次の式によって算出する。
>   リスク値＝情報資産の重要度×脅威の評価値×脆弱性の評価値
> ・情報資産のリスク値のしきい値を 5 とする。
> ・情報資産ごとのリスク値がしきい値以下であれば受容可能なリスクとする。
> ・情報資産ごとのリスク値がしきい値を超えた場合は, 保有以外のリスク対応を行う

図1 情報セキュリティリスクアセスメント手順

A社の情報セキュリティリーダーであるBさんは, 年次の情報セキュリティリスクアセスメントを行い, 結果を情報資産管理台帳に表1のとおり記載した。

表1 A社の情報資産管理台帳（抜粋）

情報資産	機密性の評価値	完全性の評価値	可用性の評価値	情報資産の重要度	脅威の評価値	脆弱性の評価値	リスク値
（一）従業員の健康診断の情報	2	2	2	（省略）	2	2	（省略）
（二）行動規範などの社内ルール	1	2	1	（省略）	1	1	（省略）
（三）自社 Web サイトに掲載している会社情報	0	2	2	（省略）	2	2	（省略）
（四）分析結果の精度を向上させるために開発した技術	2	2	1	（省略）	2	1	（省略）

設問

表1中の各情報資産のうち，保有以外のリスク対応を行うべきものはどれか。該当するものだけを全て挙げた組合せを，解答群の中から選べ。

解答群

ア （一），（二）		イ （一），（二），（三）	
ウ （一），（二），（四）		エ （一），（三）	
オ （一），（三），（四）		カ （一），（四）	
キ （二），（三）		ク （二），（三），（四）	
ケ （二），（四）		コ （三），（四）	

[令和5年度 情報セキュリティマネジメント試験 科目A・B 公開問題 問13]

★★★ 問**17** ｜ 情報セキュリティリスクアセスメント

　表1で与えられた値を，図1の手順に沿って計算していけば解ける問題です。情報セキュリティにはこのように，問題文で与えられた値や条件などを読解することで，正解にたどりつける問題もあります。情報セキュリティの問題は科目Bの後半で出題されますが，時間切れで取りこぼすことのないように，時間配分に気をつけましょう。

問題の解説

　情報セキュリティリスクアセスメントとは, 企業や組織が持つ情報資産に対して, リスクの特定・分析・評価を行うプロセスのことで, セキュリティリスクの対応策を決めるために実施されます。具体的には, 各リスクの重要性を分析・評価し, しきい値以上か否かで, 対処すべきリスクかどうかを判断します。

　まず,「図1 情報セキュリティリスクアセスメント手順」の記述のポイントを整理します。

```
①表1の評価値は0～2の3段階
②機密性, 完全性, 可用性の最大値を「情報資産
　の重要度」とする
③リスク値の計算式
　リスク値＝情報資産の重要度×脅威の評価値
　　　　　　　　　　　　　　×脆弱性の評価値
④リスク値のしきい値は5
⑤リスク値がしきい値以下⇒受容可能 (リスクを
　　　　　　　　　　　　　　　　　　許せる)
　リスク値がしきい値を超える⇒保有以外のリス
　　　　　　　　　　　　　　　　ク対応を行う
```

　しきい値とは, ある一定の値を超えると影響が出て, それ以下では影響が出ない境界の値です。本問では⑤より,「リスク値が5(しきい値) 以下」であれば受容可能 (リスクを許せる) ですが,「5を超える」の場合は保有以外のリスク対応を行います。

　つまり問題を解くには, 上記の手順(図1) を表1に適用してリスク分析を行い, リスク値がしきい値の5を超えている情報資産を (一) ～ (四) から選択すればよいということです。

1.「情報資産の重要度」を求める
　手順①と②より求めます。

表1の一部

情報資産	機密性の 評価値	安全性の 評価値	可用性の 評価値	略
(一)	2	2	2	
	最大値は2……情報資産の重要度			
(二)	1	2	1	
	最大値は2……情報資産の重要度			
(三)	0	2	2	
	最大値は2……情報資産の重要度			
(四)	2	2	1	
	最大値は2……情報資産の重要度			

　以上より, 情報資産の重要度は (一) ～ (四) のすべてで2と求められます。

2.「リスク値」を求め, しきい値以上かを判定する
　手順③～⑤より求めます。

表1の一部

情報資産	情報資産 の重要度	×	脅威の 評価値	×	脆弱性の 評価値	＝リスク値
	上の1.で求めた値		表1より			
(一)	2	×	2	×	2	＝8 (5を越える)
(二)	2	×	1	×	1	＝2 (5以下)
(三)	2	×	2	×	2	＝8 (5を越える)
(四)	2	×	2	×	1	＝4 (5以下)

　以上より, 情報資産 (一) ～ (四) の中で, 保有以外のリスク対応を行うべき (リスク値がしきい値を超える) 情報資産は, (一), (三) です。
　したがって, 正解は**エ**の
　　(一), (三)
です。

解答　　**エ**

問 18

★☆☆

表1中の ▢ a ▢ に入れる字句はどれか。解答群のうち，最も適切なものを選べ。

A社は，スマートフォン用のアプリケーションソフトウェアを開発・販売する従業員100名のIT会社である。A社には，営業部，開発部，情報システム部などがある。情報システム部には，従業員からの情報セキュリティに関わる問合せに対応する者（以下，問合せ対応者という）が所属している。

A社は，社内の無線LANだけに接続できるノートPC（以下，NPCという）を従業員に貸与している。A社の従業員は，NPCから社内ネットワーク上の共有ファイルサーバ，メールサーバなどを利用している。A社の従業員は，ファイル共有には，共有ファイルサーバ及びSaaS型のチャットサービスを利用している。

A社は，不審な点がある電子メール（以下，電子メールをメールといい，不審な点があるメールを不審メールという）を受信した場合に備えて，図1の不審メール対応手順を定めている。

【メール受信者の手順】
1 メールを受信した場合は，差出人や宛先のメールアドレス，件名，本文などを確認する。
2 少しでも不審メールの可能性がある場合は，添付ファイルを開封したり，本文中のURLをクリックしたりしない。
3 少しでも不審メールの可能性がある場合は，問合せ対応者に連絡する。

【問合せ対応者の手順】
（省略）

図1　不審メール対応手順

ある日，不審メール対応手順が十分であるかどうかを検証することを目的とした，標的型攻撃メールへの対応訓練（以下，A訓練という）を，営業部を対象に実施することがA社の経営会議で検討された。営業部の情報セキュリティリーダであるB主任が，マルウェア感染を想定したA訓練の計画を策定し，計画は経営会議で承認された。

今回のA訓練では，PDFファイルを装ったファイルをメールに添付して，営業部員1人ずつに送信する。このファイルを開くとPCが擬似マルウェアに感染し，全文が文字化けしたテキストが表示される。B主任は，A訓練を実施した後，表1に課題と解決案をまとめて，後日，経営会議で報告した。

課題No.	課題	解決案
課題1	不審メールだと気付いた営業部員が，注意喚起するために部内の連絡用のメーリングリスト宛てに添付ファイルを付けたまま転送している。	不審メール対応手順の【メール受信者の手順】の3を，"少しでも不審メールの可能性がある場合は，問合せ対応者に連絡した上で， ▢ a ▢ に修正する。
課題2	（省略）	（省略）

表1　課題と解決案（抜粋）

aに関する解答群

- **ア** 注意喚起するために，同じ部の全従業員のメールアドレスを宛先として，添付ファイルを付けたまま，又は本文中のURLを記載したまま不審メールを転送する。
- **イ** 注意喚起するために，全従業員への連絡用のメーリングリスト宛てに添付ファイルを付けたまま，又は本文中のURLを記載したまま不審メールを転送する。
- **ウ** 添付ファイルを付けたまま，又は本文中のURLを記載したまま不審メールを共有ファイルサーバに保存して，同じ部の全従業員がアクセスできるようにし，メールは使わずに口答，チャット，電話などで同じ部の全従業員に注意喚起する。
- **エ** 問合せ対応者の指示がなくても，不審メールを問合せ対応者に転送する。
- **オ** 問合せ対応者の指示に従い，不審メールを問合せ対応者に転送する。

[情報セキュリティマネジメント試験 科目Bのサンプル問題（2022年8月4日発表）問1]

★★★ 問 **18** | 標的型攻撃メールへの対応訓練

不審メールを受信したときの順守すべき事項と，対応の手順を問う問題です。問題文をよく読むことで，図1「不審メール対応手順」と表1「課題と解決案（抜粋）」を理解することがポイントになります。

用語の解説

● SaaS (Software as a Service)

自社ではソフトウェアを所有せずに，外部の専門業者が提供するソフトウェアの機能をネットワーク経由で活用することです。

● マルウェア (malware)

有害な動作を行う目的で作成された悪意のあるソフトウェアや悪質なコードの総称です。具体的にはコンピュータウイルスやワーム，ボット，ランサムウェアなどがあります。

問題の解説

問題文の不審メールには，添付ファイルが付いています。この添付ファイルは，ウイルスなどに感染していることが考えられます。よって，問題文の図1「不審メール対応手順」を順守した対応をとることが求められています。

しかしこれには，問題文の表1「課題と解決案」のような「課題」がありました。課題1のポイントは，「不審メールに添付していたファイルを，そのまま転送している」ことです。不審メールに添付してい

たファイルをそのまま転送すると，受け取った多くの人が添付ファイルを開いてしまうかもしれないため，被害が拡大する恐れがあります。

したがって，不審メールを受け取った場合は，図1の対応手順を順守した対応が必要です。

以上の点を踏まえて，解答群を検討します。

ア 不適切な記述です。「同じ部の全従業員のメールアドレスを宛先として，添付ファイルをつけたまま…不審メールを転送する」は，先ほど説明した理由から，課題1への適切な対応とはいえません。さらに，「本文中のURLを記載したまま不審メールを転送する」についても，不審メールを受け取った営業部員が，不審メールに記載されたURLをクリックする可能性もあります。これは，図1の不審メール対応手順の2「本文中のURLをクリックしたりしない」と整合性がありません。

イ 不適切な記述です。**ア**との違いは，転送する範囲です。**ア**は「同じ部の全従業員」，**イ**は「全従業員」ですが，**ア**と同様の理由から，適切な対応とはいえません。

ウ 不適切な記述です。「不審メールを共有ファイルサーバに保存」より，他の部員が添付ファイ

ルを開いてしまう可能性があり，被害が拡大することが考えられます。

エ 不適切な記述です。「問合せ対応者の指示がなくても，不審メールを問合せ対応者に転送する」と，転送する際に被害が拡大する恐れがあります。

オ 正解です。転送中に被害が拡大する恐れもあるため，不審メールを転送しなくても問合せ対応者が対応できるのであれば，その方が安全です。したがって，不審メールを転送するか否か

について，問合せ対応者の指示に従うことが望ましいと考えられます。

したがって，正解は**オ**の

　問合せ対応者の指示に従い，不審メールを問合せ対応者に転送する。

です。

解答　　**オ**

分野：情報セキュリティ

問 **19**

ファイルの安全な受渡しに関する次の記述を読んで，設問に答えよ。

　情報システム会社のX社では，プロジェクトを遂行する際，協力会社との間で機密情報を含むファイルの受渡しを手渡しで行っていた。X社は，効率化のために，次期プロジェクトからは，インターネットを経由してファイルを受け渡すことにした。

　X社で働くAさんは，ファイルを受け渡す方式について検討するように，情報セキュリティリーダであるEさんから指示された。Aさんは，ファイルを圧縮し，圧縮したファイルを共通鍵暗号方式で暗号化した上で電子メール（以下，メールという）に添付して送信し，別のメールで復号用の鍵を送付する方式をEさんに提案した。しかし，Eさんから"Aさんの方式は安全とはいえない"との指摘を受けた。

　Aさんは，暗号化について再検討し，圧縮したファイルを公開鍵暗号方式で暗号化してメールに添付する方式をEさんに提案したところ，"その方式で問題はないが，相手の公開鍵を入手する際には，それが相手のものであると確認できる方法で入手する必要がある点に注意するように"と言われた。

設問

　解答群のうち，本文中の下線でEさんから指摘を受けた理由として，最も適切な答えを，解答群の中から選べ。

解答群

ア 圧縮してから暗号化する方式は，暗号化してから圧縮する方式よりも解読が容易である。
イ 圧縮ファイルを暗号化してもファイル名は暗号化されない。
ウ 共通鍵暗号方式は，他の暗号方式よりも解読が容易である。
エ ファイルを添付したメールと，鍵を送付するメールの両方が盗聴される可能性がある。

[平成29年度 春期 基本情報技術者試験 午後 問1 一部改変]

問19 | ファイルの安全な受け渡し

「共通鍵暗号方式」と「公開鍵暗号方式」への基本的な理解を問われる問題です。ファイルを安全に受け渡すためには，暗号化と公開鍵が正当なものであるかをチェックする必要があることを押さえましょう。

用語の解説

● 共通鍵暗号方式

　共通鍵暗号方式は，データを暗号化する送信者と復号する受信者とで同じ鍵を使用する方式です。鍵が第三者に知られると暗号が解かれてしまう危険性があるため，鍵を共有するために平文（暗号化されていないデータ）で送ることは推奨されていません。

● 公開鍵暗号方式

　暗号化鍵を公開し，復号鍵は秘密にする暗号方式です。復号鍵から暗号化鍵は生成できるが，その逆はできないという一方向性関数によって暗号の強度が保たれています。公開鍵暗号方式としては，RSA方式，MH法などがあります。

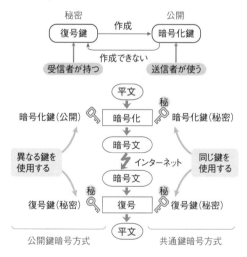

問題の解説

　ファイルの圧縮とは，記録されている情報を失うことなくファイルのデータサイズを小さくすることです。圧縮したファイルは「解凍」することで，圧縮前の情報に戻すことができます。

　電子メールにファイルを添付する際に，ファイル

の圧縮を行うことで，通信量や記憶領域を減らす効果がありますが，ファイルは暗号化されているわけではないので，容易に解読されてしまいます。

　問題文「共通鍵暗号方式で暗号化した上で電子メールに添付して送信し，別のメールで復号用の鍵を送付する方式」では，復号用の鍵とファイルをメール通信上で盗聴され，不正入手される可能性があります。このような場合，復号用の鍵を使って，暗号化されたファイルの内容を容易に解読することができてしまいます。

　したがって，答えは**エ**の

　ファイルを添付したメールと，鍵を送付する
　メールの両方が盗聴される可能性がある。

です。

📖 参考

　正解以外の選択肢を解説します。

ア 圧縮とは，元のデータの内容のままファイルのサイズを小さくすることです。圧縮したファイルをもとのサイズに戻すことは容易です。安全にファイルを受け渡しできるか否かという点では，圧縮と暗号化の処理の順番は関係ありません。

イ ファイル名が暗号化されていなくても，ファイルの内容が暗号化されていればよいので，適切な記述ではありません。

ウ 共通鍵暗号方式の弱点は，「鍵の安全な交換」と「長期間同じ鍵を使うことで"総当たり攻撃"などにより，鍵を解読されてしまうリスクがある」ことです。しかし，十分に複雑な鍵を「安全に交換」し，「鍵の変更」を適切に実施していれば，他の暗号方式に比べ解読が容易であるとはいえません。

解答　**エ**

問 20 ☆☆☆

クラウドサービスの利用者認証に関する次の記述を読んで，設問に答えよ。

A社では現在，Webベースの業務システムが複数稼働しており，それぞれが稼働するサーバ（以下，業務システムサーバという）を社内LANに設置している。A社のネットワーク構成を，図1に示す。

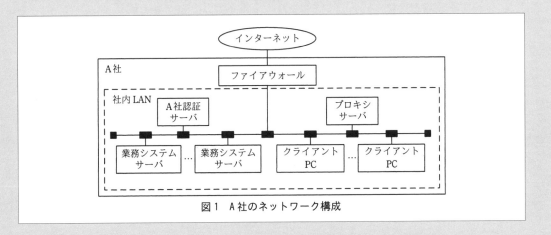

図1　A社のネットワーク構成

利用者は，業務システムを，社内LANに設置されたクライアントPCのWebブラウザから利用する。社外から社内LANへのリモートアクセスは禁止されている。業務システムの利用者認証は，A社認証サーバでの利用者IDとパスワード（以下，この二つを併せて利用者認証情報という）の検証によって行っており，シングルサインオンを実現している。

社内LANからインターネットを介した社外への通信は，クライアントPCからプロキシサーバを経由した，HTTP over TLS（以下，HTTPSという）による通信だけが，ファイアウォールによって許可されている。社外からインターネットを介した社内LANへの通信は，全てファイアウォールによって禁止されている。ファイアウォールの設定は，A社のセキュリティポリシに基づき変更しないものとする。

〔クラウドサービスの利用者認証〕

このたびA社は，業務システムの一つである販売管理システムを，B社がインターネットを介して提供する販売管理サービス（以下，B社クラウドサービスという）に移行することにした。利用者認証に関しては，A社認証サーバとB社クラウドサービスを連携し，次の(1)～(3)を実現することにした。

(1) B社クラウドサービスをシングルサインオンの対象とする。
(2) A社の利用者認証は，B社クラウドサービスについても，A社認証サーバで行う。
(3) 利用者が本人であることを確認するためにA社認証サーバで用いる　a　は，B社クラウドサービスには送信しない。

(1)～(3)を実現するために，A社は，利用者認証を仲介するIDプロバイダ（以下，IdPという）を社内LANに設置することにした。IdPは，認証結果，認証有効期限及び利用者ID（以下，これら三つを併せて認証済情報という）にデジタル署名を付加してから，Webブラウザを介して，B社クラウドサービスに送信する。B社クラウドサービスは，付加されているデジタル署名を使って，受信した認証済情報に　b　がないこと検証する。このために，IdPの　c　をB社クラウドサービスに登録しておく。

WebブラウザとB社クラウドサービスとの間，及びWebブラウザとIdPとの間の通信には，HTTPSを用いる。IdPとA社認証サーバとの間の通信にはLDAPを用いる。

設問

問題文中の a ～ c に入れる正しい答えの組合せを，解答群の中から選べ。

解答群

		a	b	c
ア		利用者ID	漏えい	PKI
イ		利用者ID	改ざん	秘密鍵
ウ		利用者ID	改ざん	公開鍵
エ		パスワード	漏えい	PKI
オ		パスワード	改ざん	秘密鍵
カ		パスワード	改ざん	公開鍵
キ		PKI	利用者ID	パスワード
ク		PKI	漏えい	秘密鍵
ケ		PKI	改ざん	公開鍵

[平成31年度 春期 基本情報技術者試験 午後 問1 一部改変]

問20 | クラウドサービスの利用者認証

クラウドサービスの利用者認証については，基本的な知識を押さえる必要があります。特に，PKI，秘密鍵，公開鍵への理解は必須なので，過去問題の中でどのように問われているのかを，本試験前に確認しておきましょう。

用語の解説

● 認証サーバ

ネットワークにおいてログインしようとしているユーザが，正規のユーザかどうかを判別するために使われるサーバのことです。

● シングルサインオン（SSO）

一度のユーザ認証によって，すべてのサービスにログインできる仕組みのことです。

● プロキシサーバ

プロキシ（proxy）とは「代理」の意味。内部LANと外部ネットワークの境界に設置されるサーバで，LAN内のPCに代わってプロキシサーバ自身のIPアドレスを使いインターネットとの接続を行います。

● PKI（Public Key Infrastructure）

公開鍵暗号基盤のことです。電子署名と公開鍵暗号技術を使用して，安全な通信ができるようにするための環境を指します。

● HTTP over TLS（HTTPS）

WebサーバとWebブラウザ間の通信プロトコルHTTPに暗号機能を追加し安全性を向上させたもので，通信経路上における第三者によるなりすましや，盗聴を防ぎます。情報を暗号化して送受信するプロトコルであるSSL（Secure Sockets Layer）やTLS（Transport Layer Security）が利用されています。

● ファイアウォール（Firewall）

「防火壁」を意味し，不正アクセスから組織の内部ネットワークを守るための仕組みのことです。イ

ンターネットと自社ネットワークを中継する位置に設置します。外部ネットワークからの通信を常に監視して，設定したルールに基づいた正当な通信だけを許可し，許可されていない通信は遮断します。

● IDプロバイダ（IdP）

異なるインターネットサービス間で利用者認証を行うための規格であるSAML（Security Assertion Markup Language）認証において，利用者認証情報の提供者（プロバイダ）のことです。利用者認証を仲介して，シングルサインオン（SSO）で他のサーバへのアクセスを可能にします。

● デジタル署名

デジタル文書の送信者を証明し，かつその文書が改ざんされていないことを保証するために付けられる暗号化された署名情報です。改ざんを検知するための情報としてハッシュ値が利用されています。

[デジタル署名の仕組み]

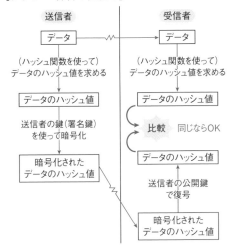

● LDAP（Lightweight Directory Access Protocol）

ネットワーク機器やユーザなどの情報を集中管理する「ディレクトリサービス」へ接続するためのプロトコル。ディレクトリサービスでは，ユーザIDやパスワードなどのユーザ情報の一元管理が可能で，複数のサービスで使用される共通の認証情報の保存，照会目的でも利用されます。

問題の解説

空欄a

問題文「業務システムの利用者認証は，A社認証サーバでの利用者IDとパスワード（…）の検証によって行っており」と，〔クラウドサービスの利用者認証〕(3)「利用者が本人であることを確認するためにA社認証サーバで用いる ▢a▢ は，B社クラウドサービスには送信しない」より，空欄aには選択肢から，「利用者ID」か「パスワード」のいずれかが入ります。認証プロセスで，B社クラウドサービスに利用者IDを送信しているので，「パスワード」を送信しないのが適切だといえます。

したがって，空欄aには

パスワード

が入ります。

空欄b

問題文〔クラウドサービスの利用者認証〕「B社クラウドサービスは，付加されているデジタル署名を使って，受信した認証済情報に ▢b▢ がないことを検証する」より，デジタル署名を使って検証することで発見できる不正は「改ざん」です。

したがって，空欄bには

改ざん

が入ります。

空欄c

「改ざん」がないことを検証するためにIdPの何をB社クラウドサービスに登録しておくかが問われています。左で示したデジタル署名の仕組みの図から，受信者には，データのハッシュ値を求める際に使用する「送信者の公開鍵」が必要であることがわかります。なお，空欄bの少し前の問題文「IDプロバイダ（以下，IdPという）を社内LANに設置することにした。IdPは，…（略）…B社クラウドサービスに送信する」から，IdPが送信者，B社が受信者であることがわかります。

したがって，空欄cには

公開鍵

が入ります。

以上より，正解は**カ**です。

解答 **カ**

対策問題②

基本情報技術者

【科目A】試験時間　90分	

問題は次の表に従って解答してください。

問題番号	選択方法
問1～問60	全問必須

【科目B】試験時間　100分	

問題は次の表に従って解答してください。

問題番号	選択方法
問1～問20	全問必須

この問題セットは，IPAより公開されている情報をもとに作成した模擬試験です。

問題文中で共通に使用される表記ルール

各問題文中に注記がない限り，次の表記ルールが適用されているものとする。

1. 論理回路

図記号	説明
	論理積素子（AND）
	否定論理積素子（NAND）
	論理和素子（OR）
	否定論理和素子（NOR）
	排他的論理和素子（XOR）
	論理一致素子
	バッファ
	論理否定素子（NOT）
	スリーステートバッファ
	素子や回路の入力部又は出力部に示される○印は，論理状態の反転又は否定を表す。

2. 回路記号

図記号	説明
	抵抗（R）
	コンデンサ（C）
	ダイオード（D）
	トランジスタ（Tr）
	接地
	演算増幅器

問 1

8ビットのビット列の下位4ビットが変化しない操作はどれか。

ア 16進表記0Fのビット列との排他的論理和をとる。
イ 16進表記0Fのビット列との否定論理積をとる。
ウ 16進表記0Fのビット列との論理積をとる。
エ 16進表記0Fのビット列との論理和をとる。

［平成28年度 秋期 基本情報技術者試験 午前 問1］

問 2

図の線上を，点Pから点Rを通って，点Qに至る最短経路は何通りあるか。

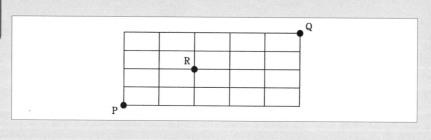

ア 16   イ 24   ウ 32   エ 60

［平成30年度 春期 基本情報技術者試験 午前 問2］

問 **1** 【基礎理論】 ビット操作 〔頻出〕

巻頭「よく出る計算問題と重要公式」の3.を使います。一覧にまとめます。

論理演算

A	B	否定論理積 (NAND)	論理和 (OR)	論理積 (AND)	排他的論理和 (XOR)	否定論理和 (NOR)
1	1	0	1	1	0	0
0	1	1	1	0	1	0
1	0	1	1	0	1	0
0	0	1	0	0	0	1

8ビットのビット列を `0101` `0101` と考えて，解答群の操作を行ってみます。

ア 排他的論理和

```
        0 1 0 1 0 1 0 1
排他的論理和) 0 0 0 0 1 1 1 1 =16進表記0F
        0 1 0 1 1 0 1 0
```
下位4ビットは0と1が反転
上位4ビットは変化しない

イ 否定論理積

論理積の結果を否定します。

```
        0 1 0 1 0 1 0 1
否定論理積) 0 0 0 0 1 1 1 1 =16進表記0F
        1 1 1 1 1 0 1 0
```
下位4ビットは0と1が反転
上位4ビットはすべて1

ウ 論理積（正解）

```
        0 1 0 1 0 1 0 1
論理積) 0 0 0 0 1 1 1 1 =16進表記0F
        0 0 0 0 0 1 0 1
```
下位4ビットは変化しない
上位4ビットはすべて0

エ 論理和

```
        0 1 0 1 0 1 0 1
論理和) 0 0 0 0 1 1 1 1 =16進表記0F
        0 1 0 1 1 1 1 1
```
下位4ビットはすべて1
上位4ビットは変化しない

問 **2** 【基礎理論】 最短経路

何通りの最短経路があるかを求めるには，組合せの公式を使用します。

公式 組合せ

n個の異なるものから順序を考えずにr個を取り出す選び方を，n個からr個をとる組合せといい，その総数を$_nC_r$で表します。

$$_nC_r = \frac{n!}{r!\,(n-r)!} \quad (n \geq r)$$

設問の図において，点Pから最短経路で点Qに至るには，上に4回，右に5回進む必要があります。例えば，"→↑→↑↑→→↑→"という経路が考えられます（↑は上に進む，→は右に進む）。

ただし，設問では「点Rを通って」という条件が与えられています。そのため，「①点P→点Rの最短経路の数」「②点R→点Qの最短経路の数」「③点P→点R→点Qの最短経路の数」という順番に考えていきます。

①点P→点Rの最短経路の数

↑に2回，→に2回の，計4回の移動が最短経路です。4回の移動のうち，↑の移動を何回目と何回目に行うかを決めれば，→の移動も決まるので，4つのうちから2つを選ぶ組合せが最短経路の数となります。

$$_4C_2 = \frac{4 \times 3}{2 \times 1} = 6通り$$

②点R→点Qの最短経路の数

①と同様に考えます。

$$_5C_3 = \frac{5 \times 4 \times 3}{3 \times 2 \times 1} = 10通り$$

③点P→点R→点Qの最短経路の数

「点P→点R」の6通り（①）それぞれに対して，「点R→点Q」の10通り（②）があるので，

6 × 10 ＝ 60通り…（答）

となります。

解答 問1 **ウ** 　　問2 **エ**

試験対策の要点

令和6年度 科目A 科目B

対策問題① 科目A 科目B

対策問題② 科目A 科目B

対策問題③ 科目A 科目B

問3　図UNIXにおける正規表現 [A－Z] ＋ [0－9] ＊ が表現する文字列の集合の要素となるものはどれか。ここで，正規表現は次の規則に従う。

[A－Z]は，大文字の英字1文字を表す。
[0－9]は，数字1文字を表す。
＋は，直前の正規表現の1回以上の繰返しであることを表す。
＊は，直前の正規表現の0回以上の繰返しであることを表す。

ア 456789　　**イ** ABC＋99　　**ウ** ABC99＊　　**エ** ABCDEF

[平成28年度 春期 基本情報技術者試験 午前 問3]

問4　AIにおける過学習の説明として，最も適切なものはどれか。

ア ある領域で学習した学習済みモデルを，別の領域に再利用することによって，効率的に学習させる。
イ 学習に使った訓練データに対しては精度が高い結果となる一方で，未知のデータに対しては精度が下がる。
ウ 期待している結果とは掛け離れている場合に，結果側から逆方向に学習させて，その差を少なくする。
エ 膨大な訓練データを学習させても効果が得られない場合に，学習目標として成功と判断するための報酬を与えることによって，何が成功か分かるようにする。

[令和4年度 秋期 応用情報技術者試験 午前 問4]

問5　整列アルゴリズムの一つであるクイックソートの記述として，適切なものはどれか。

ア 対象集合から基準となる要素を選び，これよりも大きい要素の集合と小さい要素の集合に分割する。この操作を繰り返すことによって，整列を行う。
イ 対象集合から最も小さい要素を順次取り出して，整列を行う。
ウ 対象集合から要素を順次取り出し，それまでに取り出した要素の集合に順序関係を保つよう挿入して，整列を行う。
エ 隣り合う要素を比較し，逆順であれば交換して，整列を行う。

[平成27年度 秋期 基本情報技術者試験 午前 問7]

から，各ニューロンの重みを修正するアルゴリズムのことです。

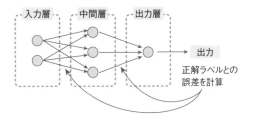

エ 強化学習に関する記述です。強化学習とは，機会学習の手法のひとつで，正解を与える代わりに個々の選択の良し悪しを得点（報酬）として与えることで，得点が最大になるような方策を学習していくものです。

問3 【基礎理論】 正規表現 ★★★ パズル

正規表現とは，文字列の集合を表現する方法です。通常の文字（A〜Zや0〜9など）と，メタ文字（*, +, ?, ¥, [ ]など）と呼ばれる文字の組み合わせのパターンで表現します。

正規表現[A−Z]＋[0−9]＊は，次のような文字列の集合を表してします。

```
直前の正規表現の      直前の正規表現の
1回以上の繰返し       0回以上の繰返し
     ↓               ↓
 [A−Z] ＋        [0−9] ＊
   ↑               ↑
 英字1文字         数字0文字
 以上の並び         以上の並び
```

したがって，英字1文字以上の並びからなり，数字は0文字の**エ**が正解です。

ア 文字列の先頭に少なくとも英字が1文字なくてはならないので誤りです。

イ，ウ ＊や＋は文字列を構成する要素として定義されていないので誤りです。

問4 【基礎理論】 過学習 ★★★ 新シラバス

ア 転移学習に関する記述です。転移学習とは，すでに学習された知識を使って，別の領域の学習に適用させる技術のことです。たとえば，通常の機械学習で「鳩」と「特別天然記念物のコウノトリ」を学習させたい場合，「鳩」の画像データは大量に用意できても，「コウノトリ」の画像データは十分に集められない可能性があります。このようなときは，大量のデータから得られた「鳩」の知識を使って，画像データが少ない「コウノトリ」のモデルを構築する転移学習を行うことが考えられます。

イ 正解です。AIにおける過学習とは，学習時に利用したデータに適合しすぎてしまった結果，予測したい未知のデータに対して精度の悪いモデルができてしまうことです。

ウ 誤差逆伝播法（バックプロパゲーション）に関する記述です。誤差逆伝播法とは，機械学習において，ネットワークの出力と正解ラベルとの誤差

問5 【基礎理論】 クイックソート ★★★ 頻出

クイックソートは，基準となる値（軸）を決め，軸より小さければ軸の左へ，大きければ軸の右へデータを集めて2分割し，分割されたデータに対しても同様に分割を繰り返すことでデータを並び替える整列法です。

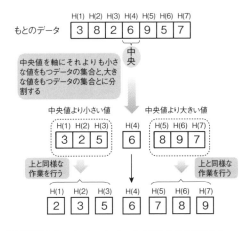

ア 正解です。クイックソートに関する記述です。

イ 選択法に関する記述です。

ウ 挿入法に関する記述です。

エ バブルソートに関する記述です。

解答 　問3 **エ**　　問4 **イ**　　問5 **ア**

問 6

再入可能プログラムの特徴はどれか。

ア 主記憶上のどこのアドレスに配置しても，実行することができる。
イ 手続の内部から自分自身を呼び出すことができる。
ウ 必要な部分を補助記憶装置から読み込みながら動作する。主記憶領域の大きさに制限があるときに，有効な手法である。
エ 複数のタスクからの呼出しに対して，並行して実行されても，それぞれのタスクに正しい結果を返す。

[平成27年度 春期 基本情報技術者試験 午前 問7]

問 7

次の関数 $f(n, k)$ がある。$f(4, 2)$ の値は幾らか。

$$f(n, k) = \begin{cases} 1 & (k = 0), \\ f(n-1, k-1) + f(n-1, k) & (0 < k < n), \\ 1 & (k = n). \end{cases}$$

ア 3　　　　**イ** 4　　　　**ウ** 5　　　　**エ** 6

[平成26年度 秋期 基本情報技術者試験 午前 問7]

問 8

出現頻度の異なるA，B，C，D，Eの5文字で構成される通信データを，ハフマン符号化を使って圧縮するために，符号表を作成した。aに入る符号として，適切なものはどれか。

文字	出現頻度（％）	符号
A	26	00
B	25	01
C	24	10
D	13	a
E	12	111

ア 001　　　　**イ** 010　　　　**ウ** 101　　　　**エ** 110

[平成30年度 秋期 基本情報技術者試験 午前 問4]

解答・解説

問 6 【基礎理論】
再入可能プログラム

　再入可能（リエントラント）プログラムの特徴は，同時に複数のタスクが共有して実行しても，正しい結果が得られることです。
ア 再配置可能（リロケータブル）プログラムに関する記述です。

イ 再帰的（リカーシブ）プログラムに関する記述です。再帰的プログラムは，プログラム中の関数あるいはサブルーチンの中で自分自身（関数やサブルーチン）を呼び出して実行するプログラムで，数列計算に適しています。
ウ 仮想記憶やオーバーレイに関する記述です。
エ 正解です。

問
7
【基礎理論】
再帰関数

　設問は再帰関数の計算問題です。設問の関数 $f(n, k)$ は, 計算する途中で, 何回か自分自身を呼び出します。

　設問文「関数 $f(n, k)$ がある。$f(4, 2)$ は幾らか」より, $n=4$, $k=2$ を設問の $f(n, k)$ に代入します。設問では3つの場合分け $k=0$, $0<k<n$, $k=n$ がされていますが, $n=4$, $k=2$ は $0<k<n$ の場合の再帰で繰り返して使用するので, ①式とします。

①式 $f(n, k) = f(n-1, k-1) + f(n-1, k)$ ｝$n=4$, $k=2$ を代入

$f(4, 2) = f(4-1, 2-1) + f(4-1, 2)$ ｝整理して

$\quad = f(3, 1) + f(3, 2)$

$n=3$, $k=1$ を ①式に代入　　$n=3$, $k=2$ を ①式に代入

$= f(3-1, 1-1) + f(3-1, 1) + f(3-1, 2-1) + f(3-1, 2)$

$= f(2, 0) + f(2, 1) + f(2, 1) + f(2, 2)$

$n=2$, $k=0$
$k=0$ の場合
$f(2, 0) = 1$
です。

$n=2$, $k=1$ を ①式に代入

$= 1 + f(2-1, 1-1) + f(2-1, 1) + f(2-1, 1-1) + f(2-1, 1)$
$\qquad\qquad\qquad\qquad\qquad\qquad\qquad\qquad + f(2, 2)$

$= 1 + f(1, 0) + f(1, 1) + f(1, 0) + f(1, 1) + f(2, 2)$
$\quad\quad\underset{k=0}{なので1}\ \underset{k=n}{なので1}\ \underset{k=0}{なので1}\ \underset{k=n}{なので1}\ \underset{k=n}{なので1}$

$= 1 + 1 + 1 + 1 + 1 + 1$
$= 6$　（答）

問
8
【基礎理論】
ハフマン符号化

　ハフマン符号化とは, データ圧縮の方法で, データ中の出現頻度が高い文字列には短い符号を, 出現頻度が低い文字列には長い符号を与えることで全体のデータ量を削減し, 効率よく圧縮を行います。

ア 001
　001が文字Aの符号なので, 復元時に00の部分が文字Aに変換されてしまいます。したがって, 誤りです。

イ 010
　010が文字Bの符号なので, 復元時に01の部分が文字Bに変換されてしまいます。したがって, 誤りです。

ウ 101
　101が文字Cの符号なので, 復元時に10の部分が文字Cに変換されてしまいます。したがって, 誤りです。

エ 110
　他のどの符号とも衝突していないため, 正解です。

📖 参考

　符号化はハフマン木という2分木を構成して行います。設問の表のデータを元に構成したハフマン木は以下の通りです。

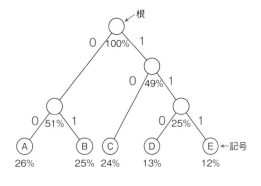

解答　　問6 **エ**　　問7 **エ**　　問8 **エ**

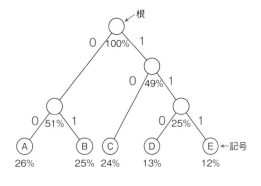

問 9 探索表の構成法を例とともにa～cに示す。最も適した探索手法の組合せはどれか。ここで，探索表のコードの空欄は表の空きを示す。

新シラバス

a　コード順に格納した探索表

コード	データ
120380	……
120381	……
120520	……
140140	……

b　コードの使用頻度順に格納した探索表

コード	データ
120381	……
140140	……
120520	……
120380	……

c　コードから一意に決まる場所に格納した探索表

コード	データ
120381	……
120520	……
140140	……
120380	……

	a	b	c
ア	2分探索	線形探索	ハッシュ表探索
イ	2分探索	ハッシュ表探索	線形探索
ウ	線形探索	2分探索	ハッシュ表探索
エ	線形探索	ハッシュ表探索	2分探索

[平成30年度 秋期 応用情報技術者試験 午前 問8]

問 10 コンピュータの電源投入時に最初に実行されるプログラムの格納に適しているものはどれか。ここで，主記憶のバッテリバックアップはしないものとする。

ア DRAM　　**イ** HDD　　**ウ** ROM　　**エ** SRAM

[平成26年度 秋期 基本情報技術者試験 午前 問12]

解答・解説

問 9 【基礎理論】 **探索手法の比較** 新シラバス

選択肢に出てくる探索手法を解説します。

用語解説 探索手法

● 線形探索

　データの先頭から末尾まで，順番に探索データを探していく方法です。なお，末尾から先頭に向って探索していく場合もあります（巻頭「科目Bのポ

イント集11.（1）」参照）。

● 2分探索

　整列済みのデータから探索する方法です。未整列のデータからは探索できません。探索範囲の中央の値と探索データを比較して，探索データが左側にあるか右側にあるか絞り込みます。以下同様に，探索範囲の2分割を繰り返して，探索範囲を絞り込んでいきます（巻頭「科目Bのポイント集11.（2）」参照）。

※ ハッシュ表探索

　探索対象となるデータから，決められた手順で算出し，その探索対象データの格納場所（アドレス）を直接計算する方法です。1回の計算で一意に目的のデータにたどりつけるので，高速な探索ができます。

　しかし，短所としては，ハッシュ値の算出が他のデータを考慮せず行われるため，複数の異なるデータから同じハッシュ値が算出される「衝突」が起きることがあります。このように，同じハッシュ値を持つデータ群を「シノニム」といいます。シノニムが発生すると，空いているハッシュ値に探索対象データを割り当てることで衝突を回避するなどの処理が必要となり，結果として処理速度が低下します。

[探索手法による計算量の比較]

		平均	最大
多↑計算量↓少	線形探索	$\dfrac{(N+1)}{2}$	N
	2分探索	$[\log_2 N]$	$[\log_2 N]+1$
	ハッシュ表探索★	1	1

※探索する要素の数をNとする
※[ ]は小数点以下切り捨て
※★はシノニムが発生しない場合

　問題文の探索表を解説します。

a コード順に格納した探索表

　探索表は，コード順に整列されています。よって，線形探索，または2分探索が使用可能です。

　問題文「最も適した探索手法」より，線形探索と2分探索で計算量が少ない手法を回答します。上記の表からわかるように，探索表の要素数が同じならば，2分探索の方が計算量が少なくて済みます。

　したがって，aに適した探索手法は2分探索です。

b コードの使用頻度順に格納した探索表

　まず，探索表がコード順に整列されていないので，2分探索は使用不可です。

　線形探索では探索表の先頭から順番に探索していくので，使用頻度が高いデータほど探索表の先頭のほうに位置している探索表に対しては効率的に探索できます。

　したがって，bに適した探索手法は線形探索です。

c コードから一意に決まる場所に格納した探索表

　ハッシュ表探索は，探索データからそのデータの格納場所を直接計算する方法です。コードから一意に決まる場所に格納した探索表とは，シノニムが発生していないことを意味します。シノニムが発生していなければ，ハッシュ表探索は1回の計算で探索できるため，手法として最も適しています。

　したがって，cに適した探索手法はハッシュ表探索です。

　以上より，正解は㋐です。

★★★ 問 10 【コンピュータシステム】 ROM　頻出

　コンピュータの電源投入時に最初に実行されるプログラムの格納に適しているものは，ROM（Read Only Memory）です。

㋐ DRAM（Dynamic Random Access Memory）
　コンピュータの主記憶（メインメモリ）として広く使われており，コンデンサに電荷を蓄えた状態か否かによって1ビットを表現します。データを保存するためには，一定時間ごとに再書込み（リフレッシュ）が必要になります。DRAMは，電源遮断時（＝電気が切れたとき）にデータ保持ができない揮発性メモリです。

㋑ HDD（Hard Disk Drive）
　外部記憶装置のひとつです。表面が磁性体でできた円盤を高速回転させ，磁気ヘッドで読み書きします。

㋒ ROM（Read Only Memory）
　正解です。読み出し専用のメモリです。書き換える必要のない情報，書き換えられては困る情報を記憶させる半導体メモリです。

㋓ SRAM（Static Random Access Memory）
　メモリセルにはフリップフロップ回路が用いられ，キャッシュメモリによく利用されます。揮発性メモリですが，DRAMと異なり，定期的なリフレッシュは不要です。

解答　問9 ㋐　　問10 ㋒

問11 ★★

DRAM の特徴はどれか。

ア 書込み及び消去を一括又はブロック単位で行う。
イ データを保持するためのリフレッシュ操作又はアクセス操作が不要である。
ウ 電源が遮断された状態でも，記憶した情報を保持することができる。
エ メモリセル構造が単純なので高集積化することができ，ビット単価を安くできる。

[令和元年度 秋期 基本情報技術者試験 午前 問20]

問12 ★★

PC のクロック周波数に関する記述のうち，適切なものはどれか。

ア CPU のクロック周波数と，主記憶を接続するシステムバスのクロック周波数は同一でなくてもよい。
イ CPU のクロック周波数の逆数が，1秒間に実行できる命令数を表す。
ウ CPU のクロック周波数を2倍にすると，システム全体としての実行性能も2倍になる。
エ 使用している CPU の種類とクロック周波数が等しければ，2種類の PC のプログラム実行性能は同等になる。

[平成28年度 春期 基本情報技術者試験 午前 問9]

問13 ★★

コンピュータを2台用意しておき，現用系が故障したときは，現用系と同一のオンライン処理プログラムをあらかじめ起動して待機している待機系のコンピュータに速やかに切り替えて，処理を続行するシステムはどれか。

ア コールドスタンバイシステム　　　　**イ** ホットスタンバイシステム
ウ マルチプロセッサシステム　　　　**エ** マルチユーザシステム

[平成30年度 春期 基本情報技術者試験 午前 問14]

問14 ★★

システムの性能を向上させるために，スケールアウトが適しているシステムはどれか。

ア 一連の大きな処理を一括して実行しなければならないので，並列処理が困難な処理が中心のシステム
イ 参照系のトランザクションが多いので，複数のサーバで分散処理を行っているシステム
ウ データを追加するトランザクションが多いので，データの整合性を取るためのオーバヘッドを小さくしなければならないシステム
エ 同一のマスタデータベースがシステム内に複数配置されているので，マスタを更新する際にはデータベース間で整合性を保持しなければならないシステム

[平成29年度 春期 基本情報技術者試験 午前 問12]

問11 【コンピュータシステム】DRAM　頻出

ア 主に主記憶として使用されるDRAMは，通常アドレス単位で読み書きや消去を行います。

イ SRAMに関する記述です。DRAMは，一定時間ごとに再書込みをするリフレッシュ動作が必要です。

ウ 電源が遮断されると，記憶した情報は消去され，記憶内容も失われます。

エ 正解です。DRAMに関する記述です。

問12 【コンピュータシステム】PCのクロック周波数

パソコンのクロックとは，マザーボード上にある電子回路がそれぞれの処理のタイミングを合わせるために発生させるデジタル信号のことをいいます。クロック周波数は，このデジタル信号の周波数（1秒間に発生する電気振動回数）を表します。CPUはクロックに同期して動作するため，クロック周波数が高くなるほどプログラム実行性能が向上します。

また，システムバスとは，コンピュータの内部でCPUと主記憶等の各装置間を結ぶ伝送路（バス）のことです。システムバスのクロック周波数が高くなると，コンピュータ内部でのデータの転送速度が上がります。

ア 正解です。

イ クロック周波数は，処理タイミングを合わせるために用いる信号が1秒間に何回発生するかを表す値のことで，Hzという単位で表します。たとえば，1秒間のクロック数が100であれば，100Hzとなり，1クロックは100分の1秒で発生したことになります。

ウ CPUのクロック周波数を2倍にしても，システムバスの転送速度に影響を与えるクロック周波数が低いままでは，コンピュータ内部を流れるデータ転送は遅いままです。この状態では，CPUの処理速度に追いつくことができず，システム全体の実行性能も上がりません。

エ PCのプログラム実行性能は，システムバスやコンピュータ内部の装置（主記憶，チップセットなど）の速度や主記憶容量などにも左右されます。

問13 【コンピュータシステム】システム構成

ア コールドスタンバイシステム
現用系のコンピュータが故障したときは，休止させていた待機系システムを起動し，現用系と同一のプログラムを動作させ，処理を続行するシステムです。

イ ホットスタンバイシステム
正解です。現用系のコンピュータに障害が発生した場合，常時起動されている待機系のコンピュータに即座に処理を引き継げるように設定されたシステムです。

ウ マルチプロセッサシステム
複数のCPUが搭載されているシステムです。処理を複数のCPUに分散することで，並列処理を行い，処理速度を向上させることができます。

エ マルチユーザシステム
1台のコンピュータで，複数ユーザが同時使用可能なOSやソフトウェアを搭載したシステムです。

問14 【コンピュータシステム】スケールアウト

スケールアウトとは，サーバや機器の台数を増やして負荷分散することによってシステムの処理能力の向上を目指すことです。たとえば，参照系のトランザクションが多い場合に，複数のサーバで分散処理を行うことで処理性能を上げます。

ア 並列処理が困難な処理が中心のシステムでは，サーバの台数を増やして負荷分散をしても，システムの性能は向上しません。

イ 正解です。スケールアウトが適しているシステムです。

ウ データを追加するトランザクションが多い場合，分散処理ではデータの整合性を取るためのオーバヘッドが大きくなります。

エ 分散処理では，データベース間で整合性を保持するのに，オーバヘッドが大きくなります。

解答　問11 **エ**　問12 **ア**　問13 **イ**　問14 **イ**

問15 システムの稼働率に関する記述のうち，適切なものはどれか。

ア MTBFが異なってもMTTRが等しければ，システムの稼働率は等しい。
イ MTBFとMTTRの和が等しければ，システムの稼働率は等しい。
ウ MTBFを変えずにMTTRを短くできれば，システムの稼働率は向上する。
エ MTTRが変わらずMTBFが長くなれば，システムの稼働率は低下する。

[平成28年度 春期 基本情報技術者試験 午前 問15]

問16 スケジューリングに関する記述のうち，ラウンドロビン方式の説明として，適切なものはどれか。

ア 各タスクに，均等にCPU時間を割り当てて実行させる方式である。
イ 各タスクに，ターンアラウンドタイムに比例したCPU時間を割り当てて実行させる方式である。
ウ 各タスクの実行イベント発生に応じて，リアルタイムに実行させる方式である。
エ 各タスクを，優先度の高い順に実行させる方式である。

[平成30年度 秋期 基本情報技術者試験 午前 問18]

問17 図のメモリマップで，セグメント2が解放されたとき，セグメントを移動（動的再配置）し，分散する空き領域を集めて一つの連続領域にしたい。1回のメモリアクセスは4バイト単位で行い，読取り，書込みがそれぞれ30ナノ秒とすると，動的再配置をするために必要なメモリアクセス時間は合計何ミリ秒か。ここで，1kバイトは1,000バイトとし，動的再配置に要する時間以外のオーバヘッドは考慮しないものとする。

セグメント1	セグメント2	セグメント3	空き
500kバイト	100kバイト	800kバイト	800kバイト

ア 1.5 **イ** 6.0 **ウ** 7.5 **エ** 12.0

[平成29年度 秋期 基本情報技術者試験 午前 問19]

解答・解説

問15 【コンピュータシステム】
システムの稼働率 頻出

MTBF（Mean Time Between Failure：平均故障間隔）とは，システムが連続して正しく動作している時間の平均値で，長いほどよい（信頼性が高い）といえます。

MTTR（Mean Time To Repair：平均修理時間）とは，故障によりシステムが停止してから，修理を完了して稼働を再開するまでの時間の平均値で，短いほどよい（保守性が高い）といえます。

稼働率とは，使用可能性を示す数値で，次式で求められます。

$$稼働率 = \frac{MTBF}{MTBF + MTTR}$$

稼働率は，0と1の間の数値をとり，大きいほど信頼性が高いシステムといえます。

ア MTBFが異なりMTTRが等しい場合で，システムの稼働率を計算してみます。
① MTBF＝100，MTTR＝10の場合

$$稼働率 = \frac{MTBF}{MTBF + MTTR} = \frac{100}{100 + 10} ≒ 0.909$$

② MTBF＝200，MTTR＝10の場合

$$稼働率＝\frac{MTBF}{MTBF＋MTTR}＝\frac{200}{200＋10}≒0.952$$

　以上より，MTBFが異なりMTTRが等しい場合は，システムの稼働率は異なります。

イ MTBF＋MTTR＝100と和が等しくても，MTBFとMTTRが異なる次の2つの場合で，システムの稼働率を計算してみます。

① MTBF＝90，MTTR＝10の場合

$$稼働率＝\frac{MTBF}{MTBF＋MTTR}＝\frac{90}{90＋10}＝0.9$$

② MTBF＝60，MTTR＝40の場合

$$稼働率＝\frac{MTBF}{MTBF＋MTTR}＝\frac{60}{60＋40}＝0.6$$

　以上より，MTBFとMTTRの和が等しくても，システムの稼働率は異なります。

ウ 正解です。MTBF＝80で変えずに，次の2つの場合で，システムの稼働率を計算してみます。

① MTBF＝80，MTTR＝20の場合

$$稼働率＝\frac{MTBF}{MTBF＋MTTR}＝\frac{80}{80＋20}＝0.8$$

② MTBF＝80，MTTR＝10の場合（MTBFを変えずにMTTRを短く）

$$稼働率＝\frac{MTBF}{MTBF＋MTTR}＝\frac{80}{80＋10}≒0.888…$$

　①，②の稼働率を比較すると，①＜②です。システムの稼働率が向上しています。

エ **ア**の場合より，MTTRが変わらず，MTBFが長くなれば，稼働率の大小は，①＜②となります。よって，システムの稼働率は向上していることがわかります。

★★★
問 16 【コンピュータシステム】
ラウンドロビン方式

　タスクとは，CPUで実行するために分割されたジョブの単位です。生成されたタスクは，実行可能状態，実行状態，待機状態の3つの状態を遷移しながら実行されます。

　ラウンドロビン方式は，すべてのタスクに対等な優先順位を与え，一定時間（タイムクウォンタム）のCPU処理を割り当てて実行させる方式です。タイムクウォンタム経過後に終了しないタスクは待ち行列の最後尾に置き，待ち行列の先頭のタスクにCPUの使用権を与えます。

ア 正解です。ラウンドロビン方式に関する記述です。

イ 処理時間順方式に関する記述です。ターンアラウンドタイムとは，処理要求を送ってから，処理結果の出力が終了するまでの時間のこと。処理時間順方式では，処理時間の短いタスクを先に実行します。ラウンドロビン方式では，タスクに割り当てるCPU時間は一定です。

ウ イベントドリブンプリエンプション方式に関する記述です。

エ 優先度順方式に関する記述です。

★★★
問 17 【コンピュータシステム】
動的再配置に要する時間　　頻出

　設問文「分散する空き領域を集めて一つの連続領域にしたい」より，セグメント2が解放されたとき，セグメント3を移動する方法で，必要な時間を計算します。

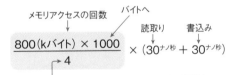

メモリアクセスの回数　　バイトへ　　読取り　書込み

$$\frac{800（kバイト）×1000}{4}×（30ナノ秒＋30ナノ秒）$$

設問文「1回のメモリアクセスは4バイト単位」より

$$＝12,000,000ナノ秒（1ミリ秒＝10^6ナノ秒）$$
$$＝12ミリ秒　　（答）$$

● セグメント移動後の配置

セグメント1	セグメント3	空き
500kバイト	800kバイト	900kバイト

（解放されたセグメント2の
100kバイトは空きにプラスされる）

注：選択肢で，**イ**6.0，**エ**12.0と小数点を表記しているのは，他の**ア**1.5，**ウ**7.5を小数点表記しているため，表記を揃えたのだと考えられます。

解答　　問15 **ウ**　　問16 **ア**　　問17 **エ**

問 18

仮想記憶システムにおいて主記憶の容量が十分でない場合，プログラムの多重度を増加させるとシステムのオーバヘッドが増加し，アプリケーションのプロセッサ使用率が減少する状態を表すものはどれか。

ア スラッシング
イ フラグメンテーション
ウ ページング
エ ボトルネック

[平成28年度 秋期 基本情報技術者試験 午前 問17]

問 19

メモリセルにフリップフロップ回路を利用したものはどれか。

ア DRAM
イ EEPROM
ウ SDRAM
エ SRAM

[平成31年度 春期 基本情報技術者試験 午前 問21]

問 20

液晶ディスプレイなどの表示装置において，傾いた直線の境界を滑らかに表示する手法はどれか。

ア アンチエイリアシング
イ シェーディング
ウ テクスチャマッピング
エ バンプマッピング

[平成30年度 秋期 基本情報技術者試験 午前 問25]

解答・解説

問 18　【コンピュータシステム】
スラッシング
　　　　　　　　　　　頻出

ア スラッシング

正解です。仮想記憶システムにおいて，主記憶（物理メモリ）容量を超えるデータを処理するために，主記憶と補助記憶装置上の仮想メモリとの間でプログラムやデータを交換するページイン／ページアウトが頻繁に発生し，コンピュータの処理性能が低下してしまうことです。

主記憶の容量が十分でない環境でプログラムの多重度を増加させると，アプリケーションが多くのメモリを必要とするため，ページイン／ページアウトが頻繁に発生し，OSはその処理にプロセッサの処理能力を割いてしまいます。そのためアプリケーションが実行に使うプロセッサの使用率が減少し処理が滞るスラッシングが発生します。

イ フラグメンテーション

コンピュータの記憶装置において，使用されない区画が分散して発生したり，大きなファイルが分断されて複数個の領域に記憶されることをフラグメンテーション（断片化）といいます。

[フラグメンテーションのイメージ]

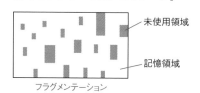

フラグメンテーション

フラグメンテーションが発生すると，記憶装置の連続した領域の確保が困難になり，一つのファイルがいくつかの領域に分散されて格納され，アクセス効率が悪くなります。これを解消し，記憶領域や空き領域をできるだけ連続した状態に再配置するためにはデフラグメンテーション（デフラグ）というディスク最適化処理を行います。

ウ ページング

仮想記憶方式の一つです。仮想アドレス空間を「ページ」という一定の大きさの単位に分割し，主記憶装置と補助記憶装置の間でページ単位でデータのやりとりを行います。

エ ボトルネック

処理能力の向上を阻んだり，処理能力の低下の原因となっている箇所のことです。

問 19 【コンピュータシステム】
フリップフロップ回路　　頻出

フリップフロップ回路とは，1ビットの情報を記憶し，時間の推移に伴って二つの安定状態を持つ順序回路です。キャッシュメモリやレジスタなどに使われています。

[フリップフロップ回路の例]

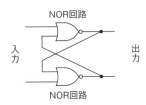

ア DRAM (Dynamic Random Access Memory)

コンピュータの主記憶（メインメモリ）として広く使われており，コンデンサに電荷を蓄えた状態か否かによって1ビットを表現します。データを保存するためには，一定時間ごとに再書込み（リフレッシュ）が必要になります。DRAMは，電源遮断時（＝電気が切れたとき）にデータ保持ができない揮発性メモリです。

イ EEPROM (Electrically Erasable Programmable Read-Only Memory)

1バイト単位でデータの消去および書込みが可能な不揮発性メモリです。電源遮断時にもデータ保持ができます。

ウ SDRAM (Synchronous DRAM)

コンピュータの主記憶に使われます。外部バスインタフェースが一定のクロック信号に同期して動作するDRAMです。

エ SRAM (Static Random Access Memory)

正解です。メモリセルにはフリップフロップ回路が用いられ，キャッシュメモリによく利用されます。揮発性メモリですが，DRAMと異なり，定期的なリフレッシュは不要です。

問 20 【技術要素】
画像処理の手法　　頻出

ア アンチエイリアシング

正解です。デジタル画像の傾いた直線や曲線などで発生する階段状のギザギザの境界線を目立たなくする手法のことです。

イ シェーディング

3D画像に立体感を生じさせるため，物体の表面に陰付けを行う手法のことです。

ウ テクスチャマッピング

3D画像の物体の表面に画像を貼り付けることによって，表面の質感を表現する手法のことです。

エ バンプマッピング

モデル表面に溝や凹凸などのディテールを追加する特殊なテクスチャである法線マップなどを用いることで，3D画像の物体に凸凹の立体感を付ける手法のことです。

解答　問18 **ア**　　問19 **エ**　　問20 **ア**

問 21 ★★☆

関係XとYを結合した後，関係Zを得る関係代数演算はどれか。

X

学生番号	氏名	学部コード
1	山田太郎	A
2	情報一郎	B
3	鈴木花子	A
4	技術五郎	B
5	小林次郎	A
6	試験桃子	A

Y

学部コード	学部名
A	工学部
B	情報学部
C	文学部

Z

学部名	学生番号	氏名
情報学部	2	情報一郎
情報学部	4	技術五郎

ア 射影と選択　　イ 射影と和　　ウ 選択　　エ 選択と和

[平成 28 年度 春期 基本情報技術者試験 午前 問 27]

問 22 ★★☆

分散データベースシステムにおいて，一連のトランザクション処理を行う複数サイトに更新処理が確定可能かどうかを問い合わせ，全てのサイトが確定可能である場合，更新処理を確定する方式はどれか。

ア 2相コミット　　　　　イ 排他制御
ウ ロールバック　　　　　エ ロールフォワード

[平成 29 年度 春期 基本情報技術者試験 午前 問 28]

問 23 ★★☆

"中間テスト"表からクラスごと，教科ごとの平均点を求め，クラス名，教科名の昇順に表示するSQL文中のaに入れる字句はどれか。

中間テスト（クラス名，教科名，学生番号，名前，点数）

〔SQL文〕
SELECT クラス名，教科名，AVG（点数） AS 平均点
　　　　FROM 中間テスト
　　　　┌─────────────┐
　　　　│   a   │
　　　　└─────────────┘

ア GROUP BY クラス名，教科名 ORDER BY クラス名，AVG（点数）
イ GROUP BY クラス名，教科名 ORDER BY クラス名，教科名
ウ GROUP BY クラス名，教科名，学生番号
　　　　　　　　　　　　　ORDER BY クラス名，教科名，平均点
エ GROUP BY クラス名，平均点 ORDER BY クラス名，教科名

[平成 31 年度 春期 基本情報技術者試験 午前 問 27]

解答・解説

問 21 ★★☆ [技術要素]
関係代数演算

　関係データベースに対する基本的な操作は，次の3つです。

- 選択：表の中から特定の条件を満たす行を取り出すこと。
- 射影：表の中から特定の列を取り出すこと。
- 結合：共通の列をもとに複数の表を結合して新しい表を作ること。

関係XとYを結合

学生番号	氏名	学部コード	学部名
1	山田太郎	A	工学部
2	情報一郎	B	情報学部
3	鈴木花子	A	工学部
4	技術五郎	B	情報学部
5	小林次郎	A	工学部
6	試験桃子	A	工学部

選択

射影

関係Zは，射影と選択によって得ることができます。

問22【技術要素】2相コミット ★★

ア 2相コミット

正解です。2相コミット（2相コミットメント）は，分散データベースの整合性をとるための仕組み（コミットメント制御機能）です。データの整合性は，次の第1相と第2相の2回のやりとりによって行われます。

①第1相

同期の要求元が他のデータベースシステムに対して，データベース更新の処理を依頼します。

・データベース更新前に復元できるようにする処理
・データベース更新を可能にする準備処理

②第2相

［正常応答の場合］

第1相の要求に対して「正常応答」が返ってきた場合，同期の要求元は，各データベースシステムに対して，データベース更新の依頼をします。これによって，すべてのデータベースの整合性を確保します。

［異常応答の場合］

「更新の保証処理が失敗」の応答が返ってきた場合，同期の要求元は，各データベースシステムに対して，データベースを更新前の状態に戻す処理（ロールバック）を依頼します。つまり，すべてのデータベースを，更新前の状態に戻すことにより整合性を確保します。

イ 排他制御

データ更新時の不整合を防止するため，使用中のデータは他のタスクからの使用要求を制限し，1つの処理が終わるまで他を待たせる機能です。

ウ ロールバック

トランザクションが異常終了した場合などに，ログファイル（ジャーナルファイル）に記憶されている更新前情報を使用して，トランザクション処理前の状態にデータベースの内容を復元することです。

エ ロールフォワード

媒体障害発生時に，バックアップファイルとログファイルを使用し，障害発生直前の状態にデータベース内容を復元することです。バックアップファイル取得時点の状況を再現したあと，ログファイルに記憶されている更新後情報を使用して，必要な時点まで更新していきます。

問23【技術要素】SQL文 ★★ 頻出

設問文「…クラスごと，教科ごと…」より

「GROUP BY クラス名，教科名」とし，

「…クラス名，教科名の昇順に…」より

「ORDER BY クラス名，教科名」とします。

■GROUP BY句

指定した列の値が同じものをグループ化して集計します。

> **例　GROUP BYの使用例**
>
> 社員表からランクごとの基本給の平均を表示します。
>
> SELECT ランク，AVG（基本給）
> 　　FROM 社員表
> 　　GROUP BY ランク

■ORDER BY句

ORDER BY句は，ある値の順に並べ替えます。

> **例　ORDER BYの使用例**
>
> 学生表から，出席番号順で並べて，名前を表示します。
>
> SELECT 名前 FROM 学生表
> 　　ORDER BY 出席番号
> なお，降順の場合は，DESCを付けます。
> 　　ORDER BY 出席番号 DESC

解答　問21 ア　問22 ア　問23 イ

問24 データウェアハウスに業務データを取り込むとき，データを抽出して加工し，データベースに書き出すツールはどれか。

新シラバス

- ア ETL ツール
- イ OLAP ツール
- ウ データマイニングツール
- エ 統計ツール

[平成24年度 秋期 応用情報技術者試験 午前 問29]

問25 LANに接続されている複数のPCをインターネットに接続するシステムがあり，装置AのWAN側インタフェースには1個のグローバルIPアドレスが割り当てられている。この1個のグローバルIPアドレスを使って複数のPCがインターネットを利用するのに必要な装置Aの機能はどれか。

- ア DHCP
- イ NAPT（IPマスカレード）
- ウ PPPoE
- エ パケットフィルタリング

[令和元年度 秋期 基本情報技術者試験 午前 問33]

問26 インターネットにおける電子メールの規約で，ヘッダフィールドの拡張を行い，テキストだけでなく，音声，画像なども扱えるようにしたものはどれか。

- ア HTML
- イ MHS
- ウ MIME
- エ SMTP

[平成30年度 秋期 基本情報技術者試験 午前 問34]

解答・解説

問24 【技術要素】 **ETL**

新シラバス

用語整理

● データベース（Database）
　コンピューター上で大量のデータを蓄積・整理するシステムのこと指します。

● データウェアハウス（Data Ware House：DWH）
　データベースの中でも，データ分析向けに特化して設計されており，大量のデータを「時系列で蓄積していく」という特徴を持ったものを指します。

● データレイク（data lake）
　あらゆるデータをそのままの形式や構造で格納できる，情報の保管庫（データの湖）です。構造化データだけでなく，データベース化できない非構造化データ（画像・動画ファイルなどの規則性の無いデータ）も保存対象にしている点が，一般的なデータベースとは異なります。

ア ETL ツール
　正解です。ETLとは，データの抽出（Extract）・変換（Transform）・書き出し（Load）の頭文字をとったもので，複数のデータ資源をDWH（データウェアハウス）と呼ばれる大量のデータの格納

庫にまとめる一連のプロセスを指します。ETL
ツールは，ETLの一連のプロセスをGUIで開発
できるソフトウェアのことです。

> ・抽出（Extract）
>
> 　取り出すデータの構文を解析して，対象デー
> タかどうかを判別するプロセスです。
>
> ・変換（Transform）
>
> 　抽出したデータをDWHに書き出すために，
> データの変換や加工を行うプロセスです。例え
> ば，データの重複・欠損の解消や，表記ゆれ（「山
> 本三雄」と「山本 三雄」など）の統一，文字コー
> ドやフォーマット，属性などの変換・加工など
> を行います。
>
> ・書き出し（Load）
>
> 　変換したデータを，ターゲットデータベース
> に書き出して格納するプロセスです。

イ OLAPツール

　OLAP（Online Analytical Processing）とは，多次
元データベースを分析するためのソフトウェアで
す。

ウ データマイニングツール

　データマイニングとは，膨大なデータの中から，
統計解析手法を用いて隠れた関係性などを導く
ことです。データマイニングツールは，データマ
イニングを支援するソフトウェアです。

エ 統計ツール

　統計ツールとは，データに対して統計分析を行
うソフトウェアです。

問 **25** 【技術要素】
NAPT（IPマスカレード）　　頻出

　設問の図中のONU（Optical Network Unit：光
回線終端装置）は，光ファイバーの通信回線を利用
するときに必要な機器です。

　設問の利用者宅内に複数のPCがあることから，
1つのグローバルIPアドレスと複数のプライベート
IPアドレスを相互変換するNAPT（IPマスカレー
ド）が装置Aに必要となる機能です。

ア DHCP（Dynamic Host Configuration Protocol

　ネットワーク上のノードにIPアドレスを自動的
に割り当てるためのプロトコルです。

イ NAPT（Network Address Port Translation）

　正解です。1つのグローバルIPアドレスを複数の
端末で共有するための技術です。プライベート
IPアドレスごとに異なるポート番号に変換する
ため，1つのグローバルIPアドレスと複数のプラ
イベートIPアドレスを相互変換することが可能
になります。

ウ PPPoE（Point-to-Point Protocol over Ethernet）

　イーサネット上でPPP接続を行うためのプロト
コルです。

エ パケットフィルタリング

　IPパケットの送信元／宛先アドレス，プロトコ
ル，インタフェース，ポート番号などを検査し，
テーブルに事前に登録してあるデータと比較し
た上で，そのパケットをネットワークの内外へ中
継したり遮断したりする機能です。

問 **26** 【技術要素】
電子メールの規約　　頻出

ア HTML（HyperText Markup Language）

　インターネットのWebページを記述するための
マークアップ言語です。

イ MHS（Message Handling System）

　ITU-TSによりX.400として勧告されている電子
メールシステムのサービスとそのプロトコルのこ
とです。ゲートウェイソフトウェアを介して相互
に通信できます。

ウ MIME（Multipurpose Internet Mail Extensions）

　正解です。電子メールにおいて，7ビットASCII
コードのテキストだけでなく，日本語などの2バ
イト文字や，画像，音声，動画などのさまざまな
形式のデータを扱うための拡張定義です。

エ SMTP（Simple Mail Transfer Protocol）

　メールの送信やサーバ間の転送に使用されるプ
ロトコルです。

解答　問24 **ア**　　問25 **イ**　　問26 **ウ**

問 27
★★★
□□□

IPv4において，インターネット接続用ルータのNAT機能の説明として，適切なものはどれか。

ア　インターネットへのアクセスをキャッシュしておくことによって，その後に同じIPアドレスのWebサイトへアクセスする場合，表示を高速化できる機能である。

イ　通信中のIPパケットを検査して，インターネットからの攻撃や侵入を検知する機能である。

ウ　特定の端末宛てのIPパケットだけを通過させる機能である。

エ　プライベートIPアドレスとグローバルIPアドレスを相互に変換する機能である。

[平成29年度 秋期 基本情報技術者試験 午前 問33]

問 28
★★★
☑☑☑

ルータがパケットの経路決定に用いる情報として，最も適切なものはどれか。

ア　宛先IPアドレス　　　イ　宛先MACアドレス
ウ　発信元IPアドレス　　エ　発信元MACアドレス

[平成29年度 春期 基本情報技術者試験 午前 問33]

問 29
★★★
□□□

地上から高度約36,000kmの静止軌道衛星を中継して，地上のA地点とB地点で通信をする。衛星とA地点，衛星とB地点の距離がどちらも37,500kmであり，衛星での中継による遅延を10ミリ秒とするとき，Aから送信し始めたデータがBに到達するまでの伝送遅延時間は何秒か。ここで，電波の伝搬速度は3×10^8m／秒とする。

ア　0.13　　　イ　0.26　　　ウ　0.35　　　エ　0.52

[平成28年度 秋期 基本情報技術者試験 午前 問35]

問 30
★★★
□□□

マルウェアの動的解析に該当するものはどれか。

ア　検体のハッシュ値を計算し，オンラインデータベースに登録された既知のマルウェアのハッシュ値のリストと照合してマルウェアを特定する。

イ　検体をサンドボックス上で実行し，その動作や外部との通信を観測する。

ウ　検体をネットワーク上の通信データから抽出し，さらに，逆コンパイルして取得したコードから検体の機能を調べる。

エ　ハードディスク内のファイルの拡張子とファイルヘッダの内容を基に，拡張子が偽装された不正なプログラムファイルを検出する。

[令和元年度 秋期 基本情報技術者試験 午前 問36]

解答・解説

問 27 【技術要素】 **NAT機能**
★★★

IPアドレスは，インターネットなどのネットワークに接続された機器に割り当てられた世界で一つしかない識別番号で，IPv4（Internet Protocol version 4）ではIPアドレスを32ビットで管理します。現在広く使われている規格ですが，IPアドレスの不足に対応するため128ビットで管理するIPv6が登場しています。

グローバルIPアドレスとは，世界で重複することのない一意に割り当てられたIPアドレスのことを

いいます。それに対し，組織内だけで使うLANの場合は，一意である必要がないプライベートIPアドレスをそれぞれの機器に割り当てて使用します。IPv4のIPアドレス枯渇への対策として登場した仕組みです。

組織内LANでプライベートIPアドレスが割り振られている機器がインターネットを介してやりとりを行うには，グローバルIPアドレスに変換する必要があります。インターネットへの接続口であるルータのNAT（Network Address Translation）機能が，プライベートIPアドレスとグローバルIPアドレスの相互変換を行います。

ルータとは，OSI基本参照モデルの第3層のネットワーク層で動作するLAN間接続装置です。TCP/IPネットワークにおいて，ルータは受信したパケットのヘッダ情報にある「宛先IPアドレス」に基づいて，経路決定（ルーティング）を行います。

ア キャッシュの機能に関する記述です。

イ IDS（Intrusion Detection System：侵入検知システム）に関する記述です。

ウ ファイアウォールによるパケットフィルタリングに関する記述です。パケットフィルタリングは，IPパケットの送信元／宛先アドレス，プロトコル，インタフェース，ポート番号などを検査し，テーブルに事前に登録してあるデータと比較した上で，そのパケットをネットワークの内外へ中継したり遮断したりする機能です。

エ 正解です。NAT機能に関する適切な記述です。

問28 【技術要素】ルータ　頻出

ルータは，OSI基本参照モデルの第3層のネットワーク層で動作するLAN間接続装置です。TCP/IPネットワークにおいて，ルータは受信したパケットのヘッダ情報にある「宛先IPアドレス」に基づいて，経路決定（ルーティング）を行います。

よって，正解はアの宛先IPアドレスです。

MACアドレスは，ネットワークに接続されている機器にそれぞれ組み込まれている固有の識別番号です。製造者によって割り当てられ，OSI基本参照モデル第2層のデータリンク層で使用されます。

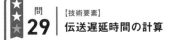

問29 【技術要素】伝送遅延時間の計算　パズル

① 「A地点→衛星→B地点」の伝送時間を求めます。

$$伝送時間 = \frac{距離}{伝送速度}$$

$$= \frac{37500km \times 2 \times 10^3}{3 \times 10^8}　←kmからmへ$$

$$= 0.25秒　←設問より$$

② 設問より，中継による遅延10ミリ秒を加えます。

10ミリ秒 = 0.01秒なので

①＋0.01 ＝ 0.25＋0.01 ＝ 0.26秒　（答）

問30 【技術要素】マルウェアの動的解析

マルウェア（malware）とは，有害な動作を行う目的で作成された悪意のあるソフトウェアや悪質なコードの総称。具体的にはコンピュータウイルスやワーム，ボット，ランサムウェアなどがあります。

サンドボックス（sandbox）とは砂箱を意味し，システムに影響を及ぼさないよう隔離されている領域のことです。

検出したマルウェアの動作解析には，動的解析と静的解析があります。ここで問われている動的解析では，検出されたマルウェアをサンドボックス上で実際に実行させて，その動作や外部との通信を観察し解析します。

ア コンペア法に関する記述です。

イ 正解です。動的解析に関する記述です。

ウ 静的解析に関する記述です。

エ マルウェアなどの検出手法に関する記述です。

解答　問27 エ　　問28 ア
　　　問29 イ　　問30 イ

問31 パスワードリスト攻撃の手口に該当するものはどれか。

ア 辞書にある単語をパスワードに設定している利用者がいる状況に着目して,攻撃対象とする利用者IDを一つ定め,辞書にある単語やその組合せをパスワードとして,ログインを試行する。

イ パスワードの文字数の上限が小さいWebサイトに対して,攻撃対象とする利用者IDを一つ定め,文字を組み合わせたパスワードを総当たりして,ログインを試行する。

ウ 複数サイトで同一の利用者IDとパスワードを使っている利用者がいる状況に着目して,不正に取得した他サイトの利用者IDとパスワードの一覧表を用いて,ログインを試行する。

エ よく用いられるパスワードを一つ定め,文字を組み合わせた利用者IDを総当たりして,ログインを試行する。

[平成31年度 春期 基本情報技術者試験 午前 問37]

問32 生体認証システムを導入するときに考慮すべき点として,最も適切なものはどれか。

ア 本人のデジタル証明書を,信頼できる第三者機関に発行してもらう。

イ 本人を誤って拒否する確率と他人を誤って許可する確率の双方を勘案して装置を調整する。

ウ マルウェア定義ファイルの更新が頻繁な製品を利用することによって,本人を誤って拒否する確率の低下を防ぐ。

エ 容易に推測できないような知識量と本人が覚えられる知識量とのバランスが,認証に必要な知識量の設定として重要となる。

[平成30年度 春期 基本情報技術者試験 午前 問45 一部改変]

問33 マルウェアについて,トロイの木馬とワームを比較したとき,ワームの特徴はどれか。

ア 勝手にファイルを暗号化して正常に読めなくする。

イ 単独のプログラムとして不正な動作を行う。

ウ 特定の条件になるまで活動をせずに待機する。

エ ネットワークやリムーバブルメディアを媒介として自ら感染を広げる。

[平成29年度 秋期 基本情報技術者試験 午前 問41]

問31 【技術要素】 パスワードリスト攻撃

パスワードリスト攻撃とは，複数サイトで同一の利用者IDとパスワードを使ってる利用者がいる状況を悪用し，不正に取得した他のサイトの利用者IDとパスワードの一覧表を用いて，別のサイトへログインを試行することです。

ア 辞書攻撃に関する記述です。

イ ブルートフォース攻撃（総当たり攻撃）に関する記述です。ブルートフォース攻撃は，ユーザIDを1つ定めて固定し，文字を組み合わせたパスワードを総当たりに試行します。

ウ 正解です。パスワードリスト攻撃に関する記述です。

エ リバースブルートフォース攻撃（逆総当たり攻撃）に関する記述です。ブルートフォース攻撃とは逆に，よく用いられるようなパスワードを1つ定めて固定し，文字を組み合わせたユーザIDを総当たりに試行します。

問32 【技術要素】 生体認証システム

生体（バイオメトリクス）認証とは，顔や指紋，声紋，虹彩，静脈などの生体情報がそれぞれ異なることを利用した本人認証の方法です。あらかじめ生体情報を登録しておき，認証時に読み取った情報と照合して認証します。

生体認証システムでは，本人を誤って拒否する確率と他人を誤って許可する確率の双方を勘案して装置を調整します。

ア 生体認証システムは，個人の身体的特徴によって本人認証を行います。デジタル証明書も本人認証に使われますが，生体を使った認証ではありません。

イ 正解です。生体認証システムを導入するときに考慮すべき点です。

ウ 「マルウェア定義ファイルの更新」より，セキュリティ対策ソフトウェアに関する記述です。

エ 生体認証ではなく，パスワードなどでの認証に関する記述です。

問33 【技術要素】 ワームの特徴

マルウェア（Malware）とは，コンピュータウイルスなど悪意のあるソフトウェアの総称です。

トロイの木馬とは，トロイア戦争に登場する，人を潜伏させて敵地に運ばせた木馬が名前の由来となったマルウェアです。正規のプログラムやデータファイルに偽装してシステムに侵入し潜伏したのち，何かのきっかけによって内部に仕込まれたマルウェアがユーザの意図しない有害な動作を行うよう仕組まれたものを指します。

ワームとは，自分自身を複製して他のシステムに広めるマルウェアです。ワームには，自己増殖機能があるのが特徴で，その点でトロイの木馬とは区別されます。

ア ランサムウェアに関する記述です。ランサム（ransom）とは，身代金を意味します。ランサムウェアに感染するとそのシステムのデータファイルなどを勝手に暗号化するなどしてアクセス不可能の状態にし，元に戻すためには身代金を払うよう要求してきます。脅迫型マルウェアです。

イ トロイの木馬，ワームの両方とも単独で動作可能です。

ウ トロイの木馬の特徴に関する記述です。

エ 正解です。自己増殖機能は，ワームの特徴です。

解答 問31 ウ 問32 イ 問33 エ

問 34

公開鍵暗号方式の暗号アルゴリズムはどれか。

ア AES　　　　　　　　　　イ KCipher-2
ウ RSA　　　　　　　　　　エ SHA-256

[平成29年度 春期 基本情報技術者試験 午前 問40]

問 35

情報の"完全性"を脅かす攻撃はどれか。

ア Webページの改ざん
イ システム内に保管されているデータの不正コピー
ウ システムを過負荷状態にするDoS攻撃
エ 通信内容の盗聴

[平成28年度 秋期 基本情報技術者試験 午前 問37]

問 36

"政府情報システムのためのセキュリティ評価制度（ISMAP）"の説明はどれか。

ア 個人情報の取扱いについて政府が求める保護措置を講じる体制を整備している事業者などを評価して，適合を示すマークを付与し，個人情報を取り扱う政府情報システムの運用について，当該マークを付与された者への委託を認める制度
イ 個人データを海外に移転する際に，移転先の国の政府が定めた情報システムのセキュリティ基準を評価して，日本が求めるセキュリティ水準が確保されている場合には，本人の同意なく移転できるとする制度
ウ 政府が求めるセキュリティ要求を満たしているクラウドサービスをあらかじめ評価，登録することによって，政府のクラウドサービス調達におけるセキュリティ水準の確保を図る制度
エ プライベートクラウドの情報セキュリティ全般に関するマネジメントシステムの規格にパブリッククラウドサービスに特化した管理策を追加した国際規格を基準にして，政府情報システムにおける情報セキュリティ管理体制を評価する制度

[令和5年度 春期 応用情報技術者試験 午前 問39]

問34 [技術要素] 暗号アルゴリズム

ア AES (Advanced Encryption Standard)
米国標準技術局 (NIST) によって規格化された共通鍵暗号方式の暗号アルゴリズムです。従来用いられてきたDESの安全性の低下により、それに代わる次世代の標準暗号として採用されています。

イ KCipher-2 (ケーサイファー・ツー)
共通鍵暗号方式の暗号アルゴリズムのひとつです。AESに比べて処理の負荷が軽く高速で、安全性も高いストリーム暗号です。

ウ RSA (Rivest Shamir Adleman)
正解です。RSAは、公開鍵暗号方式の暗号アルゴリズムです。3人の開発者の名前をとって命名されました。現在インターネット上で広く普及しています。

エ SHA-256 (Secure Hash Algorithm 256-bit)
ハッシュ値を求める計算手順のひとつです。

問35 [技術要素] 情報セキュリティにおける"完全性" 頻出

情報セキュリティでは、情報の機密性、完全性、可用性を確保し、維持します。
① 機密性
機密性とは、情報へのアクセスを許可されていない人やプロセスに対して情報へのアクセスを制限する特性です。機密性を脅かす例としては、盗聴があります。盗聴とは、不正手段によって、他人の通信データを参照することです。盗聴は、データの暗号化によって防止します。
②完全性
完全性とは、情報の正確性や完全さを保護する特性です。完全性を脅かす例としては、改ざんがあります。改ざんとは、不正手段によって、他人の通信データ内容を書き換えることです。改ざんは、デジタル署名やメッセージ認証によって防止します。
③可用性
可用性とは、情報へのアクセスや使用が、使用要求があったときに可能である特性です。可用性を脅かす例としては、ネットワーク機器の故障などによるシステム停止や遅延などがあります。可用性は、機器を二重化するなど冗長構成にすることによって確保します。

ア 正解です。"完全性"を脅かす攻撃に関する記述です。
イ "機密性"を脅かす攻撃に関する記述です。データの不正コピーによって、情報が漏えいします。
ウ "可用性"を脅かす攻撃に関する記述です。システムが過負荷状態になり、停止する可能性があります。
エ "機密性"を脅かす攻撃に関する記述です。

問36 [技術要素] ISMAP 新シラバス

政府情報システムのためのセキュリティ評価制度 (ISMAP：Information system Security Management and Assessment Program) は、「政府が求めるセキュリティ要求を満たしているクラウドサービスを予め評価・登録することにより、政府のクラウドサービス調達におけるセキュリティ水準の確保を図り、もってクラウドサービスの円滑な導入に資することを目的とした」制度です
登録されたサービスは「ISMAPクラウドサービスリスト」として公開され、政府機関は原則として掲載されたサービスから調達を行います。
ア プライバシーマーク制度に関する記述です。
イ 個人情報保護法が定める制度に関する記述です。
ウ 正解です。ISMAPに関する記述です。
エ クラウドセキュリティ認証に関する記述です。

解答　問34 **ウ**　　問35 **ア**　　問36 **ウ**

問 37
新シラバス

DMARC（Domain-based Message Authentication, Reporting, and Conformance）に関する記述のうち，適切なものはどれか。

ア 送信側のメールサーバで電子メールにデジタル署名を付与し，受信側のメールサーバでそのデジタル署名を検証して送信元ドメインの認証を行う。

イ 送信者が電子メールを送信するとき，送信側のメールサーバは，送信者が正規の利用者かどうかの認証を利用者IDとパスワードによって行う。

ウ 送信元ドメイン認証に失敗した際の電子メールの処理方法を記載したポリシーをDNSサーバに登録し，電子メールの認証結果を監視する。

エ 電子メールの送信元ドメインでメール送信に使うメールサーバのIPアドレスをDNSサーバに登録しておき，受信側で送信元ドメインのDNSサーバに登録されているIPアドレスと電子メールの送信元メールサーバのIPアドレスとを照合する。

[令和5年度 秋期 応用情報技術者試験 午前 問44 一部改変]

問 38

エクストリームプログラミング（XP：eXtreme Programming）のプラクティスのうち，プログラム開発において，相互に役割を交替し，チェックし合うことによって，コミュニケーションを円滑にし，プログラムの品質向上を図るものはどれか。

ア 計画ゲーム **イ** コーディング標準
ウ テスト駆動開発 **エ** ペアプログラミング

[平成30年度 春期 基本情報技術者試験 午前 問50]

解答・解説

問 37 【技術要素】 **DMARC**
新シラバス

ア DKIMに関する記述です。DKIM（DomainKeys Identified Mail）は，デジタル署名を利用することで，正当なメールサーバから送られてきたメールであることを確認する仕組みです。スパムメール対策の技術のひとつとして利用されています。

イ SMTP-AUTHに関する記述です。SMTP-AUTH（Simple Mail Transfer Protcol-Authentication）とは，メールを送信・転送するプロトコルSMTPの拡張規格で，AUTHは認証（Authentication）のことを指します。シンプルなメール転送を行うSMTPには認証の仕組みがないのに対し，SMTP-AUTHでは送信側のメールサーバでユーザ名とパスワードによる認証を行い，送信者が正規のユーザであることを確認します。

ウ 正解です。DMARC（Domain-based Message Authentication, Reporting, and Conformance）とは，メールの送信元ドメインを偽装することによる「なりすまし行為」を防ぐための，送信ドメイン認証技術です。DMARCでは，受信者から送信者に対して，認証に失敗した旨を通知することができます。送信者は，この通知内容から自身のメールシステムが正しく運用されているかを確認し，迷惑メール対策などに役立てることができます。なお，SPFやDKIMでは，送信者は認証に失敗したことを把握できません。

エ SPFに関する記述です。SPF（Sender Policy Framework）とは，電子メールの送信元ドメインの詐称がないことを検査し確認するための仕組みです。電子メールを受信するサーバが，電子メールの送信元のドメイン情報と，電子メールを送信したサーバのIPアドレスからドメインが詐称されていないことを確認します。

問
38　【開発技術】
エクストリームプログラミング

エクストリームプログラミング (XP：eXtreme Programming) とは，1990年代後半にケント・ベックらによって提唱されたソフトウェア開発手法のひとつです。柔軟性が高い開発手法で，仕様の変更などの変化に対して機敏に対応できます。

従来の開発手法に対して，

・コーディングとテストを重視
・各工程のフィードバックを常に行い，修正や再設計することを重視

という特徴があります。

XPでは，共有すべき5つの価値と，実践すべき具体的なプラクティスが定義されています。当初は12でしたが，何度かの改定を経て，現在は以下の4つのカテゴリに分けられる19のプラクティスが定義されています。

1．**共同のプラクティス**

　反復，共通の用語，開けた作業空間，頻繁な振り返り

2．**開発のプラクティス**

　テスト駆動開発，ペアプログラミング，リファクタリング，ソースコードの共同所有，継続的インテグレーション，YAGNI

3．**管理者のプラクティス**

　責任の受け入れ，援護，四半期ごとの見直し，ミラー，最適なペースの仕事

4．**顧客のプラクティス**

　計画ゲーム (ストーリーの作成，リリース計画)，受け入れテスト，短期リリース

ア 計画ゲーム

　顧客と開発者とで行う，ソフトウェアの計画づくりです。開発するソフトウェアの機能について，概要を短いストーリーとして記述し (ストーリーの作成)，そのストーリー一つひとつにそれを実装するための見積もりを行い (リリース計画)，双方で調整をとりながら，実装する機能を決めていきます。

イ コーディング標準

　コーディングの指針や禁止事項など，コードを書く際の守るべきルールをまとめた規約のことです。

ウ テスト駆動開発

　要求されている機能を明確にするために，テストケースを先に作成してからプログラミングを行う開発方法です。テストをパスするように実装を行っていきます。

エ ペアプログラミング

　正解です。2人一組で行うソフトウェア開発です。開発マシン1台を2人のプログラマで共有し，1人がコードを書き，もう1人がコードレビューを行います。定期的に役割を交代したりメンバーを入れ替えて作業を進めていきます。ペアプログラミングによって，コミュニケーションが円滑になり，常にコードレビューを行うことができるので，プログラムの品質向上を図ることができます。

解答　　問37 **ウ**　　　問38 **エ**

問 **39**
☑☑☑

流れ図において，判定条件網羅（分岐網羅）を満たす最少のテストケース数は幾つか。

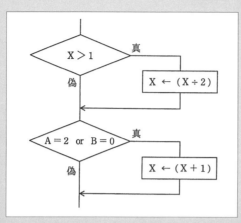

ア 1
イ 2
ウ 3
エ 4

[平成29年度 春期 基本情報技術者試験 午前 問49 一部改変]

問 **40**
☑☑☑
新シラバス

テスト担当者が，ソフトウェアを動作させてその動きを学習しながら，自身の経験に基づいて以降のテストを動的に計画して進めるテストの方法はどれか。

ア 実験計画法　　　　　　　イ 状態遷移テスト
ウ 探索的テスト　　　　　　エ モデルベースドテスト

[令和3年度 秋期 情報処理安全確保支援士 午前Ⅱ 問22]

問 **41**
☑☑☑
新シラバス

ステージング環境の説明として，適切なものはどれか。

ア 開発者がプログラムを変更するたびに，ステージングサーバにプログラムを直接デプロイして動作を確認し，デバッグするための環境
イ システムのベータ版を広く一般の利用者に公開してテストを実施してもらうことによって，問題点やバグを報告してもらう環境
ウ 保護するネットワークと外部ネットワークの間に境界ネットワーク（DMZ）を設置して，セキュリティを高めたネットワーク環境
エ 本番環境とほぼ同じ環境を用意して，システムリリース前の最終テストを行う環境

[令和4年度 春期 ネットワークスペシャリスト試験 午前Ⅱ 問25]

解答・解説

問 **39** ［開発技術］
判定条件網羅（分岐網羅）
頻出

　判定条件網羅（分岐網羅）は，分岐の方向に着目します。判定条件の真・偽を少なくとも1回は実行するテストケースを作ります。
　判定条件網羅では，判定文の条件がorやandなどで結ばれた複合条件であっても，個々の条件には

着目しません。結果として，判定が真の場合と偽の場合を少なくとも1回は実行するようにテストを行います。

[例] 設問のテストケース（2件）
　　（X＝2，A＝2，B＝0）…真
　　（X＝0，A＝1，B＝1）…偽
　　よって，最小のテストケース数はイの2です。

参考

なお，判定条件の真・偽について，あらゆる組み合わせを網羅し，かつ，すべての命令を少なくとも1回は実行するようにテストケースを作る方法を複数条件網羅といいます。この場合では，下記の4件のテストケースが必要です。

	1つ目の判定条件	2つ目の判定条件
①	真	真
②	真	偽
③	偽	真
④	偽	偽

テスト技法には，他にもいくつか種類があります。

用語整理 テスト技法

①命令網羅

命令網羅は，すべての命令を少なくとも1回は実行するテストケースを作ります。判定条件は考慮しません。

②条件網羅

判定条件の真・偽について，それぞれの組み合わせを満たし，かつ少なくとも1回は実行するようにテストケースを作ります。

条件網羅では，分岐方向ではなく分岐条件に着目します。このため，すべての分岐方向について実行されないことがあります。

③判定条件／条件網羅

判定条件と条件網羅を組み合わせてテストケースを作ります。

④判定条件網羅（分岐網羅）

分岐方向に着目します。判定条件の真偽を少なくとも1回は実行するテストケースを作ります。

⑤複数条件網羅

判定条件の真・偽について，あらゆる組み合わせを網羅し，かつ，すべての命令を少なくとも1回は実行するようにテストケースを作ります。

問40 【開発技術】 探索的テスト

新シラバス

探索的テストとは，テスト実行者がテスト内容の作成とその実行を，同時に並行して行うプログラムのテスト手法です。

探索的テストは，事前にテストケースを作成せず

に，テスト実行者の知見・経験に基づいて，潜在的な不具合を検知する可能性の高いテストを集中的に行います。テスト対象の振る舞いに着目して，そのフィードバックを元にテスト内容を改善していくことから，「対話型」のアプローチといわれることもあります。

【探索的テストのメリット】

・テストが早く済む

・工数やコストを抑えやすい

・検出困難なバグを見つけやすい

・仕様書や設計書が不十分でも実施可能

・アジャイル開発と相性が良い

【探索的テストのデメリット】

・テスト実行者のスキルや経験に強く依存する

・網羅性の担保ができない

・管理が難しい

ア 実験計画法とは，効率のよい実験方法を設計して，実験結果を適切に解析することを目的とする統計学の応用分野です。

イ 状態遷移テストとは，発生したイベントによって想定した状態に正しく遷移することをテストします。状態遷移テストでは，これらのイベントや状態の組合せのすべてを「状態遷移図」「状態遷移表」にまとめて，テストケースを作成します。

ウ 正解です。

エ モデルベースドテストとは，テスト実装やテスト実行ではなくテスト設計の手法です。テスト設計モデルを用いてテストケースを設計します。

問41 【開発技術】 ステージング環境

新シラバス

ステージング環境とは，本番環境で問題が発生しないかどうかの最終テストを行うための，本番環境を模した環境のことです。リリース前の最終確認を行い，本番での問題発生を未然に防ぐことが目的です

ア システムのデバッグは，ステージングサーバ上で行うことはなく，テスト環境上で行います。

イ オープンベータテスト環境に関する記述です。

ウ ステージング環境は，セキュリティを高めたネットワーク環境ではありません。

エ 正解です。

 解答　問39 イ　　　問40 ウ　　　問41 エ

問42
☑☑☑

ある新規システムの機能規模を見積もったところ，500FP（ファンクションポイント）であった。このシステムを構築するプロジェクトには，開発工数のほかに，システム導入と開発者教育の工数が，合計で10人月必要である。また，プロジェクト管理に，開発と導入・教育を合わせた工数の10%を要する。このプロジェクトに要する全工数は何人月か。ここで，開発の生産性は1人月当たり10FPとする。

 ア 51 **イ** 60 **ウ** 65 **エ** 66

[平成30年度 秋期 基本情報技術者試験 午前 問54]

問43
☑☑☑

あるプロジェクトの日程計画をアローダイアグラムで示す。クリティカルパスはどれか。

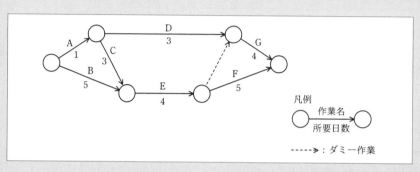

 ア A, C, E, F **イ** A, D, G **ウ** B, E, F **エ** B, E, G

[令和元年度 秋期 基本情報技術者試験 午前 問52]

解答・解説

問42
【プロジェクトマネジメント】
システムの機能規模の見積もり
 パズル
 頻出

　システム規模や開発工数，開発費用を見積もるファンクションポイント法による見積もり計算です。設問文で計算の方法が説明されています。よって，設問文の記述より，計算式は次のようになります。

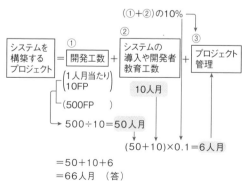

$$=50+10+6$$
$$=66人月　（答）$$

　計算の説明をします。

① 設問文「…開発規模を見積もったところ，500FP…」，「ここで，開発の生産性は1人月当たり10FP」より，FPを人月の単位に変換するため，500÷10＝50とします。この設問の場合，500FP＝50人月とわかります。

② 設問文より，10人月です。

③ 設問文「プロジェクト管理に，開発と導入・教育を合わせた工数の10%を要する」より，

　プロジェクト管理＝（50＋10）×0.1＝6人月
となります。

　したがって，求める答えは

　　①＋②＋③＝50＋10＋6＝66人月　（答）
となります。

問 **43** [プロジェクトマネジメント]
アローダイアグラム　_{頻出}

アローダイアグラム（PERT図）では，プロジェクトをいくつかの作業要素の集まりとみなし，矢印で表すことで，計画の進捗管理を行います。

要点整理　アローダイアグラム（PERT図）

[例]

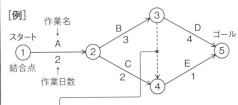

ダミー作業（作業順を表す。作業日数は0）
作業Bが終わっていないと作業Eを開始できない

(1)最早結合点時刻

先行作業を終了し，結合点に到達できる最も早い時刻。次のように求める。

- スタートの結合点では0。
- 各結合点では，前の結合点の最早結合点時刻に作業日数を加える。
- 複数の作業が到達する結合点では，そのなかで最も大きい値が最早結合点時刻になる。

(2)最遅結合点時刻

後続作業に遅れがでないよう，先行作業を終了して遅くとも到達しなければならない限界の時刻。次のように求める。

- ゴールから計算する。ゴールの結合点の最遅結合点時刻は最早結合点時刻と同じ値になる。
- 各結合点では，1つ先の最遅結合点時刻から作業時間を引く。
- 結合点から複数の作業が開始される場合は，最も小さい値が最遅結合点時刻になる。

(3)クリティカルパス

最早結合点時刻と最遅結合点時刻の等しい結合点を結んだ経路のこと。クリティカルパスは最長経路なので，重点管理する。

上の例では，A→B→Dのルートがクリティカルパスとなる。

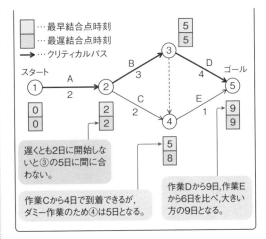

□…最早結合点時刻
▨…最遅結合点時刻
→…クリティカルパス

遅くとも2日に開始しないと③の5日に間に合わない。

作業Cから4日で到着できるが，ダミー作業のため④は5日となる。

作業Dから9日，作業Eから6日を比べ，大きい方の9日となる。

設問のアローダイアグラムの最早結合点時刻と，最遅結合点時刻は次のようになります。

よって，クリティカルパスはB→E→Fとなり，**ウ**が正解です。

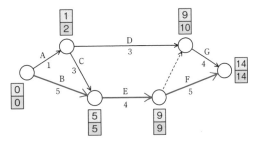

□…最早結合点時刻
▨…最遅結合点時刻

解答　問42 **エ**　　問43 **ウ**

問 44

　プロジェクトで発生した課題の傾向を分析するために，ステークホルダ，コスト，スケジュール，品質などの管理項目別の課題件数を棒グラフとして件数が多い順に並べ，この順で累積した課題件数を折れ線グラフとして重ね合わせた図を作成した。この図はどれか。

　　ア 管理図　　　　イ 散布図　　　　ウ 特性要因図　　　エ パレート図

[平成29年度 秋期 基本情報技術者試験 午前 問54]

問 45

　ITサービスマネジメントの活動のうち，インシデント及びサービス要求管理として行うものはどれか。

　　ア サービスデスクに対する顧客満足度が合意したサービス目標を満たしているかどうかを評価し，改善の機会を特定するためにレビューする。
　　イ ディスクの空き容量がしきい値に近づいたので，対策を検討する。
　　ウ プログラムを変更した場合の影響度を調査する。
　　エ 利用者からの障害報告を受けて，既知の誤りに該当するかどうかを照合する。

[平成29度 春期 基本情報技術者試験 午前 問57]

問 46

新シラバス

　営業部門で設定するKPI（Key Performance Indicator）とKGI（Key Goal Indicator）の適切な組合せはどれか。

	KPI	KGI
ア	既存顧客売上高	新規顧客売上高
イ	既存顧客訪問件数	新規顧客訪問件数
ウ	新規顧客売上高	新規顧客訪問件数
エ	新規顧客訪問件数	新規顧客売上高

[平成29年度 秋期 応用情報技術者試験 午前 問67]

解答・解説

問 44　【プロジェクトマネジメント】
パレート図　　頻出

　ステークホルダとは，企業や組織などの活動になんらかの利害関係を持つ個人や組織のことをいいます。具体的には，顧客（消費者），取引先，株主，従業員，地域社会，行政機関などです。

ア 管理図は，品質管理の重要な手法で，工程に異常が発生していないか特性値の変動から判断する一種の折れ線グラフです。

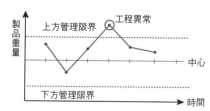

イ 散布図は，2値の関係を表した図です。

・正の相関：2値の関連性は右上がりになる。

・負の相関：2値の関連性は右下がりになる。

・無相関：2値の間に関連性はない。

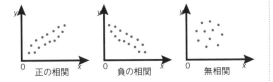

ウ 特性要因図は，結果（特性）と，それに影響を及ぼすと思われる原因（要因）との関連を整理してまとめたものです。

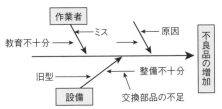

エ パレート図は，特定のデータの件数を原因などの分類項目に分け，大きい順に並べた棒グラフと，それらの累積和を折れ線グラフで表した図です。

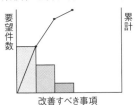

問題文「課題件数を棒グラフとして件数が多い順に並べ，この順で累積した課題件数を折れ線グラフとして重ね合わせた図」とは，**エ**のパレート図が該当します。

問 **45** 【サービスマネジメント】
インシデント管理

頻出

ITサービスマネジメント（ITSM）とは，組織が効果的かつ効率的に管理されたITサービスを実施するためのフレームワークと評価の仕様を示したものです。

インシデントとは，ウイルス感染や不正アクセス，情報漏洩などの保安上の脅威のことをいいます。インシデントや問題の根本原因を特定し，事業に対する悪影響を最小限に抑制し，また再発を防止することを問題管理といいます。

インシデント管理は，発生したインシデントに対し，ビジネスへの悪影響を最小限に抑えることです。たとえば，アプリケーションの応答の大幅な遅延などがインシデント管理の対象となります。

ア サービスレベル管理に関する記述です。

イ キャパシティ管理に関する記述です。

ウ 変更管理に関する記述です。

エ 正解です。利用者からの障害報告がインシデントです。これに対して，既知のエラーに該当するかどうかを照合して，ビジネスへの悪影響を最小限に抑えています。よって，インシデント管理及びサービス要求管理です。

問 **46** 【サービスマネジメント】
KPIとKGI

新シラバス

KPIとKGI双方とも，企業単位や事業単位などで設定した目標の達成度を示す指標ですが，以下のような違いがあります。

● KPI（Key Performance Indicator）

重要業績評価指標。企業における最終目標到達までの，各プロセスの達成度や評価を示す。

● KGI（Key Goal Indicator）

重要目標達成指標。最終的な目標に対する達成度を示す。

経営戦略では，最初に「目標」（KGI）を設定し，次に目標を達成するための「手段」を定めます。そして，その手段の実施状況を定量的に測定できる「指標」（KPI）を設定し，目標達成までモニタリングを継続的に行います。なお，このとき定めた「手段」は，CSF（Critical Success Factor：重要成功要因）と呼ばれます。

問題について考えると，営業部門の「目標」は売上高を伸ばすことであり，KGIは「新規顧客売上高」の方が適切です。また，訪問件数を増やすことは新規顧客の売上高を伸ばすための「手段」であると考えることができるため，その実施状況を測定するために「新規顧客訪問件数」をKPIとして設定することは妥当であるといえます。

したがって，KPIは「新規顧客訪問件数」，KGIは「新規顧客売上高」の組合せ（**エ**）が正解です。

解答　問44 **エ**　　問45 **エ**　　問46 **エ**

問47 情報セキュリティ監査において，可用性を確認するチェック項目はどれか。

ア 外部記憶媒体の無断持出しが禁止されていること
イ 中断時間を定めたSLAの水準が保たれるように管理されていること
ウ データ入力時のエラーチェックが適切に行われていること
エ データベースが暗号化されていること

[平成30度 春期 基本情報技術者試験 午前 問60]

 問48 システムに関わるドキュメントが漏えい，改ざん，不正使用されるリスクに対するコントロールを監査する際のチェックポイントはどれか。

ア システムの変更に伴い，ドキュメントを遅滞なく更新していること
イ ドキュメントの機密性を確保するための対策を講じていること
ウ ドキュメントの標準化を行っていること
エ プロトタイプ型開発においても，必要なドキュメントを作成していること

[平成29年度 春期 基本情報技術者試験 午前 問59]

 問49 エンタープライズアーキテクチャを構成するアプリケーションアーキテクチャについて説明したものはどれか。

ア 業務に必要なデータの内容，データ間の関連や構造などを体系的に示したもの
イ 業務プロセスを支援するシステムの機能や構成などを体系的に示したもの
ウ 情報システムの構築・運用に必要な技術的構成要素を体系的に示したもの
エ ビジネス戦略に必要な業務プロセスや情報の流れを体系的に示したもの

[平成31年度 春期 基本情報技術者試験 午前 問61]

 問50 非機能要件の定義で行う作業はどれか。

ア 業務を構成する機能間の情報（データ）の流れを明確にする。
イ システム開発で用いるプログラム言語に合わせた開発基準，標準の技術要件を作成する。
ウ システム機能として実現する範囲を定義する。
エ 他システムとの情報授受などのインタフェースを明確にする。

[平成29年度 春期 基本情報技術者試験 午前 問65]

解答・解説

 問47 ［サービスマネジメント］ **情報セキュリティ監査における可用性管理** 頻出

　情報セキュリティとは，情報システムにおいて，次の3つを確保し，維持することをいいます。
①機密性
　情報資産にアクセスする権限を持つもののみ参照可能とすることです。

②完全性
　情報資産が正確で完全に維持されることです。
③可用性
　正確性や信頼性，利用履歴が確保された状態で，情報資産を必要なときに利用できることです。

ア 機密性のチェック項目に関する記述です。
イ 正解です。可用性のチェック項目に関する記述

です。

ウ 完全性のチェック項目に関する記述です。

エ 機密性のチェック項目に関する記述です。

問 **48** 【サービスマネジメント】
監査のチェックポイント
パズル

問題文「ドキュメントが漏えい，改ざん，不正使用されるリスク」を防ぐ対策として適切な記述を選択肢から選びます。

ア 「ドキュメントを遅延なく更新」しても，ドキュメントをしっかり管理していないと漏えいを防げません。

イ 正解です。ドキュメントを金庫などにしっかり保管したり，ドキュメント利用者を制限する，コピーの制限，改ざんを防ぐ用紙や筆記具の利用，ドキュメント利用状況を記録するなどの「ドキュメントの機密性を確保する対策を講じる」ことで，ドキュメントの漏えい，改ざん，不正使用のリスクを防ぎます。

ウ ドキュメントの標準化を行っても，漏えいなどは防げません。

エ ドキュメントを作成しても，漏えいなどは防げません。

問 **49** 【システム戦略】
エンタープライズ
アーキテクチャ
頻出

エンタープライズアーキテクチャ（EA：Enterprise Architecture）とは，組織全体の業務とシステムを統一的な手法でモデル化し，業務とシステムを同時に改善することを目的とした，組織の設計・管理手法です。具体的には，各業務やシステムの機能，構成などを次の4つのアーキテクチャモデルで分類・整理し，全体最適化を図ります。

①ビジネスアーキテクチャ（BA）

業務機能の構成。ビジネス戦略に必要な業務プロセスや情報の流れを体系化したものです。

［成果物］業務説明書，機能構成図（DMM），機能情報関連図（DFD），業務フロー図

②データアーキテクチャ（DA）

業務機能に使われる情報の構成。業務に必要なデータの内容，データ間の関連や構造などを体系化したものです。

［成果物］情報体系整理図（クラス図），実体関連ダイアグラム（ERD），データ定義表

③アプリケーションアーキテクチャ（AA）

業務機能と情報の流れをまとめたサービスの固まりの構成。業務プロセスを支援するシステムの機能や構成などを体系化したものです。

［成果物］情報システム関連図，情報システム機能構成図

④テクノロジアーキテクチャ（TA）

各サービスを実現するためのテクノロジの構成。情報システムの構築・運用に必要な技術的構成要素を体系化したものです。

［成果物］ネットワーク構成図，ソフトウェア構成図，ハードウェア構成図

ア データアーキテクチャ（DA）に関する記述です。

イ 正解です。アプリケーションアーキテクチャ（AA）に関する記述です。

ウ テクノロジアーキテクチャ（TA）に関する記述です。

エ ビジネスアーキテクチャ（BA）に関する記述です。

問 **50** 【システム戦略】
非機能要件
頻出

非機能要件とは，ソフトウェア開発や情報システム開発で定義される要件のうち，機能面以外のもの全般の要件です。非機能要件としては，機能性，信頼性，操作性や習得の容易さ，効率性，保守性，運用性，セキュリティなどがあります。

また，機能要件とは，ソフトウェア開発や情報システムで定義される要件のうち，機能に関するものです。機能要件としては，操作方法，画面表示，データ種類，処理内容，出力帳票の形式などがあります。

ア 機能要件に関する記述です。

イ 正解です。非機能要件に関する記述です。

ウ システム要件定義で行う項目に関する記述です。

エ システム方式設計で行う項目に関する記述です。

解答

問47 **イ**	問48 **イ**
問49 **イ**	問50 **イ**

問51 利用者が，インターネットを経由してサービスプロバイダ側のシステムに接続し，サービスプロバイダが提供するアプリケーションの必要な機能だけを必要なときにオンラインで利用するものはどれか。

ア ERP　　**イ** SaaS　　**ウ** SCM　　**エ** XBRL

[平成25年度 秋期 基本情報技術者試験 午前 問64]

問52 インターネットを活用した広告手法のうち，検索連動型広告の説明はどれか。

ア インターネット検索エンジンで，利用者が入力した特定の検索キーワードに関連する商品の広告を表示する。
イ サービス運営会社が発行する広告タグを埋め込んだWebサイトを訪れた利用者に対して，そのWebサイトのコンテンツに関連した広告を自動的に表示する。
ウ スマートフォンなどのGPS機能を使い，利用者の現在地に合わせて，近隣の商業施設の広告を，利用者が見ているWebサイトに表示する。
エ 利用者のWebサイトの検索履歴，アクセスしたページや購買履歴から利用者の興味・関心を解析し，関連した広告を利用者が見ているWebサイトに表示する。

[平成29年度 春期 応用情報技術者試験 午前 問72 一部改変]

問53 コア技術の事例として，適切なものはどれか。

ア アライアンスを組んでインタフェースなどを策定し，共通で使うことを目的とした技術
イ 競合他社がまねできないような，自動車エンジンのアイドリングストップ技術
ウ 競合他社と同じCPUコアを採用し，ソフトウェアの移植性を生かす技術
エ 製品の早期開発，早期市場投入を目的として，汎用部品を組み合わせて開発する技術

[平成29年度 秋期 基本情報技術者試験 午前 問70]

問54 シェアリングエコノミーの説明はどれか。

ア ITの活用によって経済全体の生産性が高まり，更にSCMの進展によって需給ギャップが解消されるので，インフレなき成長が持続するという概念である。
イ ITを用いて，再生可能エネルギーや都市基盤の効率的な管理・運営を行い，人々の生活の質を高め，継続的な経済発展を実現するという概念である。
ウ 商取引において，実店舗販売とインターネット販売を組み合わせ，それぞれの長所を生かして連携させることによって，全体の売上を拡大する仕組みである。
エ ソーシャルメディアのコミュニティ機能などを活用して，主に個人同士で，個人が保有している遊休資産を共有したり，貸し借りしたりする仕組みである。

[平成31年度 春期 基本情報技術者試験 午前 問73]

問 51 【システム戦略】 SaaS

頻出

ア ERP (Enterprise Resource Planning)
企業内の業務の情報を横断的に把握し，経営資源の最適化を計画することです。

イ SaaS (Software as a Service)
正解です。アプリケーションをユーザ側が購入して利用するのではなく，サービスを提供する事業者のサーバからインターネットを通じて必要な機能だけをユーザが利用する形態のこと。利用した分だけの使用料を払います。

ウ SCM (Supply Chain Management)
商品メーカーから製造会社，卸や小売などを経て顧客に至るサプライチェーン全体をネットワークで結び，企業を越えて経営資源や情報を共有し，チェーン全体を最適化することです。

エ XBRL (eXtensible Business Reporting Language)
企業の財務諸表などを記述するXMLベースの言語です。

問 52 【経営戦略】 検索連動型広告

新シラバス

ア 正解です。検索連動型広告 (リスティング広告) はインターネット広告の一種で，検索エンジンでユーザが検索したキーワードに関連した広告を掲載する手法です。

イ コンテンツ連動型広告に関する記述です。インターネット広告の一種で，ニュースサイトや各種ブログの内容やユーザの興味・関心に応じて，掲載される広告が決まる仕組みになっています。

ウ 地域ターゲティングに関する記述です。地域ターゲティングとは，指定した特定の地域のみに対して，広告の配信または配信の除外を行う機能です。

エ 行動ターゲティングに関する記述です。行動ターゲティングとは，Web上でのユーザの行動履歴をもとに，個人に最適化した広告配信を行う機能です。

問 53 【経営戦略】 コア技術の事例

コア技術とは，競合他社がまねできないような企業の核となる技術のことをいいます。

ア アライアンスとは，複数の企業が利益のために協力しあい，共同で事業を行うことです。コア技術の事例として，適切ではありません。

イ 正解です。コア技術の事例です。

ウ 選択肢の記述「競合他社と同じCPUコアを採用し」より，"競合他社がまねできない技術"ではないので，コア技術の事例ではありません。

エ コア技術は，「汎用部品を組み合わせて開発する」ことではありません。

問 54 【経営戦略】 シェアリングエコノミー

シェアリングエコノミーとは，SNSなどのインターネット上のサービスを利用するなどして，個人が所有する遊休資産 (使っていないモノや場所，スキルなど) を個人間でシェア (共有) したり，貸し借りすることで生まれる経済の仕組みのことです。

ア ニューエコノミーに関する記述です。

イ スマートシティに関する記述です。

ウ クリック＆モルタルに関する記述です。クリック (電子商店) ＆モルタル (実店舗) とは，インターネット販売と実店舗販売を組み合わせ，互いに補い合うことで売上を拡大する仕組みです。

エ 正解です。シェアリングエコノミーに関する記述です。

解答
| 問51 **イ** | 問52 **ア** |
| 問53 **イ** | 問54 **エ** |

問55

IoT（Internet of Things）の実用例として，**適切でないもの**はどれか。

ア インターネットにおけるセキュリティの問題を回避するために，サーバに接続せず，単独でファイルの管理，演算処理，印刷処理などの作業を行うコンピュータ

イ 大型の機械などにセンサと通信機能を内蔵して，稼働状況，故障箇所，交換が必要な部品などを，製造元がインターネットを介してリアルタイムに把握できるシステム

ウ 検針員に代わって，電力会社と通信して電力使用量を送信する電力メータ

エ 自動車同士及び自動車と路側機が通信することによって，自動車の位置情報をリアルタイムに収集して，渋滞情報を配信するシステム

[平成30年度 春期 基本情報技術者試験 午前 問71]

問56

新シラバス

フィンテックのサービスの一つであるアカウントアグリゲーションの特徴はどれか。

ア 各金融機関のサービスに用いる，利用者のID・パスワードなどの情報をあらかじめ登録し，複数の金融機関の口座取引情報を一括表示できる。

イ 資金移動業者として登録された企業は，少額の取引に限り，国内・海外送金サービスを提供できる。

ウ 電子手形の受取り側が早期に債権回収することが容易になり，また，必要な分だけ債権の一部を分割して譲渡できる。

エ ネットショップで商品を購入した者に与信チェックを行い，問題がなければ商品代金の立替払いをすることによって，購入者は早く商品を入手できる。

[令和元年度 秋期 応用情報技術者試験 午前 問72]

問57

企業が社会的責任を果たすために実施すべき施策のうち，環境対策の観点から実施するものはどれか。

ア 株主に対し，企業の経営状況の透明化を図る。

イ グリーン購入に向けて社内体制を整備する。

ウ 災害時における従業員のボランティア活動を支援する制度を構築する。

エ 社内に倫理ヘルプラインを設置する。

[平成31年度 春期 基本情報技術者試験 午前 問75]

問55 【経営戦略】 IoTの実用例

IoT (Internet of Things：モノのインターネット) とは，パソコンやサーバなどの機器だけでなく，さまざまなものに通信機能をもたせて，インターネットに接続させ相互に情報を交換し制御する仕組みのことをいいます。IoTによって，自動認識や遠隔計測などが可能になり，大量データを収集・分析して高度な判断サービスや自動制御を実現します。

なお，モノとは物理的に存在する「物」だけを指すのではなく，自然現象や生物の行動なども含んでいます。

ア 正解です。「サーバに接続せず」より，インターネットに接続されていないことがわかります。IoTは，インターネットに接続されている必要がありますから，適切でない実用例です。

イ 「〜通信機能を内蔵〜」より，センサで集めた情報をインターネットを介して把握しています。よって，IoTの適切な実用例です。

ウ 「〜通信して〜送信する」より，自動計測した情報をインターネットを介して送信しているので，適切な実用例です。

エ 「〜通信することによって〜」より，通信によって情報を交換したり，情報収集しているので，適切な実用例です。

問56 【経営戦略】 アカウントアグリゲーション

新シラバス

ア 正解です。アカウントアグリゲーション (Account aggregation) とは，ユーザーが利用する複数の金融サービス (銀行，クレジットカード，投資口座など) の異なる場所に分かれている資産や取引状況を，1つのコンピュータ上に一括表示できるサービスです。

イ 資金移動サービスに関する記述です。資金決済法の改正により，資金移動業者 (登録業者) は，国内だけでなく海外へも振込や送金ができるようになりました。

ウ 電手決済サービスに関する記述です。

エ エスクローサービスに関する記述です。エスクローサービスとは，取引の際に信頼できる「中立的な第三者」を契約当事者の間に置くことで，取引の安全性を確保するサービスです。

問57 【企業と法務】 グリーン購入

頻出

ア コーポレートガバナンスに関する記述です。

イ 正解です。グリーン購入とは，サービスや商品を購入するときに，環境を考慮して必要性をよく考え，環境への負荷ができるだけ少ないものを選んで購入することです。グリーン購入に向けて社内体制を整備することは，環境対策の観点で実施する施策といえます。

ウ CSR活動に関する記述です。CSR (Corporate Social Responsibility) とは，企業の社会的責任という意味です。企業は利益を求めるだけでなく，社会に与える影響に責任を持ち，ステークホルダ (＝株主，顧客，従業員，地域社会など) との関係を重視して，社会へ貢献する取り組みが求められています。従業員のボランティア活動を支援する休暇制度などを構築することは，CSR活動のひとつとしてあげられます。

なお，個人によるボランティア活動とは異なり，CSRには社会貢献だけでなく企業価値の向上という目的もあります。

エ 公益通報者の保護 (公益通報者保護法で守られます) やパワーハラスメント等に対応するために，倫理ヘルプラインを企業内に設置する取り組みがありますが，環境対策の観点で実施するものではありません。

なお，公益通報者の保護とは，公益のために (企業の不正などの) 内部告発を行った社員に対する解雇等の不利益な取扱いを禁止することです。

解答 問55 **ア** 問56 **ア** 問57 **イ**

問58 OJTの特徴はどれか。

ア 一般化された知識や技術に重点を置いた教育が受けられる。
イ 上司や先輩が実務に密着して実践的に知識や技術を教育するので，必要な能力が習得できる。
ウ 上司や先輩の資質によらず，一定水準の業務知識が身に付けられる。
エ 職場から離れて教育に専念できる。

[平成29年度 秋期 基本情報技術者試験 午前 問76]

問59 CDO（Chief Digital Officer）の果たすべき役割はどれか

ア DXを通じた新たなビジネスモデルの創出や会社組織の変革を行う。
イ 投資意思決定，資金調達・運用といった財務面や経理面での責任を負う。
ウ 技術戦略や研究開発方針などを立案し，実行する。
エ 豊富な業務経験，情報技術の知識，リーダシップをもち，プロジェクトの運営を管理する。

[オリジナル問題]

新シラバス

問60 請負契約を締結していても，労働者派遣とみなされる受託者の行為はどれか。

ア 休暇取得の承認を発注者側の指示に従って行う。
イ 業務の遂行に関する指導や評価を自ら実施する。
ウ 勤務に関する規律や職場秩序の保持を実施する。
エ 発注者の業務上の要請を受託者側の責任者が窓口となって受け付ける。

[平成30年度 秋期 基本情報技術者試験 午前 問80]

解答・解説

問58 【企業と法務】 **OJTの特徴**

　OJT（On-the-Job Training：オン・ザ・ジョブ・トレーニング）とは，企業内で行われる教育手法の一つで，実際の職務現場で，実務をさせながら行う職業教育のことです。

　OJTは，上司や先輩社員が実務に密着して実践的に知識や技術を教育することで，必要な能力を習得させます。部下の指導や新入社員育成のために行われます。

ア 小・中・高校などで行われる学校教育に関する記述です。
イ 正解です。OJTに関する記述です。
ウ OJTでは，指導を担当する上司や先輩の資質によって，身に付けられる業務知識に差が生じま

す。

エ OJTは，職場内で実務に密着して教育が行われます。

問59 【企業と法務】 **CDO**

新シラバス

　CDO（Chief Digital Officer：最高デジタル責任者）とは，企業組織においてデジタル部門の責任者であり，経営層の一員を担う重要な立場です。ITやデジタル技術に関して専門的かつ高度な知識を有している必要があり，その能力を生かして「商品やサービス，組織改革や機会獲得」を生み出し，より高度なものへ発展させる役割を担っています。

　なお，同じ綴りで意味が異なるCDO（Chief Data Officer：最高データ責任者）という用語もあるので

注意しましょう。最高データ責任者は，企業組織においてデータ管理部門の統括を担います。

参考　代表的な経営者層の責任者

・CEO（Chief Executive Officer）
　最高経営責任者。企業の代表者であり，企業経営全体の経営責任を負う。
・COO（Chief Operating Officer）
　最高執行責任者。CEOの指揮の下で，業務運営に対して責任を負う。
・CFO（Chief Finance Officer）
　最高財務責任者。投資意思決定，資金調達・運用といった財務面や経理面での責任を負う。
・CTO（Chief Technology Officer）
　最高技術責任者。技術戦略や研究開発方針などを立案し，実行する。
・CLO（Chief Legal Officer）
　最高法務責任者。企業の法務に関する責任を負う。
・CIO（Chief Information Officer）
　最高情報責任者。社内のシステムや情報管理などを統括し，経営層の一員として情報戦略の立案や実行を担う。
・CDO（Chief Digital Officer）
　最高デジタル責任者。経営層の一員として，デジタル部門の責任を担う。
・CDO（Chief Data Officer）
　最高データ責任者。データ管理部門を統括する。

ア 正解です。DX（デジタルトランスフォーメーション）とは，デジタル技術やデータを活用してビジネスモデルや業務プロセスを進化・変革し，競争上の優位性を確立することです。
イ CFOに関する記述です。
ウ CTOに関する記述です。
エ プロジェクトマネージャに関する記述です。

　請負契約は，発注者側から一定の作業範囲を請け負う契約です。受託者側は，請け負った作業内容を完遂する責任を負います。労働者は受託者側と雇用関係にあり，指揮命令を受けて業務を行います。発注者側に指揮命令権はありません。

　これに対して労働者派遣契約は，派遣元の労働者が派遣先の指揮命令・管理のもとで作業を遂行する契約です。

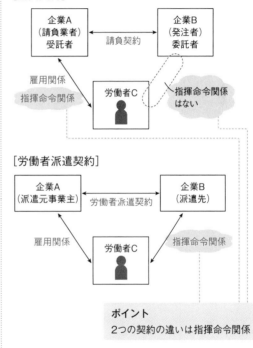

［請負契約］

［労働者派遣契約］

ポイント
2つの契約の違いは指揮命令関係

ア 正解です。請負契約では，業務を行う場所や勤務時間など労働者の勤務形態は受託者側で定め，管理します。よって，労働者の休暇取得の請求や承認は本来，受託者側で行います。これに反して「発注者側の指示に従って取り決める」行為は，指揮命令関係にあたり，請負契約を締結していても，労働者派遣とみなされます。
イ，**ウ**，**エ**　請負契約における受託者の適切な行為です。

解答　問58 **イ**　　問59 **ア**　　問60 **ア**

科目 B 対策問題②

分野：アルゴリズムとプログラミング ▶ ①プログラミングの基本要素

★★★
問 **1**

次のプログラムの実行が終了したときのxの値として適切なものを，解答群から選べ。

〔プログラム〕

```
1   ○整数型関数：Syori(整数型：x，整数型：y)
2     x ← 98
3     y ← 42
4     while (xとyが等しくない)
5       if (xがyより大きい)
6         x ← x － y
7       else
8         y ← y － x
9       endif
10    endwhile
11    return x
```

※プログラム中の行番号は筆者が追記した。

解答群

　ア 0　　　　イ 14　　　　ウ 28　　　　エ 56

[令和4年度 ITパスポート試験公開問題 問79 一部改変]

★★★
問 **1** │ 最大公約数を求めるプログラム

　再帰を使わずに前判定繰返し処理と選択処理によって最大公約数を求める問題です。これらの擬似言語の基本的な記述形式を理解しておけば，比較的簡単に解けるはずです。プログラムで与えられたxとyの値を使って，プログラムを丁寧にトレースしましょう。

問題の解説

プログラムに与えられたxとyの値を使って，実行終了したときのxの値を答えます。以下に，処理の流れを示します。

なお，本問を解くためだけならば不要ですが，このプログラムはxとyの最大公約数を求める計算を行っていることを理解できるとなおよいでしょう。

行番号2　x ← 98
行番号3　y ← 42

■while文（1回目）------------------------
行番号4　xとyが等しくない　真（繰返し実行）
　　　　　98　42

行番号5　　if（xがyより大きい）　真
　　　　　　　98　42

行番号6　　　x ← x － y
　　　　　　56　98　42

■while文（2回目）------------------------
行番号4　x とyが等しくない　真（繰返し実行）
　　　　56　42

行番号5　　if（xがyより大きい）　真
　　　　　　56　42

行番号6　　　x ← x － y
　　　　　　14　56　42

■while文（3回目）------------------------
行番号4　x とyが等しくない　真（繰返し実行）
　　　　14　42

行番号5　　if（xがyより大きい）　偽
　　　　　　14　42　　　　　　（else文へ）

行番号8　　　y ← y － x
　　　　　28　42　14

■while文（4回目）------------------------
行番号4　xと y が等しくない　真（繰返し実行）
　　　　14　28

行番号5　　if（xがyより大きい）　偽
　　　　　　14　28　　　　　　（else文へ）

行番号8　　　y ← y － x
　　　　　14　28　14

■while文（5回目）------------------------
行番号4　xとyが等しくない　偽（繰返し終了）
　　　　14　14

行番号10　繰返し終了 ◄------------------
行番号11　xの値は14
　　　　　　x＝14を呼び出し元に返す

したがって，正解は**イ**の

　　14

です。

解答　**イ**

プログラムの解説

行番号	プログラム	解説
1	○整数型関数：Syori（整数型：x，整数型：y）	関数の定義（引数は，2つの整数）
2	x ← 98	xに98を代入
3	y ← 42	yに42を代入
4	while（xとyが等しくない）	（xとyが等しくない間）繰返し
5	if（xがyより大きい）	もしx＞yなら，行番号6を実行
6	x ← x － y	x－yの計算結果を新たなxとする
7	else	そうでない（x≦y）なら，行番号8を実行
8	y ← y － x	y－xの計算結果を新たなyとする
9	endif	if文の終了
10	endwhile	while文の終了
11	return x	呼び出し元にxの値（算出した最大公約数）を返す

問 2

　次のプログラムは，シフト演算と加算の繰返しによって2進整数の乗算を行う。このプログラム中のa，bの組合せとして，適切なものを解答群から選べ。ここで，乗数と被乗数は符号なしの16ビットで表される。X，Y，Zは32ビットのレジスタであり，桁送りには論理シフトを用いる。最下位ビットを第0ビットと記す。

〔プログラム〕

```
1   整数型: X, Y, Z, i
2   X ← 被乗数
3   Y ← 乗数
4   Z ← 0
5   i ← 1
6   do
7     if (    a    と1が等しい)
8       Z ← Z + X
9     endif
10        b
11     i ← i + 1
12   while (iが16以下)
13   Zを出力
```

※プログラム中の行番号は筆者が追記した。

解答群

	a	b
ア	Yの第0ビット	Xを1ビット左シフト，Yを1ビット右シフト
イ	Yの第0ビット	Xを1ビット右シフト，Yを1ビット左シフト
ウ	Yの第15ビット	Xを1ビット左シフト，Yを1ビット右シフト
エ	Yの第15ビット	Xを1ビット右シフト，Yを1ビット左シフト

[平成29年度 春期 基本情報技術者試験 午前 問5 一部改変]

問 2 ┃ 2進整数の乗算（シフト演算）

　n進数では，シフト演算によってnのべき乗倍の乗算ができることを基礎知識として押さえておきましょう。そのうえで，「被乗数」「乗数」についての理解も必要です。本問では，シフト演算と加算の繰返しによって，2進数の乗算を行います。基本的な手法ですので，事前に必ず練習しておきましょう。

問題の解説

乗算（×）の前の数を被乗数，後の数を乗数といいます。

[例]

$$6 \times 2$$

被乗数　乗数

Xは被乗数，Yは乗数，Zは乗算結果であることに注意してプログラムを見ます。論理シフトとは，左右にシフトしたとき空いたビット位置に0を入れる演算のことです。

● ┌ a ┐：乗数Yの第0ビットが1であれば，加算「$Z \leftarrow Z + X$」が必要です。

したがって，空欄aには

　　Yの第0ビット

が入ります。

● ┌ b ┐：乗数Yの1つ上位の桁の乗算を行うために，被乗数Xを1ビット左シフト，乗数Yを1ビット右シフトします。

したがって，空欄bには

　　Xを1ビット左シフト，Yを1ビット右シフト

が入ります。

📖 参考

空欄a，bに正解を入れ，$6 \times 2 = 12$の例で計算の流れを確認します。

なお，問題文「最下位ビットを第0ビットと記す」より，最下位ビットは最も右端のビットになることに注意しましょう。

```
       16ビット2進数
X＝6  0000 0000 0000 0110
Y＝2  0000 0000 0000 0010
```
　　　　　　　　　　　　　　　第0ビット

●ループ1回目

`if 文`

Yの第0ビットは0なので，if文の条件式は「偽」であり，行番号8の「$Z \leftarrow Z + X$」は実行されません。

空欄bでXとYはそれぞれシフトされます。

```
⎧・Xを1ビット左シフト   0000 0000 0000 1100
⎩・Yを1ビット右シフト   0000 0000 0000 0001
```
　　　　　　　　　　　　　　　　第0ビット

●ループ2回目

`if 文`

Yの第0ビットは1なので，if文の条件式は「真」であり，行番号8の「$Z \leftarrow Z + X$」が実行されます。

Zは，0000 0000 0000 1100（10進数の12） ★

となります。

空欄bでXとYはそれぞれシフトされます。

```
⎧・Xを1ビット左シフト   0000 0000 0001 1000
⎩・Yを1ビット右シフト   0000 0000 0000 0000
```
　　　　　　　　　　　　　　　　第0ビット

●ループ3回目

ループ3回目以降，Yの第0ビットは，必ず0になります。

`if 文`

Yの第0ビットは0なので，ループ3回目以降は，行番号8の「$Z \leftarrow Z + X$」は毎回実行されません。

空欄bでXとYはそれぞれシフトされます。

Xは1ビット左シフト，Yは1ビット右シフトされますが，行番号8の「$Z \leftarrow Z + X$」が毎回実行されないので，乗算結果のZは変わりません。

以上より，★印のZの乗算結果12が出力されます。

したがって，正解は **ア** の

　　a　Yの第0ビット

　　b　Xを1ビット左シフト，Yを1ビット右シフト

です。

解答 　**ア**

問3

関数calcMeanは，要素数が1以上の配列dataArrayを引数として受け取り，要素の値の平均を戻り値として返す。プログラム中のa，bに入れる字句の適切な組合せはどれか。ここで，配列の要素番号は1から始まる。

〔プログラム〕

```
1  ○実数型：calcMean(実数型の配列：dataArray)  /* 関数の宣言 */
2   実数型：sum, mean
3   整数型：i
4   sum ← 0
5   for (iを1からdataArrayの要素数まで1ずつ増やす)
6     sum ←   a
7   endfor
8   mean ← sum ÷   b    /* 実数として計算する */
9   return mean
```

※プログラム中の行番号は筆者が追記した。

解答群

	a	b
ア	sum + dataArray[i]	dataArrayの要素数
イ	sum + dataArray[i]	(dataArrayの要素数 + 1)
ウ	sum × dataArray[i]	dataArrayの要素数
エ	sum × dataArray[i]	(dataArrayの要素数 + 1)

[令和3年度10月発表 ITパスポート試験 擬似言語サンプル問題 問1]

問3 | 配列要素の平均を求めるプログラム

　繰返し処理の基本問題です。特に，forの繰返し処理によって，配列の要素を順番に読み出す処理は重要です。変数の値の変化をトレースで確認する練習をしましょう。

問題の解説

　配列要素の平均を求めるには，

　①配列要素の総和（すべてを足し合わせた合計）を求める
　②求めた総和を要素数で割って，平均を求める

といった処理が必要になります。これを踏まえて，問題文のプログラムを見ていきましょう。

空欄a

　まず，空欄aが含まれている行番号5～7のfor文は，①の「配列要素の総和を求める」処理ではないかと予想することができます。

　配列要素の総和を求めるには，現時点での合計を入れる変数（ここではsum）を用意し，for文の繰返し処理によって要素番号1の要素から順に変数に加算していきます。つまり，i（要素番号）の値をdataArrayの要素数まで1ずつ増やしながら，「dataArray[i] + sum」をsumに代入する処理を繰り返せばよいということです。

したがって，空欄aには**ア**と**イ**の

　sum + dataArray[i]

が入ります。

空欄b

　次に，行番号8は，②の「求めた総数を要素数で割って，平均を求める」処理ではないかと予想することができます。

　行番号8では，行番号5〜7の繰返し処理で求めた要素の総数（sum）を空欄bで割って，mean（平均）を求めています。meanが平均を表すことは，行番号9の「return mean」が問題文「要素の値の平均を戻り値として返す」と対応していることからわかります。

　平均（mean）は，要素の総数（sum）をdataArrayの要素数で割ることで求めることができます。

　したがって，空欄bには**ア**と**ウ**の

　dataArrayの要素数

が入ります。

　以上より，正解は**ア**の

　a　sum + dataArray[i]
　b　dataArrayの要素数

です。

📖 参考

　念のため，空欄aと空欄bに**ア**の選択肢を入れた上で，具体的な例を使ってプログラムの動きを確認してみましょう。

[例] 配列に点数が3人分（40, 50, 60）入っているとき，3人の平均点を求める

　行番号4　　変数sumに0を代入

　　　　　　合計点が入る変数sumを0で初期化します。

①for文1回目（i=1）

　行番号5　　for（iを1からdataArrayの要素数
　　　　　　　　　　　　　　　　　まで1ずつ増やす）
　　　　　　　iは1

　行番号6　　sum ← sum + dataArray[i]
　　　　　　　40　←　0　+　　40

②for文2回目（i=2）

　行番号5　　for（iを1からdataArrayの要素数
　　　　　　　　　まで1ずつ増やす）
　　　　　　　　　　　　i = 2

　行番号6　　sum ← sum + dataArray[i]
　　　　　　　90　←　40　+　　50

③for文3回目（i=3）

　行番号5　　for（iを1からdataArrayの要素数
　　　　　　　　　まで1ずつ増やす）i = 3

　行番号6　　sum ← sum + dataArray[i]
　　　　　　　150　←　90　+　　60
　　　　　　　　└3人の合計が求まる

　行番号8　　mean ← sum ÷ dataArrayの要素数
　　　　　　　50　←　150　÷　　3
　　　　　　　　└3人の平均が求まる

　[例]の場合の3人の平均点は，

$$\frac{40 + 50 + 60}{3} = 50$$

であり，meanに求まった平均と一致することがわかります。

解答　**ア**

次に示すユークリッドの互除法（プログラム1, プログラム2）で，正の整数 a, b の最大公約数は，それぞれ m と n のどちらの変数に求まるか。変数の正しい組み合わせを解答群の中から選べ。ここで $m \bmod n$ は，m を n で割った余りを示す。

〔プログラム1〕

```
1  整数型： m, n, r, a, b
2  m ← a
3  n ← b
4  r ← m mod n
5  while (rが0と等しくない)
6    m ← n
7    n ← r
8    r ← m mod n
9  endwhile
```

〔プログラム2〕

```
1  整数型： m, n, r, a, b
2  m ← a
3  n ← b
4  do
5    r ← m mod n
6    m ← n
7    n ← r
8  while (rが0と等しくない)
```

※プログラム中の行番号は筆者が追記した。

解答群

	〔プログラム1〕	〔プログラム2〕
ア	m	m
イ	m	n
ウ	n	m
エ	n	n

[令和元年度 7月 基本情報技術者午前試験免除 修了認定に係る試験 午前 問7 一部改変]

問 **4** │ ユークリッドの互除法

「ユークリッドの互除法」を使って最大公約数を求めるプログラムに関する問題です。ユークリッドの互除法についての事前知識は不要ですが，前判定繰返し処理，後判定繰返し処理の違いはしっかりと押さえておく必要があります。

問題の解説

ユークリッドの互除法によって最大公約数を求めるプログラムについて，前判定繰返し処理のプログラム1と，後判定繰返し処理のプログラム2の違いを考える問題です。

正の整数a, bに18, 12を与えた場合を例として，プログラム1，プログラム2をトレースして答えを求めます。

なお，18と12の最大公約数は6です。

〔プログラム1〕　a＝18, b＝12

```
m ← a
18

n ← b
12

r ← m mod n
(6)  18   12
```

$$\left(\begin{array}{c} 18 \div 12 = 1 \cdots 6 \\ 商\ 余り \\ r \end{array} \right)$$

ループ1回目
```
while (rが0と等しくない)       真
      → 6
                        真なので
                        繰返し処理を
  m ← n                 実行
  12

  n ← r
  6

  r ← m mod n
  (0)  12   6
```

$$\left(\begin{array}{c} 12 \div 6 = 2 \cdots 0 \\ 商\ 余り \\ r \end{array} \right)$$

ループ2回目
```
while (rが0と等しくない)       偽
         0
                        偽なので
  ↓                     繰返しを
                        しない
  endwhileへ
```

m＝12，n＝6 でプログラムは終了します。そして，最大公約数6はnに求まります。

よって，プログラム1は**ウ**と**エ**の
```
   n
```
です。

〔プログラム2〕　a＝18, b＝12

```
m ← a
18

n ← b
12
```

ループ1回目
```
do
  r ← m mod n
  (6)  18   12
```

$$\left(\begin{array}{c} 18 \div 12 = 1 \cdots 6 \\ 商\ 余り \\ r \end{array} \right)$$

```
  m ← n
  12

  n ← r
  6

while (rが0と等しくない)       真
         6
                        真なので
                        繰返し処理を
                        実行
```

ループ2回目
```
do
  r ← m mod n
  (0)  12   6
```

$$\left(\begin{array}{c} 12 \div 6 = 2 \cdots 0 \\ 商\ 余り \\ r \end{array} \right)$$

```
  m ← n
  6

  n ← r
  0

while (rが0と等しくない)       偽
         0
                        偽なので
  ↓                     繰返しを
                        しない
繰返し処理を終了し，プログラム終了
```

m＝6，n＝0 でプログラムは終了します。そして，最大公約数6はmに求まります。

よって，プログラム2は**ア**と**ウ**の
```
   m
```
です。

以上より，正解は**ウ**です。

解答　**ウ**

285

問 5

　試験の合否を判定する次のプログラムから読み取れることとして正しいものを，解答群の中から選べ。なお，試験の合否は，業務経験年数と，筆記試験の得点で「合格」「仮合格」「不合格」に判定される。また，筆記試験は，労務管理，経理及び英語の3科目で構成され，それぞれの満点は100とする。

〔プログラム〕

```
1  整数型：keiken,total,eigo
2  keikenを入力 /*業務経験年数（年数）*/
3  totalを入力/*筆記試験3科目合計得点（満点300）*/
4  eigoを入力 /*筆記試験のうち英語のみの得点（満点100）*/
5  if ((keikenが5以上)and(totalが260以上)and(eigoが90以上))
6    "合格"を出力
7  elseif ((keikenが5以上)and(totalが260以上)and(eigoが90より小さい))
8    "仮合格"を出力
9  elseif ((keikenが5以上)and(totalが260より小さい))
10   "不合格"を出力
11 elseif (keikenが5より小さい)
12   "不合格"を出力
13 endif
```

※プログラム中の行番号は筆者が追記した。

解答群

　　ア　英語の得点が90以上の者は，仮合格か合格になる。
　　イ　英語の得点が90より小さい者は，不合格になる。
　　ウ　業務経験年数が5以上の者は，仮合格か合格になる。
　　エ　経理の得点が60より小さい者は，不合格になる。

[平成16年度 秋期 基本情報技術者試験 午前 問15 一部改変]

問 5 ｜ 試験の合否を判定するプログラム

　選択処理の基本問題です。「擬似言語の記述形式」をしっかり理解し，変数の値の変化をトレースで確認する練習をしておきましょう。本問の場合は，「if文」「and」「値の大小条件」の組合せを正確に理解することがポイントです。

問題の解説

　プログラムの条件式と処理を読み解くと, 次のようになります。

- 「合格」の場合 (下記の条件すべて「真」の場合)
  - ・業務経験年数が5以上
  - ・3科目合計点が260以上
  - ・英語の得点が90以上

- 「仮合格」の場合 (下記の条件すべて「真」の場合)
  - ・業務経験年数が5以上
  - ・3科目合計点が260以上
  - ・英語の得点が90より小さい
    ※**ア**, **イ**が誤りの理由

- 「不合格」の場合 (下記の条件すべて「真」の場合)
  - ・業務経験年数が5以上　※**ウ**が誤りの理由
  - ・3科目合計点が260より小さい

- 「不合格」の場合
  - ・業務経験年数が5より小さい

　以上を踏まえて, 解答群について解説します。

ア 不適切な記述です。英語の得点が90以上の者は, 行番号7「仮合格」の条件式の一部「(eigoが90より小さい)」が偽なので,「仮合格」になることはありません。

イ 不適切な記述です。英語の得点が90より小さい者は, 行番号7の条件式が真となりうるので,「仮合格」になる可能性もあります。「不合格」になる場合は, 行番号9の条件式, 行番号11の条件式のいずれかが真となる必要があります。

ウ 不適切な記述です。業務経験年数が5以上の者でも, 行番号9の条件式より, 3科目合計が260より小さい場合は,「不合格」になります。

エ 正解です。問題文より, テストの満点は100です。経理の得点が60より小さい者は, 他の2科目がたとえ満点の100であっても,「3科目合計得点」は260より小さくなります。したがって,

行番号9の条件式より,「不合格」となります。

解答　**エ**

問 6

次のプログラムの説明及びプログラムを読んで，設問に答えよ。

関数sekiは，二つの整数M，Nを受け取り，その積M×Nの値を返す。積は，加減算とシフト演算を使って求める。M，N及び求めた積は，いずれも符号付き2進数の整数で，負数は2の補数で表現する。

〔プログラムの説明〕
　関数sekiが受け取るM，Nは，いずれも4ビットで，各値の範囲は－8～7である。求めた積M×Nは，8ビットで返す。ただし，プログラム中では，Mを5ビットに，Nを8ビットに拡張して処理を行う。

　Rは13ビットの作業用変数であり，最下位から順にビット番号を0，1，…とし，最上位（符号ビット）のビット番号を12とする。Rは，指定した一部の範囲（例えば，ビット番号12～8の上位5ビット）だけを符号付き2進数とみなして部分的な算術演算ができる。また，値の検査のために指定したビット番号の内容を取り出すこともできる。

　なお，⑥の行の加算では，けたあふれが起きても無視する。

　N＝3として，M＝5とM＝－5の場合の処理過程を，それぞれ図1，2に示す。図1，2中の記号①～⑧は，プログラムの①～⑧の行の処理と対応している。

〔プログラム〕

```
　　　　○符号付き2進整数型：  seki(整数型：M，整数型：N)
　　　　符号付き2進整数型：  M，N，R
　　　　整数型：  L
①→　　Mを5ビットの符号付き2進整数に拡張
②→　　Nを8ビットの符号付き2進整数に拡張
③→　　Rのビット番号7～0にNを複写
④→　　Rのビット番号12～8を0で初期化
　　　　for  (Lを1から8まで1ずつ増やす)
⑤→　　　if  (Rのビット番号0のビットが1)
⑥→　　　　Rのビット番号12～8の内容にMの値を加算
　　　　　endif
⑦→　　　Rの全13ビットを右に1ビット算術シフト  /* 空いたビット位置には */
　　　　　　　　　　　　　　　　　　　　　　　　　/* 符号と同じものが入る */
　　　　endfor
⑧→　　return (Rのビット番号7～0の内容)　　　/* 返却値（括弧内）を返す */
```

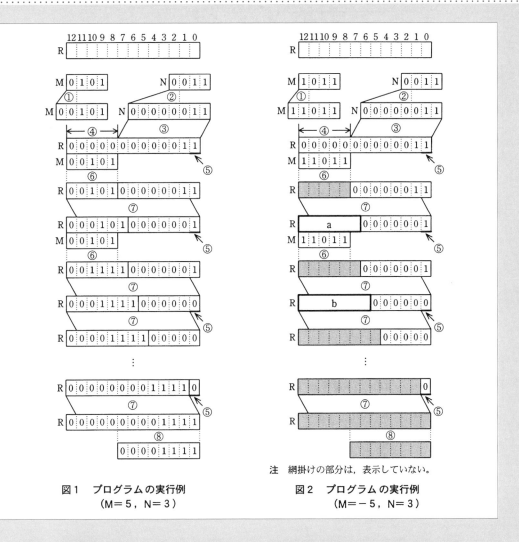

図1　プログラムの実行例
（M＝5，N＝3）

図2　プログラムの実行例
（M＝－5，N＝3）

注　網掛けの部分は，表示していない。

設問

図2中の　　a　　と　　b　　に入れる正しい答えの組み合わせを，解答群の中から選べ。

解答群

	a	b
ア	0 1 1 0 1 1	0 0 0 0 1 0 1
イ	0 1 1 0 1 1	1 1 1 0 0 0 1
ウ	0 1 1 0 1 1	1 1 1 1 0 1 1
エ	1 0 0 1 0 1	0 0 0 0 1 0 1
オ	1 0 0 1 0 1	1 1 1 0 0 0 1

	a	b
カ	1 0 0 1 0 1	1 1 1 1 0 1 1
キ	1 1 1 0 1 1	0 0 0 0 1 0 1
ク	1 1 1 0 1 1	1 1 1 0 0 0 1
ケ	1 1 1 0 1 1	1 1 1 1 0 1 1

[平成22年度 秋期 基本情報技術者試験 午後 問8 一部改変]

★
★ 問 **6** │ 符号付き2進整数の乗算
★

本問では，2の補数，シフト演算，繰返し処理，選択処理の基礎知識が必要です。特にシフト演算に関しては，単に用語の意味を知っているというレベルでは科目Bの問題を解くことはできません。プログラムに組み込まれた過去問題で練習を重ねることで，本試験でも得点できるようにしておきましょう。

用語の解説

● 2の補数

2の補数とは，負の数を表わすときに用いられる方法です。1の補数に1を加えることで求めることができます。

① 2進数の1の補数の求め方

求め方

2進数のすべての桁で0と1を入れ換える

(例) $(01010101)_2$ の1の補数を求めよ。

$$(01010101)_2 \cdots もとの数値$$
$$\downarrow$$
$$(10101010)_2 \cdots 1の補数$$

① 2進数の2の補数の求め方

求め方

1の補数に1を加える

(例) $(01010101)_2$ の2の補数を求めよ。

$$(01010101)_2 \cdots もとの数値$$
$$\downarrow$$
$$(10101010)_2 \cdots 1の補数$$
$$+ \qquad 1$$
$$\overline{(10101011)_2} \cdots 2の補数$$

問題の解説

2つの整数を受け取って，その積を返すプログラムです。なお，積は，加減算とシフト演算を使って求めます。また，受け取る2つの整数，求めた積は，いずれも符号付き2進数の整数で，負数は2の補数で表現されます。

空欄a

プログラムの記号①～⑧と図1を対比させることで，プログラムの処理概要を理解します。その上で，図2に取り組むとよいでしょう。

その前に「符号付き2進数の整数で，負数は2の補数で表現する」を少し説明しておきます。

図2でM＝－5が図2の2行目で M $\boxed{1\,0\,1\,1}$ となっていることを説明します。

(1) 符号をとった $(5)_{10}$ を2進数にします。

$$(5)_{10} = (0101)_2$$

この変換は，「よく出る計算問題と重要公式 1.基数変換」を参考にしてください。

(2) 2の補数を求めます。

$$\begin{array}{r} (5)_{10} = (0101)_2 \quad \text{0と1を逆にする} \\ 1010 \\ + \qquad 1 \quad \text{+1する} \\ \hline (1011)_2 \rightarrow (-5)_{10}を表している \end{array}$$

これが図2の2行目が M $\boxed{1\,0\,1\,1}$ となっている説明です。1番左のビットが1なので負を示しています（符号ビット）。

また，図2でN＝3が図2の2行目で N $\boxed{0\,0\,1\,1}$ となっているのは

$$(3)_{10} = (0011)_2$$

N $\boxed{0\,0\,1\,1}$ だからです。1番左がビット0なので正を示しています。

では，図2を説明します。

1. プログラムの①，②の処理

設問の図2より，MとNを拡張します。拡張されたビットには，M，Nの1番左のビットが入ります。

拡張したM（図2の①）

$$M \boxed{1\,0\,1\,1} = (-5)_{10}$$

$M \boxed{1\,1\,0\,1\,1}$ 1番左のビットが1なので負

1 1 0 1 1　2の補数
−　　　　1
1 1 0 1 0　1の補数
$(5)_{10} =$ 0 0 1 0 1　0と1を逆に

拡張したMも（−5）$_{10}$です。

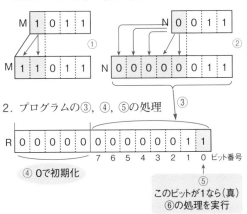

① $M \boxed{1\,0\,1\,1}$ → $M \boxed{1\,1\,0\,1\,1}$

② $N \boxed{0\,0\,1\,1}$ → $N \boxed{0\,0\,0\,0\,0\,0\,1\,1}$

2. プログラムの③, ④, ⑤の処理

$R \boxed{0\,0\,0\,0\,0\,0\,0\,0\,0\,0\,1\,1}$
③
7 6 5 4 3 2 1 0 ビット番号

④ 0で初期化

⑤
このビットが1なら（真）
⑥の処理を実行

3. プログラムの⑥の処理

⑤でビットが1なので, ⑥の処理をします。

R（ビット番号12〜8）＋ M → R

+ (R 0 0 0 0 0 0 0 0 0 0 1 1
M 1 1 0 1 1
⑥
→ R 1 1 0 1 1 0 0 0 0 0 0 1 1

4. プログラムの⑦の処理

Rの全13ビットを右に1ビット算術シフト（空いたビット位置には符号と同じものが入る）。

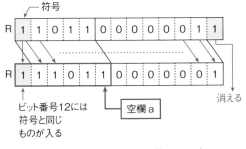

符号
R 1 1 0 1 1 0 0 0 0 0 0 1 1
R 1 1 1 0 1 1 0 0 0 0 0 0 1
消える
ビット番号12には
符号と同じ
ものが入る
空欄a

この時点で, for文の1回目が終了します。
したがって, 空欄aには

$$\boxed{1\,1\,1\,0\,1\,1}$$

が入ります。

空欄b

for文1回目と同様に考えます。

空欄aの解説の続きで, for文の2回目です。

5. プログラムの⑤の処理

ビット番号0
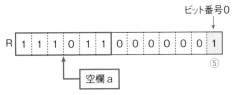

R 1 1 1 0 1 1 0 0 0 0 0 0 1
空欄a
⑤

Rのビット番号0のビットが1なので, ⑥の処理を実行します。

6. プログラムの⑥の処理

R（ビット番号12〜8）＋ M → R

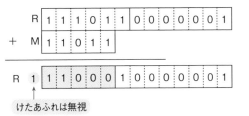

R 1 1 1 0 1 1 0 0 0 0 0 0 1
+ M 1 1 0 1 1
R 1 1 1 0 0 0 1 0 0 0 0 0 0 1

けたあふれは無視

7. プログラムの⑦, ⑤の処理（右へ1ビット算術シフト）

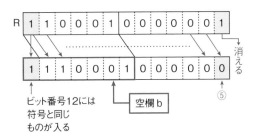

R 1 1 0 0 0 1 0 0 0 0 0 0 1
消える
1 1 1 0 0 0 1 0 0 0 0 0 0
ビット番号12には
符号と同じ
ものが入る
空欄b
⑤

したがって, 空欄bには

$$\boxed{1\,1\,1\,0\,0\,0\,1}$$

が入ります。

以上より, 正解は**ク**です。

📖 参考

ここまでで, 空欄a, bを解説しましたが, 参考のため続きを示しておきます。

試験対策の要点

令和6年度 科目A 科目B

対策問題① 科目A 科目B

対策問題② 科目A 科目B

対策問題③ 科目A 科目B

291

8. プログラムの⑦の処理以降最後まで

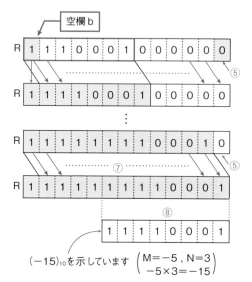

（−15）₁₀を示しています $\begin{pmatrix} M=-5, N=3 \\ -5\times3=-15 \end{pmatrix}$

これが，（−15）₁₀かどうかは，次で［検算］してみます。

［検算］

$(11110001)_2 = (-15)_{10}$ ？

$(15)_{10} = (00001111)_2$ ⎫ 0と1を逆に
$(11110000)_2$ ⎭
$(-15)_{10} \leftarrow (11110001)_2$ ⎫ ＋1

解答 ク

問7 ★★★

次の記述中の □□□ に入れる正しい答えを，解答群の中から選べ。ここで，配列の要素番号は1から始まる。

関数addは，引数で指定された正の整数valueを大域の整数型の配列hashArrayに格納する。格納できた場合はtrueを返し，格納できなかった場合はfalseを返す。

ここで，整数valueをhashArrayのどの要素に格納すべきかを，関数calcHash1及びcalcHash2を利用して決める。

手続testは，関数addを呼び出して，hashArrayに正の整数を格納する。手続testの処理が終了した直後のhashArrayの内容は，□□□である。

〔プログラム〕

```
1    大域: 整数型の配列: hashArray

2   ○論理型: add(整数型: value)
3    整数型: i ← calcHash1(value)
4    if (hashArray[i] = 0)
5      hashArray[i] ← value
6      return true
7    else
8      i ← calcHash2(value)
9      if (hashArray[i] = 0)
10       hashArray[i] ← value
11       return true
12     endif
13   endif
14   return false

15  ○整数型: calcHash1(整数型: value)
16   return ((value + 1) mod hashArrayの要素数) + 1

17  ○整数型: calcHash2(整数型: value)
18   return ((value + 2) mod hashArrayの要素数) + 1

19  ○test()
20   hashArray ・ {5個の0}
21   add(3)
22   add(8)
23   add(4)
```

※プログラム中の行番号は筆者が追記した。

解答群

ア {0, 3, 4, 8, 0}   イ {0, 4, 3, 8, 0}
ウ {3, 8, 0, 0, 4}   エ {4, 8, 0, 0, 3}
オ {8, 3, 0, 0, 4}   カ {8, 4, 0, 0, 3}

[令和5年度 基本情報技術者試験 公開問題 科目B 問4 一部改変]

★★★　問 **7** ｜ 関数呼び出し（引数，戻り値があるパターン）

関数呼び出しの問題です。重要項目の1つなので，書籍に掲載している科目Bのポイント集「9. 手続，関数の呼び出し」の内容を押さえておきましょう。また，本問ではトレース能力が重要になるので，しっかり練習を重ねましょう。

問題の解説

関数呼び出しには，次の2パターンがあります。

{ ①引数，戻り値がないパターン
{ ②引数，戻り値があるパターン

本問は②のパターンです。②のパターンについて，重要な部分のみをピックアップして紹介します。

処理の流れのポイント

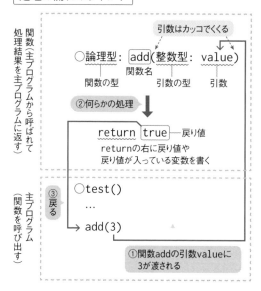

設問文「手続testは，関数addを呼び出して，hashArrayに正の整数を格納する。手続testの処理が終了した直後のhashArrayの内容」より，プログラムの動作の概要は次のようになります。

(1)〜(4)は，後述の説明に対応しています。

行番号

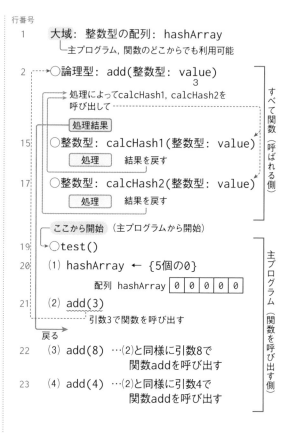

手続testを順に説明します。

(1) hashArray ← {5個の0}

大域変数の整数型の配列hashArrayに5個の0を代入します。

配列
hashArray

	1	2	3	4	5	(要素番号)
	0	0	0	0	0	

(2) add(3)

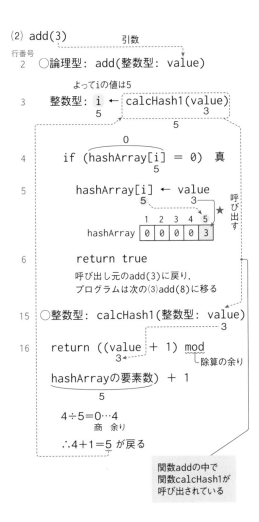

引数

行番号

2　○論理型: add(整数型: value)

よってiの値は5

3　　　整数型: i ← calcHash1(value)
　　　　　　　5　　　　　　　　　3
　　　　　　　　　　　　　　　　5

　　　　　　　　0
4　　　　if (hashArray[i] = 0) 真
　　　　　　　　　　　　5

5　　　　hashArray[i] ← value　　呼び出す
　　　　　　　5　　　3

　　　　　　　　1　2　3　4　5
　　hashArray　0　0　0　0　3　★

6　　　return true

呼び出し元のadd(3)に戻り,
プログラムは次の(3)add(8)に移る

15　○整数型: calcHash1(整数型: value)
　　　　　　　　　　　　　　　　　3

16　　return ((value + 1) mod
　　　　　　　　3　　　　└ 除算の余り

　　hashArrayの要素数) + 1
　　　　　　5

　　　4÷5=0…4
　　　商　余り

　　　∴4+1=5 が戻る

関数addの中で
関数calcHash1が
呼び出されている

このように, 関数呼び出しは, 関数の中から別の関数を呼び出すことができます。次の(3)でも同様です。

(3) add(8)

(2)と同様に考えます。

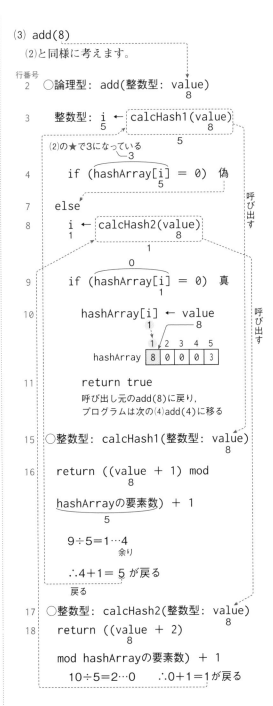

引数

行番号

2　○論理型: add(整数型: value)
　　　　　　　　　　　　　　　　8

3　　　整数型: i ← calcHash1(value)
　　　　　　　5　　　　　　　　　8
　　　　　　　　　　　　　　　　5

(2)の★で3になっている
　　　　　　　　　3
　　　　　　　　0
4　　　　if (hashArray[i] = 0) 偽
　　　　　　　　　　　5

7　　　else　　　　　　　　　　　呼び出す

8　　　i ← calcHash2(value)
　　　1　　　　　　　　　8
　　　　　　　　　　　　1

　　　　　　　0
9　　　　if (hashArray[i] = 0) 真
　　　　　　　　　　1

10　　　hashArray[i] ← value
　　　　　　1　　　　　8

　　　　　1　2　3　4　5
　hashArray　8　0　0　0　3

11　　　return true

呼び出し元のadd(8)に戻り,
プログラムは次の(4)add(4)に移る

15　○整数型: calcHash1(整数型: value)
　　　　　　　　　　　　　　　　8

16　　return ((value + 1) mod
　　　　　　　8

　　hashArrayの要素数) + 1
　　　　　　5

　　　9÷5=1…4
　　　　　　　余り

　　　∴4+1= 5 が戻る

戻る

17　○整数型: calcHash2(整数型: value)
　　　　　　　　　　　　　　　　8

18　　return ((value + 2)
　　　　　　　8

　　mod hashArrayの要素数) + 1
　　　10÷5=2…0　　∴0+1=1が戻る

(4) add(4)

(2)や(3)と同様に考えるので，説明をやや簡略化します。

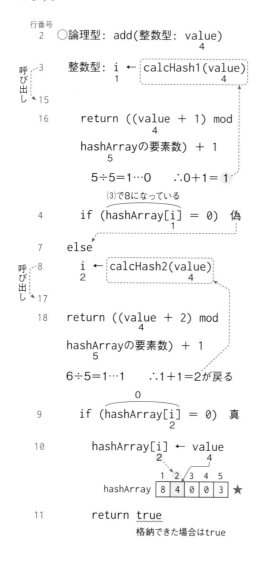

行番号
2 　○論理型: add(整数型: value)
　　　　　　　　　　　　4

呼び出し
3 　　整数型: i ← calcHash1(value)
　　　　　　　1　　　　　　　　4
15

16 　　　　return ((value + 1) mod
　　　　　　　　　　　　4
　　　　hashArrayの要素数) + 1
　　　　　　　5

　　　　　5÷5=1…0　　∴0+1=1

(3)で8になっている

4 　　　if (hashArray[i] = 0) 偽
　　　　　　　　　　1

7 　　else

呼び出し
8 　　　i ← calcHash2(value)
　　　　2　　　　　　　　4
17

18 　　　　return ((value + 2) mod
　　　　　　　　　　　　4
　　　　hashArrayの要素数) + 1
　　　　　　　5

　　　　　6÷5=1…1　　∴1+1=2が戻る

9 　　　if (hashArray[i] = 0) 真
　　　　　　　　　　2

10 　　　hashArray[i] ← value
　　　　　　　　2　　　　4

　　　　　　　1 2 3 4 5
hashArray　8 4 0 0 3 ★

11 　　　return true

格納できた場合はtrue

以上で，呼び出し元のtestに戻り，手続testの処理は終了します。このときのhashArrayは★印となります。

したがって，設問の答えは**カ**の
{8, 4, 0, 0, 3}
です。

参考

関数呼び出しの重要ポイントは，関数と主プログラムがあるとき，以下の「①関数を呼び出し」から処理が実行される点です。

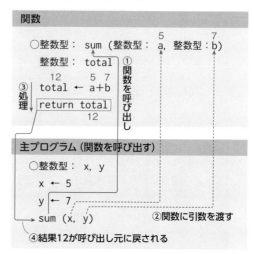

関数
○整数型: sum (整数型: a, 整数型: b)
　　　　　　　　　　　5　　　　　7
　整数型: total
　　12　　　5 7
③処理　total ← a+b
　　　return total
　　　　　　12

①関数を呼び出し

主プログラム (関数を呼び出す)
○整数型: x, y
　x ← 5
　y ← 7
　sum (x, y)

②関数に引数を渡す
④結果12が呼び出し元に戻される

①～④の順に実行される

このように，関数が先に書かれ，主プログラムが後に書かれている形式は，一部のプログラム言語から文法の影響を受けているものだと考えられます。本試験では，関数と主プログラムのどちらが先に記述されても対応できるようにしておきましょう。

解答　**カ**

三つのスタック A, B, C のいずれの初期状態も $[1, 2, 3]$ であるとき，再帰的に定義された関数 $f()$ を呼び出して終了した後の B の状態を，解答群の中から選べ。ここで，スタックが $[a_1, a_2, \cdots, a_{n-1}]$ の状態のときに a_n を push した後のスタックの状態は $[a_1, a_2, \cdots, a_{n-1}, a_n]$ で表す。

〔プログラム〕

```
1   ○f()
2     if (Aが空)
3       何もしない
4     else
5       Aからpopした値をCにpushする
6       f()
7       Cからpopした値をBにpushする
8     endif
```

※プログラム中の行番号は筆者が追記した。

解答群

ア　$[1, 2, 3, 1, 2, 3]$　　　　イ　$[1, 2, 3, 3, 2, 1]$

ウ　$[3, 2, 1, 1, 2, 3]$　　　　エ　$[3, 2, 1, 3, 2, 1]$

[平成31年度 春期 基本情報技術者試験 午前 問6 一部改変]

問8 │ スタックの操作（再帰）

再帰とスタックの知識が必要な問題です。再帰はプログラムの流れを手書きで整理しながら理解しましょう。また，スタックは図にして理解しながらコツコツと解くのが効果的な学習方法です。

問題の解説

設問の表記にしたがってスタックを考えます。

スタックが $[a_1, a_2, \cdots, a_{n-1}]$ の状態のときに，a_n を push した後のスタックの状態は

$[a_1, a_2, \cdots, a_{n-1}, a_n]$

a_n を push する前の状態

で表します。push すると一番右の位置に入ることがポイントです。

[例] $A[1, 2, 3]$ から pop した値を $C[1, 2, 3]$ に push する。

・実行前

　$A[1, 2, 3]$　　　$C[1, 2, 3]$

・実行後

　$A[1, 2]$　　　　$C[1, 2, 3, 3]$

・実行（①，②，…⑦は解説のために付与）

```
①   ○f()
②     if (Aが空)
③       何もしない
④     else
⑤       Aからpopした値をCにpushする
⑥       f()
⑦       Cからpopした値をBにpushする
       endif
```

さて，設問を解いていきます。

　設問文より，3つのスタックA，B，Cの初期状態は次のようになります。

　　$A[1,2,3]$　$B[1,2,3]$　$C[1,2,3]$

　この状態から，関数$f()$を呼び出します。

(1) ①が呼び出されます。

(2) ②「Aが空」の条件は偽ですから④「else」へ進みます。

(3) ⑤「Aからpopした値をCにpushする」は，前述の［例］と同様に考えます。
　　よって，実行後は，
　　　$A[1,2]$　　$C[1,2,3,3]$
　　となります。

(4) ⑥「$f()$を呼び出す」ので，①へ進みます。

(5) (1)～(4)と同じ処理が実行され，(3)の部分の実行後は，
　　　$A[1]$　　$C[1,2,3,3,2]$
　　となります。

(6) さらに(1)～(4)と同じ処理が実行され，(3)の部分の実行後は，
　　　$A[\ ]$　　$C[1,2,3,3,2,1]$
　　となります。スタックAが空になりました。

(7) ①へ戻り，②で条件式「Aが空」は真なので，③です。⑥が終了して，⑦へ進みます。

(8) ⑦「Cからpopした値をBにpushする」の実行後は，
　　　$C[1,2,3,3,2]$　　$B[1,2,3,1]$
　　となります。

(9) (7)へ進み，⑦の処理を実行します。

(10) ⑦「Cからpopした値をBにpushする」の実行後は，
　　　$C[1,2,3,3]$　　$B[1,2,3,1,2]$
　　となります。

(11) (7)へ進み，⑦の処理を実行します。

(12) ⑦「Cからpopした値をBにpushする」の実行後は，
　　　$C[1,2,3]$　　$B[1,2,3,1,2,3]$
　　となります。

(13) 関数が終了します。

　流れを図示すると次のようになります。

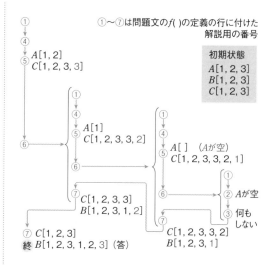

①～⑦は問題文の$f()$の定義の行に付けた解説用の番号

初期状態
$A[1,2,3]$
$B[1,2,3]$
$C[1,2,3]$

したがって，正解は**ア**の
　　[1，2，3，1，2，3]
です。

解答　　**ア**

問 9

次のプログラム中の　　　　　に入れる正しい答えを，解答群の中から選べ。

次のような数列を，フィボナッチ数列という。

1 1 2 3 5 8 13 21 34 55 89……

プログラムは，フィボナッチ数列の第n項F_nを計算する再帰関数である。
フィボナッチ数列の第n項は，第n−1項と第n−2項を加えたものであり，次のように定義できる。

$F_1 = 1 \ (n = 1)$
$F_2 = 1 \ (n = 2)$
$F_n = F_{n-1} + F_{n-2} \ (n = 3, 4……)$

〔プログラム〕

```
1  ○整数型: fibo(整数型: n)
2   if ((n = 1)または(n = 2))
3     return 1
4   else
5     return          
6   endif
```

解答群

ア fibo(n + 1) + fibo(n − 2)
イ fibo(n − 1) + fibo(n + 2)
ウ fibo(n + 1) + fibo(n + 2)
エ fibo(n − 1) + fibo(n − 2)

[オリジナル問題]

問 9 ｜ フィボナッチ数列を再帰で求める

最重要テーマの1つである再帰関数は，自分自身を呼び出すことがポイントです。解説を読んで理解した後，紙とペンを使って，処理の流れを書きながら学習する方法がよいでしょう。

問題の解説

フィボナッチ数列の定義がポイントになります。

問題文より、「フィボナッチ数列の第n項は、第n−1項と第n−2項を加えたもの」です。またフィボナッチ数列の定義より、第1項と第2項は1になります。

よって、フィボナッチ数列は次のような関係になっていることがわかります。

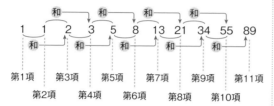

〔プログラム〕では、上記のようなフィボナッチ数列の、第n項の値F_nを計算します。

問題文「フィボナッチ数列の第n項は、第n−1項と第n−2項を加えたもの」より、空欄（戻り値）には

    fibo(n − 1) + fibo(n − 2)

が入りそうだと予想できます。

それでは、トレースして確認してみましょう。

① fibo(1)，または fibo(2) として呼び出した場合

行番号2のif文が真なので、行番号3で戻り値は1です。

② fibo(3) として呼び出した場合

行番号2のif文は偽なので、行番号5が実行されます。

行番号
5 return fibo(n − 1) + fibo(n − 2)
                  2   1
      fibo(2)は①より1   fibo(1)は①より1

∴2
n=3のとき2になります。
第3項が2と
求められました。

③ fibo(4) として呼び出した場合

行番号2のif文は偽なので、行番号5が実行されます。

行番号
5 return fibo(n − 1) + fibo(n − 2)
       4   4
          3   2
      fibo(3)は②より2   fibo(2)は①より1

∴3
n=4のとき3になります。
第4項が3と
求められました。

④ fibo(5) 以降

これまでと同様に考えることで、問題文のフィボナッチ数列と同じ値になることが確認できます。

したがって、正解は **エ** の
    fibo(n − 1) + fibo(n − 2)
です。

📖 参考

フィボナッチ数列については、0を含めるか否かで、2通りの説明があります。

・第0項が0、第1項が1……
    0 1 1 2 3 5 8 13 21 34 55 89 ……
・第1項が1、第2項が1……
    1 1 2 3 5 8 13 21 34 55 89 ……

「0 1」で始めても、「1 1」で始めても、それ以降は直前の2項の和で定義されるので、数列としては同じものです。

解答　**エ**

問 10 ★★☆

次の記述中の[____]に入れる正しい答えを，解答群の中から選べ。

〔プログラム〕は，両端キューを操作するプログラムである。

両端キューとは，
- キューの先頭に要素を追加する
- キューの先頭の要素を取り出す
- キューの末尾に要素を追加する
- キューの末尾の要素を取り出す

という4つの操作が許されるデータ構造のことを指す。

クラスDoubleEndedQueueは，両端キューを表すクラスである。クラスDoubleEndedQueueの説明を図に示す。

DqueeSchedを呼び出したとき，出力は[____]の順になる。

コンストラクタ	説明
DoubleEndedQueue()	空の両端キューを生成する。

メソッド	戻り値	説明
push(文字列型: s)	なし	文字列sを要素として，両端キューの末尾に追加する。
pushleft(文字列型: s)	なし	文字列sを要素として，両端キューの先頭に追加する。
pop	文字列型	両端キューの末尾の要素を取り出して返す。
popleft	文字列型	両端キューの先頭の要素を取り出して返す。
size	整数型	両端キューに格納されている要素の個数を返す。

図　クラスDoubleEndedQueueの説明

〔プログラム〕

```
1  ○DqueeSched()
2   DoubleEndedQueue: doubleQueue ← DoubleEndedQueue
3   doubleQueue.pushleft("A")
4   doubleQueue.push("B")
5   doubleQueue.push("C")
6   doubleQueue.popleft() /* 戻り値は使用しない */
7   doubleQueue.pushleft("D")
8   doubleQueue.pop()/* 戻り値は使用しない */
9   doubleQueue.pushleft("E")
10  doubleQueue.pushleft("F")
11  doubleQueue.push("G")
12  doubleQueue.pop()/* 戻り値は使用しない */
13  while (doubleQueue.size()が0と等しくない)
14    doubleQueue.pop()の戻り値を出力
15  endwhile
```

※プログラム中の行番号は筆者が追記した。

問 **10** │ 両端キュー

★★★　キューについては,「科目Bのポイント集」の14.(2)でしっかり理解しましょう。考えられる出題パターンとしては, スタックと合わせて使われるキュー, 優先度付きキュー, そして本問の両端キューの3つが重要です。

問題の解説

両端キューとは, 問題文で示されているように,

- ・キューの先頭に要素を追加する (pushleft)
- ・キューの先頭の要素を取り出す (popleft)
- ・キューの末尾に要素を追加する (push)
- ・キューの末尾の要素を取り出す (pop)

という4つの操作が許されるデータ構造のことです。末尾と先頭に対するデータの追加・取り出しを, 高速に行うことができます。

〔プログラム〕を解説します。

行番号1　○DqueeSched()
　　　　　手続を定義・宣言します。

行番号2　DoubleEndedQueue: doubleQueue
　　　　　← DoubleEndedQueue
　　　　　空の両端キューを生成します。

行番号3　doubleQueue.pushleft("A")
　　　　　pushleftなので, 両端キューの先頭に文字列"A"を追加します。
　　　　　なお, 下図のキューは解説の便宜上, 先頭を左, 末尾を右で説明していますが, 先頭を右, 末尾を左としても正解は同じになります。

行番号4　doubleQueue.push("B")
　　　　　pushなので, 両端キューの末尾に文字列"B"を追加します。

行番号5　doubleQueue.push("C")
　　　　　pushなので, 両端キューの末尾に文字列"C"を追加します。

行番号6　doubleQueue.popleft()
　　　　　popleftなので, 両端キューの先頭から要素が取り出されます。取り出される要素は, "A"です。
　　　　　なお, コメント文の「/* 戻り値は使用しない */」より, 戻り値"A"は使用されません。

行番号7　doubleQueue.pushleft("D")
　　　　　pushleftなので, 両端キューの先頭に文字列"D"を追加します。

行番号8 doubleQueue.pop()

　　　popなので、両端キューの末尾から
　　　要素が取り出されます。取り出される
　　　要素は、"C"です。

　　　なお、コメント文「/* 戻り値は使用
　　　しない */」より、戻り値"C"は使用
　　　されません。

行番号9 doubleQueue.pushleft("E")

　　　pushleftなので、両端キューの先
　　　頭に文字列"E"を追加します。

行番号10 doubleQueue.pushleft("F")

　　　pushleftなので、両端キューの先
　　　頭に文字列"F"を追加します。

行番号11 doubleQueue.push("G")

　　　pushなので、両端キューの末尾に文
　　　字列"G"を追加します。

行番号12 doubleQueue.pop()

　　　popなので、両端キューの末尾から
　　　要素が取り出されます。取り出される
　　　要素は、"G"です。

　　　なお、コメント文「/* 戻り値は使用
　　　しない */」より、戻り値"G"は使用
　　　されません。

　以上より、行番号12実行直後の時点で、下図の
ような状態になっています。

行番号12
実行直後の状態

　この状態から、行番号13 ～ 15で、末尾から要素
を取り出していきます。

行番号13 while (doubleQueue.size()が0
　　　と等しくない)

　　　size()は、キューに格納されている
　　　要素の数4を返します。

　　　なお、行番号14で1つずつ取り出さ
　　　れるごとに、キューに残っている要
　　　素の個数は1つずつ減ります。

　　　そして、キューの中の要素の個数が
　　　0になったところで、while文が終了
　　　します。

行番号14 doubleQueue.pop()の戻り値を出力

　　　pop()なので、両端キューの末尾の
　　　要素を取り出して返します。

　　　while文で末尾の要素から順に取り
　　　出す点に注意します。

行番号15 endwhile

　　　行番号13 ～ 15で、両端キューの末
　　　尾の要素から順に1つずつ取り出さ
　　　れます。

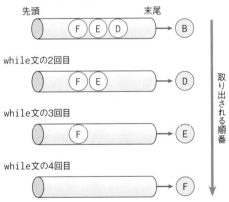

キューが空(doubleQueue.size()が0)となったので、
while文は終了します。

　したがって、正解は**エ**の
　　"B"，"D"，"E"，"F"
です。

解答　　**エ**

次のプログラム中の ▢a と ▢b に入れる正しい答えの組合せを，解答群の中から選べ。

　手続appendは，引数で与えられた文字を単方向リストに追加する手続である。単方向リストの各要素は，クラスListElementを用いて表現する。クラスListElementの説明を図に示す。ListElement型の変数はクラスListElementのインスタンスの参照を格納するものとする。大域変数listHeadは，単方向リストの先頭の要素の参照を格納する。リストが空のときは，listHeadは未定義である。

メンバ変数	型	説明
val	文字型	リストに格納する文字。
next	ListElement	リストの次の文字を保持するインスタンスの参照。初期状態は未定義である。

コンストラクタ	説明
ListElement(文字型: qVal)	引数qValでメンバ変数valを初期化する。

図　クラスListElementの説明

〔プログラム〕

```
1  大域: ListElement: listHead ← 未定義の値

2  ○append(文字型: qVal)
3    ListElement: prev, curr
4    curr ← ListElement(qVal)
5    if (listHeadが  a  )
6      listHead ← curr
7    else
8      prev ← listHead
9      while (prev.nextが未定義でない)
10       prev ← prev.next
11     endwhile
12     prev.next ←   b
13   endif
```

※プログラム中の行番号は筆者が追記した。

解答群

	a	b
ア	未定義	curr
イ	未定義	curr.next
ウ	未定義	listHead
エ	未定義でない	curr
オ	未定義でない	curr.next
カ	未定義でない	listHead

[2022年4月発表 基本情報技術者試験 科目Bのサンプル問題 問3]

右側縦タブ:
試験対策の要点
令和6年度 科目A 科目B
対策問題① 科目A 科目B
対策問題② 科目A 科目B
対策問題③ 科目A 科目B

★★★ 問11 │ 単方向リスト，要素追加，オブジェクト指向

基本的な単方向リストと，オブジェクト指向について理解しておく必要がある問題です。リスト構造には，単方向リストと双方向リストがあり，この2つの違いや特徴を押さえるのがポイントです。科目A対策と一緒に進めると学習効率が上がるでしょう。

用語の解説

● 単方向リスト

リストとは，データ部とポインタ部で構成され，ポインタをたどることでデータを取り出すことができるデータ構造のことです。ポインタ部には，次のデータや前のデータのアドレス（格納場所）が入っています。

単方向リストは「リスト」の一種で，次のデータへのポインタを一つだけもっているリストです。

● リスト

| データ部 | ポインタ部 |

次や前のデータの
アドレス（格納場所）が入っています。

データが格納されます。

● 単方向リスト

```
10        →20         →30
┌──┬──┐  ┌──┬──┐  ┌──┬──┐
│基本│20│→│絶対│30│→│合格│未定義│
└──┴──┘  └──┴──┘  └──┴──┘
```

アドレスが10の場所には，データ（基本）が格納されています。
そして，次のデータのアドレスは20です。

最後のデータの次のアドレスには「未定義」が入ります。

プログラムの解説

行番号	プログラム	解説
1	大域: ListElement: listHead ← 未定義 の値	問題文「（クラスListElementの）大域変数listHeadには…リストが空のときは，listHeadは未定義」の定義部分
2	○append(文字型: qVal)	問題文「手続きappendは，引数で与えられた文字を単方向リストに追加する手続」の定義部分（引数は文字型のqVal）
3	ListElement: prev, curr	ListElement型の変数prev, currの定義
4	curr ← ListElement(qVal)	ListElement(qVal)は「引数qValでメンバ変数valを初期化」し，変数currに代入する。変数valは，「リストに格納する文字」が入る（「図　クラスListElementの説明」より）
5	if (listHeadが ___a___)	もしlistHeadが＜空欄a＞なら
6	listHead ← curr	currをlistHeadに代入
7	else	そうでなかったら
8	prev ← listHead	listHeadをprevに代入
9	while (prev.nextが未定義でない)	prev.nextが未定義でない場合，行番号10を繰り返して実行
10	prev ← prev.next	prev.nextをprevに代入
11	endwhile	whileの終わり
12	prev.next ← ___b___	＜空欄b＞をprev.nextに代入
13	endif	行番号5から始まったif文の終わり

問題の解説

問題のプログラムは単方向リストでデータを保持しているので、「自分に格納された文字列」(データ部)と「次のリストの参照先」(ポインタ部)に分けて考えていく必要があります。

空欄a

選択肢から、空欄aには「未定義」か「未定義でない」のいずれかが入ります。問題文「リストが空のときは、listHeadは未定義である」より、要素を追加するリストが空かどうか(listHeadが未定義かどうか)で、6行目と8～12行目の処理に分岐しています。

リストが空の場合、追加する要素はリストの先頭になります。listHeadは先頭データの参照先なので、追加要素の参照先(curr)をlistHeadに代入することで、要素を追加することができます。

[例1]空のリストに要素を追加する場合

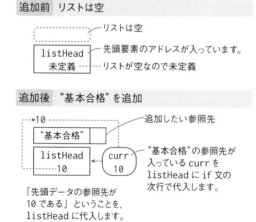

この処理は、〔プログラム〕の6行目の
　listHead ← curr
で行われています。したがって、listHeadが未定義(リストが空)の場合に6行目を実行させるために、5行目の条件式は
　if (listHeadが未定義)
とする必要があります。

したがって、空欄aには、
　未定義
が入ります。

空欄b

行番号8以降は、リスト内に要素が1つ以上存在するときに実行されます。単方向リストでの要素追加は、先頭から順に末尾まで要素をたどり、末尾要素の参照を追加する要素に書き換えます。

9行目のwhile文では、次のデータがある間、(prev.nextが未定義でない限り)一つひとつリストをたどる繰り返し処理を行っています。そして、末尾の要素のnextは未定義になっているので、そこで繰返し処理を終了します。

while文を終了した後に、変数prevには、末尾の要素が格納されているので、その参照(next)には、追加要素であるcurrを設定します。

[例2]要素があるリストに要素を追加する場合

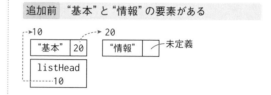

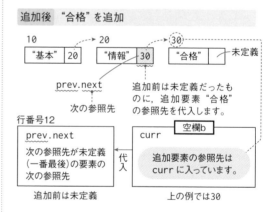

したがって、空欄bには、
　curr
が入ります。

以上より、正解は**ア**の
　空欄a　　未定義
　空欄b　　curr
です。

解答　　**ア**

関数sortpgは，引数で与えられた整数型の配列A[i]（i＝1, 2, …, n）を受け取り，次のアルゴリズムによって整列した配列を返す関数である。内側のfor文（行番号4～10）の処理が初めて終了したとき，必ず実現されている配列の状態を，解答群の中から選べ。

〔プログラム〕

```
 1  ○整数型: sortpg(整数型配列: A)
 2   整数型: i, j, n, w
 3   for (iを1からn−1まで1ずつ増やす)
 4     for (jをnからi+1まで1ずつ減らす)
 5       if (A[j]がA[j−1]より小さい)
 6         w ← A[j]
 7         A[j] ← A[j−1]
 8         A[j−1] ← w
 9       endif
10     endfor
11   endfor
12   return A
```

※プログラム中の行番号は筆者が追記した。

解答群

ア	A[1]が最小値になる。	イ	A[1]が最大値になる。
ウ	A[n]が最小値になる。	エ	A[n]が最大値になる。

［令和4年度6月 基本情報技術者午前試験免除 修了認定に係る試験 午前 問9 一部改変］

問12 │ 整列処理のプログラム

整列処理は，重要テーマの1つです。試験に出題される整列アルゴリズムは何種類かあり，しっかり身につけていないと得点は難しくなります。また本問では特に，二重のfor文の処理順に注意しましょう。

問題の解説

配列の整列問題です。内側のfor文の処理が初めて終了したときの配列の状態を答えます。

そこで配列A[i]を，例えば次のような要素が入っていた場合で考えてみましょう。要素数は4個なので，nは4です。

例 A ← {8, 1, 3, 2}

```
      1 2 3 4 ←要素番号i
配列 A 8 1 3 2
```

外側のfor文（行番号3）

for (iを1から$\underset{3}{\underline{\overset{4}{n-1}}}$まで1ずつ増やす)

初回のiは1です。

① for (jをnから$\underset{2}{\underline{\overset{4}{i+1}}}$まで1ずつ減らす)

初回のjは4です。そしてi＋1は2となるので，内側のfor文のjは4，3，2と変化して繰り返されます。

if ($\overset{4}{\underset{2}{A[j]}}$が$\overset{3}{\underset{3}{A[j-1]}}$より小さい) **真**

行番号
6〜8
実行
$\begin{cases} \text{w ← A[j]} \\ \text{A[j] ← A[j-1]} \\ \text{A[j-1] ← w} \end{cases}$ $\left.\begin{array}{l} \text{A[j]と} \\ \text{A[j-1]} \\ \text{の交換} \end{array}\right.$

```
           1 2 3 4
実行前配列 8 1 3 2     行番号6〜8
              ╳         A[j]とA[j-1]
実行後配列 8 1 2 3     の交換
```

※変数wは，交換するときの作業用変数として使われています。

② for (jをnからi＋1まで1ずつ減らす)

内側のfor文の2回目では，j＝3です。

if ($\overset{3}{\underset{2}{A[j]}}$が$\overset{2}{\underset{1}{A[j-1]}}$より小さい) **偽**

······①で2となっている点に注意

行番号
6〜8
$\begin{cases} \text{w ← A[j]} \\ \text{A[j] ← A[j-1]} \\ \text{A[j-1] ← w} \end{cases}$ 実行されない

③ for (jをnからi＋1まで1ずつ減らす)

内側のfor文の3回目では，j＝2です。

if ($\overset{2}{\underset{1}{A[j]}}$が$\overset{1}{\underset{8}{A[j-1]}}$より小さい) **真**

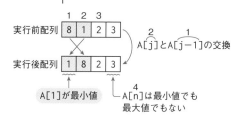

```
           1 2 3
実行前配列 8 1 2 3
              ╳                A[j]とA[j-1]の交換
実行後配列 1 8 2 3
```

A[1]が最小値   A[n]は最小値でも最大値でもない

となります。

ここで，問題文「内側のfor文（行番号4 〜 10）の処理が初めて終了したとき」になります。

したがって，正解は**ア**の

A[1]が最小値になる。

です。

解答 **ア**

308

次のプログラム中の ☐☐☐ に入れる正しい答えを，解答群の中から選べ。ここで，配列の要素番号は1から始まる。

関数 simRatio は，引数として与えられた要素数1以上の二つの文字型の配列 s1 と s2 を比較し，要素数が等しい場合は，配列の並びがどの程度似ているかの指標として，(要素番号が同じ要素の文字同士が一致する要素の組みの個数÷s1の要素数) を実数型で返す。例えば，配列の全ての要素が一致する場合の戻り値は1，いずれの要素も一致しない場合の戻り値は0である。

なお，二つの配列の要素数が等しくない場合は，−1を返す。

関数 simRatio に与える s1，s2 及び戻り値の例を表に示す。プログラムでは，配列の領域外を参照してはならないものとする。

表 関数 simRatio に与える s1，s2 及び戻り値の例

s1	s2	戻り値
{"a", "p", "p", "l", "e"}	{"a", "p", "p", "l", "e"}	1
{"a", "p", "p", "l", "e"}	{"a", "p", "r", "i", "l"}	0.4
{"a", "p", "p", "l", "e"}	{"m", "e", "l", "o", "n"}	0
{"a", "p", "p", "l", "e"}	{"p", "e", "n"}	−1

〔プログラム〕

```
1  ○実数型: simRatio(文字型の配列: s1, 文字型の配列: s2)
2   整数型: i, cnt ← 0
3   if (s1の要素数≠s2の要素数)
4     return −1
5   endif
6   for (iを1からs1の要素数まで1ずつ増やす)
7     if (            )
8       cnt ← cnt+1
9     endif
10   endfor
11   return cnt÷s1の要素数   /* 実数として計算する */
```

※プログラム中の行番号は筆者が追記した。

解答群

ア s1[i]≠s2[cnt]　　イ s1[i]≠s2[i]

ウ s1[i]=s2[cnt]　　エ s1[i]=s2[i]

[基本情報技術者試験 サンプル問題 (2022年12月26日公開) 科目B 問12 一部改変]

二つの配列を比較する基本問題です。解答群も少なく，難易度は易しめといえます。if文の条件式が真の場合，行番号8でcnt ← cnt＋1が実行されますが，変数cntの役割を問題から読み取る「解答の着目点」を身に付けることがポイントになります。

問題の解説

空欄のif文の条件式が真の場合，次行の

cnt ← cnt＋1

が実行されます。よって，プログラム中からcntの役割を理解することがポイントです。

行番号2

整数型：i，cnt ← 0

より，cntは整数型の変数であり，0で初期化しています。

また，行番号11

return cnt÷s1の要素数

で，cntが使われています。この除算は，問題文「(要素番号が同じ要素の文字同士が一致する要素の組みの個数÷s1の要素数)」の部分が該当しますから，cntは「要素番号が同じ…文字同士が一致する組みの個数」部分であることがわかります。

問題文の「表」で示されている2行目の例では，s1とs2について，要素番号1と2の要素が一致しています ("a"と"p"の文字)。

```
         1    2    3    4    5    要素番号
s1      "a"  "p"  "p"  "l"  "e"
         ↕    ↕         ↕
        一致       不一致
         ↕    ↕         ↕
s2      "a"  "p"  "r"  "i"  "l"
         1    2    3    4    5    要素番号
```

この場合のcntは2となり，

return cnt÷s1の要素数＝0.4
　　　　　　2　　　5　　　　戻り値

と計算されます。

よって，空欄の条件式を「要素番号が同じ要素の文字同士が一致する」とすれば，条件式が真の場合は，上の例では"a"と"p"の2文字なので，

cnt ← cnt＋1

によって，cntの値を2と求めることができます。

したがって，正解は**エ**の

s1[i]＝s2[i]

です。

解答　**エ**

問14

次の記述中の　　　に入れる正しい答えを，解答群の中から選べ。ここで，配列の要素番号は1から始まる。

　要素数が1以上で，昇順に整列済みの配列を基に，配列を特徴づける五つの値を返すプログラムである。

　関数summarizeをsummarize({0.1, 0.2, 0.3, 0.4, 0.5, 0.6, 0.7, 0.8, 0.9, 1})として呼び出すと，戻り値は　　　である。

〔プログラム〕

```
○実数型: findRank(実数型の配列: sortedData, 実数型: p)
 整数型: i
 i ← (p×(sortedDataの要素数−1)) の小数点以下を切り上げた値
 return sortedData[i+1]

○実数型の配列: summarize(実数型の配列: sortedData)
 実数型の配列: rankData ← {}   /* 要素数0の配列 */
 実数型の配列: p ← {0, 0.25, 0.5, 0.75, 1}
 整数型: i
 for (iを1からpの要素数まで1ずつ増やす)
   rankDataの末尾にfindRank(sortedData, p[i])の戻り値を追加する
 endfor
 return rankData
```

解答群

　ア　{0.1, 0.3, 0.5, 0.7, 1}
　イ　{0.1, 0.3, 0.5, 0.8, 1}
　ウ　{0.1, 0.3, 0.6, 0.7, 1}
　エ　{0.1, 0.3, 0.6, 0.8, 1}
　オ　{0.1, 0.4, 0.5, 0.7, 1}
　カ　{0.1, 0.4, 0.5, 0.8, 1}
　キ　{0.1, 0.4, 0.6, 0.7, 1}
　ク　{0.1, 0.4, 0.6, 0.8, 1}

[基本情報技術者試験 サンプル問題 (2022年12月26日公開) 科目B 問14 一部改変]

問題の解説

　問題に与えられた呼び出し文で，〔プログラム〕をトレースして解説します。

問題に与えられた呼び出し文

```
summarize({0.1, 0.2, 0.3, 0.4, 0.5,
0.6, 0.7, 0.8, 0.9, 1})
```
└→ 実数型の配列: sortedData（要素数10）

①配列p[1]＝0の処理

○関数summarize

　実数型の配列: rankData ← {}
　　　　　　　　　　　　/* 要素数0の配列 */
　実数型の配列:
　　　　　p ← {0, 0.25, 0.5, 0.75, 1}
　整数型: i
　for （iを1からpの要素数まで1ずつ増やす）i＝1
　　　　　　　　　　　　　　　　　　　5
　　　　rankDataの末尾にfindRank(sortedData,
　　　　　　　　　　　　　　　　　1
　　　　　　　　p[i])の戻り値を追加する
　　　　　　　　　　0
　endfor
　return rankData　　　　　　　　　　引数

○関数 findRank(sortedData, p)
　整数型: i
　i ← (p×(sortedDataの要素数−1)) の
　0　　　0　　　　　　　　　　10
　　　　　　　　　　　　小数点以下を切り上げた値
　　　　　　　　　　　　　　　0
　return sortedData[i+1]
　　　　　　　　　　1
　　　　　　　　0.1

　配列sortedData[1]の要素は0.1です。
　以上より，1つ目の値の戻り値0.1が配列rankData（初期値は{}）の末尾に加わります。
　よって，{0.1}となります。

②配列p[2]＝0.25の処理

　以下，同様なので，ポイントだけに絞って解説します。

○関数summarize
　for （iを1からpの要素数まで1ずつ増やす）i＝2
　　　　rankDataの末尾にfindRank(sortedData,
　　　　　　　　　　　　　　　　2
　　　　　　　　p[i])の戻り値を追加する
　　　　　　　　0.25

○関数 findRank
　整数型: i
　i ← (p×(sortedDataの要素数−1)) の
　3　　0.25　　　　　　　　　　10
　　　　　　　　　　　　小数点以下を切り上げた値
　　　　　　　　　　　　　　　3
　return sortedData[i+1]
　　　　　　　　　　4
　　　　　　　　0.4

　以上より，2つ目の値の戻り値0.4が配列rankDataの末尾に加わります。
　よって，{0.1, 0.4}となります。

③配列p[3]＝0.5の処理

○関数summarize
　for （iを1からpの要素数まで1ずつ増やす）i＝3
　　　　rankDataの末尾にfindRank(sortedData,
　　　　　　　　　　　　　　　　3
　　　　　　　　p[i])の戻り値を追加する
　　　　　　　　0.5

○関数 findRank
　整数型: i
　i ← (p×(sortedDataの要素数−1)) の
　5　　0.5　　　　　　　　　　10
　　　　　　　　　　　　小数点以下を切り上げた値
　　　　　　　　　　　　　　　5
　return sortedData[i+1]
　　　　　　　　　　6
　　　　　　　　0.6

　よって，3つ目の値の戻り値0.6が配列rankDataの末尾に加わります。
　よって，{0.1, 0.4, 0.6}となります。

④配列p[4]＝0.75の処理

○関数summarize

```
for (iを1からpの要素数まで1ずつ増やす) i＝4
    rankDataの末尾にfindRank(sortedData,
                            4
                        p[i])の戻り値を追加する
                        0.75
```

○関数 findRank

整数型: i

```
i ← (p×(sortedDataの要素数−1)) の
7   0.75        10
                小数点以下を切り上げた値
                            7
return sortedData[i+1]
                    8
        0.8
```

よって，4つ目の値の戻り値0.8が配列rankDataの末尾に加わります。

よって，{0.1, 0.4, 0.6, 0.8}となります。

ここまでトレースすれば，**ク**が正解とわかります。

したがって，正解は**ク**の

　{0.1, 0.4, 0.6, 0.8, 1}

です。

📖 参考

⑤配列p[5]＝1の処理

```
        5
i＝5    p[i]
        ┊---1
i ← (p×(sortedDataの要素数−1))の
9    1              小数点以下を切り上げた値
                        9
return sortedData[i+1]
                    10
        1
```

よって，5つ目の値の戻り値1が配列rankDataの末尾に加わり，{0.1, 0.4, 0.6, 0.8, 1}となります。

解答 **ク**

ナップザック問題に関する次の記述を読んで，設問に答えよ。

〔ナップザック問題〕

　幾つかの種類の品物があり，それぞれの容積と価値が与えられているとき，選んだ品物の容積の合計が定められた値以下であるという条件（容量制限）を満たし，かつ，価値の合計（以下，価値合計という）が最大になるような品物の組合せを求める問題をナップザック問題という。

　この問題では，一つの品物を選ぶ個数には制限がないものとする。

　例えば，容積，価値を表1に示した2種類の品物A，Bがあり，容量制限が5である問題を考える。この場合，品物Aを1個，品物Bを2個選ぶと，容積の合計は5，価値合計は14となり，選んだ品物の価値合計が最大となる。

表1　品物の容積と価値

	品物	
	A	B
容積	1	2
価値	2	6

〔動的計画法によるナップザック問題の解法〕

　品物の容積や価値を正の整数に限定したナップザック問題に対して，動的計画法による解法が知られている。この問題に対する動的計画法は，元の容量制限以下の全ての値を容量制限としたときの，品物の種類を限定した問題（以下，小問題という）をあらかじめ解いておき，それらの解を用いることによって，元の問題の解を得る方法である。表2に示すような，選んだ品物の最大の価値合計を求める表に対して順に数値を埋めて考えると，この解法の手順は理解しやすい。

表2　選んだ品物の最大の価値合計（作成途中）

	容量制限					
	0	1	2	3	4	5
Aだけを選べる	0	2	4	6	①8	10
A，Bを選べる	0	2	②6	8		

　表2において，例えば，表1に示す品物A，Bを選べる場合の容量制限3までの小問題が解けているとする。この状態で，容量制限が4で品物A，Bを選べる場合の解は，次の考え方で求めることができる。

・容量制限が4で品物Aだけを選べる小問題の解は，表2から8であることが分かる（下線①部分）。

・品物A，Bを選べる場合，品物Bの容積が2であるので，4から2を減じた容量制限2で品物A，Bを選べる小問題の価値合計6（下線②部分）に，品物Bの価値6を加えた12の価値合計を得られることが分かる。

・8と12を比較し，大きい方の12を，容量制限4の場合の価値合計として表2に記入する。これは，最後に品物Bを選んだことを意味する。

　表2の空白の部分をこの手順に従って順に埋めていくと，容量制限が5のときの価値合計は14であることが分かる。

容量制限4の場合に最後に品物Bを選んだように，各容量制限の小問題を解いたときに最後に選んだ品物を表3に示す。

表3　最後に選んだ品物

	容量制限					
	0	1	2	3	4	5
品物	なし	A	B	B	B	B

　容量制限5では，最後に品物Bを選んだことが分かる。次に，品物Bの容積を引いた容量制限3では，最後に品物Bを選んでいる。これを続けていくと，価値合計14を実現する品物の組合せは，品物Aが1個，品物Bが2個であることが分かる。

　表1の問題に対して，新たに，容積が3で価値が9である品物Cが追加されたときの問題を解くには，表2に品物A，B，Cを選べる場合の行を追加した表4を順に埋めていけばよい。

表4　品物A，B，Cを選べる場合の最大の価値合計

	容量制限					
	0	1	2	3	4	5
Aだけを選べる	0	2	4	6	8	10
A，Bを選べる	0	2	6	8	12	14
A，B，Cを選べる	0	2		あ	い	う

設問

　表4中の　　　に入れる正しい答えを，解答群の中から選べ。

解答群

ア 4	イ 5	ウ 6	エ 7	オ 8

[平成29年度 秋期 応用情報技術者試験 午後 問3 一部改変]

　ナップザック問題についての出題ですが，事前知識は必要ありません。プログラムがないので，やや長い問題文の記述を正しく読み取り理解することがポイントになります。問題文に示された具体的な数値を使い，流れをメモで整理しながら読み解くとよいでしょう。

問題の解説

　いくつかの種類の品物があり，それぞれの容積と価値が与えられているとき，選んだ品物の容積の合計が定められた値以下であるという条件（容量制限）を満たし，かつ，価値の合計が最大となるような品物の組合せを求める問題を，ナップザック問題といいます。

●表1の前段にある問題文の例の説明

　問題文「例えば，容積，価値を表1に示した2種類の品物A，Bがあり，容量制限が5である問題を考える。この場合，品物Aを1個，Bを2個選ぶと容積の合計は5，価値合計は14となり，選んだ品物の価値合計が最大となる」を整理すると，以下のようになります。

・表1より，品物Aの容量は1，品物Bの容量は2
・容量制限5とは，選んだ品物の容積の合計は5以下であること
・品物Aの価値は2，品物Bの価値は6
・以上の条件で，最大の価値は14になる

　まず，容量制限5で選べる品物A，Bの組合せを考え，その組合せでの価値合計を求めます。

● 容量制限5

パターン	品物（個数） A	品物（個数） B	価値合計	
①	5	0	10	＝5コ×2
②*	4	0	8	＝4コ×2
③	3	1	12	＝(3コ×2)＋(1コ×6)
④*	2	1	10	＝(2コ×2)＋(1コ×6)
⑤	1	2	14	＝(1コ×2)＋(2コ×6)
⑥*	0	2	12	＝2コ×6

（⑤の左に「価値最大」）

＊②④⑥のパターンでは，容量合計が4になります。

　上表より，容量制限5では，価値合計は14になります。

●表2の次に記述されている問題文の説明

　問題文「表2において，例えば，表1に示す品物A，Bを選べる場合の容量制限3までの小問題が解けているとする。この状態で，容量制限が4で品物A，Bを選べる場合の解は，次の考え方で求めることができる」について説明します。

表2の一部

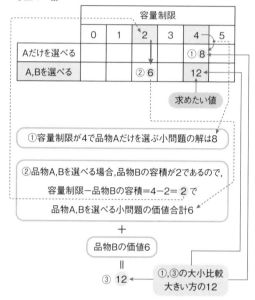

●品物Cが追加される

　表4直前の問題文「表1の問題に対して，新たに，容積が3で価値が9である品物Cが追加されたときの問題」より，表4を順に埋めていきます。

　表1と問題文より，品物A，B，Cの容積と価値は，次のようになります。

	品物 A	品物 B	品物 C ←追加
容積	1	2	3
価値	2	6	9

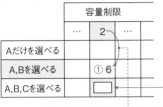

空欄

設問の説明を参考に，空欄を求めます。容量制限2の場合です。

表4の一部

	容量制限		
	…	2	…
Aだけを選べる			
A,Bを選べる		① 6	
A,B,Cを選べる		☐	

①容量制限が2で品物A,Bを選ぶ小問題の解は6

②品物A,B,Cを選べる場合,品物Cの容積が3であるので, 2-3=-1となり,品物Cは選べない

よって，①の6が空欄に入ります。

したがって，空欄には **ウ** の

6

が入ります。

📖 参考

空欄の右側の，あ〜うの部分を説明します。

● 容量制限3のあ

同様に考えます。容量制限3の場合です。

表4の一部

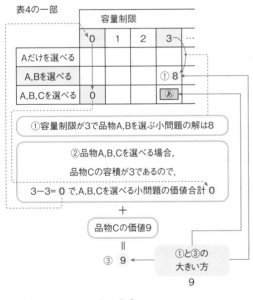

	容量制限				
	0	1	2	3	…
Aだけを選べる					
A,Bを選べる				① 8	
A,B,Cを選べる	0			あ	

①容量制限が3で品物A,Bを選ぶ小問題の解は8

②品物A,B,Cを選べる場合, 品物Cの容積が3であるので, 3-3= 0 で,A,B,Cを選べる小問題の価値合計 0

＋

品物Cの価値9

＝

③ 9 ← ①と③の大きい方

9

したがって，9が入ります。

● 容量制限4のい

同様に考えます。容量制限4の場合です。

表4の一部

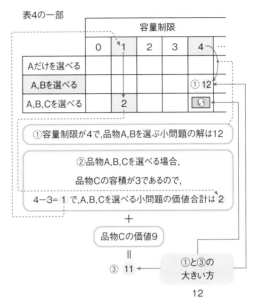

	容量制限					
	0	1	2	3	4	…
Aだけを選べる						
A,Bを選べる					① 12	
A,B,Cを選べる			2		い	

①容量制限が4で品物A,Bを選ぶ小問題の解は12

②品物A,B,Cを選べる場合, 品物Cの容積が3であるので, 4-3= 1 で,A,B,Cを選べる小問題の価値合計は 2

＋

品物Cの価値9

＝

③ 11 ← ①と③の大きい方

12

したがって，12が入ります。

● 容量制限5のう

同様に考えます。容量制限5の場合です。

表4の一部

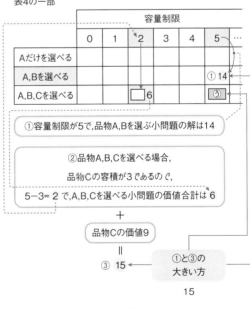

	容量制限					
	0	1	2	3	4	5	…
Aだけを選べる							
A,Bを選べる						① 14	
A,B,Cを選べる			☐ 6			う	

①容量制限が5で品物A,Bを選ぶ小問題の解は14

②品物A,B,Cを選べる場合, 品物Cの容積が3であるので, 5-3= 2 で,A,B,Cを選べる小問題の価値合計は 6

＋

品物Cの価値9

＝

③ 15 ← ①と③の大きい方

15

したがって，15が入ります。

解答 **ウ**

問16

ニューラルネットワークに関する次の記述を読んで，設問に答えよ。

　AI技術の進展によって，機械学習に利用されるニューラルネットワークは様々な分野で応用されるようになってきた。ニューラルネットワークが得意とする問題に分類問題がある。例えば，ニューラルネットワークによって手書きの数字を分類（認識）することができる。

　分類問題には線形問題と非線形問題がある。図1に線形問題と非線形問題の例を示す。2次元平面上に分布した白丸（○）と黒丸（●）について，線形問題（図1の (a)）では1本の直線で分類できるが，非線形問題（図1の (b)）では1本の直線では分類できない。機械学習において分類問題を解く機構を分類器と呼ぶ。ニューラルネットワークを使うと，線形問題と非線形問題の両方を解く分類器を構成できる。

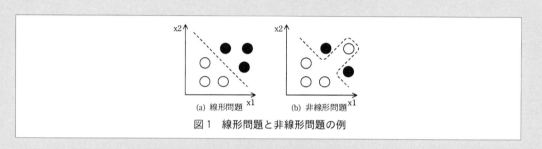

図1　線形問題と非線形問題の例

　2入力の論理演算を分類器によって解いた例を図2に示す。図2の論理演算の結果（丸数字）は，論理積（AND），論理和（OR）及び否定論理積（NAND）では1本の直線で分類できるが，排他的論理和（XOR）では1本の直線では分類できない。この性質から，前者は線形問題，後者は非線形問題と考えることができる。

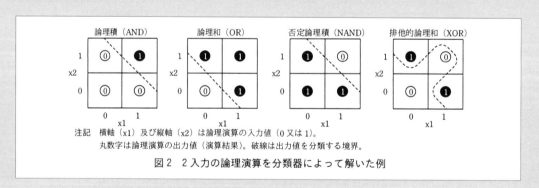

注記　横軸（x1）及び縦軸（x2）は論理演算の入力値（0又は1）。
　　　丸数字は論理演算の出力値（演算結果）。破線は出力値を分類する境界。

図2　2入力の論理演算を分類器によって解いた例

〔単純パーセプトロンを用いた論理演算〕
　ここでは，図2に示した四つの論理演算の中から，排他的論理和以外の三つの論理演算を，ニューラルネットワークの一種であるパーセプトロンを用いて，分類問題として解くことを考える。図3に最もシンプルな単純パーセプトロンの模式図とノードの演算式を示す。ここでは，円をノード，矢印をアークと呼ぶ。ノードx1及びノードx2は論理演算の入力値，ノードyは出力値（演算結果）を表す。ノードyの出力値は，アークがもつ重み（w1, w2）とノードyのバイアス（b）を使って，図3中の演算式を用いて計算する。

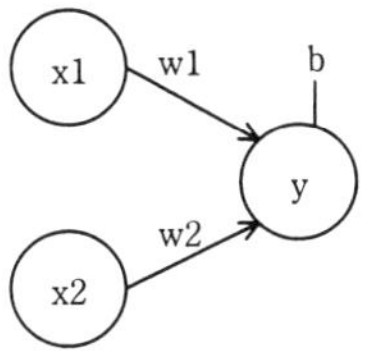

$$y = \begin{cases} 0 & (x1 \times w1 + x2 \times w2 + b \leqq 0 \text{の場合}) \\ 1 & (x1 \times w1 + x2 \times w2 + b > 0 \text{の場合}) \end{cases}$$

図3 単純パーセプトロンの模式図とノードの演算式

単純パーセプトロンに適切な重みとバイアスを設定することで，論理積，論理和及び否定論理積を含む線形問題を計算する分類器を構成することができる。一般に，重みとバイアスは様々な値を取り得る。表1に単純パーセプトロンで各論理演算を計算するための重みとバイアスの例を示す。

例えば，表1の論理和の重みとバイアスを設定した単純パーセプトロンにx1＝1, x2＝0を入力すると，図3の演算式から1×0.5＋0×0.5－0.2＝0.3＞0となり，出力値はy＝1となる。

表1 単純パーセプトロンで各論理演算を計算するための重みとバイアスの例

論理演算	w1	w2	b
論理積	0.5	0.5	☐
論理和	0.5	0.5	− 0.2
否定論理積	− 0.5	− 0.5	0.7

設問

表1中の ☐ に入れる正しい答えの組合せを，解答群の中から選べ。

解答群

　　ア　− 0.7　　イ　− 0.2　　ウ　0.2　　エ　0.7

[令和元年度 秋期 応用情報技術者試験 午後 問3 一部改変]

★★★ 問16 │ ニューラルネットワーク

　AIの進展によって，機械学習に利用されるニューラルネットワークは，さまざまな分野に応用されるようになってきました。本問は，ニューラルネットワークの一種であるパーセプトロンを題材にしています。問題文の例（図1～3及び表1）を読み解けば前提知識がなくても解答に辿り着くことは可能ですが，論理演算（AND, OR, NAND, XOR）を理解しておくことは必須です。

● 線形問題と非線形問題

　図1の例について，線形問題と非線形問題の違いを理解しておきます。

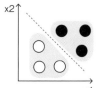

(a) 線形問題

1本の直線で2つに分類できます。

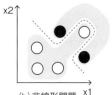

(b) 非線形問題

1本の直線で分類できません。

　次に，図2の例を説明します。

● 論理和 (OR)

論理和の真理値表

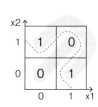

入力		出力
x1	x2	
0	0	0
0	1	1
1	0	1
1	1	1

　論理和 (OR) は，1本の直線で，0と1の分類ができるので，線形問題です。なお，図2より論理積 (AND)，否定論理積 (NAND) も同様に線形問題の例です。

● 排他的論理和 (XOR)

排他的論理和の真理値表

入力		出力
x1	x2	
0	0	0
0	1	1
1	0	1
1	1	0

　排他的論理和 (XOR) は，1本の直線で0と1の分類ができません。よって，非線形問題です。

● 単純パーセプトロンを用いた論理演算

　図3の例を説明します。

①問題文「ノード x1 及びノード x2 は論理演算の入力値，ノード y は出力値 (演算結果) を表す」と，

②問題文「ノード y の出力値は，アークがもつ重み (w1, w2) とノード y のバイアス (b) を使って，図3中の演算式を用いて計算する」より，

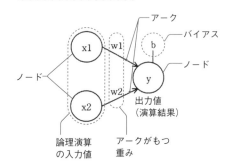

【例】論理和 (OR) の場合

・②問題文「…図3の演算式を用いて計算する」

・重み (w1, w2) とノード y のバイアス (b) は，

$$0.5 \quad 0.5 \qquad\qquad -0.2$$

　表1の値を使います。

・図2の論理和 (OR) で説明します。

(1) x1 = 0, x2 = 0 のとき

$$x1 \times w1 + x2 \times w2 + b = -0.2 \leqq 0$$

$$0 \quad 0.5 \quad 0 \quad 0.5 \quad -0.2 \qquad の場合なので$$

$$y = 0$$

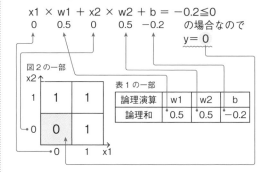

論理演算	w1	w2	b
論理和	0.5	0.5	-0.2

　このように，図3の演算式の計算結果が，

$$x1 \times w1 + x2 \times w2 + b = -0.2$$

となり，−0.2 は，≦0 の場合なので，y = 0 となります。

$$y = \begin{cases} 0 & (x1 \times w1 + x2 \times w2 + b \leqq 0 \text{ の場合}) \\ 1 & (x1 \times w1 + x2 \times w2 + b > 0 \text{ の場合}) \end{cases}$$

(2) x1 = 0, x2 = 1 のとき

(1) と同様に考えます。

x1 × w1 + x2 × w2 + b = 0.3 > 0
　0　　0.5　　1　　0.5　　−0.2　　　の場合なので
　　　　　　　　　　　　　　　　　　　　y = 1

図2の一部

(3) x1 = 1, x2 = 0のとき（表1の直前の問題文にあるパターンです）

x1 × w1 + x2 × w2 + b = 0.3 > 0
　1　　0.5　　0　　0.5　　−0.2　　　の場合なので
　　　　　　　　　　　　　　　　　　　　y = 1

図2の一部

(4) x1 = 1, x2 = 1のとき

x1 × w1 + x2 × w2 + b = 0.8 > 0
　1　　0.5　　1　　0.5　　−0.2　　　の場合なので
　　　　　　　　　　　　　　　　　　　　y = 1

図2の一部

問題の解説

空欄

上記の論理和（OR）の例を参考に，論理積も同様に考えます。

(1) x1 = 0, x2 = 0のとき

演算結果は，図2より y = 0

x1 × w1 + x2 × w2 + b = ▭
　0　　0.5　　0　　0.5　　▭

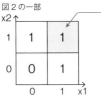

図2　論理積（AND）

	表1の一部			
論理演算	w1	w2	b
論理積	0.5	0.5	

図2より，y = 0なので，
　　▭ ≦ 0
の場合です。

空欄には，0か負の値が入ります。

(2) x1 = 0, x2 = 1のとき

演算結果は，図2より y = 0
(1)と同様に考えます。

x1 × w1 + x2 × w2 + b = 0.5 + ▭ ≦ 0
　0　　0.5　　1　　0.5　　　▭

図2より，y = 0なので，
　0.5 + ▭ ≦ 0
の場合です。

左辺の0.5を右辺に移項して
　∴ ▭ ≦ −0.5

よって，空欄には，−0.5以下の数値が入ることがわかります。

解答群の中で，−0.5以下の数値は，−0.7だけです。

したがって，空欄には ⟨ア⟩ の
　−0.7
が入ります。

📖 参考

解答には関係ありませんが，他の場合も説明します。

(3) x1 = 1, x2 = 0のとき

演算結果は，図2より y = 0

x1 × w1 + x2 × w2 + b = 0.5 + ▭ ≦ 0
　1　　0.5　　0　　0.5　　　▭

　∴ ▭ ≦ −0.5

(4) x1 = 1, x2 = 1のとき

演算結果は，図2より y = 1

x1 × w1 + x2 × w2 + b = 1 + ▭ > 0
　1　　0.5　　1　　0.5　　　▭

　1 + ▭ > 0
　∴ ▭ > −1

以上，(1)〜(4)より，空欄の取りうる範囲は，
　−1 < ▭ ≦ −0.5
となります。解答群の中で，この範囲にあてはまる数値は，−0.7のみです。

解答　⟨ア⟩

問17

A社は学習塾を経営している会社であり，全国に50の校舎を展開している。A社には，教務部，情報システム部，監査部などがある。学習塾に通う又は通っていた生徒（以下，塾生という）の個人データは，学習塾向けの管理システム（以下，塾生管理システムという）に格納している。塾生管理システムのシステム管理は情報システム部が行っている。塾生の個人データ管理業務と塾生管理システムの概要を図1に示す。

・教務部員は，入塾した塾生及び退塾する塾生の登録，塾生プロフィールの編集，模試結果の登録，進学先の登録など，塾生の個人データの入力，参照及び更新を行う。

・教務部員が使用する端末は教務部の共用端末である。

・塾生管理システムへのログインには利用者IDとパスワードを利用する。

・利用者IDは個人別に発行されており，利用者IDの共有はしていない。

・塾生管理システムの利用者のアクセス権限には参照権限及び更新権限の2種類がある。参照権限があると塾生の個人データを参照できる。更新権限があると塾生の個人データの参照，入力及び更新ができる。アクセス権限は塾生の個人データごとに設定できる。

・教務部員は，担当する塾生の個人データの更新権限をもっている。担当しない塾生の個人データの参照権限及び更新権限はもっていない。

・共用端末のOSへのログインには，共用端末の識別子（以下，端末IDという）とパスワードを利用する。

・共用端末のパスワード及び塾生管理システムの利用者のアクセス権限は情報システム部が設定，変更できる。

図1 塾生の個人データ管理業務と塾生管理システムの概要

教務部は，今年実施の監査部による内部監査の結果，Webブラウザに塾生管理システムの利用者IDとパスワードを保存しており，情報セキュリティリスクが存在するとの指摘を受けた。

設問

監査部から指摘された情報セキュリティリスクはどれか。解答群のうち，最も適切なものを選べ。

解答群

ア　共用端末と塾生管理システム間の通信が盗聴される。

イ　共用端末が不正に持ち出される。

ウ　情報システム部員によって塾生管理システムの利用者のアクセス権限が不正に変更される。

エ　教務部員によって共用端末のパスワードが不正に変更される。

オ　塾生の個人データがアクセス権限をもたない教務部員によって不正にアクセスされる。

［情報セキュリティマネジメント試験 科目A・Bサンプル問題（2022年12月公開）問56］

問17 | 塾生管理システムのセキュリティリスク

監査部から指摘された情報セキュリティリスクに関する問題です。情報セキュリティの問題は, 設問を最初に読んで「何が問われているか」を明確にしてから問題文を読む習慣をつけましょう。試験でもこのような方法でスピーディーに問題を解くことができれば, 時間をかけることで正解確率が上がるプログラムトレースの方にじっくり取り組むことができるはずです。

問題の解説

監査から指摘された情報セキュリティリスクを検討します。まず, 問題文から「監査」「指摘された」という用語を手掛かりにして関係する記述を探します。

すると, 設問の直前の問題文「教務部は, 今年実施の監査部による内部監査の結果, Webブラウザに塾生管理システムの利用者IDとパスワードを保存しており, 情報セキュリティリスクが存在するとの指摘を受けた」という記述があります。

ここで, 図1の2つ目の黒丸「・教務部員が使用する端末は教務部の共用端末である。」より, Webブラウザに保存されている認証情報を使って, 権限を有しない教務部員や別の教務部員によるログインが可能となり, 閲覧や更新が可能になってしまうリスクが存在していることがわかります。

以上を踏まえて, 選択肢を確認します。

ア 不適切な記述です。通信の盗聴もセキュリティリスクのひとつですが, 「Webブラウザに利用者IDとパスワードが保存されていること」とは, 無関係のセキュリティリスクです。

イ 不適切な記述です。共用端末が不正に持ち出されることは, 「Webブラウザに利用者IDとパスワードが保存されていること」とは, 無関係のセキュリティリスクです。

ウ 不適切な記述です。図1の最後の黒丸「・共用端末のパスワード及び塾生管理システムの利用者のアクセス権限は情報システム部が設定, 変更できる。」より, 塾生管理システムへのログインでは, 塾生管理システム利用者のアクセス権限を変更することはできません。

エ 不適切な記述です。ウと同じく図1の最後の黒丸より, 塾生管理システムへのログインでは,

共用端末のパスワードを変更することはできません。

オ 正解です。Webブラウザに保存されている認証情報を使って, 権限を有しない教務部員や別の教務部員によるログインが可能となり, 閲覧や更新が可能になってしまうリスクが存在します。

したがって, 正解は**オ**の

塾生の個人データがアクセス権限をもたない教務部員によって不正にアクセスされる。

です。

解答 **オ**

問18

Webサイトの脆弱性診断に関する次の記述を読んで，設問に答えよ。

国内外に複数の子会社をもつA社では，インターネットに公開するWebサイトについて，A社グループの脆弱性診断基準（以下，A社グループ基準という）を設けている。A社の子会社であるB社は，会員向けに製品を販売するWebサイト（以下，B社サイトという）を運営している。会員が2回目以降の配達先の入力を省略できるように，今年の8月，B社サイトにログイン機能を追加した。B社サイトは，会員の氏名，住所，電話番号，メールアドレスなどの会員情報も管理することになった。

B社では，11月に情報セキュリティ活動の一環として，A社グループ基準を基に自己点検を実施し，その結果を表1のとおりまとめた。

表1　B社自己点検結果（抜粋）

項番	点検項目	A社グループ基準	点検結果
（一）	Webアプリケーションプログラム（以下，Webアプリという）に対する脆弱性診断の実施	・インターネットに公開しているWebサイトについて，Webアプリの新規開発時，及び機能追加時に行う。 ・機能追加などの変更がない場合でも，年1回以上行う。	・毎年6月に，Webアプリに対する脆弱性診断を外部セキュリティベンダに依頼し，実施している。 ・今年は6月に脆弱性診断を実施し，脆弱性が2件検出された。
（二）	OS及びミドルウェアに対する脆弱性診断の実施	・インターネットに公開しているWebサイトについて，年1回以上行う。	・毎年10月に，B社サイトに対して行っている。 ・今年10月の脆弱性診断では，軽微な脆弱性が4件検出された。
（三）	脆弱性診断結果の報告	・Webアプリ，OS及びミドルウェアに対する脆弱性診断を行った場合，その結果を，診断後2か月以内に各社の情報セキュリティ委員会に報告する。	・Webアプリに対する診断の結果は，6月末の情報セキュリティ委員会に報告した。 ・OS及びミドルウェアに対する診断の結果は，脆弱性が軽微であることを考慮し，情報システム部内での共有にとどめた。
（四）	脆弱性診断結果の対応	・Webアプリ，OS及びミドルウェアに対する脆弱性診断で，脆弱性が発見された場合，緊急を要する脆弱性については，速やかに対応し，その他の脆弱性については，診断後，1か月以内に対応する。指定された期限までの対応が困難な場合，対応の時期を明確にし，最高情報セキュリティ責任者（CISO）の承認を得る。	・今年6月に検出したWebアプリの脆弱性2件について，1週間後に対応した。 ・今年10月に検出したOS及びミドルウェアの脆弱性4件について，2週間後に対応した。

設問

表1中の自己点検の結果のうち，A社グループ基準を満たす項番だけを全て挙げた組合せを，解答群の中から選べ。

解答群

ア	（一）	イ	（一），（二）	ウ	（一），（二），（三）
エ	（一），（三）	オ	（一），（四）	カ	（二），（三），（四）
キ	（二），（四）	ク	（三）	ケ	（三），（四）

［情報セキュリティマネジメント試験 科目Bのサンプル問題（2022年4月25日発表）問2］

問18 | Webサイトの脆弱性診断

Webサイトの脆弱性診断基準に関する問題です。脆弱性の内容については，基礎知識として必ず押さえておかなければなりません。問題では，脆弱性点検結果が，脆弱性診断基準（A社グループ基準）に合致しているか否かを答えます。問題内容をしっかり理解できるかどうかがポイントになります。

用語の解説

● 脆弱性

情報セキュリティ上の欠陥のことです。不正なアクセスに対してシステムの安全性が損なわれている状態を指します。

● ミドルウェア

OSとアプリケーションプログラムの間に位置するソフトウェアのことです。たとえば，DBMSやWebサーバ（HTTPサーバ）ソフトなどがあります。

問題の解説

11月にB社が行った自己点検（表1の「点検結果」）が，A社グループ基準を満たしているか否かを，項番（一）～（四）について判断します。

（一）×

問題文「今年の8月，B社サイトにログイン機能を追加した」より，今年8月に「機能追加」をしている点がポイントです。表1のA社グループ基準の一つ目は「公開しているWebサイトについて，…及び機能追加時に行う」であるのに対して，点検結果は「6月に脆弱性診断を実施し…」となっています。したがって，A社グループ基準では，今年8月に「機能追加」した際に脆弱性診断をすべきであったにもかかわらず，実際は10か月後の6月に実施しているので不適切です。

（二）○

「OS及びミドルウェアに対する脆弱性診断の実施」は，A社グループ基準では「Webサイトについて，年1回以上行う」となっています。点検結果では，「毎年10月に…行っている」より年1回行っているので，A社グループ基準を満たしています。

（三）×

「脆弱性診断結果の報告」は，A社グループ基準では「診断後2カ月以内に各社の情報セキュリティ委員会に報告する」となっています。（一）の診断結果より，Webアプリの脆弱性診断は6月に行っており，点検結果は「Webアプリに対する診断の結果は，6月末の情報セキュリティ委員会に報告した」となっているので，診断後2か月以内に報告がなされています。しかし，「OS及びミドルウェアに対する診断の結果は，脆弱性が軽微なので，情報システム部内での共有に留めた」となっており，情報セキュリティ委員会に報告をしていないので，A社グループ基準を満たしていません。

（四）○

Webアプリ，OS及びミドルウェアに対する脆弱性が発見された場合，A社グループ基準では，
①緊急を要する脆弱性
　→速やかに対応する
②その他の脆弱性
　→診断後1カ月以内に対応する
③期限までに対応困難な場合
　→対応時期を明確にし，最高情報セキュリティ責任者の承認を得る
となっています。

これに対して，点検項目では，
・Webアプリの脆弱性2件
　→1週間後に対応
・OS及びミドルウェアの脆弱性4件
　→2週間後に対応
となっています。

WebアプリとOS及びミドルウェアの脆弱性は，緊急を要するとは明示されていない（特に，OS及びミドルウェアの脆弱性は「軽微」とされている）ので，②その他の脆弱性に該当すると考えられます。よって，いずれも診断後1か月以内に対応しているので，A社グループ基準を満たすと判断できます。

したがって，正解は**キ**の
　(二)，(四)
です。

解答　**キ**

問 **19**

情報セキュリティ事故と対策に関する次の記述を読んで，設問に答えよ。

　自動車の販売代理店であるA社は，Webサイトで自動車のカタログ請求を受け付けている。Webサイトは，Webアプリケーションソフト（以下，Webアプリという）が稼働するWebサーバと，データベースが稼働するデータベースサーバ（以下，DBサーバという）で構成されている。WebサーバはA社のDMZに設置され，DBサーバはA社の社内LANに接続されている。Webサイトの管理はB氏が，A社の社内LANに接続されている保守用PCからアクセスして行っている。カタログ請求者は，Webブラウザからインターネット経由でHTTP over TLSによってWebサイトにアクセスする。

〔カタログ請求者の情報の登録〕
　A社では，次の目的で，カタログ請求者の情報を保持し，利用することの同意を，カタログ請求者から得ている。
・情報提供や購入支援を行う。
・カタログ請求者が別のカタログを請求したいときなどに，登録した電子メールアドレスとパスワードを使用してログインできるようにする。

　同意が得られたときは，氏名，住所，電話番号，電子メールアドレス，パスワード，購入予定時期，購入予算，希望車種などの情報を，Webアプリに入力してもらい，データベースに登録している。パスワードはハッシュ化して，それ以外の情報は平文で，データベースに格納している。A社では，カタログ請求者から要求があったときにだけ，データベースからそのカタログ請求者の情報を消去する運用としている。

〔カタログ請求者への対応〕
　A社では，カタログ請求者へのカタログ送付後の購入支援を，データベースに登録されている情報を基に，電子メールと電話で行っている。

〔情報セキュリティ事故の発生〕
　ある日，A社の社員から，"A社のカタログ請求者一覧と称する情報が，インターネットの掲示板に公開されている"とB氏に連絡があった。公開されている情報をB氏が確認したところ，データベースに登録されている情報の一部であったので，自社のデータベースから情報が流出したと判断して上司に報告した。B氏は上司からの指示を受けて，Webサイトのサービスを停止し，情報が流出した原因と流出した情報の範囲を特定することにした。

〔情報セキュリティ事故の原因と流出した情報の範囲〕
　B氏の調査の結果，WebアプリにSQLインジェクションの脆弱性があることが分かった。そのことからB氏は，攻撃者がインターネット経由でSQLインジェクション攻撃を行い，データベースに登録

されているカタログ請求者の情報を不正に取得したと推測した。Webサーバとデータベースではアクセスログを取得しない設定にしていたこともあり，流出した情報の範囲は特定できなかった。そこで，データベースに登録されている全ての情報が流出したことを前提に，A社では，データベースに登録されている全てのカタログ請求者に情報の流出について連絡するとともに，対策を講じることにした。

設問

本文中の下線について，この攻撃の説明として適切な答えを，解答群の中から選べ。

解答群

ア　攻撃者が，DNSに登録されているドメインの情報をインターネット経由で外部から改ざんすることによって，カタログ請求者を攻撃者のWebサイトに誘導し，カタログ請求者のWebブラウザで不正スクリプトを実行させる。

イ　攻撃者が，インターネット経由でDBサーバに不正ログインする。

ウ　攻撃者が，インターネット経由でWebアプリに，データベース操作の命令文を入力することによって，データベースを不正に操作する。

エ　攻撃者が，インターネット経由で送信されている情報を盗聴する。

[平成30年度 秋期 基本情報技術者試験 午後 問1 一部改変]

★★
★　問**19** ｜ 情報セキュリティ事故

　単に用語の意味を問う問題ではなく，問題文を読み解く必要がありますが，難易度は高くありません。SQLインジェクション攻撃，不正手段でログインする攻撃などについて，科目Aでも問われる基礎知識はしっかりと押さえておきましょう。

用語の解説

● DMZ (DeMilitarized Zone)

　外部ネットワーク（インターネット）や，内部ネットワーク (LAN) からも隔離された領域のこと。外部に公開するサーバ（Webサーバ，メールサーバ）をDMZに置いておけば，外部からの不正アクセスをファイアウォールによって遮断できます。

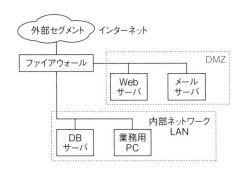

　また，仮に公開するサーバ（Webサーバ，メールサーバ）がウイルスに感染してしまった場合でも，内部ネットワーク (LAN) にまで被害が及ぶことはありません。

● HTTP over TLS (HTTPS)

　WebサーバとWebブラウザ間の通信プロトコルHTTPに暗号機能を追加し安全性を向上させたもので，通信経路上における第三者によるなりすましや，盗聴を防ぎます。情報を暗号化して送受信するプロトコルであるSSL (Secure SocketsLayer) やTLS (Transport Layer Security) が利用されています。

● ハッシュ化

　元のデータからハッシュ値を求めることです。ハッシュ値とは，あるデータをハッシュ関数を使っ

て計算して得られた数値です。同じデータからは同じハッシュ値が得られますが，元データが異なれば，その計算結果のハッシュ値も異なるため，データの改ざんの検出などに使われます。また，ハッシュ関数は一方向性の関数のため，ハッシュ値とハッシュ関数がわかっても，元のデータを復元することはできません。

● 平文

暗号化されていない文章のことです。

● SQLインジェクション攻撃

データベースへ悪意のある問合せや操作を行うSQL文を与えることで，データベースを改ざんしたり不正に情報を入手する攻撃のことです。

● 脆弱性

情報セキュリティ上の欠陥のこと。不正なアクセスに対してシステムの安全性が損なわれている状態のことをいいます。

● プレースホルダ (placeholder)

とりあえず仮に確保した場所のことをいいます。実際の値はあとから与えられます。

● ドメインとDNS

インターネットに繋がっているコンピュータには，それを識別する「住所」にあたるIPアドレスが割り振られています。IPアドレスは数字の羅列であるため，メールやWebなどのサービスを利用する際には人間が認識しやすい「ドメイン名」を使います。「△△△.co.jp」などと表されます。

ドメイン名とIPアドレスとの対応付け（名前解決）を管理するのがDNS (Domain Name System)です。ドメイン名からIPアドレスへの変換はDNSサーバで行われます。

問題の解説

設問の選択肢中の用語を解説します。

下線の「SQLインジェクション攻撃」とは，攻撃者がインターネット経由でWebアプリに，悪意のある操作を行うSQL文を実行させる命令文を入力し，データベースを不正に操作することです。

ア DNSキャッシュポイズニングに関する記述です。

イ SQLインジェクション攻撃は，不正ログインする攻撃ではありません。不正ログインする攻撃方法には，次のようなものがあります。

● ブルートフォース攻撃 (Brute Force Attack)

総当り攻撃ともいいます。暗号解読方法のひとつで，不正に取得したい秘密の情報（たとえば，パスワード）について，考えられるすべてのパターンを片っ端から試してみる方法です。

● パスワードリスト攻撃

複数サイトで同一の利用者IDとパスワードを使っている利用者がいる状況を悪用し，不正に取得した他のサイトの利用者IDとパスワードの一覧表を用いて，別のサイトへログインを試行することです。

● リバースブルートフォース攻撃

カウント名 (ID) のリストを元に，よく使われるパスワード（たとえば「123456」「password」など）を組合せて総当たり的にログインを試みる攻撃です。

● レインボー攻撃

パスワードを不正に得る方法の一つです。パスワードとして使われるような文字列のハッシュ値をテーブル化しておき，解読したいパスワードのハッシュ値と比較することで，パスワードを推測する手法です。

ウ 正解です。SQLインジェクション攻撃に関する記述です。

エ インターネット上に流れている暗号化されていない情報（データ）は，盗聴することが可能です。

したがって，正解は**ウ**の
攻撃者が，インターネット経由でWebアプリに，データベース操作の命令文を入力することによって，データベースを不正に操作する。
です。

解答 **ウ**

ネットワークセキュリティに関する次の記述を読んで，設問に答えよ。

　A社は，社内に設置したWebサーバ上に，自社の製品を紹介するWebサイトを構築し，運営している。A社は，このWebサイトで会員登録を受け付け，登録された会員に対してメールマガジンを発行している。

　会員登録処理の流れは次のとおりである。
(1) 登録希望者は，インターネットを介し，Webサーバが管理する入会申込用WebページにHTTP over SSL/TLS（以下，HTTPSという）でアクセスし，メールアドレスを入力する。
(2) Webサーバは，登録希望者ごとに，登録希望者専用の会員情報入力用Webページを生成し，そのURLを記載した電子メール（以下，メールという）を，入力されたメールアドレス宛てに送信する。
(3) 登録希望者は，(2)で送信されたメールに記載されたURLが示すWebページにHTTPSでアクセスして，氏名や職業などの会員情報（メールアドレスは含まない）を入力する。
(4) Webサーバは，(1)のメールアドレスと(3)の会員情報を，会員管理サーバ上で稼働しているデータベース（以下，会員情報DBという）に登録する。
(5) Webサーバは，会員登録完了を知らせるメールを，(1)のメールアドレス宛てに送信する。

　メールマガジン発行の流れは次のとおりである。
(1) メールマガジン担当者は，業務用PCのWebブラウザから，メールマガジン送信サーバのメールマガジン入力用WebページにHTTPでアクセスし，メールマガジンの本文を入力する。
(2) メールマガジン送信サーバは，会員情報DBから全ての会員のメールアドレスを取得し，取得したメールアドレス宛てにメールでメールマガジンを送信する。
　なお，メールは，メールサーバで稼働しているメール転送サービスを介して送信する。また，本問では，URLやメールアドレスなどの名前解決については，考慮しなくてよいこととする。

設問

　会員登録の際，登録希望者が最初にアクセスする入会申込用Webページでは，登録希望者のメールアドレスだけを入力させ，会員情報の入力は別途行わせる方式を採っている。このように2段階の手順を踏む主な目的として適切な答えを，解答群の中から選べ。

解答群
- ア　他人のメールアドレスや間違ったメールアドレスが登録されないようにする。
- イ　通信を暗号化し，登録希望者の会員情報が第三者に漏れないようにする。
- ウ　登録希望者が会員情報DBにアクセスできないようにする。
- エ　間違った会員情報（メールアドレスは含まない）が登録されないようにする。

[平成26年度 秋期 基本情報技術者試験 午後 問1 一部改変]

問**20** | ネットワークセキュリティ

Webサイトで会員登録を受け付ける際に，間違えたメールアドレスや他人のメールアドレスが登録されないようにする方式に関する問題です。情報セキュリティの問題は，科目Aでは単に用語の意味を知っているというだけで良かったのですが，科目Bには対応できません。どのように問われるのかを過去問題を通して，事前に把握しておく必要があります。

用語の解説

● DMZ

　DMZ (DeMilitarized Zone) とは，外部ネットワーク（インターネット）や，内部ネットワーク (LAN) からも隔離された領域のことです。外部に公開するサーバ (Webサーバ，メールサーバ) をDMZに置いておけば，外部からの不正アクセスをファイアウォールによって遮断できます。

　また，仮に公開するサーバがウイルスに感染してしまった場合でも，内部ネットワーク (LAN) にまで被害が及ぶことはありません。

● HTTPS

　HTTPS (Hypertext Transfer Protocol over SSL/ TLS) とは，WebサーバとWebブラウザ間の通信プロトコルHTTPに暗号機能を追加し安全性を向上させたもので，通信経路上における第三者によるなりすましや，盗聴を防ぎます。情報を暗号化して送受信するプロトコルであるSSL (Secure Sockets Layer) やTLS (Transport Layer Security) が利用されています。

問題の解説

　会員登録の際，会員情報の入力を2段階の手順に分けて行わせる方式を採用している目的について答える問題です。

　会員情報の入力は，「会員登録処理の流れ」の記述より，次のようになっています。

「会員登録処理の流れ」の記述 (1) より
　●HTTPSでアクセス，メールアドレスを入力

「会員登録処理の流れ」の記述 (3) より
　●HTTPSでアクセス，氏名や職業などを入力
　●メールアドレスは入力しない

ア 正解です。適切な記述です。

　「会員登録処理の流れ」(1)「…メールアドレスを入力…」で，もし，他人のメールアドレスや間違ったメールアドレスを登録した場合，「会員登録処理の流れ」(2)「…電子メールを，入力されたメールアドレス宛てに送信する」より，会員登録希望者にメールは届きません。正しく処理するためには，"他人のメールアドレスや間違ったメールアドレスではない。"必要があります。

イ 不適切な記述です。

　2段階の入力手順でなく，たとえば1段階の手順でも，HTTPS通信を行って暗号化しているので，選択肢の記述内容は満足します。

ウ 不適切な記述です。

　「会員登録処理の流れ」(4)「Webサーバは，…会員管理サーバ上で稼働しているデータベースに登録する」と，図1のA社のネットワーク構成で，会員管理サーバと外部インターネットとの間にルータが存在していることから，登録希望者が会員情報DBにアクセスできないことが想定できます。よって，2段階の入力手順とする目的ではありません。

エ 不適切な記述です。

　メールアドレス以外の会員情報は，「会員登録処理の流れ」(3) で入力しますが，正しい情報で登録処理できたか否か（たとえば，氏名が正しいのか誤っているのか）確認する処理の流れの記述がありません。

　したがって，正解は**ア**の
　他人のメールアドレスや間違ったメールアドレスが登録されないようにする。
です。

解答　**ア**

対策問題③

基本情報技術者

【科目A】試験時間　90分	
問題は次の表に従って解答してください。	

問題番号	選択方法
問1〜問60	全問必須

【科目B】試験時間　100分	
問題は次の表に従って解答してください。	

問題番号	選択方法
問1〜問20	全問必須

この問題セットは，IPAより公開されている情報をもとに作成した模擬試験です。

問題文中で共通に使用される表記ルール

各問題文中に注記がない限り，次の表記ルールが適用されているものとする。

1.論理回路

図記号	説明
	論理積素子（AND）
	否定論理積素子（NAND）
	論理和素子（OR）
	否定論理和素子（NOR）
	排他的論理和素子（XOR）
	論理一致素子
	バッファ
	論理否定素子（NOT）
	スリーステートバッファ
	素子や回路の入力部又は出力部に示される○印は，論理状態の反転又は否定を表す。

2.回路記号

図記号	説明
	抵抗（R）
	コンデンサ（C）
	ダイオード（D）
	トランジスタ（Tr）
	接地
	演算増幅器

問 1

集合 A，B，C を使った等式のうち，集合 A，B，C の内容によらず常に成立する等式はどれか。ここで，∪は和集合，∩は積集合を示す。

- **ア** $(A \cup B) \cap (A \cap C) = B \cap (A \cup C)$
- **イ** $(A \cup B) \cap C = (A \cup C) \cap (B \cup C)$
- **ウ** $(A \cap C) \cup (B \cap A) = (A \cap B) \cup (B \cap C)$
- **エ** $(A \cap C) \cup (B \cap C) = (A \cup B) \cap C$

[平成29年度 春期 基本情報技術者試験 午前 問1]

★★
★★
問
1
［基礎理論］
集合の演算

集合を使った等式が，常に成立するか否かを，右辺と左辺の式をベン図を使って解きます。ポイントは，次の①～③です。

① 和集合 ∪

$A \cup B$

② 積集合 ∩

$A \cap B$

③ 式では，（ ）から先に解きます。

ア

左辺＝ $(A \cup B)$ ∩ $(A \cap C)$

右辺＝ B ∩ $(A \cup C)$

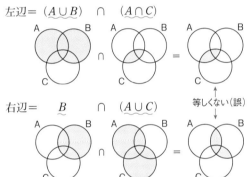

等しくない（誤）

イ

左辺＝ $(A \cup B)$ ∩ C

右辺＝ $(A \cup C)$ ∩ $(B \cup C)$

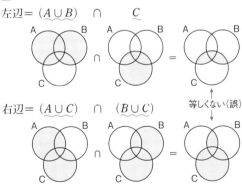

等しくない（誤）

ウ

左辺＝ $(A \cap C)$ ∪ $(B \cap A)$

右辺＝ $(A \cap B)$ ∪ $(B \cap C)$

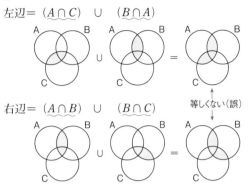

等しくない（誤）

エ

左辺＝ $(A \cap C)$ ∪ $(B \cap C)$

右辺＝ $(A \cup B)$ ∩ C

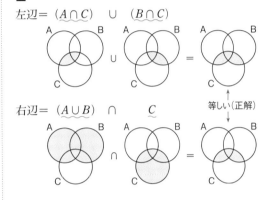

等しい（正解）

📖 参考

選択肢**エ**は集合の演算（分配法則）です（公式②）。

公式	集合の演算（分配法則）

① $X \cup (Y \cap Z) = (X \cup Y) \cap (X \cup Z)$
② $X \cap (Y \cup Z) = (X \cap Y) \cup (X \cap Z)$

公式を知っていると，ベン図で解かなくても正解を得ることができます。

巻頭の「よく出る計算問題と重要公式」3.で，
$\begin{cases} ＋の論理和 \cdots \cup 和集合 \\ ・の論理積 \cdots \cap 積集合 \end{cases}$
と読み替えます。

解答 問1 **エ**

★★★：比較的易しい基本的な内容の問題　★★★：標準的な難易度の問題　★★★：正答率が低い応用的な問題

頻出：過去に複数出題されている問題　新シラバス：新シラバス9.0対応の問題　パズル：設問をよく読んで理解すると解ける問題

問2

　ある工場では，同じ製品を独立した二つのラインA，Bで製造している。ラインAでは製品全体の60%を製造し，ラインBでは40%を製造している。ラインAで製造された製品の2%が不良品であり，ラインBで製造された製品の1%が不良品であることが分かっている。いま，この工場で製造された製品の一つを無作為に抽出して調べたところ，それは不良品であった。その製品がラインAで製造された確率は何%か。

ア 40　　　　**イ** 50　　　　**ウ** 60　　　　**エ** 75

[平成28年度 秋期 基本情報技術者試験 午前 問2]

問3

AIにおけるディープラーニングの特徴はどれか。

ア "AならばBである"というルールを人間があらかじめ設定して，新しい知識を論理式で表現したルールに基づく推論の結果として，解を求めるものである。

イ 厳密な解でなくてもなるべく正解に近い解を得るようにする方法であり，特定分野に特化せずに，広範囲で汎用的な問題解決ができるようにするものである。

ウ 人間の脳神経回路を模倣して，認識などの知能を実現する方法であり，ニューラルネットワークを用いて，人間と同じような認識ができるようにするものである。

エ 判断ルールを作成できる医療診断などの分野に限定されるが，症状から特定の病気に絞り込むといった，確率的に高い判断ができる。

[平成30年度 春期 基本情報技術者試験 午前 問3]

問 2 ［基礎理論］ 確率演算

★★☆ `パズル`

次のように計算して確率を求めます。

計算公式 確率

$$確率 = \frac{求める場合の数}{すべての場合の数}$$

[例] 52枚のトランプから1枚引いたとき，スペードを引く確率

$$確率 = \frac{13}{52} = \frac{1}{4}$$

① ラインAの不良品

$$\underset{60\%}{0.6} \times \underset{2\%}{0.02} \times 100\% = 1.2\%$$

② ラインBの不良品

$$\underset{40\%}{0.4} \times \underset{1\%}{0.01} \times 100\% = 0.4\%$$

③ ①，②より，不良品がラインAで製造された確率を求めます。

$$= \frac{①}{①+②} \times 100\% = \frac{1.2}{1.2+0.4} \times 100\%$$
$$= 75\% \quad（答）$$

別解

①，②より

$$\begin{cases} ラインAの不良品1.2\%は, \\ ラインBの不良品0.4\%の3倍（=1.2 \div 0.4） \end{cases}$$

です。

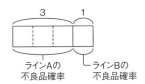

ラインAの不良品確率　ラインBの不良品確率

$$\therefore ③ = \frac{3}{3+1} \times 100\% = 75\% \quad（答）$$

問 3 ［基礎理論］ ディープラーニング

★★☆

AI（Artificial Intelligence：人工知能）とは，人間

の知能の働きである「学習」，「推論」，「判断」などをコンピュータを使って人工的に実現したものです。

ディープラーニング（Deep Learning，深層学習）とは，人間の脳神経回路を模倣して，認識などの知能を実現する方法で，ニューラルネットワークが用いられます。

ニューラルネットワークとは，人間の神経細胞（ニューロン）の仕組みを人工ニューロンという数式的なモデルで実現したシステムです。人間の脳内で，ニューロンは情報伝達を電気信号として行いますが，その際にシナプス（神経細胞同士のつなぎめ）のつながりの強さによって，情報の伝わりやすさが変わってきます。このつながりの強さの度合いを人工ニューロンでは「重み」で表現します。

ニューラルネットワークは，入力層，中間層，出力層から構成され，層と層の間には，ニューロン同士のつながりを示す「重み」があります。なお，実際のディープラーニングでは，層を何重にも深くすることで学習の性能をあげ莫大なデータを処理し，課題の解決にあたります。

[ニューラルネットワーク]

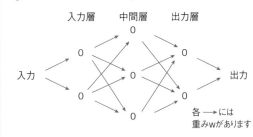

ア ディープラーニングは「論理式で表現したルール」ではありません。

イ ディープラーニングは「なるべく正解に近い解を得るようにする方法」ではありません。

ウ 正解です。

エ ディープラーニングは「医療診断などの分野に限定される」わけではありません。自動車の運転支援や株価予想，農業（衛星画像の解析データによる作物生産予測）など，身近なさまざまな分野で活用されはじめています。

解答　問2 エ　　問3 ウ

試験対策の要点

令和6年度 科目A 科目B

対策問題① 科目A 科目B

対策問題② 科目A 科目B

対策問題③ 科目A 科目B

問 4

複数の変数をもつデータに対する分析手法の記述のうち，主成分分析はどれか。

ア 変数に共通して影響を与える新たな変数を計算して，データの背後にある構造を取得する方法

イ 変数の値からほかの変数の値を予測して，データがもつ変数間の関連性を確認する方法

ウ 変数の値が互いに類似するものを集めることによって，データを分類する方法

エ 変数を統合した新たな変数を使用して，データがもつ変数の数を減らす方法

[令和5年度 秋期 応用情報技術者試験 午前 問2]

問 5

10個の節（ノード）から成る次の2分木の各節に，1から10までの値を一意に対応するように割り振ったとき，節a，bの値の組合せはどれになるか。ここで，各節に割り振る値は，左の子及びその子孫に割り振る値よりも大きく，右の子及びその子孫に割り振る値よりも小さくするものとする。

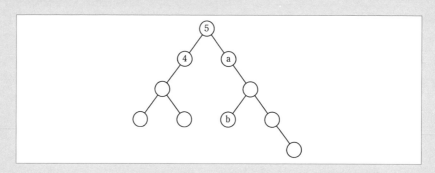

ア a＝6，b＝7

イ a＝6，b＝8

ウ a＝7，b＝8

エ a＝7，b＝9

[平成28年度 春期 基本情報技術者試験 午前 問5]

問4 【基礎理論】主成分分析

新シラバス

ア 因子分析に関する記述です。因子分析は、統計学上のデータ解析手法のひとつで、たくさんの結果(変数)の背後に共通して潜んでいる原因(要因)を明らかにします。

イ 回帰分析に関する記述です。回帰分析は、「影響を与える値(説明変数)」と「影響を与えられる値(目的変数)」の関係性を数式で表現する分析手法です。

このうち、説明変数が1つのものを単回帰分析、複数のものを重回帰分析と呼びます。また、複数の説明変数を用いて、目的変数の事象が起こる確率を予測・説明する統計手法をロジスティック回帰分析と呼びます。

ウ クラスタ分析に関する記述です。クラスタ分析は、様々なデータが混在している中から、互いに似たものを集めてグループ(クラスタ)に分ける統計的な分析手法です。

エ 正解です。主成分分析は多変数解析の一種で、データの情報量を保ちながらデータが持つ変数の数を減らす手法を指します。複数の変数を統合した新たな変数を使用する方法や、単に変数を削減する方法などがあります。

一般的に、ビッグデータの解析では変数の数が非常に多くなってしまい、データ構造をグラフや図で可視化することが不可能になります。このような場合に主成分分析を行うことで、可視化が可能になる場合があります。

問5 【基礎理論】2分探索木

設問文「各節に割り振る値は、左の子及びその子孫に割り振る値より大きく、右の子及びその子孫に割り振る値より小さくする」という条件は2分探索木を表します。これを満たす2分探索木の例を示します。

[例]2分探索木

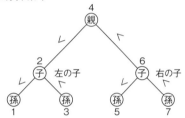

・(親)の4は、(左の子)の2、及び(孫)の1、3より大きいです。
・(親)の4は、(右の子)の6、及び(孫)の5、7より小さいです。

その他も、このような大小関係が成り立っています。

設問の図に、この条件を満たすように1から10までの値を割り振ると次のようになります。

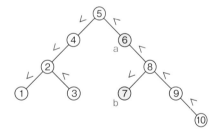

よって、正解は**ア**の
　a＝6, b＝7
です。

解答　問4 **エ**　　問5 **ア**

問 **6**

自然数nに対して，次のとおり再帰的に定義される関数$f(n)$を考える。$f(5)$の値はどれか。

$$f(n): \quad \text{if} \quad n \leqq 1 \quad \text{then} \quad \text{return} \ 1 \quad \text{else} \quad \text{return} \ n + f(n-1)$$

ア 6   **イ** 9   **ウ** 15   **エ** 25

[平成27年度 秋期 基本情報技術者試験 午前 問8]

問 **7**

次に示す計算式と逆ポーランド表記法の組合せのうち，適切なものはどれか。

	計算式	逆ポーランド表記法
ア	$((a+b)*c)-d$	abc＊＋d－
イ	$(a+(b*c))-d$	ab＋c＊d－
ウ	$(a+b)*(c-d)$	abc＊d－＋
エ	$a+(b*(c-d))$	abcd－＊＋

[平成26年度 秋期 基本情報技術者試験 午前 問4]

解答・解説

問 **6** 【基礎理論】
再帰的に定義される関数 頻出

設問の

$f(n)$：if $n \leqq 1$ then return 1
　　　　　 else return $n + f(n-1)$

は次のような意味です。

① もし$n \leqq 1$なら，$f(n) = 1$
② 　　$n \leqq 1$でないなら，$f(n) = n + f(n-1)$
　　　　　　↓
　　$n \geqq 2$（n：自然数）

$f(5) = 5 + f(5-1)$ ⟸ $5 + 10 = 15$（答）
　　　↓
　　$4 + f(3)$ ⟸ $4 + 6 = 10$
　　　　↓
　　$3 + f(2)$ ⟸ $3 + 3 = 6$
　　　　　↓
　　$2 + f(1) = 3$
　　　　　↓①より
　　　　1

問 **7** 【基礎理論】
逆ポーランド表記法

　逆ポーランド表記法は，演算子をオペランドの後ろに置く表記法です。また，オペランドとは，演算に必要な項目です。たとえば変数x，yの和を変数zに代入するz＝x＋yなら，オペランドはz，x，yのことです。

　逆ポーランド表記法への変換を，［例］を使って説明します。

［例］逆ポーランド表記法

	一般式	逆ポーランド表記法
例1	A＋B	AB＋
例2	A－B	AB－
例3	(A＋B)×C	AB＋C×

[例1] 一般式A＋Bを2分木で表現すると，次のようになります。

　逆ポーランド表記法では，次のように左の木からたどっていき，ノード（例1では Ⓐ, ＋, Ⓑ）から上に出るときにそこの記号を書きます。

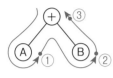

(1) ①でノードⒶから上に出る（上の方に向かってⒶから離れていく）ので「A」。

(2) ②でノードⒷから上に出る（上の方に向かってⒷから離れていく）ので「B」。

(3) ③でノード＋から上に出るので「＋」。
　以上，(1)〜(3)を並べてAB＋と表記します。

[例2] A－B

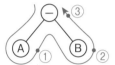

AB－　となります。

[例3] (A＋B)×C

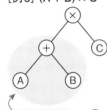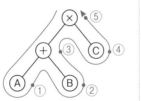

(A＋B)の結果 と Ⓒ の積

AB＋C×　となります。

　解答群を順に検討してもよいのですが，
・A＋Bが逆ポーランド表記法で　AB＋
・A－Bが逆ポーランド表記法で　AB－
となることを知っていると，誤りである選択肢がわかります。
ア ((a＋b) ＊ c) － d
　　↳ ab＋ という部分が「逆ポーランド表記法」欄にあるはず→ない→誤り
イ a＋bやa－bがないので，とりあえず保留。

ウ (a＋b) ＊ (c－d)
　　↳ ab＋ や cd－ という部分が「逆ポーランド表記法」欄にあるはず→ない→誤り
エ a＋(b ＊ (c－d))
　　↳ cd－ という部分が「逆ポーランド表記法」欄にあるので正解の候補。
　以上より，この問題はイ，エのいずれかを検討すればよいことがわかります。

イ (a＋(b ＊ c)) － d

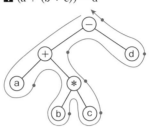

逆ポーランド表記法は
abc ＊＋d－
となります。設問と表記が異なるので誤りです。

エ a＋(b ＊ (c－d))

逆ポーランド表記法は
abcd－＊＋
となります。（答え）

📖 参考

　誤りとして検討しなかったア，ウも解説します。
ア ((a＋b) ＊ c) － d
　　例3の部分

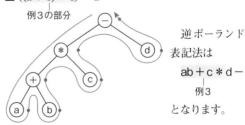

逆ポーランド表記法は
ab＋c ＊ d－
　　例3
となります。

ウ (a＋b) ＊ (c－d)
　　例1の部分　例2の部分

逆ポーランド表記法は
ab＋cd－＊
　　例1　例2
となります。

解答　問6 ウ　　問7 エ

問 8

待ち行列に対する操作を，次のとおり定義する。

ENQ *n*：待ち行列にデータ *n* を挿入する。
DEQ　　：待ち行列からデータを取り出す。

空の待ち行列に対し，ENQ 1，ENQ 2，ENQ 3，DEQ，ENQ 4，ENQ 5，DEQ，ENQ 6，DEQ，DEQ の操作を行った。次に DEQ 操作を行ったとき，取り出されるデータはどれか。

　ア 1　　　　　　イ 2　　　　　　ウ 5　　　　　　エ 6

[平成30年度 秋期 基本情報技術者試験 午前 問5]

問 9

新シラバス

システムの信頼性向上技術に関する記述のうち，適切なものはどれか。

ア 故障が発生したときに，あらかじめ指定されている安全な状態にシステムを保つことを，フェールソフトという。

イ 故障が発生したときに，あらかじめ指定されている縮小した範囲のサービスを提供することを，フォールトアボイダンスという。

ウ 故障が発生したときに，その影響が誤りとなって外部に出ないように訂正することを，フォールトマスキングという。

エ 故障が発生したときに対処するのではなく，品質管理などを通じてシステム構成要素の信頼性を高めることを，フールプルーフという。

[令和元年度 秋期 応用情報技術者試験 午前 問16 一部改変]

問 10

50MIPS のプロセッサの平均命令実行時間は幾らか。

ア 20ナノ秒　　　　　　　　イ 50ナノ秒
ウ 2マイクロ秒　　　　　　　エ 5マイクロ秒

[平成27年度 秋期 基本情報技術者試験 午前 問9]

解答・解説

問 8 [基礎理論] 待ち行列　　頻出

　待ち行列は，サービスの順番待ちの人などの行列です。考え方は，データ構造のキューと同様です。

用語整理 キュー

　1次元配列に格納されたデータの一方の端からデータを挿入（格納）し，他方の端からデータを取り出すデータ構造。このようなデータの出し入れを FIFO（First-In First-Out：先入れ先出し）と呼ぶ。

● エンキュー（enqueue：ENQ）
　キューにデータを格納すること。

● デキュー（dequeue：DEQ）
　キューに格納したデータを取り出すこと。

[例] ①，②，… ⑦，⑧の順にデータを格納

　左の端からデータを挿入し，右の端からデータを取り出す。

　設問を解説します。

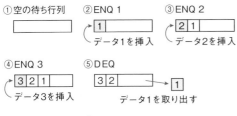

① 空の待ち行列

② ENQ 1
データ1を挿入

③ ENQ 2
データ2を挿入

④ ENQ 3
データ3を挿入

⑤ DEQ
データ1を取り出す

⑥ ENQ 4
データ4を挿入

⑦ ENQ 5
データ5を挿入

⑧ DEQ
データ2を取り出す

⑨ ENQ 6
データ6を挿入

⑩ DEQ
データ3を取り出す

⑪ DEQ
データ4を取り出す

次にDEQ操作をすると，データ5が取り出されます。

⑫ DEQ
（答）

★★★
問 **9** 【基礎理論】
フォールトマスキング
新シラバス

本問に出てくる信頼性向上技術に関する用語を，まとめて確認します。

用語整理 信頼性向上技術

● フォールトマスキング（※新シラバス）

障害発生時の障害を内部に留めることで，サービスや外部向けの機能に影響を与えないように制御する考え方です。

● フォールトアボイダンス

より高い信頼性（稼働率）がある機器でシステムを構成することで，故障そのものを排除しようとする考え方です。

● フェールセーフ

障害発生時には「安全性」を最優先し，より安全な状態へシステムをダウンさせる機能や対策を備えることによって，被害を最小限にする考え方です。

● フェールソフト

障害発生時には「継続性」を最優先し，縮退運転などで動作させる考え方です。縮退運転とは，システム全体を停止させずに一部機能を切り離す

などして，範囲を縮小しながら稼働を続けることです。

● フールプルーフ

利用者が誤った使い方をしても危険が生じない，もしくは誤った使い方ができないように設計する考え方です。

ア フェールソフトではなく，フェールセーフに関する記述です。

イ フォールトアボイダンスではなく，フェールソフトに関する記述です。

ウ 正解です。

エ フールプルーフではなく，フォールトアボイダンスに関する記述です。

★★★
問 **10** 【コンピュータシステム】
**プロセッサの
平均命令実行時間の計算**
頻出

MIPS (Million Instructions Per Second) とはプロセッサの処理速度をあらわす単位で，プロセッサが1秒間に実行できる命令の個数を100万単位で表現します。50MIPSのプロセッサは，1秒間に50百万（50,000,000（＝5×10^7））命令を実行することができます。

参考	時間の単位
1秒	＝10^3ミリ秒
	＝10^6マイクロ秒
	＝10^9ナノ秒
	＝10^{12}ピコ秒

平均命令実行時間とは，プロセッサが1命令を処理するのにかかる平均の実行時間で，MIPS値の逆数です。よって，1秒（＝10^9ナノ秒）をMIPS値（5×10^7）で割れば求めることができます。

$$\frac{10^9}{5 \times 10^7} = 20 ナノ秒 \quad （答）$$

解答 問8 **ウ** 問9 **ウ** 問10 **ア**

試験対策の要点

令和6年度 科目A 科目B

対策問題① 科目A 科目B

対策問題② 科目A 科目B

対策問題③ 科目A 科目B

問11 キャッシュメモリに関する記述のうち，適切なものはどれか。

ア キャッシュメモリにヒットしない場合に割込みが生じ，プログラムによって主記憶からキャッシュメモリにデータが転送される。

イ キャッシュメモリは，実記憶と仮想記憶とのメモリ容量の差を埋めるために採用される。

ウ データ書込み命令を実行したときに，キャッシュメモリと主記憶の両方を書き換える方式と，キャッシュメモリだけを書き換えておき，主記憶の書換えはキャッシュメモリから当該データが追い出されるときに行う方式とがある。

エ 半導体メモリのアクセス速度の向上が著しいので，キャッシュメモリの必要性は減っている。

[平成30年度 春期 基本情報技術者試験 午前 問11]

問12 並列にアクセス可能な複数台の磁気ディスクに，各ファイルのデータを一定サイズのブロックに分割して分散配置し，ファイルアクセスの高速化を図る手法はどれか。

ア ディスクアットワンス　　イ ディスクキャッシュ
ウ ディスクストライピング　エ ディスクミラーリング

[平成24年度 秋期 基本情報技術者試験 午前 問11]

問13 システムのスケールアウトに関する記述として，適切なものはどれか。

ア 既存のシステムにサーバを追加導入することによって，システム全体の処理能力を向上させる。

イ 既存のシステムのサーバの一部又は全部を，クラウドサービスなどに再配置することによって，システム運用コストを下げる。

ウ 既存のシステムのサーバを，より高性能なものと入れ替えることによって，個々のサーバの処理能力を向上させる。

エ 一つのサーバをあたかも複数のサーバであるかのように見せることによって，システム運用コストを下げる。

[平成30度 春期 基本情報技術者試験 午前 問15]

問14 システムが単位時間内にジョブを処理する能力の評価尺度はどれか。

ア MIPS値　　　　　イ 応答時間
ウ スループット　　　エ ターンアラウンドタイム

[平成28年度 春期 基本情報技術者試験 午前 問13]

解答・解説

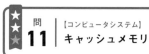

問11 【コンピュータシステム】 **キャッシュメモリ** 頻出

ア キャッシュメモリ上にアクセスするデータが存在

しないと，CPUによって主記憶からキャッシュメモリへデータが転送されます。また，「割込みが生じ」るのではなく，命令実行サイクル内でハードウェアまたはOSにより自動的に処理されま

す。

イ キャッシュメモリは，通常CPUと主記憶装置の間にあって，2つの装置間の速度差を埋めるための高速メモリです。また，同じように，キャッシュメモリには，主記憶装置と外部記憶装置間の速度差を埋めるためのものもあります。

ウ 正解です。キャッシュメモリに関する適切な記述です。「書込み命令を実行したときに，キャッシュメモリと主記憶の両方を書き換える方式」をライトスルー方式といいます。この方式は，主記憶への書込みが完了するまで待つため，処理速度が低下する欠点があります。

これに対して，「主記憶の書換えはキャッシュメモリから当該データが追い出されるときに行う方式」をライトバック方式といいます。

エ 半導体メモリのアクセス速度の向上は著しいですが，CPUや記憶装置，周辺装置のアクセス速度も著しく向上しています。よって，アクセス速度の差を埋めるキャッシュメモリの必要性は，半導体メモリのアクセス速度が向上しても減ってはいません。

★★
問 12 【コンピュータシステム】
ディスクストライピング　　頻出

ア ディスクアットワンスとは，データをCD-RやDVD-Rなどに一気に書き込む方式です。

イ ディスクキャッシュとは，磁気ディスク装置などと主記憶との間にあって，アクセスの高速化のために設けられたメモリです。

ウ 正解です。ディスクストライピングとは，データを並列アクセス可能な複数台の磁気ディスクに分散配置し，ファイルアクセスの高速化を図る手法をいいます。

エ ディスクミラーリングとは，磁気ディスクにまったく同じデータを保存し，データ破壊のリスクを減少させる方式です。

★★
問 13 【コンピュータシステム】
システムのスケールアウト

スケールアウト (Scale Out) とは，既存のシステムにサーバを追加導入して台数を増やし，分散処理をさせることによってシステム全体の処理能力を

向上させる方法です。

ア 正解です。スケールアウトに関する記述です。

イ クラウドコンピューティングに関する記述です。オンプレミス（自社運用型）からクラウドサービスに再配置することで，システム運用コストを下げることができます。

ウ スケールアップに関する記述です。既存サーバへのメモリ増設や高性能プロセッサへの交換などで，サーバそのものの処理能力を向上させる方法です。

エ サーバの仮想化に関する記述です。

★★
問 14 【コンピュータシステム】
スループット

ア MIPS値

MIPS (Million Instructions Per Second) とはプロセッサの処理速度をあらわす単位で，プロセッサが1秒間に実行できる命令の個数を100万単位で表現します。50MIPSのプロセッサは，1秒間に50百万 ($50,000,000 (= 5 \times 10^7)$) 命令の処理速度です。

イ 応答時間（レスポンスタイム）

システムなどに，データ入力や指示を与えてから応答を返すまでの時間のことです。応答時間は短いほど，応答の待ち時間が少なくなります。

ウ スループット

正解です。システムが単位時間内にジョブを処理する能力のことです。

エ ターンアラウンドタイム

システムに処理の要求をしてから，結果の出力が終了するまでの時間のことです。

解答　問11 **ウ**　　問12 **ウ**
　　　問13 **ア**　　問14 **ウ**

問15

2台のコンピュータを並列に接続して使うシステムがある。それぞれのMTBFとMTTRを次の表に示す。どちらか1台が稼働していればよい場合，システム全体の稼働率は何％か。

	MTBF	MTTR
コンピュータ1	480 時間	20 時間
コンピュータ2	950 時間	50 時間

ア 91.2 **イ** 95.5 **ウ** 96.5 **エ** 99.8

[平成28年度 秋期 基本情報技術者試験 午前 問15]

問16

リンカの機能として，適切なものはどれか。

ア 作成したプログラムをライブラリに登録する。
イ 実行に先立ってロードモジュールを主記憶にロードする。
ウ 相互参照の解決などを行い，複数の目的モジュールなどから一つのロードモジュールを生成する。
エ プログラムの実行を監視し，ステップごとに実行結果を記録する。

[平成30年度 秋期 基本情報技術者試験 午前 問20]

問15 【コンピュータシステム】 稼働率の計算

頻出

巻頭の「よく出る計算問題と重要公式」11.を使用して解きます。

①2台のコンピュータの稼働率を求めます。

> **公式** 稼働率
>
> $$稼働率 = \frac{MTBF}{MTBF + MTTR}$$
>
> MTBF：平均故障間隔
> MTTR：平均修理時間

・コンピュータ1

$$稼働率 = \frac{480}{480 + 20} = 0.96 \quad \cdots (i)$$

・コンピュータ2

$$稼働率 = \frac{950}{950 + 50} = 0.95 \quad \cdots (ii)$$

②並列接続したシステム全体の稼働率を求めます。

設問文「2台のコンピュータを並列に接続……どちらか1台が稼働していればよい場合」より、「並列接続の稼働率」の公式を使います。

> **公式** システム全体の稼働率
>
> 個々の稼働率をx, yとする
>
> ● 直列接続の稼働率
>
>
>
> ● 並列接続の稼働率
>
>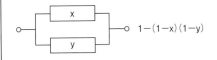

・システム全体の稼働率

$$= 1 - (1 - 0.96)(1 - 0.95) = 0.998$$
$$\quad \text{(i)より} \quad\quad \text{(ii)より}$$

単位を%にするために100を掛けます。

$$0.998 \times 100 = 99.8\% \quad （答）$$

問16 【コンピュータシステム】 リンカの機能

頻出

プログラムを翻訳して実行するまでの流れをまとめると、次のようになります。

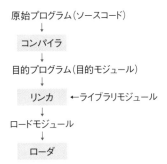

原始プログラムとは、人間がプログラムの文法に従って記述したコードのことです。

目的モジュール（オブジェクトモジュール）とは、原始プログラム（ソースコード）をコンピュータで実行できる形式に変換したものです。一般的には、複数の目的モジュールやライブラリモジュールをリンカによって結合し、大規模なプログラム（ロードモジュール）を生成するという手法がとられます。

ア ライブラリとは、他のプログラムから呼び出して利用でき、特定の機能を提供するコード群のことです。汎用性のある複数のプログラムをひとまとめにしたものです。

イ ローダに関する記述です。

ウ 正解です。リンカに関する記述です。

エ トレーサに関する記述です。

解答 問15 **エ** 問16 **ウ**

試験対策の要点

令和6年度 科目A 科目B

対策問題① 科目A 科目B

対策問題② 科目A 科目B

対策問題③ 科目A 科目B

問17 ファイルシステムの絶対パス名を説明したものはどれか。

ア あるディレクトリから対象ファイルに至る幾つかのパス名のうち，最短のパス名

イ カレントディレクトリから対象ファイルに至るパス名

ウ ホームディレクトリから対象ファイルに至るパス名

エ ルートディレクトリから対象ファイルに至るパス名

[平成30年度 春期 基本情報技術者試験 午前 問17]

問18 ページング方式の説明として，適切なものはどれか。

ア 仮想記憶空間と実記憶空間をそれぞれ固定長の領域に区切り，対応づけて管理する方式

イ 主記憶装置の異なった領域で実行できるように，プログラムを再配置する方式

ウ 主記憶装置を，同時に並行して読み書き可能な複数の領域に分ける方式

エ 補助記憶装置に，複数のレコードをまとめて読み書きする方式

[平成29年度 春期 基本情報技術者試験 午前 問15]

問19 次の回路の入力と出力の関係として，正しいものはどれか。

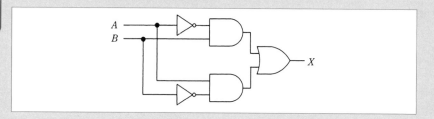

ア

入力		出力
A	B	X
0	0	0
0	1	0
1	0	0
1	1	1

イ

入力		出力
A	B	X
0	0	0
0	1	1
1	0	1
1	1	0

ウ

入力		出力
A	B	X
0	0	1
0	1	0
1	0	0
1	1	0

エ

入力		出力
A	B	X
0	0	1
0	1	1
1	0	1
1	1	0

[令和元年度 秋期 基本情報技術者試験 午前 問22]

解答・解説

問17 【コンピュータシステム】 絶対パス名 [頻出]

> **参考 パス**
>
> ファイルやディレクトリまでの経路のことをパスといいます。目的のファイルやディレクトリを指定するときは，その位置をパス指定します。パス指定の方法には，次の2通りがあります。
> ● 絶対パス…ルートディレクトリから指定する。
> ● 相対パス…カレントディレクトリから指定する。

ア あるディレクトリから対象ファイルに至る幾つかのパス名の長短のことではありません。

イ 相対パス名に関する記述です。カレントディレクトリとは，ユーザが作業している現在のディレクトリのことです。

ウ ホームディレクトリとは，各ユーザが自由に利用できるディレクトリのことです。Windows8などでは，たとえば「C:¥Users¥ユーザ名」がホームディレクトリです。

エ 正解です。絶対パス名に関する記述です。ルートディレクトリとは，ファイルシステムの最上階層のことです。Windowsでは，たとえばCドライブ（「C:¥」）などのように，ドライブ文字のみで表されているディレクトリをルートディレクトリといいます。

問18 【コンピュータシステム】 ページング方式 [頻出]

仮想記憶方式は，プログラムを分割して主記憶装置にローディングすることを特徴としています。その分割の仕方により，次の方式に大別できます。
① ページング方式
仮想空間をページという固定長の単位に分割し，主記憶（実記憶）も同じ大きさの区画（ページ枠）に分割します。
② セグメント方式
プログラムはセグメントという理論的な単位（大きさは可変）に分割され，セグメントテーブルを介して，このセグメント単位で，仮想空間との間のや

りとりが行われます。これは，フラグメンテーションを発生します。

ページング方式では，ページテーブルを調べて，そのページの割り付けられたブロックがないときは，ページフォールト（ページ不在）となります。

ページフォールトが起きて，ロードするとき空ブロックが主記憶上にないときは，どれかのブロックを外部記憶装置（仮想記憶）に書き出して（ページアウト）から，主記憶のページを空けたブロックにロードします（ページイン）。

ア 正解です。ページング方式に関する記述です。

イ 動的再配置に関する記述です。

ウ メモリインタリーブに関する記述です。

エ ブロッキングに関する記述です。

問19 【コンピュータシステム】 論理回路 [頻出]

頻出テーマである論理回路は「よく出る計算問題と重要公式」3.を参照してください。選択肢の関係を設問の回路で検討していきます。

● 入力：A＝0，B＝0

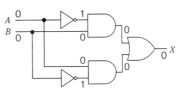

出力Xが0になるので，**ア**，**イ**が正解候補。

● 入力：A＝1，B＝0

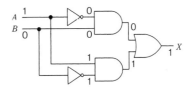

出力Xが1になるので，**イ**，**エ**が正解候補。

以上より，**イ**が正解です。

解答 問17 **エ** 問18 **ア** 問19 **イ**

問20 トランザクションが，データベースに対する更新処理を完全に行うか，全く処理しなかったかのように取り消すか，のどちらかの結果になることを保証する特性はどれか。

　ア 一貫性 (consistency)　　　**イ** 原子性 (atomicity)
　ウ 耐久性 (durability)　　　　**エ** 独立性 (isolation)

[平成28年度 春期 基本情報技術者試験 午前 問28]

問21 次の関数従属を満足するとき，成立する推移的関数従属はどれか。ここで，"A → B"はBがAに関数従属していることを表し，"A → {B，C}"は，"A → B"かつ"A → C"が成立することを表す。

〔関数従属〕
　{注文コード，商品コード} → {顧客注文数量，注文金額}
　注文コード → {注文日，顧客コード，注文担当者コード}
　商品コード → {商品名，仕入先コード，商品販売価格}
　仕入先コード → {仕入先名，仕入先住所，仕入担当者コード}
　顧客コード → {顧客名，顧客住所}

　ア 仕入先コード → 仕入担当者コード → 仕入先住所
　イ 商品コード → 仕入先コード → 商品販売価格
　ウ 注文コード → 顧客コード → 顧客住所
　エ 注文コード → 商品コード → 顧客注文数量

[令和5年度 基本情報技術者試験 公開問題 科目A 問6]

問20 【技術要素】 ACID特性

頻出

DBMSのデータベースの更新において，個々のトランザクション処理が満たすべき性質としてACID特性があります。

用語整理 ACID特性

DBMSのトランザクションは，ACID特性と呼ばれる次の性質を持つ。

● A：Atomicity（原子性）

正常にトランザクションが終了すれば，そのときの対象となった各データの内容は全部反映され，中止すれば，すべてが元に戻されなければならない。

● C：Consistency（一貫性）

1つのトランザクションで行った処理に関連するデータは，一貫性がとれている必要がある。

● I：Isolation（独立性）

複数のトランザクションが処理されるとき，お互いの処理が干渉してはならない。

● D：Durability（耐久性）

トランザクション完了後，その結果が記録されて，失われることがない。

設問は，原子性についての説明です。

問21 【技術要素】 推移的関数従属

● 関数従属性

関数従属性とは，あるデータ項目が決まれば，他のデータ項目も一意的に決まることをいいます。例えば下のように，マイナンバーで名前を特定できます。

マイナンバー	名前	住所
123……3	基本太郎	東京
678……2	合格次郎	神奈川

これは，「マイナンバー → 名前」と表せます。

また，マイナンバーが特定されれば，住所も特定されるため，「マイナンバー → 住所」でもあります。

よって，これらの関係をまとめて「マイナンバー

→ {名前, 住所}」と表します。

● 推移的関数従属

「A → B」「B → C」がいずれも成り立ち（「A → B → C」と表します），かつ，B → Aが成り立たないとき，CはAに推移的関数従属していると言います。

ア 誤り

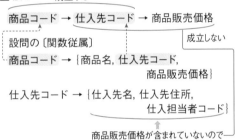

仕入担当者コード → 仕入先住所

が成立しないので誤りです。

イ 誤り

ウ 正解

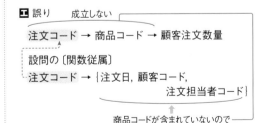

エ 誤り

成立しない

注文コード → 商品コード → 顧客注文数量

設問の〔関数従属〕

注文コード → {注文日, 顧客コード,
　　　　　　　　　注文担当者コード}

商品コードが含まれていないので

解答 問20 **イ**　　　問21 **ウ**

試験対策の要点

令和6年度 科目A 科目B

対策問題① 科目A 科目B

対策問題② 科目A 科目B

対策問題③ 科目A 科目B

問 **22** ☑ ☑ ☑

E-R図に関する記述のうち，適切なものはどれか。

ア 関係データベースの表として実装することを前提に表現する。
イ 管理の対象をエンティティ及びエンティティ間のリレーションシップとして表現する。
ウ データの生成から消滅に至るデータ操作を表現する。
エ リレーションシップは，業務上の手順を表現する。

[平成28年度 秋期 基本情報技術者試験 午前 問26]

 問 **23** ☑ ☑ ☑

新シラバス

ドキュメント指向データベースの説明として，適切なものはどれか。

ア "ノード"，"リレーションシップ"，"プロパティ"の3要素によってノード間の関係性を表現する。
イ 1件分のデータを"ドキュメント"と呼び，個々のドキュメントのデータ構造は自由であって，データを追加する都度変えることができる。
ウ 集合論に基づいて，行と列から成る2次元の表で表現する。
エ 任意の保存したいデータと，そのデータを一意に識別できる値を組みとして保存する。

[平成31年度 春期 基本情報技術者試験 午前 問30 一部改変]

問 **24** ☑ ☑ ☑

3次元グラフィックス処理におけるクリッピングの説明はどれか。

ア CG映像作成における最終段階として，物体のデータをディスプレイに描画できるように映像化する処理である。
イ 画像表示領域にウインドウを定義し，ウインドウの外側を除去し，内側の見える部分だけを取り出す処理である。
ウ スクリーンの画素数が有限であるために図形の境界近くに生じる，階段状のギザギザを目立たなくする処理である。
エ 立体感を生じさせるために，物体の表面に陰影を付ける処理である。

[平成28年度 春期 基本情報技術者試験 午前 問25]

解答・解説

 問 **22** [技術要素] E-R図

頻出

　E-R図は，エンティティ（実体），リレーションシップ（関係）という2つの概念を用いてデータベースをモデル化する図です。データベース設計を行うときなどに広く用いられています。

[E-R図の例]

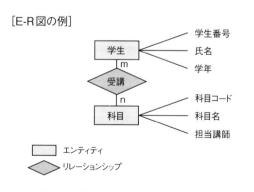

この図では，「学生」と「科目」がエンティティであり，「受講」がリレーションシップです。

ア E-R図は，データベースのモデリングの際に利用される他，オブジェクト間の関連を表現する際にも使用されます。

イ 正解です。E-R図は，業務で扱う情報をエンティティ（実体）とエンティティ間のリレーションシップとして表現します。

ウ DFD（Data Flow Diagram）に関する記述です。DFDは，データの流れに着目して，業務処理をモデル化するための図のことをいいます。

エ リレーションシップは，エンティティ（実体）間の関連を表現したものであり，業務上の手順（業務フロー）を表現したものではありません。

★★
問 **23** 【技術要素】
ドキュメント指向
データベース
新シラバス

ア グラフ型データベースに関する記述です。グラフ型データベースとは，データベースの一種で，次の3要素によって関係性を表現して情報を取り扱います。

[例] グラフ型データベース

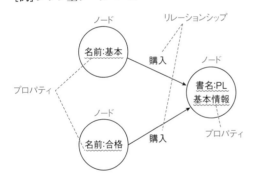

・ノード
丸や点で表現され，「ラベル」を付けて種類を分類します。
・リレーションシップ
エッジともいいます。ノード間の関係性を表します。矢印の方向とタイプがあります。
・プロパティ
属性ともいいます。ノードとリレーションシップにおける属性情報です。

書名「PL基本情報」は「基本さん」と「合格さん」が購入していることが検索できます。

イ 正解です。ドキュメント指向データベースでは，1件分のデータを「ドキュメント」と呼びます。個々のドキュメントのデータ構造は自由で，データを追加するつど変えることもできます。よって，関係データベースのようにテーブル構造を事前に決めておく必要はありません。

ウ 関係データベースに関する記述です。

エ キーバリューストア（Key-Value Store）に関する記述です。保存したいデータと対応する一意の値（キー）を設定して，「データ」と「識別できる一意の値」をペアで保存します。

★★
問 **24** 【技術要素】
クリッピング
頻出

クリッピングは，画像表示領域にウィンドウを定義してウィンドウ内の見える部分だけを取り出す処理です。

このように描画領域を見える部分だけにすることで，表示速度を上げることができます。

ア レンダリングに関する記述です。

イ 正解です。クリッピングに関する記述です。

ウ アンチエイリアシング（アンチエイリアス）に関する記述です。

エ シェーディングに関する記述です。

解答 問22 **イ** 問23 **イ** 問24 **イ**

問 **25** メディアコンバータ，リピータハブ，レイヤ2スイッチ，レイヤ3スイッチのうち，レイヤ3スイッチだけがもつ機能はどれか。

ア データリンク層において，宛先アドレスに従って適切なLANポートにパケットを中継する機能
イ ネットワーク層において，宛先アドレスに従って適切なLANポートにパケットを中継する機能
ウ 物理層において，異なる伝送媒体を接続し，信号を相互に変換する機能
エ 物理層において，入力信号を全てのLANポートに対して中継する機能

[令和元年 秋期 基本情報技術者試験 午前 問32]

問 **26** トランスポート層のプロトコルであり，信頼性よりもリアルタイム性が重視される場合に用いられるものはどれか。

ア HTTP　　**イ** IP　　**ウ** TCP　　**エ** UDP

[平成31年度 春期 基本情報技術者試験 午前 問33]

解答・解説

問 **25** 【技術要素】
LAN間接続装置

設問中の用語について解説します。

● メディアコンバータ (media converter)
物理層でのLAN間接続装置。異なる素材（光ファイバーや銅線など）の伝送媒体（メディア）の間で信号を相互に変換して通信できるように接続する装置です。

● リピータハブ
物理層でのLAN間接続装置。電気信号を再生増幅することによって伝送距離を延長します。

● レイヤ2スイッチ
データリンク層でのネットワークの中継機器で，スイッチングハブとも呼ばれます。パケットの「宛先MACアドレス」に基づいて該当するLANポートだけにデータを中継します。ブリッジがソフトウェア主体による処理なのに対し，レイヤ2スイッチはハードウェア主体で処理します。

● レイヤ3スイッチ
ネットワーク層で「宛先IPアドレス」に基づいてデータの転送先の決定を行うルーティング機能をレイヤ2スイッチに追加したもの。ルータがルーティングをソフトウェアで実現しているのに対し，レイヤ3スイッチはハードウェアにより実現します。

用語整理 OSI 基本参照モデル

コンピュータ間のデータ通信を行うためのネットワークアーキテクチャとして国際標準化機構 (ISO) によって策定された，7層からなる基礎モデルのこと。相互接続のための概念や通信プロトコルを以下の7つの階層に分けて定義しています。

第7層	アプリケーション層	アプリケーションプログラム間でデータ，メッセージをやりとりするとき，内容の整合を図る。
第6層	プレゼンテーション層	情報の表現形式の整合を図る。データ圧縮，暗号化およびその逆を行う。
第5層	セッション層	通信方式の管理，データ受渡しの同期制御を行う。
第4層	トランスポート層	多重化，誤り制御，アドレス管理などを行う。
第3層	ネットワーク層	通信の経路制御や中継を行う。
第2層	データリンク層	システム間の伝送制御手順が規定される。
第1層	物理層	信号の物理的特性，コネクタ形状などが規定される。

ア レイヤ2スイッチに関する記述です。「データリンク層で中継する機能」がポイントです。

イ 正解です。レイヤ3スイッチに関する記述です。設問文の4つの機器の中で，ネットワーク層で中継する機器は，レイヤ3スイッチだけです。

ウ メディアコンバータに関する記述です。「異なる伝送媒体を接続」，「信号を相互に変換する機能」がポイントです。

エ リピータハブに関する記述です。「入力信号を…中継する機能」がポイントです。

問 **26** [技術要素]
プロトコル

頻出

ア HTTP (Hypertext Transfer Protocol)

Web クライアント (ブラウザ) と Web サーバが相互に通信を行うためのアプリケーション層のプロトコルです。ブラウザがサーバに要求を伝え，Web ページを構成する HTML 文書や画像，動画などのデータをやりとりします。

イ IP (インターネットプロトコル：Internet Protcol)

相互に接続されたネットワークで，データを中継し伝送するネットワーク層のプロトコルです。

ウ TCP (Transmission Control Protocol)

インターネットで利用される標準プロトコルです。OSI基本参照モデルのトランスポート層にあたります。

エ UDP (User Datagram Protocol)

正解です。相互に接続されたネットワークで，データを中継し伝送するプロトコルの一つで，TCPと同じくトランスポート層で利用されています。TCPに比べると信頼性がないものの高速に転送を行うことができ，リアルタイム性が求められるデータの通信などに利用されます。通信相手が確実にデータを受け取ったかを確認しないコネクションレス型のプロトコルです。

- OSI基本参照モデルとTCP/IP階層モデルに対応したプロトコル

OSI基本参照モデル	主なプロトコル	TCP/IP階層モデル
アプリケーション層	HTTP, SMTP, DNS, DHCP, POP3他	アプリケーション層
プレゼンテーション層		
セッション層		
トランスポート層	TCP, UDP	トランスポート層
ネットワーク層	IP	インターネット層
データリンク層	LANのアクセス制御方式などを規定	ネットワークインタフェース層
物理層		

解答 問25 **イ**　　問26 **エ**

問27 ネットワーク機器の一つであるスイッチングハブ（レイヤ2スイッチ）の特徴として，適切なものはどれか。

ア LANポートに接続された端末に対して，IPアドレスの動的な割当てを行う。
イ 受信したパケットを，宛先MACアドレスが存在するLANポートだけに転送する。
ウ 受信したパケットを，全てのLANポートに転送（ブロードキャスト）する。
エ 受信したパケットを，ネットワーク層で分割（フラグメンテーション）する。

[平成29年度 秋期 基本情報技術者試験 午前 問32]

問28 LANに接続されているプリンタのMACアドレスを，同一LAN上のPCから調べるときに使用するコマンドはどれか。ここで，PCはこのプリンタを直前に使用しており，プリンタのIPアドレスは分かっているものとする。

ア arp　　　イ ipconfig　　　ウ netstat　　　エ ping

[平成30年度 春期 基本情報技術者試験 午前 問33]

問29 IoTで用いられる無線通信技術であり，近距離のIT機器同士が通信する無線PAN（Personal Area Network）と呼ばれるネットワークに利用されるものはどれか。

ア BLE（Bluetooth Low Energy）
イ LTE（Long Term Evolution）
ウ PLC（Power Line Communication）
エ PPP（Point-to-Point Protocol）

[基本情報技術者試験（科目A試験）サンプル問題セット（2022年12月26日公開）問25]

問27 【技術要素】 スイッチングハブ
頻出

ア DHCPに関する記述です。

イ 正解です。スイッチングハブ（レイヤ2スイッチ）は、OSI基本参照モデル第2層のデータリンク層の接続装置です。宛先MACアドレスを基にして該当するLANポートだけにデータを転送します。

ウ スイッチングハブは、すべてのLANポートに転送（ブロードキャスト）しません。

エ ネットワーク層で分割するネットワーク機器は、ルータです。

問28 【技術要素】 MACアドレスを調べるコマンド

IPアドレスは、インターネットなどのネットワークに接続された通信機器に割り振られた識別番号です。

MACアドレスは、ネットワーク機器のハードウェアに対して付けられた識別番号です。

ア arp

正解です。イーサネット環境で、IPアドレスから対応するMACアドレスを取得するためのコマンドです。

イ ipconfig

IPネットワークにおいて、PCやサーバの現在のネットワーク設定情報（ホスト名、プライマリDNSサフィックス、NIC名、MACアドレス、IPアドレスの設定値、サブネットマスク、デフォルトゲートウェイ、DHCPサーバやDNSサーバのIPアドレスなど）を確認するときに使用するコマンドです。

ウ netstat

ネットワークの接続状態やルーティングの状態、NIC（ネットワークインターフェース）の状態を確認する際に使用するコマンドです。

エ ping

IPネットワークにおいて、指定したホストへIPパケットを送って疎通を確認するコマンドです。

問29 【技術要素】 BLE
新シラバス

IoTとは、パソコンやサーバなどの機器だけでなく、さまざまなモノに通信機能をもたせて、インターネットに接続させ相互に情報を交換し制御する仕組みのことをいいます。IoTによって、自動認識や遠隔計測などが可能になり、大量のデータを収集・分析して高度な判断サービスや自動制御を実現します。なお、モノとは物理的に存在する「物」だけを指すのではなく、自然現象や生物の行動なども含んでいます。

無線PAN（Personal Area Network）とは、家庭内のエアコンやテレビなどの情報家電同士のような、近距離の端末を接続するネットワークのことです。

ア BLE（Bluetooth Low Energy）

正解です。IoTで用いられる無線通信技術です。低消費電力、低コスト化に特化したBluetoothの規格の一部で、近距離のIT機器同士が通信するネットワークに利用されます。

イ LTE（Long Term Evolution）

第三世代携帯電話（3G）をさらに高速化させた携帯電話用の通信規格です。3GPPで標準化され、さらなる大容量化・高速化が進められています。スマートフォンやタブレットなどで広く使われています。

ウ PLC（Power Line Communication）

電力線搬送通信と呼ばれます。LANケーブルを新たに敷設することなく、普段使用している電力線を利用します。電気のコンセントを使用して通信環境が構築できます。

エ PPP（Point-to-Point Protocol）

2台のコンピュータが通信回線を通してデータ通信する場合に、標準的に使われるデータリンク層（またはMAC層）のプロトコルです。

解答　　問27 **イ**　　　問28 **ア**　　　問29 **ア**

問 30

メッセージにRSA方式のデジタル署名を付与して2者間で送受信する。そのときのデジタル署名の検証鍵と使用方法はどれか。

ア 受信者の公開鍵であり，送信者がメッセージダイジェストからデジタル署名を作成する際に使用する。

イ 受信者の秘密鍵であり，受信者がデジタル署名からメッセージダイジェストを算出する際に使用する。

ウ 送信者の公開鍵であり，受信者がデジタル署名からメッセージダイジェストを算出する際に使用する。

エ 送信者の秘密鍵であり，送信者がメッセージダイジェストからデジタル署名を作成する際に使用する。

[令和元年度 秋期 基本情報技術者試験 午前 問38]

問 31

楕円曲線暗号の特徴はどれか。

ア RSA暗号と比べて，短い鍵長で同レベルの安全性が実現できる。

イ 共通鍵暗号方式であり，暗号化や復号の処理を高速に行うことができる。

ウ 総当たりによる解読が不可能なことが，数学的に証明されている。

エ データを秘匿する目的で用いる場合，復号鍵を秘密にしておく必要がない。

[平成31年度 春期 基本情報技術者試験 午前 問39]

問 32

SQLインジェクション攻撃による被害を防ぐ方法はどれか。

ア 入力された文字が，データベースへの問合せや操作において，特別な意味をもつ文字として解釈されないようにする。

イ 入力にHTMLタグが含まれていたら，HTMLタグとして解釈されない他の文字列に置き換える。

ウ 入力に上位ディレクトリを指定する文字列(../)が含まれているときは受け付けない。

エ 入力の全体の長さが制限を超えているときは受け付けない。

[平成30年度 春期 基本情報技術者試験 午前 問41]

解答・解説

問 30 [技術要素] **デジタル署名** 頻出

　デジタル署名とは，デジタル文書の送信者を証明し，かつその文書が改ざんされていないことを保証するために付けられる暗号化された署名情報です。改ざんを検知するための情報としてメッセージダイジェスト(ハッシュ値)が利用されています。

　データを送受信する際に，送受信者両方でデータのメッセージダイジェストを求めて両者を比較すれば，データが途中で改ざんされていないかを調べることができます。

［デジタル署名の仕組み］

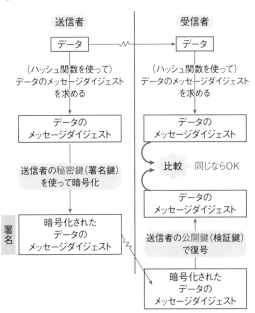

上図より、デジタル署名の検証鍵として使用されるのは、「送信者の公開鍵」です。

なお、RSA (Rivest-Shamir-Adleman) は、公開鍵暗号方式のひとつで、非常に大きな数の素因数分解が困難なことを利用して安全性を保っています。公開鍵暗号方式では、秘密鍵と公開鍵という2つの異なる鍵をもちます。

設問文「デジタル署名の検証鍵」より、受信側で使用する鍵は何であるかが問われています。よって、選択肢も受信側の記述でなくてはなりません。

ア, エ 「送信者が…デジタル署名を作成」という送信者側の記述になっているので、不適切な記述です。

イ 受信者は、「送信者の公開鍵」を使用するので、不適切な記述です。

ウ 正解です。

★★☆ 問 **31** ［技術要素］ **楕円曲線暗号**

楕円曲線暗号とは、楕円曲線上の離散対数問題の困難性を根拠とする公開鍵暗号方式の一種です。

ア 正解です。楕円曲線で定義された問題を解くときの計算量が多いことから、高い安全性を実現しています。RSA暗号と比べて暗号化を高速で

行えるほか、短い鍵長で同レベルの安全性を得ることができます。

イ 不適切な記述です。楕円曲線暗号は公開鍵暗号方式です。

ウ 不適切な記述です。総当たりによる解読はきわめて困難ですが不可能と数学的に証明されたわけではありません。

エ 不適切な記述です。楕円曲線暗号は公開鍵暗号方式なので、暗号鍵は公開、復号鍵は秘密とします。

★★★ 問 **32** ［技術要素］ **SQL インジェクション** 頻出

SQLインジェクションとは、データベースへ悪意のある問合せや操作を行うSQL文を与えることで、データベースを改ざんしたり不正に情報を入手する攻撃のことです。

ア 正解です。入力された文字がデータベースへの問合せや操作において、特別な意味を持つ文字として解釈されないようにすることは、悪意のある命令文としてデータベースのデータを改ざんされたり、不正取得されることを防ぐ方法です。

イ HTMLタグはWebページを表示するためのものでデータベースと無関係です。よって、データベースへの不正な問合せや操作を防ぐことはできません。

ウ ディレクトリは、階層構造によってデータを整理するための場所の概念です。ディレクトリによって、不正なデータベースへの操作を防ぐことはできません。

エ 入力の長さを制限しても、不正なSQL文の実行を防ぐことはできません。

解答 問30 **ウ**　　問31 **ア**　　問32 **ア**

問33 リスクアセスメントを構成するプロセスの組合せはどれか。

ア リスク特定，リスク評価，リスク受容
イ リスク特定，リスク分析，リスク評価
ウ リスク分析，リスク対応，リスク受容
エ リスク分析，リスク評価，リスク対応

[平成29年度 秋期 基本情報技術者試験 午前 問43]

問34 ディレクトリトラバーサル攻撃に該当するものはどれか。

ア 攻撃者が，Webアプリケーションの入力データとしてデータベースへの命令文を構成するデータを入力し，管理者の意図していないSQL文を実行させる。
イ 攻撃者が，パス名を使ってファイルを指定し，管理者の意図していないファイルを不正に閲覧する。
ウ 攻撃者が，利用者をWebサイトに誘導した上で，WebアプリケーションによるHTML出力のエスケープ処理の欠陥を悪用し，利用者のWebブラウザで悪意のあるスクリプトを実行させる。
エ セッションIDによってセッションが管理されるとき，攻撃者がログイン中の利用者のセッションIDを不正に取得し，その利用者になりすましてサーバにアクセスする。

[平成29年度 春期 基本情報技術者試験 午前 問37]

問35 PKIにおける認証局が，信頼できる第三者機関として果たす役割はどれか。

ア 利用者からの要求に対して正確な時刻を返答し，時刻合わせを可能にする。
イ 利用者から要求された電子メールの本文に対して，デジタル署名を付与する。
ウ 利用者やサーバの公開鍵を証明するデジタル証明書を発行する。
エ 利用者やサーバの秘密健を証明するデジタル証明書を発行する。

[平成28年度 秋期 基本情報技術者試験 午前 問39 一部改変]

問36 マルウェアの検出手法であるパターンマッチング法を説明したものはどれか。

ア あらかじめ特徴的なコードをパターンとして登録したマルウェア定義ファイルを用いてマルウェア検査対象と比較し，同じパターンがあればマルウェアとして検出する。
イ マルウェアに感染していないことを保証する情報をあらかじめ検査対象に付加しておき，検査時に不整合があればマルウェアとして検出する。
ウ マルウェアの感染が疑わしい検査対象のハッシュ値と，安全な場所に保管されている原本のハッシュ値を比較し，マルウェアを検出する。
エ マルウェアの感染や発病によって生じるデータの読込みの動作，書込みの動作，通信などを監視して，マルウェアを検出する。

[令和3年度 春期 情報処理安全確保支援士 午前Ⅱ 問13 一部改変]

問33 【技術要素】リスクアセスメント

リスクアセスメントとは，リスクを見つけ出し，そのリスクを分析し，リスクの大きさを評価して優先順位をつける全体的なプロセスのことです。リスクアセスメントは，次の3つのプロセス（**イ**）で構成されます。

①リスク特定：リスクが存在するかを検討し，予想できるリスクを洗い出し特定するプロセス。

②リスク分析：リスク特定で洗い出された個々のリスクを分析。リスクの発生確率と影響の大きさから，リスクレベルを算定するプロセス。

③リスク評価：リスク分析で算定されたリスクのレベルとリスク基準を比較し，リスクの大きさに優先順位を付けて評価するプロセス。

リスクマネジメントでは，①～③のリスクアセスメントののちに，リスク対応を行います。リスク対応では，リスクの優先順位によって，リスクを許容できるか否か，回避するか，低減する措置をとるかなどの対応を決定します。

問34 【技術要素】ディレクトリトラバーサル攻撃　頻出

ディレクトリトラバーサル（directory traversal）攻撃とは，管理者の想定外のパスでサーバ内のファイルを直接指定することによって，本来は閲覧などが許されないファイルに不正アクセスする攻撃のことです。

ア SQLインジェクションに関する記述です。

イ 正解です。ディレクトリトラバーサル攻撃に関する記述です。

ウ クロスサイトスクリプティング（XSS）に関する記述です。

エ セッションハイジャックに関する記述です。

問35 【技術要素】PKI

PKI（Public Key Infrastructure：公開鍵基盤）とは，公開鍵と秘密鍵を使う公開鍵暗号方式を利用した技術や製品全般のことをいいます。

PKIにおける認証局が，信頼できる第三者機関として果たす役割は，利用者やサーバの公開鍵を証明するデジタル証明書を発行することです。

ア NTP（Network Time Protocol）に関する記述です。インターネットを介してコンピュータ等の時計を正しく調整するプロトコルです。NTPは，通常UDP上で動作します。

イ デジタル署名とは，送信者が本物であるか，データが改ざんされていないかを保証するために付けられる暗号化された署名のことです。この管理は認証局の役割ではありません。

ウ 正解です。認証局が果たす役割に関する記述です。

エ 認証局が正当性を証明するのは，"秘密鍵"ではなく"公開鍵"です。

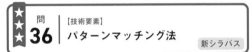

問36 【技術要素】パターンマッチング法　新シラバス

ア 正解です。パターンマッチング法とは，マルウェア検査対象と特徴的なウイルスの構造（ソースコード）をパターンとして比較することで検出する手法です。

イ チェックサム法に関する記述です。チェックサム法は，ファイルの内容ではなく，「ファイルの容量」や「ファイルのハッシュ値」を比較してウイルス感染の有無を判断します。

ウ コンペア法に関する記述です。コンペア法は，「ウイルスに確実な感染していない原本のファイル」と「現状のファイル」を比較して，ファイルがウイルスに感染しているかどうかを調べます。

エ ビヘイビア法に関する記述です。ビヘイビア法は，「ウイルスの動作」に着目してマルウェアを検出する手法です。過去に発見されたウイルスとよく似た動作をするプログラムや，普通ではありえないような動作をするプログラムなどを検出して隔離します。

解答

問33 **イ**	問34 **イ**
問35 **ウ**	問36 **ア**

問37 軽微な不正や犯罪を放置することによって，より大きな不正や犯罪が誘発されるという理論はどれか。

ア 環境設計による犯罪予防理論
イ 日常活動理論
ウ 不正のトライアングル理論
エ 割れ窓理論

[平成30年度 秋期 情報セキュリティマネジメント試験 午前 問12]

問38 ブラックボックステストに関する記述のうち，適切なものはどれか。

ア テストデータの作成基準として，命令や分岐の網羅率を使用する。
イ 被テストプログラムに冗長なコードがあっても検出できない。
ウ プログラムの内部構造に着目し，必要な部分が実行されたかどうかを検証する。
エ 分岐命令やモジュールの数が増えると，テストデータが急増する。

[平成29年度 秋期 基本情報技術者試験 午前 問49]

問39 ソフトウェア開発の活動のうち，アジャイル開発においても重視されているリファクタリングはどれか。

ア ソフトウェアの品質を高めるために，2人のプログラマが協力して，一つのプログラムをコーディングする。
イ ソフトウェアの保守性を高めるために，外部仕様を変更することなく，プログラムの内部構造を変更する。
ウ 動作するソフトウェアを迅速に開発するために，テストケースを先に設定してから，プログラムをコーディングする。
エ 利用者からのフィードバックを得るために，提供予定のソフトウェアの試作品を早期に作成する。

[平成29年度 春期 基本情報技術者試験 午前 問50]

問40 モデリングツールを使用して，本稼働中のデータベースの定義情報からE-R図などで表現した設計書を生成する手法はどれか。

ア コンカレントエンジニアリング
イ ソーシャルエンジニアリング
ウ フォワードエンジニアリング
エ リバースエンジニアリング

[平成28年度 秋期 基本情報技術者試験 午前 問50]

解答・解説

問37 [技術要素] **割れ窓理論** 新シラバス

ア **環境設計による犯罪予防理論**
　環境設計による犯罪予防理論 (Crime Prevention Through Environmental Design：CPTED) とは，

心理的な効果を考えた設計によって，犯罪抑止効果を高める手法のことです。例えば，緊急通報装置や防犯カメラの設置などがあります。

イ **日常活動理論**
　「動機づけされた犯罪者」「ふさわしい犯罪対象」「有能な監視者の欠如」の3つの要素が揃ったと

きに犯罪が発生するとされる理論です。

ウ 不正のトライアングル理論

「不正を行う動機」「不正を行う機会」「不正行為を正当化する理由」の3つの要素が揃ったときに不正が起きるとする理論です。

エ 割れ窓理論

正解です。割れ窓理論とは，軽微な不正や犯罪を放置することによって，より大きな不正や犯罪が誘発されるという理論です。

★★ 問 38 【開発技術】 ブラックボックステスト 頻出

ブラックボックステストは，プログラム設計書の内容から，機能とデータの関係を考慮してテストケースを設計する方法です。プログラムを入力と出力だけしか見ないブラックボックスとみなしてテストを行います。

ア テストケースの網羅率を使用する手法は，ホワイトボックステストです。プログラムのロジックを分析して，プログラムの動作ルートのすべてを網羅するという考え方でテストを行います。現実にはすべてを網羅することは困難なので，重要部分を通るようなテストケースを設計しテストします。

イ 正解です。ブラックボックステストでは，冗長なコードがあっても検出できません。適切な記述です。

ウ ホワイトボックステストに関する記述です。

エ ホワイトボックステストに関する記述です。

★ 問 39 【開発技術】 アジャイル開発

アジャイル (agile) 開発は，ウォータフォールモデルのように工程分けされて順に作業を進めるのではなく，1〜2週間の短い単位で「設計，実装，テスト，修正，リリース」のサイクル (イテレーション) を繰り返していく開発手法です。ソフトウェアの仕様変更に機敏に対応でき，短期間での開発を可能にします。アジャイル開発では，開発者だけでなく利用者側も参加して作業を進めることで，常にフィードバックが行われ，柔軟な修正・再設計が可能になります。

アジャイル開発手法にはさまざまなものがありますが，そのうちの一つであるリファクタリングとは，ソフトウェアの保守性を高めるために，外部仕様を変更することなく，プログラムの内部構造を変更することです。

ア ペアプログラミングに関する記述です。

イ 正解です。リファクタリングに関する記述です。

ウ テスト駆動開発に関する記述です。

エ プロトタイピングに関する記述です。

★★ 問 40 【開発技術】 モデリングツール 頻出

ア コンカレントエンジニアリングとは，新製品や新技術の開発・商品化を早めるため，たとえばデザインと設計を同時並行して作業することです。また，広義には，全体的なコストダウンを目的としています。

イ ソーシャルエンジニアリングとは，ネットワークの利用者や顧客等になりすますなどの不正な手段によって，パスワードや機密情報を入手する行為です。

ウ フォワードエンジニアリングとは，システム仕様からソフトウェア開発をするもので，工程の上流から下流へ，工学的に作業を進めるアプローチです。ウォータフォールモデルを伴います。

エ 正解です。リバースエンジニアリングとは，ソフトウェアの逆解析 (下流工程から上流工程) を工学的に行うことをいいます。原始プログラムやファイルを解析して仕様を導き出し，それに基づいてさらに逆解析を進め，各種の設計仕様や要求仕様を生成します。

「データベースシステムの定義情報からE-R図などで表現した設計書を生成する手法」はリバースエンジニアリングに該当します。

解答

問37 エ	問38 イ
問39 イ	問40 エ

問41 エクストリームプログラミング（XP：Extreme Programming）における"テスト駆動開発"の特徴はどれか。

ア 最初のテストで，なるべく多くのバグを摘出する。
イ テストケースの改善を繰り返す。
ウ テストでのカバレージを高めることを目的とする。
エ プログラムを書く前にテストコードを記述する。

[令和4年度 秋期 応用情報技術者試験 午前 問49]

問42 ソフトウェア開発の見積方法の一つであるファンクションポイント法の説明として，適切なものはどれか。

ア 開発規模が分かっていることを前提として，工数と工期を見積もる方法である。ビジネス分野に限らず，全分野に適用可能である。
イ 過去に経験した類似のソフトウェアについてのデータを基にして，ソフトウェアの相違点を調べ，同じ部分については過去のデータを使い，異なった部分は経験に基づいて，規模と工数を見積もる方法である。
ウ ソフトウェアの機能を入出力データ数やファイル数などによって定量的に計測し，複雑さによる調整を行って，ソフトウェア規模を見積もる方法である。
エ 単位作業項目に適用する作業量の基準値を決めておき，作業項目を単位作業項目まで分解し，基準値を適用して算出した作業量の積算で全体の作業量を見積もる方法である。

[令和元年度 秋期 基本情報技術者試験 午前 問53]

★★★ 問 41 【開発技術】 テスト駆動開発
新シラバス

エクストリームプログラミング (XP：eXtreme Programming) とは，1990年代後半にケント・ベックらによって提唱されたソフトウェア開発手法のひとつです。柔軟性が高い開発手法で，仕様の変更などの変化に対して機敏に対応できます。

従来の開発手法に対して，
・コーディングとテストを重視
・各工程のフィードバックを常に行い，修正や再設計することを重視

という特徴があります。

テスト駆動開発 (TDD：Test Driven Development) は，XPのプラクティスの1つで，テストプログラムを先に作成してからそのテストに合格するようにプログラムを記述する手法です。

特徴としては，
・動くコードを素早く作成できる
・余分なコードの追加を防ぐことができる
・エラーを早期に発見できる

などのメリットがあるとされています。

ア テスト駆動開発の特徴は，最初のテストでなるべく多くのバグを摘出することではなく，エラーを早期に発見できることです。

イ テスト駆動開発は，テストケースの改善を繰り返すことではありません。

ウ ガバレージとは，カバーしている割合（網羅率）のことです。テスト駆動開発の目的は，ガバレージを高めることではありません。

エ 正解です。

★★★ 問 42 【プロジェクトマネジメント】 ファンクションポイント法
頻出

ファンクションポイント法とは，システム規模や開発工数・開発費用の見積り手法です。ファンクションとは「機能」を意味します。ユーザに提供するソフトウェアの機能を外部入力，外部出力，内部論理ファイル，外部インタフェース，外部照会の5つに分類し，各機能の個数と複雑度（重み付け係数として表す）を掛け合わせてファンクションポイ

ント値を計算します。さらに，ソフトウェア全体の複雑さや特性に応じた補正係数によって調整を行い，全体のファンクションポイント値を計算します。

| 参考 | ファンクションポイント数の計算 |

機能
①外部入力　　　　　　　　　　　× 重み＝x_1
②外部出力　　　　　　　　　　　× 重み＝x_2
③内部論理ファイル　　　　　　　× 重み＝x_3
④外部インタフェースファイル　　× 重み＝x_4
⑤外部照会　　　　　　　　　　　× 重み＝x_5

ファンクションポイント数＝
　　(x_1＋x_2＋x_3＋x_4＋x_5)×補正係数

ア COCOMO (COnstructive COst MOdel) に関する記述です。COCOMOは，工数や期間などを見積もる手法の一つです。ソースコードの想定行数を基に，プログラマのスキルや再利用コード量などのさまざまな要因から開発規模を見積もり，補正係数を掛け合わせて工数を見積もります。そして，工数から工期を見積もります。

イ 類推法 (類推見積法) に関する記述です。

ウ 正解です。ファンクションポイント法に関する記述です。

エ 標準値法に関する記述です。

解答　問41 **エ**　　問42 **ウ**

問43

表は，1人で行うプログラム開発の開始時点での計画表である。6月1日に開発を開始し，6月11日の終了時点でコーディング作業の25％が終了した。6月11日の終了時点で残っている作業量は全体の約何％か。ここで，開発は，土曜日と日曜日を除く週5日間で行うものとする。

作業	計画作業量（人日）	完了予定日
仕様書作成	2	6月 2日(火)
プログラム設計	5	6月 9日(火)
テスト計画書作成	1	6月10日(水)
コーディング	4	6月16日(火)
コンパイル	2	6月18日(木)
テスト	3	6月23日(火)

ア 30   **イ** 47   **ウ** 52   **エ** 53

[平成30度 秋期 基本情報技術者試験 午前 問53]

問44

システム開発の進捗管理などに用いられるトレンドチャートの説明はどれか。

ア 作業に関与する人と責任をマトリックス状に示したもの
イ 作業日程の計画と実績を対比できるように帯状に示したもの
ウ 作業の進捗状況と，予算の消費状況を関連付けて折れ線で示したもの
エ 作業の順序や相互関係をネットワーク状に示したもの

[平成29年度 春期 基本情報技術者試験 午前 問54]

解答・解説

問43 【プロジェクトマネジメント】
プログラム開発の作業量　パズル

作業量（人日）とは，1人が1日で行うことができる作業量を表す単位です。設問文「表は，1人で行う」より，設問の「計画作業量（人日）」は1人で行う作業の日数計画を表していると考えます。「2」の場合，1人が2日かけて作業する計画という意味で

す。

また，設問文「開発は，土曜日と日曜日を除く」より，「作業を行う平日の日数」と「計画作業量（人日）」は一致しています。

設問文「6月11日の終了時点でコーディング作業の25％が終了した」に注意して設問の表を整理すると次のようになります。

| 作業 | 作業 | | | 作業日数（作業日） | 完了予定日 |
	完了作業	残りの作業	計画作業量		
仕様書作成	2		2	2 （6月1, 2日）	6月2日（火）
プログラム設計	5		5	5 （6月3, 4, 5, 8, 9日）	6月9日（火）
テスト計画書作成	1		1	1 （6月10日）	6月10日（水）
コーディング	$4 \times 0.25 = 1$ 1	$4 \times (1-0.25) = 3$ 3	4	4 （6月11, 12, 15, 16日）	6月16日（火）
コンパイル		2	2	2 （6月17, 18日）	6月18日（木）
テスト		3	3	3 （6月19, 22, 23日）	6月23日（火）
計	9	8	17		

6月11日（木）の終了時点

$(8÷17)×100≒47\%$（答）

計画作業量（17人日）から完了済みの工数（9人日）を引いた，$17-9＝8$人日が残りの作業

6月11日の終了時点での残りの作業量を求め，計画作業量で割ることで，残っている作業量の割合を求めることができます。

問 44 【プロジェクトマネジメント】 トレンドチャート

トレンドとは，傾向とか方向という意味です。トレンドチャートは，たとえば作業の進捗状況と予算の消化状況の予定と実績を折れ線で示し，状況の把握と分析に用います。

[トレンドチャートの例]
（H22春期プロジェクトマネージャ試験 午前Ⅱ問6より）

ア 責任分担表（役割分担表）に関する記述です。

[責任分担表（役割分担表）の例]

	合格太郎	合格次郎	合格花子
調査	R	S	
設計	R	S	S
プログラミング		S	R

R（実行責任者：Responsible）
　タスクについて責任を負う者
S（サポート：Support）
　実行責任者の配下の者。実際にタスクを実行する。

イ ガントチャートに関する記述です。ガントチャートとは，作業日程などの進捗状況を管理するための表のことで，工程別の日程について，予定と実績を対比することができます。日程の遅れや問題点などがチェックできます。

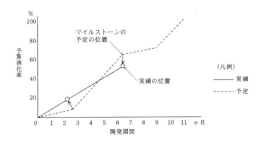

ウ 正解です。トレンドチャートに関する記述です。
エ アローダイアグラム（PERT図）に関する記述です。
[例]

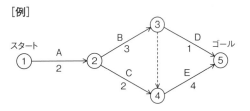

解答 問43 **イ** 　　問44 **ウ**

問 45

　"システム管理基準"に基づいて，システムの信頼性，安全性，効率性を監査する際に，システムが不正な使用から保護されているかどうかという安全性の検証項目として，最も適切なものはどれか。

　　ア　アクセス管理機能の検証
　　イ　フェールソフト機能の検証
　　ウ　フォールトトレラント機能の検証
　　エ　リカバリ機能の検証

[平成28年度 秋期 基本情報技術者試験 午前 問58]

問 46

新シラバス

　SLAを作成する際に，サービスレベル項目（SLO），重要業績評価指標（KPI），重要成功要因（CSF）の三つを検討する。検討する順序のうち，最も適切なものはどれか。

　　ア　CSF → KPI → SLO　　　　イ　KPI → CSF → SLO
　　ウ　KPI → SLO → CSF　　　　エ　SLO → CSF → KPI

[令和2年度 秋期 システム監査技術者試験 午前Ⅱ 問11]

問 47

　システム運用業務のオペレーション管理に関する監査で判明した状況のうち，指摘事項として監査報告書に記載すべきものはどれか。

　　ア　運用責任者が，オペレータの作成したオペレーション記録を確認している。
　　イ　運用責任者が，期間を定めてオペレーション記録を保管している。
　　ウ　オペレータが，オペレーション中に起きた例外処理を記録している。
　　エ　オペレータが，日次の運用計画を決定し，自ら承認している。

[平成29年度 秋期 基本情報技術者試験 午前 問58]

解答・解説

問 45 ［サービスマネジメント］
システム管理基準　　　　頻出

　経済産業省によって策定されたシステム管理基準とは，「組織体が主体的に経営戦略に沿って効果的な情報システムを立案し，その戦略に基づき情報システムの企画・開発・運用・保持というライフサイクルの中で，効果的な情報システム投資のための，またリスクを低減するためのコントロールを適切に整備・運用するための実践規範」（「システム管理基準」前文より）です。

　設問文にある「システムの信頼性，安全性，効率性を監査する」とは，以下の観点で検証するということです。

- **信頼性**：システムの品質，障害の発生，影響範囲，回復の度合い
- **安全性**：システムが自然災害や不正使用から保護されている度合い
- **効率性**：システム資源の活用，費用対効果の度合い

ア　正解です。アクセス管理とは，データやシステムに対して，アクセスする権限の有無を管理することです。アクセス管理機能の検証は，システムが不正な使用から保護されているかどうかという安全性の検証項目に当たります。

イ　フェールソフトとは，コンピュータに障害が発生したときに，故障した部分を切り離すなどして障害の影響が他所に及ぼされるのを防ぎ，最低限のシステム稼動を続けるための技術です。冗長

化（複数系統を用意），故障の自動検知と対処の自動化を備えたシステムです。信頼性の検証項目に当たります。

ウ フォールトトレラントとは，プロセッサ，メモリ，チャネル，電源系などの装置を二重に用意しておき，それぞれの装置で片方に障害が発生した場合でも処理を継続するための技術です。信頼性の検証項目に当たります。

エ リカバリとは，障害が発生したシステムを復旧することです。信頼性の検証項目に当たります。

★★ 問 **46** 【サービスマネジメント】
SLA の作成　　　　　　新シラバス

SLA合意と契約の一般的な進め方は，次のようになります。

1. サービス利用者が，対象ITサービスの使命を整理・明確化する
2. 使命を前提に，ビジネスの将来像を整理・明確化する
3. 将来像を実現するための戦略を整理・明確化する
4. 戦略を実現するためのCSFを整理・明確化する
5. CSF実現のための具体的な指標KPIを整理・明確化する
6. KPIの中で，ITサービスにかかわる項目を整理し，サービスレベル項目（SLO）と，サービスレベル値を設定する

※出典：一般社団法人 電子情報技術産業協会 ソリューションサービス事業委員会編著『民間向けITシステムのSLAガイドライン第四版』

以上より，

CSF (4) → KPI (5) → SLO (6)
の順番に検討を進めるので，**ア**が正解です。

用語整理 **SLAの検討項目**

● 重要成功要因（CSF：Critical Success Factor）
　目標を達成する上で重要な影響を及ぼす要因を指します。例えば，上記3の戦略が「顧客売上高を伸ばす（前年比10％増）」だとすると，CSFとしては「顧客単価・販売数の増加」などが考えられます。

● 重要業績評価指標
　（KPI：Key Performance Indicator）
　目標達成のための各要因における，達成度合いの定量的な指標です。例えば，CSFが「販売数の増加」だとすると，KPIとしては，「顧客来店回数」などが考えられます。

● サービスレベル項目
　（SLO：Service Level Objective）
　サービスレベル（サービス品質）に関する目標・評価基準を定めたものです。例えば，ネットワークやサーバなどについて設定する，「稼働率」「セキュリティ」「サポート体制」といった項目ごとの目標値や品質の評価基準などが考えられます。

★★ 問 **47** 【サービスマネジメント】
監査報告書

　システム監査では，監査を受ける企業・組織から独立した立場であるシステム監査人が，「信頼性」「安全性」「効率性」の観点で情報システムをチェックし，改善策を指摘事項として監査報告書にまとめ助言を行います。

ア オペレータの作成したオペレーション記録を，運用責任者が確認することで，オペレーション業務の「信頼性」「安全性」を確保していますから，適切な業務です。

イ オペレーション記録を保管することで，不正なオペレーションの予防，オペレーションミスの原因分析やオペレーションの効率向上のための分析などの活用が考えられます。

ウ オペレーション中に起きた例外処理の記録は，他の業務への影響を考えたとき，必要なことです。

エ 正解です。オペレータが日次の運用計画を決定し，自ら承認している点が問題です。運用責任者による承認がなければ，仕事の混乱と責任分担のあいまい化が起きトラブルの元となり，組織として統制がとれなくなってしまいます。指摘事項として監査報告書に記載すべきものです。

解答　　問45 **ア**　　問46 **ア**　　問47 **エ**

問48 システム監査の実施体制に関する記述のうち，適切なものはどれか。

ア 監査依頼者が監査報告に基づく改善指示を行えるように，システム監査人は監査結果を監査依頼者に報告する。

イ 業務監査の一部として情報システムの監査を行う場合には，利用部門のメンバによる監査チームを編成して行う。

ウ システム監査人が他の専門家の支援を受ける場合には，支援の範囲，方法，監査結果の判断などは，他の専門家の責任において行う。

エ 情報システム部門における開発の状況の監査を行う場合には，開発内容を熟知した情報システム部門のメンバによる監査チームを編成して行う。

[平成27年度 秋期 基本情報技術者試験 午前 問58]

問49 蓄積されたデータに対してパターン認識機能や機械学習機能を適用することによって，コールセンタにおける顧客応対業務の質的向上が可能となる事例はどれか。

ア 応対マニュアルや顧客の基本情報を電子化したものを，オペレータの要求時に応対用の画面にポップアップ画面として表示する。

イ 顧客の問合せの内容に応じて，関連資料や過去の応対に関する全履歴から，最適な回答をリアルタイムで導き出す。

ウ 電話応対中のオペレータが回答に窮したときに，その電話や応対画面をベテランのオペレータや専門要員に転送する。

エ ベテランのオペレータが講師となり，応対マニュアルを教材にして，新人オペレータに対するロールプレイング研修を繰り返して実施する。

[平成30年度 春期 基本情報技術者試験 午前 問61]

問50 BYOD（Bring Your Own Device）の説明はどれか。

ア 会社から貸与された情報機器を常に携行して業務に当たること
イ 会社所有のノートPCなどの情報機器を社外で私的に利用すること
ウ 個人所有の情報機器を私的に使用するために利用環境を設定すること
エ 従業員が個人で所有する情報機器を業務のために使用すること

[平成29年度 春期 基本情報技術者試験 午前 問64]

問51 オンデマンド型のサービスはどれか。

ア インターネットサイトで購入したDVDで視聴する映画
イ 出版社が部数を決めてオフセット印刷した文庫本
ウ 定期的に決められたスケジュールでスマートフォンに配信されるインターネットニュース
エ 利用者の要求に応じてインターネット上で配信される再放送のドラマ

[平成31年度 春期 基本情報技術者試験 午前 問62]

問48 【サービスマネジメント】**システム監査の実施体制** 頻出

ア 正解です。システム監査人は，監査結果を監査依頼者に報告します。

イ 監査人の独立性の観点から，監査人は監査対象部門と関係のない第三者であるべきです。利用部門のメンバによる監査チームが監査するのでは，独立性が保たれているとはいえません。

ウ システム監査人がほかの専門家の支援を受ける場合には，支援の範囲，方法，監査結果の判断などは，システム監査人の責任において行わなければなりません。

エ イと同様に，独立性が保たれていません。

問49 【システム戦略】**パターン認識機能や機械学習機能**

パターン認識とは，入力された文字や画像，音声などの情報をパターンとして蓄えておき，新しい入力情報と照合して認識することです。たとえば，顔画像をパターン認識することで，本人がどうかを確認して認証する例などがあります。

機械学習とは，人間が本来備えている脳の学習機能と同様の機能をコンピュータで実現しようとする技術や手法のことをいいます。蓄積された情報データを分析・解析して反復的に学習し，ある一定のパターン（特徴）を見つけ出します。人工知能を実現するための方法の一つです。

設問「パターン認識機能や機械学習機能を適用する」ことで「質的向上が可能となる事例」を考えます。

ア 電子化された応対マニュアルや顧客の基本情報を表示することは，パターン認識機能や機械学習機能とは関係ありません。

イ 正解です。「関連資料や過去の応対に対する全履歴」データを入力情報として蓄え，新しい入力情報である「顧客の問い合わせ内容」と照合して「最適な回答をリアルタイムで導き出す」のは，パターン認識機能や機械学習機能によるものです。

ウ，エ ベテランのオペレータや専門要員が関わることで「顧客応対業務の質的向上が可能」とはな

りますが，コンピュータで実現するパターン認識機能や機械学習機能とは関係ありません。

問50 【システム戦略】**BYOD** 頻出

BYOD（Bring Your Own Device）とは，従業員が私物の情報端末（ノートPCやタブレット，スマートフォンなど）を企業に持ち込んで業務で利用することです。情報漏洩やウイルス感染などセキュリティリスクが増大する危険性があります。

ア "会社から貸与された情報機器"の業務利用は，BYODではありません。BYODは，"個人所有（＝私物）の情報機器"を業務利用することです。

イ "会社所有のノートPCなどの情報機器"の社外での私的利用は，BYODではありません。

ウ "個人所有の情報機器を私的に使用する"ことは，BYODではありません。（私的ではなく）業務利用することです。

エ 正解です。BYODに関する適切な記述です。

問51 【システム戦略】**オンデマンド型サービス**

オンデマンド（On-Demand）とは，「要求に応じて」という意味です。オンデマンド型サービスとは，利用者の要求に応じて個々にサービスを提供する仕組みのことをいいます。

ア インターネットサイトで購入した物品の利用は，オンデマンド型サービスではありません。

イ 「出版社が部数を決める」方式はオンデマンド型サービスではありません。オンデマンド印刷では，利用者からの要求があったときに応じて1部からでも印刷を行います。

ウ 「定期的に決められたスケジュール」で配信されるサービスは，利用者の要求に応じて提供されるオンデマンド型サービスではありません。

エ 正解です。「利用者の必要に応じて」配信される仕組みなので，オンデマンド型サービスです。

解答 問48 ア 問49 イ 問50 エ 問51 エ

問 52 D. J. ティースが提唱したダイナミック・ケイパビリティの説明として，適切なものはどれか。

ア 環境の変化がない状況のもと，経営資源を効率的に活用し，既存の業務システムを用いて利益を最大化する能力

イ 環境の変化を感知し，機会を捉え，組織内外の資源を再編成することによって，変革を行い，持続的競争優位を確立する能力

ウ 既存の競争枠組みの中でフォロワの地位を長期的に維持するために，リーダの戦略や製品の特徴・価格を模倣する能力

エ 専門分化した大規模な組織において，上意下達の指揮命令の下，各自が担当する業務を所定の規則に従って遂行する能力

[令和4年度 春期 ITストラテジスト試験 午前Ⅱ 問6]

問 53 プロセスイノベーションに関する記述として，適切なものはどれか。

ア 競争を経て広く採用され，結果として事実上の標準となる。

イ 製品の品質を向上する革新的な製造工程を開発する。

ウ 独創的かつ高い技術を基に革新的な新製品を開発する。

エ 半導体の製造プロセスをもっている他企業に製造を委託する。

[平成31年度 春期 基本情報技術者試験 午前 問70]

問 54 "かんばん方式"を説明したものはどれか。

ア 各作業の効率を向上させるために，仕様が統一された部品，半製品を調達する。

イ 効率よく部品調達を行うために，関連会社から部品を調達する。

ウ 中間在庫を極力減らすために，生産ラインにおいて，後工程の生産に必要な部品だけを前工程から調達する。

エ より品質が高い部品を調達するために，部品の納入指定業者を複数定め，競争入札で部品を調達する。

[令和元年度 秋期 基本情報技術者試験 午前 問70]

★★★ 問 52 【経営戦略】 ダイナミック・ケイパビリティ 新シラバス

ア オーディナリー・ケイパビリティに関する記述です。オーディナリー・ケイパビリティは「通常能力」とも呼ばれ,既存の経営資源を効率化して利益を最大化する能力を指します。環境や状況の変化がそれほどない条件下で力を発揮します。

イ 正解です。ダイナミック・ケイパビリティは「企業変革力」とも呼ばれ,企業内外の資源を再構成して,自己を変革する能力を指します。オーディナリー・ケイパビリティとは反対に,環境や状況の変化が著しく,現行の企業行動が適合しなくなった条件下で力を発揮します。

ウ コトラーの競争地位別戦略における,フォロワ戦略のために必要な能力に関する記述です。

エ 職能評価制度における職務遂行能力に関する記述です。職能資格制度とは,「職務を遂行する能力」によって従業員を評価することで,賃金体系の基となる等級を定める制度です。

用語整理 コトラーの競争地位別戦略

● マーケットリーダ

市場で最大シェアを持つ企業やブランドのこと。市場拡大を目指し,新規顧客の獲得や,新製品開発,幅広い層に向けた商品展開といった全方位での事業展開を行う戦略をとる。

● マーケットチャレンジャ

マーケットリーダに次ぐシェアを持つ企業やブランドのこと。製品やサービス,価格,プロモーションにおいて「差別化」戦略をとることが必要である。

● マーケットフォロワ

マーケットリーダ,マーケットチャレンジャを追随する企業やブランドのこと。マーケットリーダ,マーケットチャレンジャの戦略を模倣する戦略が有効である。

● マーケットニッチャ

市場の中で,マーケットリーダなどがターゲットしないような小さくとも特定のニーズを持つ「ニッチ(隙間)市場」に位置する企業やブランドのこと。自社が扱う特定の製品・サービスに経営資源を集中させることが有効な戦略である。

★★ 問 53 【経営戦略】 プロセスイノベーション

プロセスイノベーション(process innovation)とは,生産性を改善したり製品品質の向上のために,業務のプロセス(工程・過程)を今までにない革新的な仕組みに改めることです。

ア デファクトスタンダード(de facto standard)に関する記述です。「事実上の標準」を意味し,標準化機関による標準化がされていなくとも,国際的あるいは社会的・業界的に広く採用されて事実上の標準となっていることをいいます。

イ 正解です。プロセスイノベーションに関する記述です。

ウ プロダクトイノベーションに関する記述です。プロダクトイノベーションとは,革新的な製品やサービスを作り出す技術革新のことです。

エ ファブレスに関する記述です。ファブレスは,自社で生産設備を持たずに,外部企業に製造を委託するビジネスモデルです。なお,半導体の製造を受託する企業をEMS(Eectronics Manufacturing Service)といいます。

★★ 問 54 【経営戦略】 かんばん方式 頻出

かんばん方式とは,「必要なものを必要なときに必要なだけ生産する」というJIT(Just In Time)生産方式を実現する方式のひとつで,生産ラインでの中間在庫を極力減らすために,後工程が自工程の生産に合わせて,必要な部品を前工程から調達します。部品箱に付けられた「かんばん」と呼ばれる部品納入の時間や数量が書かれた作業指示票を前工程に伝えて材料を補充する仕組みです。

解答 問52 **イ**　　　問53 **イ**　　　問54 **ウ**

問 55 インターネット広告などで見られるアフィリエイトプログラムのモデル例の⑤に当てはまるものはどれか。ここで，①～⑤はこのモデルでの業務順序を示し，①，②，④，⑤はア～エのいずれかに対応する。

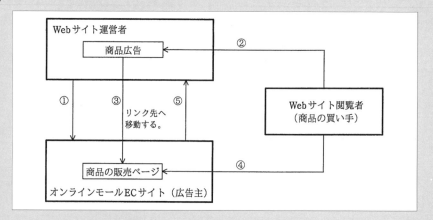

ア Webサイト上の掲載広告をクリックする。
イ アフィリエイトプログラムに同意し参加する。
ウ 希望する商品を購入する。
エ 商品の売上に応じた成功報酬を支払う。

[平成29年度 春期 基本情報技術者試験 午前 問74]

問 56 生成AIの特徴を踏まえて，システム開発に生成AIを活用する事例はどれか。

ア 開発環境から別の環境へのプログラムのリリースや定義済みのテストプログラムの実行，テスト結果の出力などの一連の処理を生成AIに自動実行させる。
イ システム要件を与えずに，GUI上の設定や簡易な数式を示すことによって，システム全体を生成AIに開発させる。
ウ 対象業務や出力形式などを自然言語で指示し，その指示に基づいてE-R図やシステムの処理フローなどの図を描画するコードを生成AIに出力させる。
エ プログラムが動作するのに必要な性能条件をクラウドサービス上で選択して，プログラムが動作する複数台のサーバを生成AIに構築させる。

[ITパスポート試験 生成AIに関するサンプル問題 (2023年8月31日掲載) 問1]

問 57 連関図法を説明したものはどれか。

ア 事態の進展とともに様々な事象が想定される問題について，対応策を検討して望ましい結果に至るプロセスを定める方法である。
イ 収集した情報を相互の関連によってグループ化し，解決すべき問題点を明確にする方法である。
ウ 複雑な要因の絡み合う事象について，その事象間の因果関係を明らかにする方法である。
エ 目的・目標を達成するための手段・方策を順次展開し，最適な手段・方策を追求していく方法である。

[平成30年度 秋期 基本情報技術者試験 午前 問76]

問 55 【経営戦略】 アフィリエイトプログラム （パズル）

アフィリエイトは，成功報酬型広告ともいわれます。自分のWebサイトで紹介した広告によって商品・サービスが購入された場合，購入額に応じた成功報酬を広告主から受け取る仕組みです。

⑤は，オンラインモールECサイト（広告主）からWebサイト運営者へ矢印が向っていることから，**エ**の「商品の売上に応じた成功報酬を支払う」です。

アフィリエイトプログラムのモデル例の業務順序は以下のようになります。

① アフィリエイトプログラムに同意し参加する。（**イ**）
② Webサイト上の掲載広告をクリックする。（**ア**）
③ リンク先へ移動する。
④ 希望する商品を購入する。（**ウ**）
⑤ 商品の売上に応じた成功報酬を支払う。（**エ**）

問 56 【経営戦略】 生成AIの特徴 （新シラバス）

生成AIとは，学習データをもとにテキスト，画像，動画，音楽などの新たなデータを生成するAI（人工知能）のことです。自然言語（人間が日常的に使用している言語）を介して，テキスト・画像・動画などを生成できる点が特徴です。

ア プログラムの実行やテスト結果の出力は，通常のAIでも可能です。自然言語を介して指示を与えることができるという生成AIの特徴を踏まえた事例ではないので誤りです。

イ 生成AIを使用するには，システム要件を与える必要があります。

ウ 正解です。

エ 生成AIの特徴を踏まえると，サーバの構築は生成AIの活用事例としてふさわしくありません。

問 57 【企業と法務】 連関図法 （頻出）

連関図法とは，複雑な要因が絡み合う事象について，「原因－結果」「目的－手段」の因果関係で論理的関連をとっていくことによって，問題の構造を明らかにしていく方法です。

[例] なぜ不良品が減らないのか

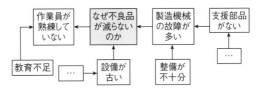

ア PDPC法に関する記述です。

イ 親和図法に関する記述です。KJ法に由来する情報整理法で，バラバラの情報やアイデア，漠然としている問題を収集して情報相互の関連によってグループ化・図式化することで，解決すべき問題点を明確にします。

[例]

ウ 正解です。連関図法に関する記述です。

エ 系統図法に関する記述です。問題解決や目的達成のための最適な手段や方策を追求していく方法です。目的達成の手段を導き出し，さらにその手段を実施するための複数の手段を考えることを繰り返し，細分化していきます。

解答 問55 **エ**　問56 **ウ**　問57 **ウ**

問58 プロジェクト組織を説明したものはどれか。

ア ある問題を解決するために一定の期間に限って結成され，問題解決とともに解散する。

イ 業務を機能別に分け，各機能について部下に命令，指導を行う。

ウ 製品，地域などに基づいて構成された組織単位に，利益責任をもたせる。

エ 戦略的提携や共同開発など外部の経営資源を積極的に活用するために，企業間にまたがる組織を構成する。

[平成28年度 春期 基本情報技術者試験 午前 問76]

問59 従業員1人当たりの勤務時間を減らして社会全体の雇用維持や雇用機会増加を図るものはどれか。

ア カフェテリアプラン　　　　**イ** フリーエージェント制
ウ ワークシェアリング　　　　**エ** ワークライフバランス

[平成27年度 春期 基本情報技術者試験 午前 問76]

新シラバス

問60 SNSやWeb検索などに関して，イーライ・パリサーが提唱したフィルタバブルの記述として，適切なものはどれか。

ア PCやスマートフォンなど，使用する機器の性能やソフトウェアの機能に応じて，利用者は情報へのアクセスにフィルタがかかっており，様々な格差が生じている。

イ SNSで一般のインターネット利用者が発信する情報が増えたことで，Web検索の結果は非常に膨大なものとなり，個人による適切な情報収集が難しくなった。

ウ 広告収入を目的に，事実とは異なるフィルタのかかったニュースがSNSなどを通じて発信されるようになったので，正確な情報を検索することが困難になった。

エ 利用者の属性・行動などに応じ，好ましいと考えられる情報がより多く表示され，利用者は実社会とは隔てられたパーソナライズされた情報空間へと包まれる。

[令和3年度 春期 応用情報技術者試験 午前 問73]

問 58 【企業と法務】 プロジェクト組織

頻出

プロジェクト組織とは，特定のプロジェクトや作業を計画・実行するために，一定の期間に限って特別に編成された戦略的・機動的な組織のことです。目的達成後は解散します。

参考　プロジェクト組織の特徴
・必要な専門家を各部門から集めて編成
・環境の変化に対応
・職能部門などから独立
・目的達成後は解散する
・タスクフォースは，この組織形態に属する

☑ 正解です。プロジェクト組織に関する記述です。

☑ 職能別組織に関する記述です。職種ごとに部署が独立しており，開発，営業，人事，経理などの部署単位で仕事を行います。

☑ 事業部制組織に関する記述です。部門をプロジェクト別に事業部として分離し，各事業部で利益責任を負う組織形態のことです。

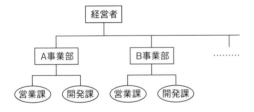

☑ カンパニー制組織に関する記述です。

問 59 【企業と法務】 ワークシェアリング

☑ カフェテリアプラン

選択型福利厚生制度ともいいます。企業の福利厚生サービスメニューなどの中から，社員が自由に選択できる制度です。

☑ フリーエージェント制

プロスポーツにおいて，選手が自由に所属先との契約を結べる制度。同様に，企業での社内フリーエージェント制とは，社員が社内で就きたいと希望する職種や部署，ポストを自由に申請できる制度です。

☑ ワークシェアリング

正解です。従業員1人あたりの勤務時間を減らして社会全体の雇用維持や雇用機会増加を図る取り組みのことです。

☑ ワークライフバランス

「仕事と生活の調和」を意味し，仕事と私生活の相乗効果を高めることを目指す考え方です。

問 60 【企業と法務】 フィルタバブル

新シラバス

フィルタバブルとは，ユーザが無意識のうちに好ましいと思う情報ばかりを選択的にインターネットで表示することにより，結果として自分とは違う意見や情報が受け入れがたい状態になる（「泡の壁」の中に孤立する）ことを指します。

☑ デジタルディバイドに関する記述です。

☑ 情報オーバーロードに関する記述です。

☑ フェイクニュースに関する記述です。

☑ 正解です。フィルタバブルに関する記述です。

解答　　問58 ☑　　　問59 ☑　　　問60 ☑

分野：アルゴリズムとプログラミング ▶ ①プログラミングの基本要素

問1

　　次のプログラム中の　 a 　と　 b 　に入れる正しい答えの組合せを，解答群の中から選べ。ここで，配列の要素番号は1から始まる。

次のプログラムは，整数型の配列arrayの要素の並びを逆順にする。

〔プログラム〕

```
1  整数型の配列: array ← {1, 2, 3, 4, 5}
2  整数型: right, left
3  整数型: tmp

4  for (leftを1から(arrayの要素数÷2の商) まで1ずつ増やす)
5    right ←     a
6    tmp ← array[right]
7    array[right] ← array[left]
8        b     ← tmp
9  endfor
```

※プログラム中の行番号は筆者が追記した。

解答群

	a	b
ア	arrayの要素数 − left	array[left]
イ	arrayの要素数 − left	array[right]
ウ	arrayの要素数 − left + 1	array[left]
エ	arrayの要素数 − left + 1	array[right]

[基本情報技術者試験 科目B試験のサンプル問題 (2022年4月25日発表) 問2]

問 1 ｜ 配列要素を逆順にするプログラム

　本問では，重要事項の1つである配列の基本操作を理解しているかどうかが問われています。配列で大切なポイントは，「要素番号」と「要素」の理解です。要素番号の加減算や代入によって，配列に格納されている「要素」を読み書きすることができます。また，行番号6～8で2変数の値を入れ替える処理を行っていますが，これはアルゴリズムの重要テーマなので必ず押さえておきましょう。

用語の解説

● 逆順

逆の順序のことです。たとえば、「1，5，3」の逆順は、「3，5，1」です。

● 配列の要素番号は1から始まる

プログラミング言語で使われる配列の要素番号は0から始まりますが、科目Bで扱われる擬似言語は、本問のように「配列の要素番号は1から始まる」という但し書きがある場合が多いので注意しましょう。

● 配列の要素数

問題文の整数型の配列arrayの要素は、{1，2，3，4，5}ですから、整数の要素が5個格納されています。よって、arrayの要素数は5です。

問題の解説

問題のプログラムは、整数が記録されている配列arrayの要素の並びを逆順にするプログラムです。

行番号1では配列arrayの要素が{1，2，3，4，5}なので、逆順は{5，4，3，2，1}です。

問題文の値で、プログラムの動きを説明します。

● 行番号1

配列arrayの要素は、{1，2，3，4，5}です。

● 行番号2，3

整数型変数right，left，tmpを定義しています。

● 行番号4

繰り返し処理の1回目です。

・整数型leftの初期値は1
・整数型の配列arrayの要素数は5なので、(arrayの要素数÷2の商)は2

よって、行番号4の繰り返し条件は、

leftを1から2まで、1ずつ増やす

となります。つまり、繰り返し処理はleftの値が1と2で2回実行されることになります。

● 行番号5

変数leftは1で初期化されているので、入れ替え対象の左側の要素番号です。

よって、変数rightは、入れ替え対象の右側の要素番号と考えることができます。

逆順にするには、要素番号1と入れ替える要素は要素番号5なので、変数rightに5が代入されなくてはいけません。

● 行番号6，7，8

変数tmpを作業領域として、array[left]と、array[right]を入れ替えています。

以下2回の処理によって、{1，2，3，4，5}を{5，4，3，2，1}に入れ替えることができます。

　①1回目の処理では、要素array[1]と、要素array[5]を入れ替え
　②2回目の処理では、要素array[2]と、要素array[4]を入れ替え

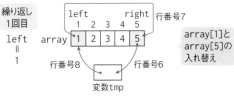

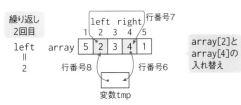

空欄a

先ほどの図解より、次のようになる選択肢が正解です。

繰り返し処理の回数	left	right
1回目	1	5
2回目	2	4

1回目の場合で検討してみます。rightに代入するので，計算結果が5となる選択肢が正解です。

アイ arrayの要素数 − left
　1回目の繰り返しではleftは1なので，「5−1＝4」となり，誤りです。

ウエ arrayの要素数 − left ＋ 1
　「5−1＋1＝5」となるので，正解です。

　したがって，空欄aは**ウ**，**エ**の
　　arrayの要素数 − left ＋ 1
です。

空欄b

　引き続き，先ほどの図解をもとに問題を確認します。
　行番号8で変数tmpを空欄bに代入していますが，その変数tmpには行番号6でarray[right]が代入されています。

　この行番号6の処理は，次行でarray[right]がarray[left]によって上書きされてしまうので，array[right]を一時的に変数tmpに退避させるためのものです。
　よって，行番号8で変数tmpをarray[left]に代入することで，要素の入替え処理を行うことができます。

　したがって，空欄bは**ア**，**ウ**の
　　array[left]
です。

　以上より，空欄a，空欄bに共通する**ウ**が正解です。

解答 **ウ**

問 **2**

次のプログラム中の ⎡ a ⎤〜⎡ c ⎤ に入れる正しい答えの組合せを，解答群の中から選べ。

　関数fizzBuzzは，引数で与えられた値が，3で割り切れて5で割り切れない場合は"3で割り切れる"を，5で割り切れて3で割り切れない場合は"5で割り切れる"を，3と5で割り切れる場合は"3と5で割り切れる"を返す。それ以外の場合は"3でも5でも割り切れない"を返す。

〔プログラム〕

```
1  ○文字列型: fizzBuzz (整数型: num)
2　　文字列型: result
3　　if (numが ⎡ a ⎤ で割り切れる)
4　　　result ← " ⎡ a ⎤ で割り切れる"
5　　elseif (numが ⎡ b ⎤ で割り切れる)
6　　　result ← " ⎡ b ⎤ で割り切れる"
7　　elseif (numが ⎡ c ⎤ で割り切れる)
8　　　result ← " ⎡ c ⎤ で割り切れる"
9　　else
10　　　result ← "3でも5でも割り切れない"
11　　endif
12　　return result
```

※プログラム中の行番号は筆者が追記した。

解答群

	a	b	c
ア	3	3と5	5
イ	3	5	3と5
ウ	3と5	3	5
エ	5	3	3と5
オ	5	3と5	3

[基本情報技術者試験 サンプル問題 (2022年12月26日公開) 科目B 問2]

★★★ 問 **2** | FizzBuzz のプログラム

選択処理 (複数のelseifがある場合) の基本問題です。条件式・処理が複数ある選択処理の場合,条件式の順番が重要になります。「科目Bのポイント集」の7.(4)をしっかりと理解しましょう。

問題の解説

設問文に出てくる「関数」とは,プログラム上の処理を一つにまとめたものです。値が入った変数 (引数) を主プログラムから受け取り,実行結果 (戻り値) を主プログラムに戻します。詳しくは,書籍巻頭「科目Bのポイント集」の9を参照してください。

設問文を理解するときには,「場合」という言葉がポイントの一つになります。本問について,「場合」という言葉に注目して問題文を整理すると,次のように①〜④の4パターンが記述されています。

①3で割り切れて,5で割り切れない場合は,
"3で割り切れる"を返す
②5で割り切れて,3で割り切れない場合は,
"5で割り切れる"を返す
③3と5で割り切れる場合は,
"3と5で割り切れる"を返す
④ それ (①〜③) 以外の場合は,
"3でも5でも割り切れない"を返す

ここで,行番号10の
result ← "3でも5でも割り切れない"
は④の場合なので,①〜③のいずれかが,空欄a〜cに入ることがわかります。

①〜④の条件式の中で,③は①と②を含んでいます。適当な数を例にした図が以下です。

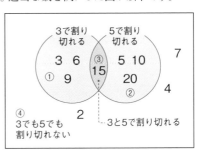

ここで重要なことは,③は一番最初に (空欄aで) 処理を行う必要があります。例えば,15の場合は"3と5で割り切れる"を返すべきですが,②を空欄a (③の前) に置くと「5で割り切れる」という条件にも合致するので,"5で割り切れる"を返して処理を終了してしまいます。

したがって,空欄aには
3と5
が入ります。選択肢の中でaが「3と5」となっているのは**ウ**のみなので,正解は**ウ**です。

なお,正解が**ウ**であるため,「空欄bが3,空欄cが5」となりますが,「空欄bが5,空欄cが3」でも適切に動きます。

解答 **ウ**

379

次のプログラム中の　a　と　b　に入れる正しい答えの組合せを，解答群の中から選べ。ここで，配列の要素番号は1から始まる。

関数findPrimeNumbersは，引数で与えられた整数以下の，全ての素数だけを格納した配列を返す関数である。ここで，引数に与える整数は2以上である。

〔プログラム〕

```
1  ○整数型の配列: findPrimeNumbers(整数型: maxNum)
2    整数型の配列: pnList ← {} // 要素数0の配列
3    整数型: i, j
4    論理型: divideFlag
5    for (iを2から   a   まで1ずつ増やす)
6      divideFlag ← true
       /* iの正の平方根の整数部分が2未満のときは，繰返し処理を実行しない */

7      for (jを2からiの正の平方根の整数部分まで1ずつ増やす) // α
8        if (   b   )
9          divideFlag ← false
10         αの行から始まる繰返し処理を終了する
11       endif
12     endfor
13     if (divideFlagがtrueと等しい)
14       pnListの末尾にiの値を追加する
15     endif
16   endfor
17   return pnList
```

※プログラム中の行番号は筆者が追記した。

解答群

	a	b
ア	maxNum	i÷jの余りが0と等しい
イ	maxNum	i÷jの商が1と等しくない
ウ	maxNum＋1	i÷jの余りが0と等しい
エ	maxNum＋1	i÷jの商が1と等しくない

[令和5年度 基本情報技術者試験 公開問題 科目B 問1]

★
★★ 問 **3** | **素数だけを格納した配列を返す関数**

本問は，素数とは何かを知っていないと正しく解答することができません。基礎的な数学を重視している出題の傾向が見られるので，しっかり学習しておけば得点源となります。中学・高校程度の基礎数学を復習しておきましょう。

用語の解説

● 素数

素数とは，2以上の自然数で，1とその数自身でしか割り切れない数のことです。

なお自然数とは，正の整数を意味します。具体的には，「1，2，3…」ですが，0を含めることもあります。

例 **素数**

2 1と2でしか割り切れない数なので，素数です。

4 1，2，4で割り切れるので，素数ではありません。

7 1と7でしか割り切れない数なので，素数です。

問題の解説

このプログラムでは，ある数について「2で割る，3で割る，4で割る，…」を繰り返して，判定対象となる数の平方根まで割り切れなければ，素数として判定しています。

このアルゴリズムを実装する鍵になっているのが，行番号7のfor文です（αの部分）。ここでは，変数iに対して，変数jを2から変数iの平方根まで増やしながら，「2で割る，3で割る，4で割る，…」処理を実現しています。

以上を踏まえて，問題文とプログラム全体の流れを理解しましょう。

● 1. 問題文「素数だけを格納」

まず，問題文「素数だけを格納」は，プログラムでは

行番号14 pnListの末尾にiの値を追加する

が対応します。pnListは，行番号2で定義してい

る整数型の配列であり，この配列に素数が格納されていくというわけです。なお，コメント文より，初期値は要素数0の配列です。

● 2. 行番号14を実行する条件

次に，素数を配列に格納する行番号14を実行する条件をチェックします。行番号14の前のif文を確認すると，

行番号13 if (divideFlagがtrueと等しい)
　　　　　　　　　　条件が「真」のとき

行番号14 　　　pnListの末尾にiの値を追加する

となっています。つまり，divideFlagがtrueの場合，「素数」と判定し，pnListに追加しているということです。

● 3. divideFlag

では，divideFlagとは何なのかを調べます。

divideFlagを用いた処理を行っている，行番号4 〜 12を確認します。素数か否かの判定は，行番号5 〜 12で行い，divideFlagにtrueかfalseを設定しています。

行番号6　divideFlag ← true　divideFlag
　　　　　　　　　　　　　　　　を初期化

行番号8　　　if (　b　)

行番号9　　　　divideFlag ← false
　　　　　　falseを代入するのは
　　　　　　素数でないとき

　　　　　　　　　　条件bが真のとき，
　　　　　　　　　　divideFlagに
　　　　　　　　　　falseを代入

行番号13ではdivideFlagがtrueのときに「素数」と判定しているため，falseをdivideFlagに代入している行番号9は「素数でない」場合に実行されるはずです。したがって，行番号8のif文（空欄b）には，「素数でない」という条件式が入ります。

空欄a

　問題文「引数で与えられた整数以下の、全ての素数だけを格納した配列を返す」より、このプログラムでは引数以下の整数について、素数かどうかの判定処理を行う必要があります。

　この処理を繰返しによって実現しているのが、行番号5から始まるfor文です。iを2から空欄aまで1ずつ増やす処理を繰り返すことで、引数以下のすべての整数について判定を行っているわけです。なお、繰返しが2から始まっているのは、素数が「2以上の自然数」であるためです（1は判定する必要がない）。これは、問題文「引数に与える整数は2以上」からもわかります。

　以上より、空欄aには引数が入ることがわかります。プログラムの引数は、行番号1よりmaxNumです。

　したがって、空欄aには
　　maxNum
が入ります。

空欄b

　冒頭の解説より、空欄bには、「真のときに素数でない」と判定する条件式を入れる必要があります。

　素数とは、「1とその数以外で割り切ることができない数」なので、素数でない条件は、「1とその数以外で割り切れる」となります。

　例えば冒頭の解説では、「素数でない」例として4を挙げています（「その数」とは4です）。

4は「1とその数」以外の2で割り切れるので、
「素数ではない」

　よって、引数以下の整数iを、jを＋1しながら割り切れるかどうか調べていきます。
　割り切れるとは「除算の余りが0」ということなので、空欄bの条件式は、

素数でない
　⇩
1とその数以外で割り切れる
　⇩
iがjで割り切れる
　⇩
i÷jの余りが0と等しい

となります。

　したがって、空欄bには
　　i÷jの余りが0と等しい
が入ります。

　以上より、設問の答えは**ア**の
　a　　maxNum
　b　　i÷jの余りが0と等しい
です。

解答　　**ア**

問 4 ★★★

次のプログラムの ┌ a ┐ と ┌ b ┐ に入れる正しい答えの組み合わせを，解答群の中から選べ。

プログラムは，職業性ストレス簡易調査票の回答結果から高ストレス者を判別する処理のプログラムである。変数"判別結果"に初期値として0を格納しておき，高ストレス者と判別した場合は，"判別結果"に1を格納する。

〔高ストレス者の判別〕
(1) 職業性ストレス簡易調査票には全部で57項目の質問があり，次の4領域に分類される。領域ごとに，質問に対する回答の合計点を求める。
　　領域A　職場における当該労働者の心理的な負担の原因に関する質問 (17項目)
　　領域B　心理的な負担による心身の自覚症状に関する質問 (29項目)
　　領域C　職場における他の労働者による当該労働者への支援に関する質問 (9項目)
　　領域D　仕事及び家庭生活の満足度に関する質問 (2項目)

(2) 次のいずれかを満たす場合に，高ストレス者と判別する。領域Dの合計点は，高ストレス者の判別には利用しない。
　① 領域Bの合計点が77点以上である。
　② 領域Bの合計点が63点以上76点以下であって，かつ，領域A及びCの合計点の和が76点以上である。

〔プログラム〕

```
1   ○Stress(整数型：a, 整数型：b, 整数型：c)
2    整数型：result /* 判別結果 */
3    整数型：total /* 作業用 */
4    result ← 0
5    total ← b /* 領域Bの合計点 */
6    if (totalが77以上)
7      result ← 1
8    elseif ( [ a ] )
9      total ← a + c /* 領域A及びCの合計点の和 */
10     if ( [ b ] )
11       result ← 1
12     endif
13   endif
```

※なお，引数a，b，cには，それぞれ領域Aの合計点，領域Bの合計点，領域Cの合計点が入り，プログラムが実行される。

解答群

	a	b
ア	totalが62以下	totalが75以下
イ	totalが62以下	totalが76以上
ウ	totalが63以上	totalが75以下
エ	totalが63以上	totalが76以上

[令和元年度 秋期 基本情報技術者試験 午後 問5 一部改変]

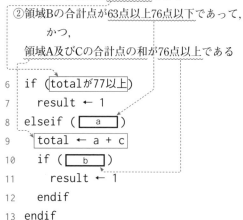

本問では，選択処理のif文が複数使われているので，「条件式」と対応する「処理」について正確に理解することが重要です。そのうえで，プログラムと問題文を対比させながら，プログラムの空欄部分が問題文の記述のどの部分にあたるかを正確に読み取ることで，正解を導きましょう。

問題の解説

問題文のプログラムは，if文の入れ子（if文の中にif文がある）構造になっています。問題文とプログラムを対比させ，プログラムの空欄部分が問題文の記述のどの部分に当たるかを正確に読み取ることがポイントです。

プログラム中の分岐条件は，問題文〔高ストレス者の判別〕(2) の，①と②の記述から得ることができます。以下の場合は，高ストレス者と判定され，"判別結果"に1を格納します。

①領域Bの合計点が77点以上である

②領域Bの合計点が63点以上76点以下であって，かつ，

　領域A及びCの合計点の和が76点以上である

```
6   if (total が 77 以上)
7     result ← 1
8   elseif (  a  )
9     total ← a + c
10    if (  b  )
11      result ← 1
12    endif
13  endif
```

以上より，空欄aと空欄bを考えます。

空欄a

空欄aには，領域Bの合計点が「63点以上76点以下」という条件が入ります。ただし，行番号6で領域Bの合計点が「77点以上」の場合が実行されているので，空欄aの行では77点以上のデータは流れてきません。よって，「63点以上」の条件式だけで「63点以上76点以下」の条件とすることができます。

領域Bの合計点は，行番号5

```
total ← b
```

で，変数totalに代入されています。

よって，「63点以上」の条件式

　　total が 63 以上

を空欄aに入れます。

したがって，空欄aは**ウ**，**エ**が正解候補です。

空欄b

空欄bの条件式が真だと，次行の行番号11でresultに1を代入している（高ストレス者と判別している）ことに注目します。そこで，問題文 (2) ②「領域A及びCの合計点の和が76点以上」より，空欄bに「76点以上」という条件式を入れます。なお，行番号9でtotalの中には，「領域A及びCの合計点の和」が代入されていることに注意します。

したがって，空欄bは，**イ**，**エ**が正解候補です。

以上より，答えは，**エ**の

　　a　total が 63 以上

　　b　total が 76 以上

です。

解答 **エ**

問5

関数convertは，整数型の配列を一定のルールで文字列に変換するプログラムである。関数convertをconvert(arrayInput)として呼び出したときの戻り値が "AABAB" になる引数arrayInputの値はどれか。ここで，arrayInputの要素数は1以上とし，配列の要素番号は1から始まる。

〔プログラム〕

```
1  ○文字列型：convert（整数型の配列：arrayInput）
2    文字列型：stringOutput ← ""   //空文字列を格納
3    整数型：i
4    for （iをarrayInputの要素数から1まで1ずつ減らす）
5      if （arrayInput[i]が1と等しい）
6        stringOutputの末尾に"A"を追加する
7      else
8        stringOutputの末尾に"B"を追加する
9      endif
10   endfor
11   return stringOutput
```

解答群

ア {0, 0, 1, 2, 1}　　　　イ {0, 1, 2, 1, 1}
ウ {1, 0, 1, 2, 0}　　　　エ {1, 1, 2, 1, 0}

［令和6年度 ITパスポート試験公開問題 問62 一部改変］

問5｜整数型配列を文字列に変換するプログラム

配列，引数，戻り値，繰返し処理，条件分岐の理解を問う基本問題です。試験ではもう少し難しい問題も出ることが予想されますが，難易度が高いといっても本問のような基本項目の組合せが複雑になっているだけと考えることもできます。基本的な知識をしっかり理解しておくことが，より難易度の高い問題にも対応するコツです。本書巻頭の「科目Bのポイント集」も使って，確実に基本を押さえておきましょう。

問題の解説

まず，問題文で与えられた戻り値となるような引数を考えます。このとき注意する点は，プログラムの行番号4のfor文です。

　　for（iをarrayInputの要素数から1まで1ずつ減らす）

選択肢を見ると配列要素の個数はすべて5なので，arrayInputの要素数は5です。よって，iの値は，「5, 4, 3, 2, 1」と変化していきます。すなわち，引数である選択肢の配列要素の後ろから前に向かって読むことになります。

戻り値の "A"，"B" は，行番号5の

　　if（arrayInput[i]が1と等しい）

によって処理が分岐します。つまり，

　・条件が真なら

　　　"A"（実線で説明）

　・条件が偽なら

　　　"B"（点線で説明）

となります。なお，すべての選択肢の配列要素は，0，1，2のみなので，「1と等しくない」とは，選択肢では0または2のことです。

以上を踏まえて，選択肢を説明します。

ポイントを整理すると関数convertは，次のような順で処理を行います。

①引数として与えられた配列arrayInputの要素を配列の後ろから順に1つずつ読み込む
②読み込んだ要素が1であれば "A" を，1でなければ "B" をstringOutputの末尾に追加する
③引数として与えられた配列arrayInputの要素の読み込みが先頭まで来たら，戻り値としてstringOutputを返却する

ア {0, 0, 1, 2, 1}

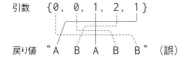

イ {0, 1, 2, 1, 1}

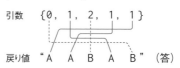

ウ {1, 0, 1, 2, 0}

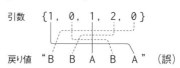

エ {1, 1, 2, 1, 0}

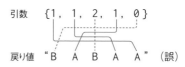

以上より，正解は**イ**の
　　{0, 1, 2, 1, 1}
です。

解答　**イ**

問 6

次の記述中の　　　　　に入れる正しい答えを，解答群の中から選べ。

次のプログラムにおいて，手続proc2を呼び出すと，　　　　　の順に出力される。

〔プログラム〕

```
1  ○proc1()
2    "A"を出力する
3    proc3()

4  ○proc2()
5    proc3()
6    "B"を出力する
7    proc1()

8  ○proc3()
9    "C"を出力する
```

※プログラム中の行番号は筆者が追記した。

解答群

ア	"A"，"B"，"B"，"C"	イ	"A"，"C"
ウ	"A"，"C"，"B"，"C"	エ	"B"，"A"，"B"，"C"
オ	"B"，"C"，"B"，"A"	カ	"C"，"B"
キ	"C"，"B"，"A"	ク	"C"，"B"，"A"，"C"

[令和5年度 基本情報技術者試験 公開問題 科目B 問2]

問 **6** │ 関数呼び出し（引数，戻り値がないパターン）

重要項目の1つである，関数呼び出しの問題です。書籍に掲載している科目Bのポイント集「9. 手続，関数の呼び出し」を押さえていれば，丁寧に解くことで正解を得られます。ポイント集をしっかり理解してから，本問に取り組みましょう。

問題の解説

関数呼び出しでは，次の2パターンをしっかり理解しておきましょう。

①引数，戻り値がないパターン
②引数，戻り値があるパターン

本問は①のパターンです。戻り値がないので，returnが省略されます。

①のパターンについて，処理の流れのポイントを以下に示します。

処理の流れのポイント

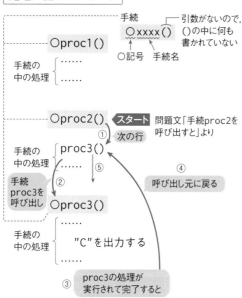

設問のプログラムにおいて，問題文より手続proc2を呼び出すと，①～⑮の順に実行されます。

〔プログラム〕

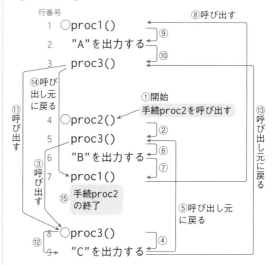

手続proc2の最後の行であるproc1まで処理が実行された時点で，プログラムが終了します。

よって，出力される順番は

④　　⑥　　⑨　　⑫
"C"，"B"，"A"，"C"　　です。

したがって，設問の答えは **ク** の
　"C"，"B"，"A"，"C"
です。

解答　**ク**

★★★
問 **7**

□□□

関数binaryToIntegerは，1桁以上の符号なし2進数を文字列で表した値を引数binaryStrで受け取り，その値を10進数の整数に変換した結果を戻り値とする。例えば，引数として"1011"を受け取ると，11を返す。プログラム中の ⬜a⬜ ，⬜b⬜ に入れる字句の適切な組合せはどれか。

〔プログラム〕

```
1   ○整数型：binaryToInteger（文字列型：binaryStr）
2   整数型：integerNum, digitNum, exponent, i
3   integerNum ← 0
4   for（iを1からbinaryStrの文字数まで1ずつ増やす）
5     digitNum ← binaryStrの末尾からi番目の文字を整数型に変換した値
                         //例：文字"1"であれば整数値1に変換
6     exponent ← [ a ]
7     integerNum ← [ b ]
8   endfor
9   return integerNum
```

解答群

	a	b
ア	（2のi乗）－1	integerNum × digitNum × exponent
イ	（2のi乗）－1	integerNum ＋ digitNum × exponent
ウ	2の（i－1）乗	integerNum × digitNum × exponent
エ	2の（i－1）乗	integerNum ＋ digitNum × exponent

[令和6年度 ITパスポート試験公開問題 問85 一部改変]

★★★
問 **7** │ 文字列の2進数を整数に変換するプログラム

　2進数から10進数への基数変換と，文字列型の整数型への変換がポイントになります。特に，2進数から10進数への基数変換の方法については，科目Aで基礎を固めておくことをおすすめします。また本問のように，プログラム中のコメント文は正しい答えを導く重要なヒントになることが多いので，しっかり確認しておきましょう。

2進数と10進数の関係を整理すると、次のようになっています。

2進数	1	1	1	1
2^n表記	2^3	2^2	2^1	2^0
10進数	8	4	2	1

つまり、2進数を10進数に変換するには、次のような計算をすればよいことになります。

[例] 2進数1011を10進数に変換

2進数	1	0	1	1
10進	$2^3×1 + 2^2×0 + 2^1×1 + 2^0×1 = 11$			

本問では、この計算をプログラムで実現しています。

プログラムの具体的な処理を読み解くには、行番号4〜8のfor文の理解がポイントになります。for文内では、引数binaryStrの末尾から1文字ずつを順番に処理しています。このことは、行番号5の

  digitNum ← binaryStrの末尾からi番目の文字を整数型に変換した値

よりわかります。

つまり行番号4〜8では、2進数の末尾である2^0の桁から順番に、空欄aと空欄bの処理を行っているということです。

このことを、設問の例"1011"を用いて整理します。

①for文の1回目（iの値は1）

ここでは、文字の"1"を整数の1に変換していることに注意します。これは、空欄bで解答群のような四則計算（「integerNum×digitNum×

exponent」など）を行うためには、それぞれ整数型に変換しておく必要があるためです。

②for文の2回目（iの値は2）

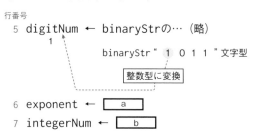

③for文の3回目（iの値は3）

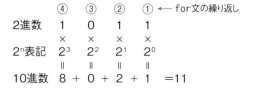

④for文の4回目（iの値は4）

行番号
5 digitNum ← binaryStrの… （略）
        1
                binaryStr " 1 0 1 1 " 文字型
                        整数型に変換

6 exponent ← [a]
7 integerNum ← [b]

上記の①〜④によって、以下のような計算を行っています。

	④	③	②	①	← for文の繰り返し
2進数	1	0	1	1	
	×	×	×	×	
2^n表記	2^3	2^2	2^1	2^0	
	‖	‖	‖	‖	
10進数	8 +	0 +	2 +	1	=11

以上を踏まえて、空欄aと空欄bに入る答えを考えます。

空欄a

上記のような計算をするには、2進数の各桁が2^n表記だとどのようになるのか（重み付け）を記録す

る必要があります。これは以下のように変換することができます。

① 2進数の末尾から 1 桁目は,10進数の2^0

② 2進数の末尾から 2 桁目は,10進数の2^1

③ 2進数の末尾から 3 桁目は,10進数の2^2

④ 2進数の末尾から 4 桁目は,10進数の2^3

⑤ 2進数の末尾から i 桁目は,10進数の2^{i-1}

したがって,2進数の末尾からi桁目は,「10進数の2^{i-1}」と表すことができます。行番号6では,これをexponentに代入します。なお,exponentとは「指数」のことなので,これを知っていれば「〜乗」が入ると予想することもできます。

よって,空欄aには**ウ**か**エ**の

　2の$(i-1)$乗

が入ります。

空欄b

integerNumには,2進数表記の各桁を10進数に変換した値を,①〜④の繰返しで順に合計していくのではないかと考えられます。つまり,次のような処理になるということです。

integerNum ← integerNum＋……

これまでの　　　　　今回の桁の
繰返しの　　　　　　数字
合計　　　　　　　（10進数）

【例】④for文の4回目の場合

integerNum ← integerNum＋……
　　　11　　　　　　3　　　1×2^3

これを踏まえると,「……」の部分には,「今回の桁の2^n表記（exponent）×0か1か（digitNum）」が入ることになります。

よって,空欄bには**イ**か**エ**の

　integerNum＋digitNum×exponent

が入ります。

以上より,正解は**エ**の

　a　2の$(i-1)$乗

　b　integerNum＋digitNum×exponent

です。

📖 **参考**

このプログラムで出てきた各変数の関係を整理すると,以下のようになります。

2進数	1		0		1		1	…digitNum
	×		×		×		×	×
2^n表記	2^3		2^2		2^1		2^0	…exponent
	‖		‖		‖		‖	‖
10進数	8	+	0	+	2	+	1	…integerNum

各桁のintegerNumを合計するため,行番号7で
　integerNum ← integerNum＋……
としている

解答　**エ**

問題文中の□□□に入れる正しい答えを，解答群の中から選べ。

次のプログラムは，スタックを操作するプログラムである。ここで，どのスタックにおいてもポップ操作が実行されたときには，必ず要素を出力するものとする。クラスStackは，スタックを表すクラスである。クラスStackの説明を図に示す。手続き stkd を呼び出したとき，出力は□□□の順になる。

コンストラクタ	説明
Stack()	空のスタックを生成する。

メソッド	戻り値	説明
push(整数型：n)	なし	スタックに要素(整数型：n)を格納する。
pop()	整数型	スタックから要素を1つ取り出す。
size()	整数型	スタックに格納されている要素の個数を返す。

図　クラスStackの説明

〔プログラム〕

```
 1  ○stkd()
 2    Stack:stack ← Stack()
 3    stack.push(1)
 4    stack.push(5)
 5    stack.pop()   /* 戻り値は使用しない */
 6    stack.push(7)
 7    stack.push(6)
 8    stack.push(4)
 9    stack.pop()   /* 戻り値は使用しない */
10    stack.pop()   /* 戻り値は使用しない */
11    stack.push(3)
12    while (stack.size() が0と等しくない)
13      stack.pop() の戻り値を出力
14    endwhile
```

※プログラム中の行番号は筆者が追記した。

解答群

　　ア　1,7,3　　　イ　3,4,6　　　ウ　3,7,1　　　エ　6,4,3

[平成30年度 春期 基本情報技術者試験 午前 問5 一部改変]

★
★★ 問 **8** │ スタックの操作

　重要テーマの1つである，スタックの問題です。基本を押さえておけば解ける問題なので，スタックについては教科書などでしっかりと学習しておきましょう。

用語の解説

● スタック

　スタック (stack) とは，複数のデータを順番に格納し，最後に格納したデータから先に1件ずつ取り出す後入れ先出し (LIFO：Last In First Out) のデータ構造です。

　スタックにデータを 格納することをプッシュ (push)，スタックからデータを取り出すことをポップ (pop) といいます。

スタック
(①，②，③，④の
　順に格納)

ポップ
(④，③，②，①の
　順に取り出される)

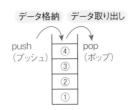

問題の解説

　空のスタックに対して，次の順序でスタック操作を行います。

　while文のstack.pop()でスタックの上の要素から取り出され，出力されます。

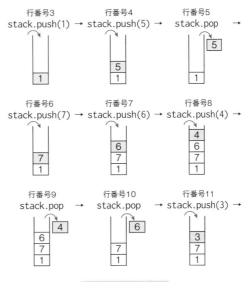

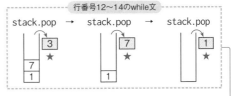

　よって，出力は★印の順に並べた，3,7,1となります。

　したがって，正解は**ウ**の
　　3,7,1
です。

解答 　**ウ**

393

問9

関数binarysearchは，引数で与えられた昇順に整列されたn個の整数が格納されている配列Aを受けとり，2分探索法を用いて配列Aから整数xを探し出し，その結果を返す関数である。 ☐ a ☐ と ☐ b ☐ に入る操作の正しい組み合わせを，解答群の中から選べ。ここで，配列の要素番号は1から始まり，除算の結果は小数点以下が切り捨てられる。

〔プログラム〕

```
1  ○整数型: binarysearch(整数型配列: A)
2  　整数型: lo,hi,n,k,x
3  　x ← 入力整数データ
4  　n ← 配列Aの要素数
5  　lo ← 1
6  　hi ← n
7  　do
8  　　k ← (lo+hi)÷2
9  　　if (A[k]はxと等しい)
10 　　　return "xは存在する"
11 　　elseif (A[k]はxより小さい)
12 　　　　 a
13 　　elseif (A[k]はxより大きい)
14 　　　　 b
15 　　endif
16 　while (loはhi以下)
17 　return "xは存在しない"
```

※プログラム中の行番号は筆者が追記した。

解答群

	a	b
ア	hi ← k+1	lo ← k−1
イ	hi ← k−1	lo ← k+1
ウ	lo ← k+1	hi ← k−1
エ	lo ← k−1	hi ← k+1

[平成19年度 秋期 基本情報技術者試験 午前 問14 一部改変]

問9 | **2分探索法による探索**

2分探索法による探索は重要テーマです。解説でもポイントを紹介しているので，事前にしっかりと学習することをおすすめします。変数の値の変化をトレースで確認する練習を繰り返し，探索アルゴリズムをマスターしておきましょう。

用語の解説

●2分探索法

2分探索を行うには，探索するデータ列があらかじめ整列されている必要があります。データ列の真ん中の値と比較し，探索キーが右側と左側のどちらにあるかで探索範囲を絞り込み，発見するまでその作業を繰り返します。真ん中の値は，配列の要素番号の左端と右端から中央を求めます。

例えば，商品番号11，12……19が配列Aに格納

されているとします。

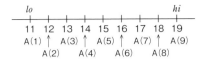

探索する値を18とした場合で説明します。

① lo, hiから中央の要素番号を求めます。

$$(1+9) \div 2 = 5$$

② 中央の値と探索する値である18を比べます。
中央の値＜18ですから、探索する値18は右半分に存在する可能性があります。

③ 要素番号6をloとして、再度①に戻ります。探索する値を発見、もしくは探索できなくなったとき、探索を終了します。

なお、中央の値が求まらない場合は、

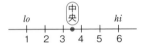

中央の値を3または4とすることで探索します。

問題の解説

空欄a

空欄aに分岐する行番号11

elseif (A[k]はxより小さい)
に着目します。
この条件式では、データxが要素番号の中央の要素より右側に存在する可能性があるので、中央の要素番号＋1を新たなloとします。
なお、中央の要素番号は、行番号8でkに代入されています。
したがって、空欄aには

lo ← k＋1

が入ります。

空欄b

空欄bに分岐する行番号13

elseif (A[k]はxより大きい)
に着目します。
この条件式では、データxが要素番号の中央の要素より左側に存在する可能性があるので、中央の要素番号kを－1して新たなhiとします。
したがって、空欄bには

hi ← k－1

が入ります。

よって、正解は**ウ**です。

解答 **ウ**

プログラム の解説

行番号	プログラム	解説
1	○整数型: binarysearch(整数型配列: A)	関数の定義
2	整数型 : lo,hi,n,k,x	整数型変数の定義
3	x ← 入力整数データ	入力した探索データをxに代入
4	n ← 配列Aの要素数	nに配列Aの要素数を代入
5	lo ← 1	loに1を代入 (loは配列Aの左端の要素番号)
6	hi ← n	hiにnを代入 (hiは配列Aの右端の要素番号)
7	do	後判定繰返しの開始
8	k ← (lo+hi)÷2	「(左端の要素番号＋右端の要素番号)÷2」で要素番号の中央の値を求め、kに代入
9	if (A[k]はxと等しい)	もし「A[k]＝x」なら (要素番号の中央の値が探索データなので)
10	return "xは存在する"	"xは存在する"を呼び出し元に返す
11	elseif (A[k]はxより小さい)	もし「A[k]＜x」なら (探索データは中央の値の右側にあるので)
12	a	a
13	elseif (A[k]はxより大きい)	もし「A[k]＞x」なら (探索データは中央の値の左側にあるので)
14	b	b
15	endif	if文の終わり
16	while (loはhi以下)	後判定繰返しの終わり (繰返しの条件式はlo≦hi)
17	return "xは存在しない"	見つからなかったので、"xは存在しない"を呼び出し元に返す

次のプログラム中の ［ a ］，［ b ］ に入れる正しい答えの組み合わせを，解答群の中から選べ。ここで，配列の要素番号は1から始まる。

手続getNameは，学生名簿と検索したい学籍番号を引数で受け取り，学生名を返す手続である。クラスMeiboは，ある学校の学生名簿を表すクラスである。メンバ変数の説明を表に示す。

メンバ変数	型	説明
code	整数型	学籍番号 (学生を識別するコード)
name	文字列型	学生の名前

表　クラスMeiboのメンバ変数の説明

なお，配列MeiboListには，学生を表すインスタンスへの参照が格納されているものとする。

また，手続getNameは，変数searchCodeで受け取った学籍番号の学生名を返すが，受け取ったコードの学生が見つからなかった場合は，－1を返すものとする。

〔プログラム〕

```
1  ○getName(Meibo型の配列: MeiboList, 整数型: searchCode)
2   整数型: i, num
3   num ← MeiboListの要素数
4   i ← 1
5   while ((i が ［ a ］) and (searchCodeが ［ b ］))
6     i ← i+1
7   endwhile
8   if (iがnumより大きい)
9     return －1
10  endif
11  return MeiboList[i].name
```

※プログラム中の行番号は筆者が追記した。

解答群

	a	b
ア	num以下	MeiboList[i].codeと等しい
イ	num以下	MeiboList[i].codeと等しくない
ウ	num以上	MeiboList[i].codeと等しい
エ	num以上	MeiboList[i].codeと等しくない

[オリジナル問題]

★
★
★

問**10** │ 学生名簿を探索するプログラム（オブジェクト指向）

オブジェクト指向についての基本問題です。試験対策としては，クラスとインスタンスの理解がポイントになります。処理の手順を問題にした内容に比べて，オブジェクト指向は難しい項目かもしれませんが，教科書等でしっかりと学習しておくことをおすすめします。

問題の解説

手続getNameは，引数で与えられた学籍番号（serachCode）を用いて，配列MeiboListに格納された学籍番号と比較します。もし一致した場合は，学生名を返し，一致しなかった場合は，−1を返します。

while文では，要素番号iの値を1から順に1ずつ増やし，serachCodeとMeiboList[i].codeの値が一致したときに繰返しを終了し，学生名を返します。

よって，while文で名簿を探す条件式は，

・iの値がnum以下
　　かつ，
・serachCodeがMeiboList[i].codeと
　　等しくない

となります。

したがって，正解は**イ**の

空欄a　num以下
空欄b　MeiboList[i].codeと等しくない

です。

解答　**イ**

問 **11**

関数maximumSelectionは，引数として整数型の配列xを受けとり，大きい順に整列する。そして，整列後の配列を返す関数である。

　＊印の処理（比較）が実行される回数を表す式を，選択肢の中から選べ。ここで，配列の要素番号は1から始まる。

〔プログラム〕

```
 1  ○整数型: maximumSelection(整数型配列: x)
 2    整数型：i, j, k, n, w
 3    n ← 配列xの要素数
 4    for (iを1からn−1まで1ずつ増やす)
 5      k ← i
 6      for (jをi＋1からnまで1ずつ増やす)
 7        if (x[j]がx[k]より大きい)・・・ (＊)
 8          k ← j
 9        endif
10      endfor
11      w ← x[k]
12      x[k] ← x[i]
13      x[i] ← w
14    endfor
15    return x
```

解答群

ア $n-1$　　**イ** $\dfrac{n(n-1)}{2}$　　**ウ** $\dfrac{n(n+1)}{2}$　　**エ** n^2

[平成14年度 春期 基本情報技術者試験 午前 問13 一部改変]

問 **11** │ 最大値選択法による整列

　本問では，繰返し文が二重になっている場合の処理順がポイントになります。配列が使われている問題の場合，要素が5個程度の配列を適当に考えて，プログラムの動きを確認してみる方法も有効です。

問題の解説

　最大値選択法とは，対象データの中から最大値を探して先頭の値と交換する作業を繰り返すことで，全体を整列させていく手法です。

　プログラムでは，内側の繰返しで最大値を探しています。外側の繰返しでは，探し出した最大値を先頭の要素と交換する処理を行っています。プログラム中の（＊）は，内側の繰返しが実行されるたびに1回ずつ実行されます。

　具体的な値，ここでは「n＝4」を例として考えてみます。

$$\begin{cases} \text{・外側のループは，1～3まで3回繰り返します。} \\ \text{・内側のループは，(i＋1)～4まで繰り返します。} \end{cases}$$

　ここで外側のループは，内側のループで探し出した最大値を先頭の要素と交換する処理なので，（＊）印の実行回数に影響を与えません。よって，内側のループ回数のみに着目します。

① i＝1のとき

内側のループは，j＝2〜4まで繰り返すので，＊印は3回実行されます。

② i＝2のとき

内側のループは，j＝3〜4まで繰り返すので，＊印は2回実行されます。

③ i＝3のとき

内側のループは，j＝4で，＊印は1回実行されます。

よって，（＊）印の処理（比較）の合計実行回数は，「3＋2＋1＝6回」です。

したがって，選択肢に「n＝4」を代入して計算して，結果が6となるものが正解です。

ア $n-1=3$

イ $\dfrac{n(n-1)}{2}=6$（正解）

ウ $\dfrac{n(n+1)}{2}=10$

エ $n^2=16$

📖 参考

プログラムの処理が行われる過程におけるiとjの変化と，＊の処理の実行回数を一覧にすると，次のようになります。

i	j	＊の処理の実行回数
1	2〜n	n−1
2	3〜n	n−2
⋮	⋮	⋮
n−2	n−1〜n	2
n−1	n	1

以上より，＊の処理の実行回数は，次の式で表わすことができます。

＊の処理の実行回数

$$=1+2+3+\cdots+(n-1)$$
$$=\dfrac{n(n-1)}{2} \quad \cdots\cdots \text{イ}$$

公式　数列の和

$$\sum_{k=1}^{n-1}k=1+2+3+\cdots+(n-1)$$
$$=\dfrac{(n-1)(n-1+1)}{2}=\dfrac{n(n-1)}{2}$$

解答　イ

試験対策の要点

令和6年度　科目A／科目B

対策問題①　科目A／科目B

対策問題②　科目A／科目B

対策問題③　科目A／科目B

プログラム の解説

行番号	プログラム	解説
1	○整数型: maximumSelection(整数型配列: x)	関数の定義
2	整数型：i,j,k,n,w	整数型変数の定義
3	n ← 配列xの要素数	配列xの要素数をnに代入
4	for (iを1からn−1まで1ずつ増やす)	「iを1からn−1まで1ずつ増やして」繰返し（nは配列の要素数）
5	k ← i	kにiを代入
6	for (jをi+1からnまで1ずつ増やす)	「jをi+1からnまで1ずつ増やして」繰返し
7	if (x[j]がx[k]より大きい)	（＊）もし「x[j]がx[k]より大きい」なら
8	k ← j	kにjを代入
9	endif	if文の終わり
10	endfor	内側の繰返しの終わり
11	w ← x[k]	wにx[k]を代入
12	x[k] ← x[i]	x[k]にx[i]を代入　x[k]とx[i]の交換処理
13	x[i] ← w	x[i]にwを代入
14	endfor	外側の繰返しの終わり
15	return x	整列済み配列xを呼び出し元に返す

外側のループ／内側のループ

問 **12**

次のプログラムの説明及びプログラムを読んで，設問に答えよ。ここで，配列の要素番号は0から始まる。

〔プログラムの説明〕

整数型の1次元配列の要素A[0]，…，A[N]（N > 0）を，挿入ソートで昇順に整列するプログラムInsertSortである。

(1) 挿入ソートの手順は，次のとおりである。

① まず，A[0]とA[1]を整列し，次にA[0]からA[2]までを整列し，その次にA[0]からA[3]までというように，整列する区間の要素を一つずつ増やしていき，最終的にA[0]からA[N]までを整列する。

② 整列する区間がA[0]からA[M]（1≦M≦N）までのとき，A[M]を既に整列された列A[0]，…，A[M−1]中の適切な位置に挿入する。その手順は次のとおりである。

  (a) A[M]の値を，作業領域Tmpに格納する。

  (b) A[M−1]からA[0]に向かってTmpと比較し，Tmpよりも大きな値を順次隣（要素番号の大きい方）に移動する。

  (c) (b)で最後に移動した値の入っていた配列要素にTmpの内容を格納する。(b)で移動がなかった場合にはA[M]に格納する。

(2) 関数InsertSortの引数の仕様を表に示す。

表 InsertSort の引数の仕様

引数	データ型	入力／出力	意味
A	整数型の配列	入出力	整列対象の1次元配列
N	整数型	入力	整列する区間の最後の要素番号

〔プログラム〕

```
1  ○InsertSort（整数型の配列： A，整数型： N）
2    整数型： Idx1, Idx2, Tmp
3    論理型： Loop
4    for (Idx1を1からNまで1ずつ増やす)
5      Tmp ← A[Idx1]
6      Idx2 ←  | a |
7      Loop ← true
8      while ((Idx2が0以上) and (Loopがtrueと等しい))
9        if (A[Idx2]がTmpより大きい)
10         | b |
11         Idx2 ← Idx2 − 1
12        else
13         Loop ← false
14        endif
15      endwhile
16       | c |
17    endfor
```

※プログラム中の行番号は筆者が追記した。

設問

プログラム中の ▭a▭ ～ ▭c▭ に入れる正しい答えを，解答群の中から選べ。

解答群

	a	b	c
ア	Idx1	A[Idx2 + 1] ← A[Idx2]	A[Idx2 + 1] ← Tmp
イ	Idx1	A[Idx2 − 1] ← A[Idx2]	A[Idx2 − 1] ← Tmp
ウ	Idx1	A[Idx2 + 1] ← Tmp	A[Idx2 + 1] ← A[Idx2]
エ	Idx1 + 1	A[Idx2 + 1] ← A[Idx2]	A[Idx2 + 1] ← Tmp
オ	Idx1 + 1	A[Idx2 − 1] ← A[Idx2]	A[Idx2 − 1] ← Tmp
カ	Idx1 + 1	A[Idx2 + 1] ← Tmp	A[Idx2 + 1] ← A[Idx2]
キ	Idx1 − 1	A[Idx2 + 1] ← A[Idx2]	A[Idx2 + 1] ← Tmp
ク	Idx1 − 1	A[Idx2 − 1] ← A[Idx2]	A[Idx2 − 1] ← Tmp
ケ	Idx1 − 1	A[Idx2 + 1] ← Tmp	A[Idx2 + 1] ← A[Idx2]

[平成19年度 春期 基本情報技術者試験 午後 問4 一部改変]

★★★ 問**12** 整列プログラム（挿入ソート）中の空欄を求める

重要テーマの1つである整列の問題です。本問では挿入ソートの手順が問題文に説明されているので，問題文を読み解けば理解できますが，必ず丁寧な説明があるとは限りません。そのため，挿入ソートなど整列の基本的な手順は，「科目Bのポイント集」の12.などで事前に学習しておきましょう。また，本問のように配列の要素番号が1ではなく0から始まる場合も考えられるので，どちらにも対応できるようにしておくことをおすすめします。

問題の解説

整数型の1次元配列の要素を，挿入ソートで昇順に整列するプログラム内の空欄を求めます。

挿入ソートとは，整列済みの列の適切な位置に，未整列の要素を一つずつ挿入していくものです。「先頭から2つの値を比較して小さい方を先頭に，大きい方を2番目に置く。次に3番目の値を取り出し，先頭・2番目の列の適切な位置に挿入する」という手順を繰り返しながら要素を整列します。

挿入法のポイントは，以下の通りです。

[例] 昇順になるように4を挿入する

1. 挿入する場所を見つける

ここだ！ → 4
| 1 | 3 | 5 | 7 |

2. 挿入する場所の右の要素を移動する

┌ 挿入場所を確保
| 1 | 3 | ? | 5 | 7 |
└‥‥移動

3. 空いた場所に挿入する

挿入 ↓
| 1 | 3 | 4 | 5 | 7 |

●本問の挿入ソート手順の解説

〔プログラムの説明〕を，次のような具体的な値で解説します。

例 N = 4

```
            0 1 2 3 4
(整列前の配列A)  3 7 5 2 5
```

⬇

```
            0 1 2 3 4
(整列後の配列A)  2 3 5 5 7
```

(a) Mのとり得る値の範囲は，問題文②の記述より $1 \leq M \leq N$ です。

問題文「①まず，A[0]とA[1]を整列し」より，Mの最小値であるM=1から考えます。問題文②の(a)「A[1]の値を，作業領域Tmpに格納する」より，A[1]=7なので，

Tmp ← 7

となります。

(b)「A[M−1]からA[0]に向かってTmpと比較し，
　　　 ‖ 　　　　　　　　 ‖
　　 A[0]=3 　　　　　　　 7

Tmpよりも大きな値を順次隣(要素番号の大きい方)に移動する。」

→ A[0]=3，Tmp=7ですから，

A[0]＜Tmp

となり，今回は移動が発生しません。

(c)「(b)で移動がなかった場合にはA[M]に格納する。」
　　　　　　　　　　　　　　 ‖
　　　　　　　　　　　 A[1] ← Tmp
　　　　　　　　　　　　　　　 7

ここで，配列Aは何も移動が起こらず，次のようになっています。

```
配列A  3 7 5 2 5
```

- -

$(1 \leq M \leq N)$ となるまで，
M ← M + 1
‖ 　　 ‖
② 　　 1

として手順(a)〜(c)を繰り返します。

(a)「A[2]の値を，作業領域Tmpに格納する」ので，
　　 ‖
　　 5
　　Tmp ← 5

(b)「A[2−1]からA[0]に向かってTmpと比較し，

```
            0 1 2 3 4
配列A  3 7 5 2 5
         比較
Tmp  5
```

「… Tmpよりも大きな値を順次隣(要素番号の大きい方)に移動する。」

```
            0 1 2 3 4
配列A  3 ? 7 2 5
```

移動(コピーではなく移動なので A[1]は何が入っているか保証できない)

(c)「(b)で最後に移動した値の入っていた配列要素にTmpの内容を格納する。」

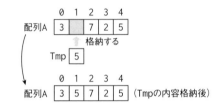

```
            0 1 2 3 4
配列A  3   7 2 5
        格納する
Tmp  5
            0 1 2 3 4
配列A  3 5 7 2 5   (Tmpの内容格納後)
```

- -

$(1 \leq M \leq N)$ となるまで，
M ← M + 1
‖ 　　 ‖
③ 　　 2

として手順(a)〜(c)を繰り返します。

以下同様なので，要点だけ解説します。

(a) 　Tmp ← A[3]
　　　 2 　　 ‖
　　　　　　 2

(b) A[2]からA[0]に向かってTmp＝2と比較

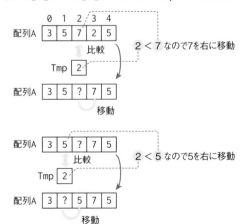

```
            0 1 2 3 4
配列A  3 5 7 2 5      2＜7 なので7を右に移動
         比較
Tmp  2
            0 1 2 3 4
配列A  3 5 ? 7 5
         移動
            0 1 2 3 4
配列A  3 5 ? 7 5      2＜5 なので5を右に移動
       比較
Tmp  2
            0 1 2 3 4
配列A  3 ? 5 7 5
         移動
```

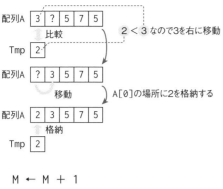

配列A 3 ? 5 7 5 ← 2＜3なので3を右に移動
　　比較
Tmp 2

配列A ? 3 5 7 5
　　移動　　A[0]の場所に2を格納する
配列A 2 3 5 7 5
　　格納
Tmp 2

M ← M ＋ 1
‖　　‖
4　　3

　以下同様に繰り返し，最後に昇順に整列されます。

空欄a

行番号5　Tmp ← A[Idx1]
となっていますから，これが〔プログラムの説明〕(a)の手順となります。Idx1はMを表しています。
　また，手順(b)の「A[M－1]から ……」の部分とaの解答群から，A[M－1]をA[Idx1－1]と表現しています。

　したがって，空欄aには
　　Idx1 － 1
が入ります。

空欄b

行番号9　if (A[Idx2]がTmpより大きい)
は，〔プログラムの説明〕の手順(b)では，次のようになります。

A[M－1]からA[0]に向かってTmpと比較し，
　└→ Idx2 ← Idx2 － 1

Tmpよりも大きな値を順次隣 (要素番号の大きい
　└→ A[Idx2]が　　└→A[Idx2＋1] ← A[Idx2]
　　　Tmpより大きい　　　　(空欄bの処理)
　　　　　　　　　┈┈┘
方)に移動する。　＋1で右隣の
　　　　　　　　　要素番号を表す

　したがって，空欄bには
　　A[Idx2＋1] ← A[Idx2]
が入ります。

空欄c

　〔プログラムの説明〕の手順(c)にある「(b)で最後に移動した値の入っていた配列要素にTmpの内容を格納する。」の部分の処理が入ります。
　空欄cでは，行番号9の「A[Idx2]がTmpより大きい」が偽で，行番号13でLoopにfalseが代入され，繰返しを抜けています。そして，空欄cでA[Idx2＋1]にTmpの値を格納します。
　したがって，空欄cには
　　A[Idx2＋1] ← Tmp
が入ります。

　以上より，正解は キ です。

解答　キ

次の記述中の □□□ に入れる正しい答えを，解答群の中から選べ。

空の状態のキューとスタックの二つのデータ構造がある。
クラスQueueはキューを表すクラスである。クラスQueueの説明を図1に示す。
クラスStackはスタックを表すクラスである。クラスStackの説明を図2に示す。

コンストラクタ		説明
Queue()		空のキューを生成する。

メソッド	戻り値	説明
enq(文字型：y)	なし	キューに文字yを要素として挿入する。
deq()	文字型	キューから要素を1つ取り出して返す。

図1　クラスQueueの説明

コンストラクタ		説明
Stack()		空のスタックを生成する。

メソッド	戻り値	説明
push(文字型：n)	なし	スタックに要素（文字型：n）を格納する。
pop()	文字型	スタックから要素を1つ取り出す。

図2　クラスStackの説明

手続schedを呼び出したとき，出力は □□□ となる。

〔プログラム〕

```
1  ○sched()
2    文字型：x
3    Queue:queue ← Queue()
4    Stack:stack ← Stack()

5    stack.push("a")
6    stack.push("b")
7    queue.enq(stack.pop())
8    queue.enq("c")
9    stack.push("d")
10   stack.push(queue.deq())
11   x ← stack.pop()
12   xを出力
```

解答群
　ア　a　　　　イ　b　　　　ウ　c　　　　エ　d

［平成26年度 春期 基本情報技術者試験 午前 問7 一部改変］

★
★★ 問**13** ｜ キューとスタックの操作

　重要テーマの1つである，キューとスタックの基本問題です。本問では，キューとスタックの間でデータが移動する点に注意が必要です。

用語の解説

● キュー

　キューとは，1次元配列に格納されたデータの一方の端からデータを格納し，他方の端からデータを取り出すデータ構造のことです。このようなデータの出し入れをFIFO（First-In First-Out：先入れ先出し）と呼びます。

● キュー（①, ②, ③, ④の順に格納）

　①, ②, ③, ④の順に取り出し

● スタック

　スタックとは，1次元配列に格納された後から入れたデータを先に出すデータ構造のことをいいます。このようなデータの出し入れをLIFO（Last-In First-Out：後入れ先出し）と呼びます。

● スタック（①, ②, ③, ④の順に格納）

　④, ③, ②, ①の順に取り出し

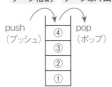

問題の解説

　〔プログラム〕を実行する流れを，図で解説します。

①行番号3, 4
空のスタック，キューを生成します。

②行番号5, 6
　stack.push("a")
　stack.push("b")

	b
	a

③行番号7
　queue.enq(stack.pop())

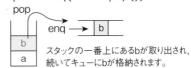

スタックの一番上にあるbが取り出され，続いてキューにbが格納されます。

④行番号8
　queue.enq("c")

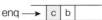

⑤行番号9
　stack.push("d")

d
a

⑥行番号10
　stack.push(queue.deq())

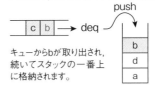

キューからbが取り出され，続いてスタックの一番上に格納されます。

⑦行番号11
　x ← stack.pop()

スタックの一番上にあるbを変数xに代入します。

⑧行番号12
　xを出力

　したがって，正解は**イ**の

　　b

です。

解答　

405

問14

次のプログラム中の □□□ に入れる正しい答えを，解答群の中から選べ。二つの □□□ には，同じ答えが入る。ここで，配列の要素番号は1から始まる。

Unicodeの符号位置を，UTF-8の符号に変換するプログラムである。本問で数値の後ろに"(16)"と記載した場合は，その数値が16進数であることを表す。

Unicodeの各文字には，符号位置と呼ばれる整数値が与えられている。UTF-8は，Unicodeの文字を符号化する方式の一つであり，符号位置が800 (16) 以上FFFF (16) 以下の文字は，次のように3バイトの値に符号化する。

3バイトの長さのビットパターンを1110xxxx 10xxxxxx 10xxxxxxとする。ビットパターンの下線の付いた"x"の箇所に，符号位置を2進数で表した値を右詰めで格納し，余った"x"の箇所に，0を格納する。この3バイトの値がUTF-8の符号である。

例えば，ひらがなの"あ"の符号位置である3042 (16) を2進数で表すと11000001000010である。これを，上に示したビットパターンの"x"の箇所に右詰めで格納すると，1110xx11 10000001 10000010となる。余った二つの"x"の箇所に0を格納すると，"あ"のUTF-8の符号11100011 10000001 10000010が得られる。

関数encodeは，引数で渡されたUnicodeの符号位置をUTF-8の符号に変換し，先頭から順に1バイトずつ要素に格納した整数型の配列を返す。encodeには，引数として，800(16)以上FFFF(16)以下の整数値だけが渡されるものとする。

〔プログラム〕

```
1   ○整数型の配列: encode(整数型: codePoint)
      /* utf8Bytesの初期値は，ビットパターンの"x"を全て0に置き換え，
         8桁ごとに区切って，それぞれを2進数とみなしたときの値 */
2   整数型の配列: utf8Bytes ← {224, 128, 128}
3   整数型: cp ← codePoint
4   整数型: i
5   for (iをutf8Bytesの要素数から1まで1ずつ減らす)
6     utf8Bytes[i] ← utf8Bytes[i] +(cp÷□□□の余り)
7     cp ← cp÷□□□の商
8   endfor
9   return utf8Bytes
```

※プログラム中の行番号は筆者が追記した。

解答群

ア ((4−i)×2)	イ (2の(4−i)乗)	ウ (2のi乗)
エ (i×2)	オ 2	カ 6
キ 16	ク 64	ケ 256

[基本情報技術者試験 サンプル問題 (2022年12月26日公開) 科目B 問16]

問14 | **Unicode の符号位置を UTF-8 の符号に変換するプログラム**

　問題文がやや長文ですが，科目Aで勉強する基数変換などの基礎知識で解くことができる問題です。問題文やプログラムでは，2進数，16進数，10進数が混在して使われていますので，加算や除算などの計算をする際には，基数を揃えることに注意しましょう。

問題の解説

Unicode，UTF-8について詳しい知識は必要ありません。問題文に与えられている変換の方法の説明，および例を理解することで問題を解くことができます。

【問題文で与えられている例】

例えば，ひらがなの"あ"の符号位置である3042(16)を2進数で表すと11000001000010である。

3042(16)は，16進数の3042のことで，これを2進数に基数変換しています。変換方法は以下のように，16進数の各1桁を，4桁の2進数に変換していきます。

```
   3       0       4       2    …16進数
 0011    0000    0100    0010   …2進数
前のゼロ  変換後
を省略   11000001000010         …2進数
```

【例の続き】

これを，上に示したビットパターンの"x"の箇所に右詰めで格納すると，

1110xx11 10000001 10000010

となる。余った二つの"x"の箇所に0を格納すると，"あ"のUTF-8の符号

11100011 10000001 10000010

が得られる。

問題文「3バイトの長さのビットパターンを1110xxxx 10xxxxxx 10xxxxxxとする。ビットパターンの下線の付いた"x"の箇所に，符号位置を2進数で表した値を右詰めで格納し，余った"x"の箇所に，0を格納する」より，【例の続き】を説明します。

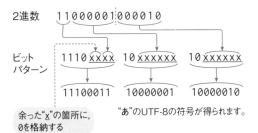

2進数　11000001000010

ビットパターン　1110xxxx 10xxxxxx 10xxxxxx

11100011 10000001 10000010

"あ"のUTF-8の符号が得られます。

余った"x"の箇所に，0を格納する

さて，問題文の例がわかったところで，〔プログラム〕を説明します。

●行番号1　整数型の配列：

encode(整数型: codePoint)

整数型の引数codePointは，Unicodeの符号位置（たとえば，"あ"だと，3042(16)）が入ります。

●行番号2　整数型の配列：

utf8Bytes ← {224,128,128}

ビットパターンの

$$\underset{224}{\underline{1110\text{xxxx}}}\quad\underset{128}{\underline{10\text{xxxxxx}}}\quad\underset{128}{\underline{10\text{xxxxxx}}}\cdots\text{2進}$$

…10進

の部分を配列要素としています。

整列型の配列　utf8Bytes

	1	2	3
utf8Bytes	224	128	128

というように値が格納されています。

●行番号3　整数型: cp ← codePoint

引数のcodePointを整数型の変数cpに代入しています。

●行番号4　整数型: i

整数型iの定義です。iは配列の要素番号を格納するためによく使われます。本問でも，配列の要素番号で使われています。

●行番号5　for (iをutf8Bytesの要素数から1
　　　　　　　　3　　　まで1ずつ減らす)

初回は，i＝3です。iの値は，3，2，1と変化します。

●行番号6　utf8Bytes[i]
　　　　　　　　　3
　　　← utf8Bytes[i]＋(cp÷□の余り)
　　　　　　　128

では，設問の例を使って，プログラムの流れを説明します。①〜③はfor文の繰返し回数を示します。

①i＝3

i＝3では，ビットパターンのうち，下の色が付いた部分（要素番号3）を処理します。

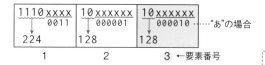

…"あ"の場合

←要素番号

行番号6の除算を使って，要素番号3のxxxxxx部分の6ビットを取り出す方法を考えます。

たとえば，"あ"の符号位置3042(16)の2進数

　　11000001000010

の下線部を取り出すには，元の2進数を6ビット右へシフトします。

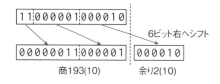

6ビット右へシフト

商193(10)　余り2(10)

2進数6ビット右へシフトすると，$2^6＝64$で除算したことになります。

よって，空欄に64が入ります。

[検算]

空欄の値を10進数の64とした場合，問題文の[例]が正しく計算できるか，検討してみます。

ここで注意しなければならないのは，配列utf8Bytes[i]の要素は10進数で格納されていたことです。よって，（cp÷□□□の余り）の部分を10進数同士の計算とすることで，

　　utf8Bytes[i]＋（cp÷□□□の余り）

の加算を適切に行う必要があります。

cpの値3042(16)を10進数に基数変換すると，

　　$4096×3＋16×4＋1×2＝12354$

です。

よって，行番号6は　　utf8Bytes 224 128 128

utf8Bytes[i] ← utf8Bytes[i]+
　130 (iii)　　　　128 ←12354
　　　　　　　　　（cp÷ 64 の余り）
　　　　　　　　　　　　2

行番号7は

cp ← cp ÷ 64 の商
193

となります。

②i＝2

要素番号2の部分の処理です。

行番号6は　　utf8Bytes 224 128 128

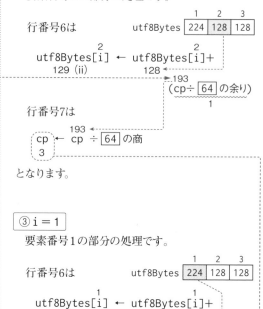

utf8Bytes[i] ← utf8Bytes[i]+
　129 (ii)　　　　128 ←193
　　　　　　　　　（cp÷ 64 の余り）
　　　　　　　　　　　　1

行番号7は

cp ← cp ÷ 64 の商
　3

となります。

③i＝1

要素番号1の部分の処理です。

行番号6は　　utf8Bytes 224 128 128

utf8Bytes[i] ← utf8Bytes[i]+
　227 (i)　　　　224 ←3
　　　　　　　　　（cp÷ 64 の余り）
　　　　　　　　　　　　3

行番号7は

cp ← cp ÷ 64 の商
　0

となります。

以上より，

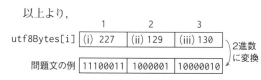

utf8Bytes[i]　(i) 227　(ii) 129　(iii) 130
問題文の例　11100011　1000001　10000010

2進数に変換

となり，設問の例と合致するので，空欄に入る答えは64です。

したがって，正解は**ク**の

　64

です。

解答　**ク**

408

問 15 ★★★

次のアルゴリズムの説明及びプログラムを読んで，設問に答えよ。

方程式の解の一つを求めるアルゴリズムである。任意に定めた解の予測値から始めて，計算を繰り返しながらその値を真の値に近づけていく。この方法は，ニュートン法と呼ばれる。

〔アルゴリズムの説明〕

3次方程式 $a_3x^3 + a_2x^2 + a_1x + a_0 = 0$ の解の一つを，次の手順で求める。

(1) 解の予測値 x，係数 a_3, a_2, a_1, a_0 を読み込む。

(2) $3 \times a_3$ の値を b_2 に，$2 \times a_2$ の値を b_1 に，$1 \times a_1$ の値を b_0 に，それぞれ求める。

(3) 次の①〜④の処理を一定の回数繰り返す。

① $a_3x^3 + a_2x^2 + a_1x + a_0$ の値を求め，これをfとする。

② $b_2x^2 + b_1x + b_0$ の値を求め，これをdとする。

③ x, f, d の値を印字する。

④ $x - \dfrac{f}{d}$ の値（解の一つにより近い値となる）を求め，これを新たなxとする。

プログラムは，このアルゴリズムを実装したものである。

〔プログラム〕

```
1   整数型： i
2   実数型： d, f, x
3   実数型： a3, a2, a1, a0, b2, b1, b0
4   read(x, a3, a2, a1, a0) /* x, a3〜a0の値を読み込む */
5   b2 ← 3.0 × a3
6   b1 ← 2.0 × a2
7   b0 ← a1
8   for (iを1から100まで1ずつ増やす)/* 繰返し回数は100回とする */
9     f ← ((a3 × x + a2) × x + a1) × x + a0
10    d ← (b2 × x + b1) × x + b0
11    print(x,f,d) /* x, f, dの値を印字する */
12    x ← x − f ÷ d
13  endfor
```

設問

次の記述中の □□□ に入れる正しい答えを，解答群の中から選べ。

解の予測値 $x = 2.5$，係数 $a_3 = 1$, $a_2 = -3$, $a_1 = -1$, $a_0 = 3$ を与えて，3次方程式 $x^3 - 3x^2 - x + 3 = 0$ の解の一つを求める（解は 3, 1, −1）。プログラムをある処理系で実行した結果，図1に示すとおり解の一つである $x = 3$ が近似的に得られた。

```
（行番号）    x              f               d
    1    2.500000     −2.625000         2.750000
    2    3.454545      4.969947        14.07438
    3    3.101425      8.741682(−1)     9.247965
    4    3.006900      5.548452(−2)     8.082941
    5    3.000035      2.833717(−4)     8.000425
    6    3.000000      7.527369(−9)     8.000000
    7    3.000000      0.000000         8.000000
    8    3.000000      0.000000         8.000000
```

注1　数値の後の(−k)は，×10⁻ᵏを示す。例えば，5.548452(−2)は，5.548452×10^{-2}，すなわち0.05548452を表す。

注2　表示は有効数字7けた（8けた目を四捨五入）

図1　プログラムの印字結果

この印字結果の行番号6, 7のxの値（網掛けの部分）はいずれも3.000000である。行番号6, 7を印字した時点で変数xに保持されていた実際の値をそれぞれx_6, x_7で表すと，□□□□。

なお，この処理系では，実数型は2進数の浮動小数点形式であって，有効けた数は10進数で十数けた程度であることが分かっている。

解答群

ア　$x_6 = x_7$である

イ　$x_6 \neq x_7$である

ウ　$x_6 = x_7$とも$x_6 \neq x_7$ともいえない

[平成21年度 秋期 基本情報技術者試験 午後 問8 一部改変]

★★★ 問15 ┃ 数値計算と計算誤差

ニュートン法の重要度はそれほど高くありませんので，事前に学習している人は少ないかもしれません。しかし科目Bは全問必須問題です。知らない単語の問題が出題された場合も，あきらめることなく，〔アルゴリズムの説明〕を読んでニュートン法の概要を読み解くことに努めましょう。問題文の記述と図1の値の変化から考えることで，正解を導くことは十分に可能です。

問題の解説

ニュートン法は方程式の解を求める方法の1つです。考え方は，任意に定めた解の予測値から始めて，計算を繰り返しながらその値を真の値に近づけていくものです。

図1の，行番号6，7のxの値（網掛け部分）に表示されている桁数と，計算機内部の桁数（設問文「～この処理系では，～有効けた数は10進数で十数けた程度であることが分かっている」）は

$$\boxed{\text{表示されている桁数}} < \boxed{\text{計算機内部の桁数}}$$

の関係です。よって，x_6，x_7の実際の値が，表示されている値と違うかもしれないので確認します。

プログラムは，問題文〔アルゴリズムの説明〕によって作られています。

図1の行番号6，7のf値が異なっています。

	x	f	
行番号6	3.000000	7.527369(-9)	←
行番号7	3.000000	0.000000	←

値が異なる

fの値は〔アルゴリズムの説明〕(3)①より

$$f = a_3 x^3 + a_2 x^2 + a_1 x + a_0$$

と示されています。

図1のfの値を見ると，fは次第に小さい値となって行番号7，8で0となっています。

また，(3)④で

$$x - \frac{f}{d} \text{の値（解の1つにより近い値となる）}$$

を求め，これを新たなxとしています。

これらのことから

行番号6,7ではごく小さい値（xの表示に違いが出ない程度）の違いがある

であることがわかります。

したがって，正解は**イ**の

$x_6 \neq x_7$である

です。

解答　**イ**

プログラムの解説

行番号	プログラム	解説
1	整数型： i	整数型変数の宣言
2	実数型： d, f, x	実数型変数の宣言
3	実数型： a3, a2, a1, a0, b2, b1, b0	実数型変数の宣言
4	read(x, a3, a2, a1, a0)	〔アルゴリズムの説明〕(1)の処理
5	b2 ← 3.0×a3	〔アルゴリズムの説明〕(2)の処理
6	b1 ← 2.0×a2	同上
7	b0 ← a1	同上
8	for (iを1から100まで1ずつ増やす)	〔アルゴリズムの説明〕(3)の処理
9	f ← ((a3 × x + a2) × x + a1) × x + a0	〔アルゴリズムの説明〕(3)①の処理
10	d ← (b2 × x + b1) × x + b0	〔アルゴリズムの説明〕(3)②の処理
11	print(x,f,d)	〔アルゴリズムの説明〕(3)③の処理
12	x ← x − f ÷ d	〔アルゴリズムの説明〕(3)④の処理
13	endfor	繰り返しの終わり

次のプログラム中の ▭a▭ と ▭b▭ に入れる正しい答えの組合せを，解答群の中から選べ。ここで，配列の要素番号は1から始まる。

コサイン類似度は，二つのベクトルの向きの類似性を測る尺度である。関数calcCosineSimilarityは，いずれも要素数がn(n≧1)である実数型の配列vector1とvector2を受け取り，二つの配列のコサイン類似度を返す。配列vector1が$\{a_1, a_2, \cdots, a_n\}$，配列vector2が$\{b_1, b_2, \cdots, b_n\}$のとき，コサイン類似度は次の数式で計算される。ここで，配列vector1と配列vector2のいずれも，全ての要素に0が格納されていることはないものとする。

$$\frac{a_1 b_1 + a_2 b_2 + \cdots + a_n b_n}{\sqrt{a_1^2 + a_2^2 + \cdots + a_n^2}\sqrt{b_1^2 + b_2^2 + \cdots + b_n^2}}$$

〔プログラム〕

```
1  ○実数型: calcCosineSimilarity(実数型の配列: vector1,実数型の配列: vector2)
2    実数型: similarity, numerator, denominator, temp ← 0
3    整数型: i
4    numerator ← 0

5    for (iを1からvector1の要素数まで1ずつ増やす)
6      numerator ← numerator +  a
7    endfor

8    for (iを1からvector1の要素数まで1ずつ増やす)
9      temp ← temp + vector1[i]の2乗
10   endfor
11   denominator ← tempの正の平方根

12   temp ← 0
13   for (iを1からvector2の要素数まで1ずつ増やす)
14     temp ← temp + vector2[i]の2乗
15   endfor
16   denominator ←  b

17   similarity ← numerator ÷ denominator
18   return similarity
```

※プログラム中の行番号は筆者が追記した。

解答群

	a	b
ア	(vector1[i] × vector2[i])の正の平方根	denominator × (tempの正の平方根)
イ	(vector1[i] × vector2[i])の正の平方根	denominator + (tempの正の平方根)
ウ	(vector1[i] × vector2[i])の正の平方根	tempの正の平方根
エ	vector1[i] × vector2[i]	denominator × (tempの正の平方根)
オ	vector1[i] × vector2[i]	denominator + (tempの正の平方根)
カ	vector1[i] × vector2[i]	tempの正の平方根
キ	vector1[i]の2乗	denominator × (tempの正の平方根)
ク	vector1[i]の2乗	denominator + (tempの正の平方根)
ケ	vector1[i]の2乗	tempの正の平方根

[令和5年度 基本情報技術者試験 公開問題 科目B 問5]

★★★ 問16 | コサイン類似度

コサイン類似度を学習していないからと、諦めてはいけません。コサイン類似度の計算式は、問題文で与えられています。しかも、計算式の意味がわからなくても、「2乗」や「平方根」など、中学レベルの基礎数学の知識があれば、容易に解答できます。このような出題は今後増える可能性もあるので、「log」「Σ」「順列・組合せで使われる記号」「三角関数」など、中学・高校レベルの数学の基礎知識を学習しておきましょう。

問題の解説

本問は、コサイン類似度を求めるプログラムですが、コサイン類似度がまったくわからなくても解答できます。設問の式とプログラムを対比しながら理解していきましょう。

空欄a

(1)行番号17

まず、空欄aの行で使われている、numeratorに着目します。numeratorが使われている行番号を抜き出してみましょう。

行番号2　実数型で変数定義
行番号4　0で初期化
行番号6　numeratorに空欄aを累計
行番号17　numeratorをdenominatorで除算

ここで、行番号17に注目します。分数は「分子÷分母」であることを踏まえながら、除算と設問の式を見比べると、

17 similarity ← numerator ÷ denominator

分子　　　　　　　　分母

$$\frac{a_1b_1 + a_2b_2 + \cdots + a_nb_n}{\sqrt{a_1^2 + a_2^2 + \cdots + a_n^2} \sqrt{b_1^2 + b_2^2 + \cdots + b_n^2}}$$

という関係になっています。つまり、変数numeratorは分子部分であることがわかります。

(2)行番号6

注目!

6 numerator ← numerator + ［ a ］

(1)より分子

分子で＋記号を使っていることをヒントにして、

設問の式の分子を見ると，行番号6ではfor文で，

$$a_1b_1 + a_2b_2 + \cdots + a_nb_n$$

の部分を計算していることがわかります。

よく見ると，分子の式で「平方根」($\sqrt{\,}$) は使われていないので，**ア**〜**ウ**の「(vector1[i] × vector2[i])の正の平方根」は誤りです。

また，「2乗」も使われていないので，**キ**〜**ケ**の「vector1[i]の2乗」も誤りです。

問題文より，

配列vector1が{a_1，a_2，$\cdots$，a_n}
配列vector2が{b_1，b_2，$\cdots$，b_n}

なので，a_1b_1は，

vector1[i] × vector2[i]

と表すことができます。

よって空欄aには，**エ**〜**カ**の

vector1[i] × vector2[i]

が入ります。

空欄b

(1)行番号9

空欄bの代入先がdenominatorなので，分母です。行番号11でtempの正の平方根をdenominatorに代入していることから，行番号9に着目します。

9　　　temp ← temp + vector1[i]の2乗

設問文より，
配列vector1は
{a_1，a_2,$\cdots$，a_n}

i=1 のとき a_1
i=2 のとき a_2　の2乗
i=n のとき a_n

$a_1{}^2$，$a_2{}^2$，$a_3{}^2\cdots$，$a_n{}^2$
のこと

tempで累計しているので，
$a_1{}^2 + a_2{}^2 + \cdots + a_n{}^2$ を計算している

よって，この行番号9は，設問の式の色が付いた部分に対応していることがわかります。

$$\frac{a_1b_1 + a_2b_2 + \cdots + a_nb_n}{\sqrt{a_1^2 + a_2^2 + \cdots + a_n^2}\sqrt{b_1^2 + b_2^2 + \cdots + b_n^2}}$$

行番号9で計算（tempに求めている）

---

(2)行番号11

11 denominator ← tempの正の平方根

$\sqrt{\,}$

よって

$$\frac{a_1b_1 + a_2b_2 + \cdots + a_nb_n}{\sqrt{a_1^2 + a_2^2 + \cdots + a_n^2}\sqrt{b_1^2 + b_2^2 + \cdots + b_n^2}}$$

行番号11でtempの平方根を求め，denominatorに代入している

(3)行番号14

行番号9とよく似た処理です。

14　　　temp ← temp + vector2[i]の2乗

(1)の解説を参考にすると，この部分は，

$b_1{}^2 + b_2{}^2 + \cdots + b_n{}^2$

を計算している部分です。

よって，この行番号14は，設問の式の色が付いた部分に対応していることがわかります。

$$\frac{a_1b_1 + a_2b_2 + \cdots + a_nb_n}{\sqrt{a_1^2 + a_2^2 + \cdots + a_n^2}\sqrt{b_1^2 + b_2^2 + \cdots + b_n^2}}$$

行番号14で計算している

(4)行番号16

行番号11とよく似た処理です。

11 denominator ← tempの正の平方根
16 denominator ← 　b

$$\frac{a_1b_1 + a_2b_2 + \cdots + a_nb_n}{\sqrt{a_1^2 + a_2^2 + \cdots + a_n^2}\sqrt{b_1^2 + b_2^2 + \cdots + b_n^2}}$$

(2)　行番号11の　　　×　　tempの正の平方根
denominator

よって，空欄bには

denominator × （tempの正の平方根）

が入ります。

したがって，設問の答えは**エ**の

a　vector1[i] × vector2[i]
b　denominator × （tempの正の平方根）

です。

解答　　**エ**

414

Webサービスを利用するためのパスワードを安全に保存する方法に関する次の記述を読んで，設問に答えよ。

A社が提供するWebサービスを利用するには，利用者が決めた利用者IDとパスワードを，Webアプリケーションが動作するサーバに登録しておく必要がある。A社のWebアプリケーションでは，利用者がWebアプリケーションにログインするときに，Webブラウザから利用者IDとパスワードがサーバに送信される。サーバは，受信した利用者IDとパスワードを，照合することによって認証する。利用者が決めたパスワードは，パスワードファイルに平文で保存されている。

近年，パスワードファイルが漏えいし，不正ログインが発生したと考えられる事件が多数報道されている。そこで，A社に勤めるCさんは，自社のWebアプリケーションにおけるパスワードファイルが漏えいした際の不正ログインを防止するための対策について，上司から検討を命じられた。

Cさんは対策として，パスワードを平文で保存するのではなく，ハッシュ関数でパスワードのハッシュ値を計算（以下，ハッシュ化という）し，そのハッシュ値を保存する方式を提案することにした。この方式におけるログイン時の認証では，受信したパスワードから求めたハッシュ値を，パスワードファイルに保存されているハッシュ値と照合する。パスワードの保存の流れと，照合の流れを図1に示す。

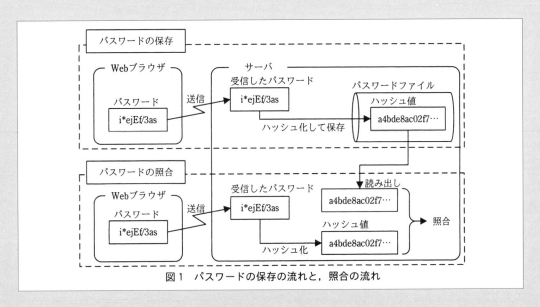

図1　パスワードの保存の流れと，照合の流れ

Cさんは，パスワードのハッシュ化には，ハッシュ関数の一つである　　a　　を用いることにした。ハッシュ化に用いるハッシュ関数は，一般的に次のような特徴を備えているので，パスワードが一致していることの確認に用いることができる。また，利用者のパスワードを平文で保存する場合と比べて，パスワードファイルが漏えいしても，より安全だと考えたからである。

〔ハッシュ化に用いるハッシュ関数の特徴〕
(1) パスワードの長さに関係なく，ハッシュ値は固定長になる。
(2) 　　b　　
(3) ハッシュ値からパスワードを推測することが非常に困難である。
(4) パスワードが1文字でも異なれば，ハッシュ値は大きく異なる。

本文中の ⬚a⬚ , ⬚b⬚ に入れる正しい組み合わせを，解答群の中から選べ。

解答群

		a	b
ア		AES	(一)
イ		AES	(二)
ウ		AES	(三)
エ		SHA-256	(一)
オ		SHA-256	(二)
カ		SHA-256	(四)
キ		TLS	(一)
ク		TLS	(三)
ケ		TLS	(四)

(一) 異なるパスワードをハッシュ化したとき，同じハッシュ値になる可能性が高い。

(二) 同一のパスワードをハッシュ化すると，同じハッシュ値になる。

(三) パスワードをハッシュ化した結果のハッシュ値を再度ハッシュ化すると，元のパスワードになる。

(四) 秘密鍵を使用してハッシュ値から元のパスワードを復元できる。

[平成30年度 春期 基本情報技術者試験 午後 問1 一部改変]

★★☆ 問**17** | **Webサービスを利用するためのパスワードを安全に保存する方法**

　パスワードのハッシュ化に関する問題です。まず基本として，ハッシュ関数の概要と特徴，ハッシュ値を求める計算手順を理解しておく必要があります。そのうえで，ハッシュ値を求める計算手順のひとつがSHA-256であることも勉強しておきましょう。

問題の解説

空欄a

ハッシュ値とは，あるデータをハッシュ関数を使って計算して得られた数値です。同じデータからは同じハッシュ値が得られますが，元データが異なれば，その計算結果のハッシュ値も異なるため，データの改ざんの検出などに使われます。また，ハッシュ関数は一方向性の関数のため，ハッシュ値とハッシュ関数がわかっても，元のデータを復元することは困難です。

選択肢の用語を解説します。

● AES (Advanced Encryption Standard)

共通鍵暗号方式のひとつです。共通鍵暗号方式では，暗号化に使う送信者の鍵と，平文に復号する受信者の鍵が同じものを使用します。

● SHA-256 (Secure Hash Algorithm 256-bit)

ハッシュ値を求める計算手順のひとつです。SHA-256は，Webサービスなどで使われているパスワードの確認などで利用されています。

● TLS (Transport Layer Security)

ネットワークを流れるデータを暗号化して送受信するプロトコルのひとつです。通信データの暗号化によって，データの盗聴や改ざんなどを防ぐことができます。

よって，AES，TLSは暗号方式に関する用語ですから，空欄aには入りません。

したがって，空欄aには
　　SHA-256
が入ります。

空欄b

ハッシュ化に用いるハッシュ関数の特徴は，次の点です。
(1)パスワードの長短にかかわらず，ハッシュ値は固定長
(2)同一のパスワードをハッシュ化すると，同じハッシュ値になる
(3)ハッシュ値からパスワードを推測することが非常に困難

(4)パスワードが1文字でも異なれば，ハッシュ値は大きく異なる

選択肢を解説します。

(一) 異なるパスワードをハッシュ化した場合，異なったハッシュ値にならないといけません。したがって，不適切な記述です。

(二) 適切な記述です。図1で，「パスワードの保存」時のハッシュ値と「パスワードの照合」時のハッシュ値が一致するか否かを照合しています。

よって，同一のパスワードをハッシュ化すると，同じハッシュ値になります。

(三) ハッシュ関数で求めたハッシュ値から元の値を求めることは非常に困難です。よって，不適切な記述です。

[例]

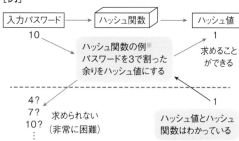

※説明用に簡単なハッシュ関数の例をあげています。実際はもっと複雑です。

(四) ハッシュ値から元のパスワードを求めるのは非常に困難です（(三)の解説参照）。

したがって，空欄bには(二)の
　　同一のパスワードをハッシュ化すると，同じハッシュ値になる。
が入ります。

以上より，正解は**オ**です。

解答　オ

417

VPN（Virtual Private Network）に関する記述を読んで，設問に答えよ。

A社は，関東のN事業所で利用している営業支援システムを，関西のM事業所でも利用することにした。営業支援システムのサーバはN事業所のコンピュータセンタに設置されている。M事業所でN事業所の営業支援システムを利用するために，システム部が中心となってIPsecを利用したVPNの導入を検討し，報告書を作成した。

〔報告書の内容（抜粋）〕
(1) ネットワーク構成
　M事業所からN事業所の営業支援システムに接続するためのネットワーク構成を図1に示す。VPNの実現には，VPNルータを利用する。

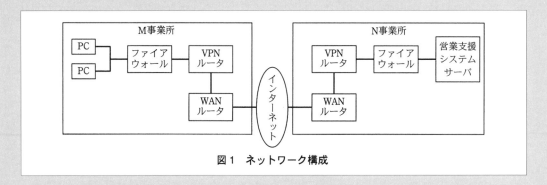

図1　ネットワーク構成

(2) IPsecの説明
　IPsecは，暗号技術を用いてインターネットでデータを安全に送受信するための規格である。IPsecには，暗号化に利用する鍵を安全に交換する仕組みや，相手のVPNルータを認証する仕組みがある。

(3) IPsecの要素技術の説明（暗号化に利用する鍵を安全に交換する仕組み）
　IPsecでは，VPNルータ間で暗号化に利用する鍵を，安全に交換する仕組みの一つとして，Diffie-Hellman鍵交換法（以下，DH法という）を利用している。DH法の例を図2に示す。DH法で作成された鍵（以下，DH鍵という）を暗号化に利用する。

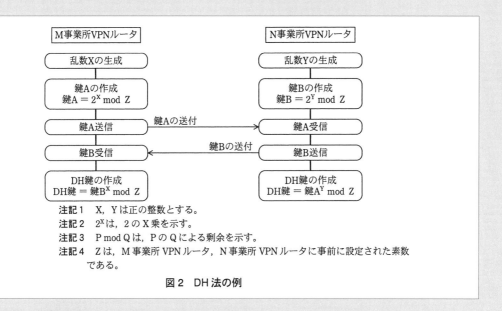

注記1　X，Yは正の整数とする。
注記2　2^Xは，2のX乗を示す。
注記3　P mod Qは，PのQによる剰余を示す。
注記4　Zは，M事業所 VPN ルータ，N事業所 VPN ルータに事前に設定された素数である。

図2　DH法の例

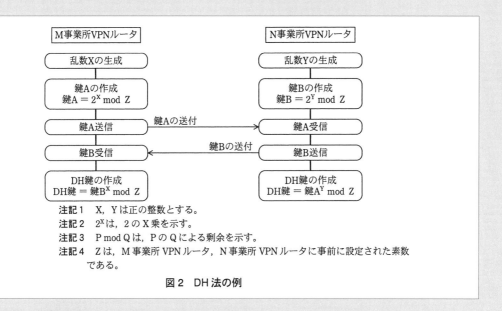

設問

図2でZ＝11，X＝7，Y＝5の場合，DH鍵として正しい値を，解答群の中から選べ。

解答群

ア　2	イ　5	ウ　7	エ　10	オ　13

[平成25年度 秋期 基本情報技術者試験 午後 問4 一部改変]

★★
★　問**18** | VPN（Virtual Private Network）

　　VPN（Virtual Private Network）に関する問題です。DH法を知らなくても解答可能です。問題に示された DH法（図2）の手順を注意深く読み解き，設問で与えられた数値を代入して答えを求めましょう。

用語の解説

● VPN（Virtual Private Network）

　暗号化技術などを使用して，通信事業者のネットワークやインターネット上で仮想的な専用線を実現するセキュリティ技術です。コストの高い専用線に比べて安価に構築でき，ネットワーク上の拠点間の通信内容の漏洩や不正アクセスを防ぎます。VPN機能を搭載したルータは，VPNルータといいます。

● WAN（Wide Area Network）

　会社内や学校内など，比較的狭い範囲でつながったネットワークであるLAN（Local Area Network）に対して，LAN同士を接続するような広範囲のコンピューターとつながったネットワークのことです。WANサービスに接続するためのルータは，WANルータといいます。

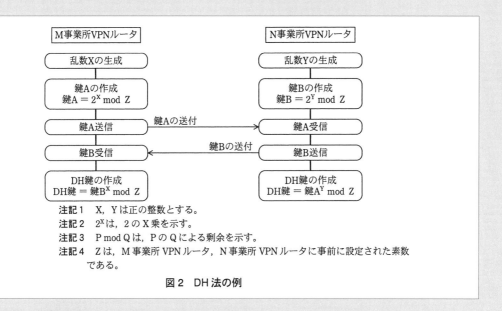

問題の解説

図2のDH法による鍵の作成計算式に、与えられた数値Z＝11, X＝7, Y＝5を代入します。

したがって、正解は**エ**の
　10
です。

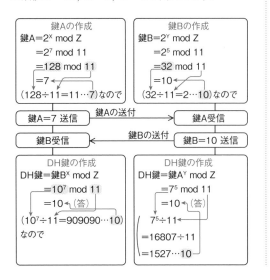

解答　　**エ**

分野：情報セキュリティ

問19　Webサーバに対する不正侵入とその対策に関する次の記述を読んで、設問に答えよ。

A社は、口コミによる飲食店情報を収集し、提供する会員制サービス業者である。会員制サービスを提供するシステム（以下、A社システムという）を図1に示す。

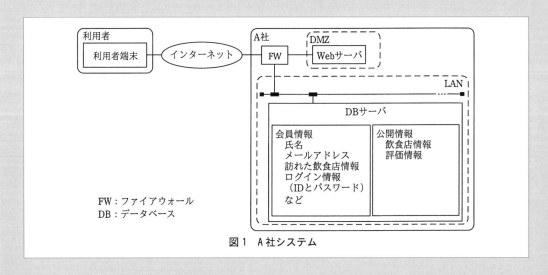

図1　A社システム

(1) FW, Webサーバ及びDBサーバがあり, スマートフォンなどの利用者端末とはインターネットを介して接続されている。

(2) WebサーバはDMZに置かれており, DBサーバはLANに置かれている。また, 利用者端末からWebサーバへの接続には, セキュリティを考慮してTLSを用いている。

(3) 会員登録を行った利用者 (以下, 会員という) には, IDとパスワードが発行される。

(4) DBサーバには, 会員情報 (氏名, メールアドレス, 訪れた飲食店情報, ログイン情報 (IDとパスワード) など) と公開情報 (飲食店情報, 評価情報) が保管されている。

(5) 会員は, 公開情報を閲覧することができる。また, Webサーバにログインすることで, DBサーバに保管してある自分の会員情報と自らが書き込んだ公開情報の更新, 及び新しい公開情報の追加が行える。

(6) 非会員は, 公開情報の閲覧だけができる。

(7) 会員がWebサーバにログインするには, IDとパスワードが必要であり, A社システムはDBサーバに保管してあるログイン情報を用いて認証する。

(8) Webサーバ及びDBサーバでは, それぞれでアクセスログ (以下, ログという) が記録されており, システム管理者が定期的に内容を確認している。また, システム管理者は, 通常, LANからWebサーバやDBサーバにアクセスして, メンテナンスを行っている。

なお, 外部からTelnetやSSHでWebサーバに接続して, インターネットを介したリモートメンテナンスが行えるようにしてあるが, 現在はリモートメンテナンスの必要性はなくなっている。

　ある日, システム管理者が, ログの確認において, 通常とは異なるログが記録されているのを発見した。そのログを詳しく調査したところ, システム管理者以外の者が管理者IDと管理者パスワードを使ってWebサーバに不正侵入したことが明らかになった。

　そこで, システム管理者は上司と相談し, 会員制サービスを直ちに停止した。次に, 今回の不正侵入に対する被害状況の特定と対策の検討を行った。不正侵入による被害状況と対策の一部を抜粋したものを表1に示す。

表1　不正侵入による被害状況と対策 (抜粋)

被害状況	対策
Web サーバへの不正侵入があったことが確認された。秘密鍵への不正アクセスがあったかは確認できなかった。	
FW を経由し, Web サーバに不正侵入され, さらにそこからDB サーバに不正侵入された。	リモートメンテナンス用ポートについて, インターネットからのアクセスをFWで禁止し, TelnetやSSHのポートは閉じる。
一部の会員については会員情報が漏えいしたことが分かっているが, それ以外の会員については漏えいの有無を特定できていない。	パスワードを変更することにし, 管理者パスワードは変更し, 全会員にパスワードの変更を依頼する。

表1中の ▢ に入れる適切な答えを，解答群の中から選べ。

解答群

ア TLSを使用していても不正侵入が行われたことから，TLSの使用を直ちに中止し，通常のHTTPで通信を行う。

イ 新たな秘密鍵と公開鍵を生成し，その鍵に対する公開鍵証明書の発行手続を行う。

ウ 公開鍵証明書の再発行手続を行い，同じ秘密鍵を使用する。

エ 秘密鍵へのアクセスが確認できていないことから，秘密鍵の変更や公開鍵証明書の再発行は行わず，念のため秘密鍵の保管場所を，ネットワーク経由でアクセスできないディレクトリに変更する。

[平成28年度 春期 基本情報技術者試験 午後 問1 一部改変]

問19 | Webサーバに対する不正侵入とその対策

システム管理者以外の者が，管理者IDと管理者パスワードを使って不正侵入した場合に講じるべき，適切な対策を答える問題です。不正侵入の用語の意味を単に知っているというだけでは科目Bには対応できません。過去問題を通して，解答の導き方を事前に練習しておく必要があります。

用語の解説

• **DMZ** (DeMilitarized Zone)

外部ネットワーク（インターネット）や，内部ネットワーク（LAN）からも隔離された領域のこと。外部に公開するサーバ（Webサーバ，メールサーバ）をDMZに置いておけば，外部からの不正アクセスをファイアウォールによって遮断できます。

また，仮に公開するサーバ（Webサーバ，メールサーバ）がウイルスに感染してしまった場合でも，内部ネットワーク（LAN）にまで被害が及ぶことはありません。

[例]

外部セグメント インターネット
ファイアウォール DMZ
Webサーバ メールサーバ
内部ネットワーク LAN
DBサーバ 業務用PC

• **TLS** (Transport Layer Security)

ネットワークを流れるデータを暗号化して送受信するプロトコルの一つです。

通信データの暗号化によって，データの盗聴や改ざんなどを防ぐことができます。

• **Telnet** (Teletype network)

ネットワーク上のコンピュータに手元の端末から接続して遠隔操作するためのプロトコル。また，操作するためのソフトウェアのことです。

• **SSH** (Secure Shell)

ネットワーク上のコンピュータに手元の端末から接続して遠隔操作するためのソフトウェア。Telnetと違い，ネットワーク上の通信は暗号化されるため，安全に接続できます。

• **HTTP** (Hypertext Transfer Protocol)

Webクライアント（ブラウザ）とWebサーバが相互に通信を行うためのプロトコルです。ブラウザがサーバに要求を伝え，Webページを構成するHTML文書や画像，動画などのデータをやりとりし

ます。

HTTPではデータが暗号化されていないため，盗聴を防ぎ安全に通信するためには，暗号化されたHTTPSというプロトコルを使います。

問題の解説

表1の被害状況「Webサーバへの不正侵入があったことが確認された。秘密鍵への不正アクセスがあったかは確認できなかった。」より，秘密鍵の漏えいが疑われます。秘密鍵が漏えいした場合，通信内容の秘匿性が守れなくなります。

ア 不適切な記述です。通信データを暗号化して送受信するTLSの使用を中止し，暗号化しない通常のHTTPで通信する対策では，セキュリティが低下します。

イ 正解です。DMZにあるWebサーバへの不正侵入が確認されているので，秘密鍵への不正アクセスが確認されていなくても，その可能性が疑われます。したがって，新たな秘密鍵と公開鍵を生成し，その鍵に対する公開鍵証明書の発行手続きを行うことが適切な対策といえます。

ウ 不適切な記述です。秘密鍵への不正アクセスが疑われるため，同じ秘密鍵を使用することは対策としては適切ではありません。

エ 不適切な記述です。保存場所をネットワーク経由でアクセスできないディレクトリに変更したからといって，不正アクセスされた可能性のある秘密鍵を使い続けることはセキュリティ上問題があります。秘密鍵の変更や公開鍵証明書の再発行を行う対策が必要です。

したがって，正解は**イ**の
　　新たな秘密鍵と公開鍵を生成し，その鍵に対する公開鍵証明書の発行手続を行う。
です。

解答　**イ**

分野：情報セキュリティ

問20 DNSのセキュリティ対策に関する次の記述を読んで，設問に答えよ。

R社は，Webサイト向けソフトウェアの開発を主業務とする，従業員約50名の企業である。R社の会社概要や事業内容などをR社のWebサイト（以下，R社サイトという）に掲示している。

R社内からインターネットへのアクセスは，R社が使用するデータセンタを経由して行われている。データセンタのDMZには，R社のWebサーバ，権威DNSサーバ，キャッシュDNSサーバなどが設置されている。DMZは，ファイアウォール（以下，FWという）を介して，インターネットとR社社内LANの両方に接続している。データセンタ内のR社のネットワーク構成の一部を図1に示す。

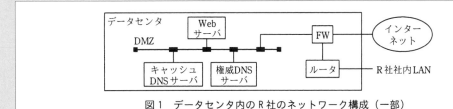

図1　データセンタ内のR社のネットワーク構成（一部）

R社サイトは，データセンタ内のWebサーバで運用され，インターネットからR社サイトへは，HTTP Over TLS（以下，HTTPSという）によるアクセスだけが許されている。

〔インシデントの発生〕

ある日，R社の顧客であるY社の担当者から，"社員のPCが，R社サイトに埋め込まれていたリンクからマルウェアに感染したと思われる"との連絡を受けた。Y社は，Y社が契約しているISPであるZ社のDNSサーバを利用していた。

R社情報システム部のS部長は，部員のTさんに，R社のネットワークのインターネット接続を一時的に切断し，マルウェア感染の状況について調査するように指示した。Tさんが調査した結果，R社の権威DNSサーバ上の，R社のWebサーバのAレコードが別のサイトのIPアドレスに改ざんされていることが分かった。R社のキャッシュDNSサーバとWebサーバには，侵入や改ざんされた形跡はなかった。

Tさんから報告を受けたS部長は，Y社のPCがR社の偽サイトに誘導され，マルウェアに感染した可能性が高いと判断した。

設問

次の（一）〜（四）のうち，本文中の下線でY社のPCがR社の偽サイトに誘導された際に，Y社のPCに偽のIPアドレスを返した可能性のあるDNSサーバとして適切なものを二つ挙げた組合せを，解答群の中から選べ。

（一）DNSルートサーバ
（二）R社のキャッシュDNSサーバ
（三）R社の権威DNSサーバ
（四）Z社のDNSサーバ

解答群

ア （一），（二）	イ （一），（三）
ウ （一），（四）	エ （二），（三）
オ （二），（四）	カ （三），（四）

[令和3年度 春期 応用情報技術者試験 午後 問1 一部改変]

★★☆ 問20 | DNSのセキュリティ対策

DNSのセキュリティ対策は，重要テーマのひとつです。マルウェア感染とDNSの仕組みに関する基礎的な知識は，必ず押さえておく必要があります。科目Aの学習の際に，情報セキュリティに関する諸問題についてしっかり学習しておきましょう。

用語の解説

● DNS (Domain Name System)

インターネットに繋がっているコンピュータには，数字の羅列であるIPアドレスが割り振られていますが，メールやWebなどのサービスを利用する際には人間が認識しやすい「ドメイン名」を使います（たとえば，「gihyo.co.jp」など）。ドメイン名とIPアドレスとの対応付け（名前解決）を管理するのがDNS (Domain Name System)です。

● DNSサーバ

DNSのドメイン名からIPアドレスへの変換を行うサーバのことです。

● DMZ (DeMilitarized Zone)

外部ネットワーク（インターネット）や，内部ネットワーク（LAN）からも隔離された領域のことです。外部に公開するサーバ（Webサーバ，メールサーバ）をDMZに置いておけば，外部からの不正アクセスをファイアウォールによって遮断できます。

また，仮に公開するサーバ（Webサーバ，メールサーバ）がウイルスに感染してしまった場合でも，内部ネットワーク（LAN）にまで被害が及ぶことはありません。

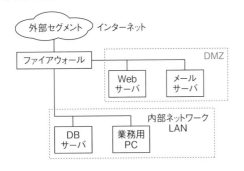

● キャッシュDNSサーバ，権威DNSサーバ

Webサイトにアクセスするときの動きは，次のようになっています。

・ドメイン名（たとえば，gihyo.co.jp）から権威DNSサーバーにIPアドレスを確認し，得られたIPアドレスを使用して目的のサイトにアクセスします。

・その際，権威DNSサーバにアクセスが集中するのを防ぐために，キャッシュDNSサーバを経由します。キャッシュDNSサーバでは，しばらくの間ドメイン名とIPアドレスの組合せなどの情報を保持します。

・同じWebサイトにアクセスする場合，以前のアクセスと情報が一致するので，権威DNSサーバに確認することなくDNSキャッシュサーバが応答しIPアドレスに変換します。

● ファイアウォール（図1中の「FW」）

「防火壁」を意味し，不正アクセスから組織の内部ネットワークを守るための仕組みのことです。インターネットと自社ネットワークを中継する位置に設置します。外部ネットワークからの通信を常に監視して，設定したルールに基づいた正当な通信だけを許可し，許可されていない通信は遮断します。

● HTTPS (HTTP Over TLS)

WebサーバとWebブラウザ間の通信プロトコルHTTPに暗号機能を追加し安全性を向上させたもので，通信経路上における第三者によるなりすましや，盗聴を防ぎます。認証と暗号化を行うプロトコルであるSSL (Secure Sockets Layer) /TLS (Transport Layer Security)が利用されています。

● マルウェア

有害な動作を行う目的で作成された悪意のあるソフトウェアや悪質なコードの総称です。具体的にはコンピュータウイルスやワーム，ボット，ランサムウェアなどがあります。

　問題文〔インシデントの発生〕「Tさんが調査した結果，R社の権威DNSサーバ上の，R社のWebサーバのAレコードが別のサイトのIPアドレスに改ざんされていることが分かった。」より，DNSの動作の流れから考えると，偽サイトのIPアドレスを返した可能性のあるサーバは，DNSに関わっている次の2つのDNSサーバです。

・偽のIPアドレス情報を保持する「R社の権威DNSサーバ」
・偽のIPアドレス情報のキャッシュを保持する「Z社のDNSサーバ」

　なお，Aレコードとは，ドメイン名・ホスト名に対応したIPアドレスを保持しているレコードです。

（一）DNSルートサーバ

　ドメイン名の最上位階層の情報を管理するDNSサーバ群のことです。本問の場合，ドメイン名とIPアドレスの名前解決は，図1のサーバで実行されています。よって誤りです。

（二）R社のキャッシュDNSサーバ

　Y社からR社サイトへのアクセスでは使われていないので誤りです。

　したがって，正解は**カ**の
　　（三）**R社の権威DNSサーバ**
　　（四）**Z社のDNSサーバ**
です。

解答　**カ**

INDEX

INDEX

読者特典

過去問題／答案用紙／重要・頻出用語集ダウンロードサービスについて

　本書をご購入いただいた方の特典として，以下の3点をダウンロードできます。本書のサポートページにアクセスし，ダウンロードしてご利用ください。

- サポートページ
  https://gihyo.jp/book/2024/978-4-297-14425-8/support

- パスワード
  Q4eTLb7Z
  ※半角で入力してください

● **過去問題・解説PDFファイル**
　①「令和5年度」「サンプル問題 (2022年12月26日 IPA公開)」の問題・解説 (2回分)
　②令和4年度上期・下期と令和3年度上期・下期対策問題の問題・解説 (4回分)
　③平成23年度春期特別〜令和元年度秋期の問題・解説 (18回分)
　※②と③は，旧制度試験 (「午前試験」「午後試験」) の問題と解説である点にご注意ください。

● **答案用紙PDFファイル**
　・本書に掲載した「令和6年度」「対策問題①〜③」の答案用紙
　・ダウンロード提供している過去問題すべての答案用紙
　※実際の試験は，コンピューター上で解答することになります。こちらは，自分の解答を記録しておくのに便利なシートとしてご活用ください。

● **重要・頻出用語集**
　スマートフォンやPCなどで読むことができる電子書籍の用語集です。

問題演習Webアプリ「DEKIDAS-WEB」について

　本書をご購入いただいた方の特典として，スマホやPCからアクセスできる問題演習用のWebアプリである「DEKIDAS-WEB」をご利用いただけます。

　スマートフォン，タブレットで利用する場合は，右のQRコードを読み取り，エントリーページへアクセスしてください。

　PCなど，QRコードを読み取れない機器からご利用の場合は，以下のページから登録してください。

URL	: https://entry.dekidas.com/
認証コード	: fe07Qh28kfHA3mLs

　なお，ログインの際にはメールアドレスが必要になります。
　※対応ブラウザは，Edge，Chlome，Safariです。IEは対応していません。

◤ **有効期限**
　各特典は，2026年11月10日までご利用いただけます。

■著者略歴

山本 三雄 (やまもとみつお)

東京大学大学院総合文化研究科広域科学専攻広域システム科学系修士課程修了。
大手食品会社情報部門において自社情報システム開発・運用を担当。その後, 情報系専門学校において, 基本情報技術者, プログラミング, ネットワークなどの授業を担当。

資格：情報処理システム監査技術者, 特種情報処理技術者, オンライン情報処理技術者, 第一種情報処理技術者, 基本情報技術者, Oracle Java SE8 Silver, Python3 エンジニア認定基礎試験, DD 第一種工事担任者, 日商簿記検定2級

著書：「第2種情報処理試験標準問題の解答解説」(技術評論社) 他

表紙デザイン	◆ 小島トシノブ (NONdesign)
表紙イラスト	◆ みき尾
本文デザイン	◆ 二ノ宮匡 (nixinc)
本文レイアウト	◆ 株式会社ウイリング
協力	◆ ミューズの情報教室

令和07年
基本情報技術者
パーフェクトラーニング過去問題集

2002 年 1 月 25 日　初　版　第 1 刷発行
2024 年 10 月 15 日　第 45 版　第 1 刷発行

著　者　　山本 三雄
発行者　　片岡 巌
発行所　　株式会社技術評論社
　　　　　東京都新宿区市谷左内町 21-13
　　　　　電話　03-3513-6150　販売促進部
　　　　　　　　03-3513-6166　書籍編集部
印刷／製本　昭和情報プロセス株式会社

定価は表紙に表示してあります。

本書の一部または全部を著作権法の定める範囲を超え、無断で複写、複製、転載、あるいはファイルに落とすことを禁じます。

©2024　山本三雄

造本には細心の注意を払っておりますが、万一、乱丁 (ページの乱れ) や落丁 (ページの抜け) がございましたら、小社販売促進部までお送りください。送料小社負担にてお取り替えいたします。

ISBN978-4-297-14425-8　C3055
Printed in Japan

■問い合わせについて

本書に関するご質問は、FAX や書面でお願いいたします。電話での直接のお問い合わせにはいっさいお答えできませんのであらかじめご了承ください。また、以下に示す弊社の Web サイトでも質問用フォームを用意しておりますのでご利用ください。

ご質問の際には、書籍名と質問される該当ページ、返信先を明記してください。e-mail をお使いになれる方は、メールアドレスの併記をお願いいたします。

なお、ご質問は本書に記載されている内容に関するもののみとさせていただきます。

■問い合わせ先

宛先：
〒 162-0846
東京都新宿区市谷左内町 21-13
株式会社技術評論社　書籍編集部
「令和07年　基本情報技術者パーフェクトラーニング過去問題集」係
FAX 番号　　：03-3513-6183
技術評論社 Web：https://book.gihyo.jp

※ご質問の際に記載いただいた個人情報は質問の返答以外の目的には使用いたしません。また、質問の返答後は速やかに削除させていただきます。